Collection
« LE CORPS À VIVRE »
dirigée par
le Dr Jacques DONNARS

Barbara Ann Brennan

Le
pouvoir bénéfique
des mains

Comment se soigner par les champs énergétiques

Un nouveau guide pour l'être humain : sa santé, ses
relations humaines et la maladie

Traduit de l'américain
par Annick Sinet

TCHOU

Illustrations de JOS. A. SMITH

Cet ouvrage a été publié pour la première fois aux États-Unis sous le titre : *Hands of Light*.

Copyright © 1987, by Barbara A. Brennan.
Published by arrangement with Bantam Books, a division of Bantam Doubleday Dell Publishing Group, Inc.

© 1993, ÉDITIONS SAND, Paris
6, rue du Mail - 75002, Paris
pour l'édition en langue française
ISBN : 2-7107 0520-6

Ce livre est dédié à tous ceux qui cherchent à revenir dans la maison céleste.

L'amour est le visage et le corps de l'Univers, son tissu conjonctif, l'étoffe dont nous sommes tissés, l'expérience de la totalité de son être et la connexion à la Divinité universelle.

Toute souffrance résulte de l'illusion de la séparation, génératrice de peur, de haine de soi-même et éventuellement de maladie.

Vous êtes maître de votre vie. Vous pouvez la dominer beaucoup mieux que vous ne le supposez. Vous pouvez très bien vous guérir vous-même d'une maladie en phase terminale.

La seule maladie réellement « terminale » est la condition humaine. Mais l'existence n'a rien de terminal et la mort n'est qu'un simple passage à un autre niveau d'existence.

Je voudrais vous inciter à franchir les limites de votre vie, à vous considérer d'un regard différent, à vivre sur le fil tranchant du temps et à vous autoriser à naître à une nouvelle vie à chaque minute de votre existence.

J'aimerais vous encourager à dépoussiérer quelque peu le moule de votre expérience de vie.

REMERCIEMENTS

Je tiens à remercier mes enseignants. Comme ils sont nombreux, je les énumérerai dans l'ordre dans lequel j'ai travaillé avec eux. Le Dr Jim Cox et Mme Ann Bowman, pour commencer, m'ont enseigné la bioénergie et le travail sur le corps, ainsi que plusieurs autres techniques intéressantes d'inspiration reichienne. J'ai passé de nombreuses années de formation et d'expérimentation auprès du Dr John Pierrakos, dont les travaux au Core Energetics servirent de base à ma pratique ultérieure de magnétiseuse. Il m'a largement aidée à relier les phénomènes auriques dont j'étais témoin à la psychodynamique du corps. Merci, John. Je voue une reconnaissance éternelle à Mme Eva Pierrakos, qui a ouvert la voie particulière que j'ai empruntée, celle du pathwork[1]. *je remercie aussi mes professeurs magnétiseurs, le Rev. C.B., la Rév. Rosalyn Bruyère et tous mes étudiants qui, venant à moi pour apprendre, ont été mes plus grands enseignants.*

Pour ce qui concerne la création de ce livre, je remercie tous ceux qui m'ont aidée à en élaborer la forme, notamment Mme Marjorie Blair pour ses conseils de rédaction, le Dr Jack Conaway pour le libre usage de son ordinateur, Maria Adeshian, qui a tapé le manuscrit. Merci aussi à Bruce Austin pour les photocopies finales. Ma profonde reconnaissance à Mme Marilee Talman pour son aide inestimable dans la préparation du texte et pour ses conseils. Toute ma gratitude à M. Eli Wilner pour son soutien personnel constant, à ma fille Celia Conaway et à ma chère amie Moira Shaw qui, lorsque j'en avais le plus besoin, m'ont rassurée sur la valeur de mon travail.

Mais par-dessus tout, je tiens à remercier mes chers maîtres spirituels qui guidèrent chacun de mes pas sur la voie et exprimèrent à travers moi la plupart des vérités contenues dans ce livre.

---

1. Jeu de mots à partir de *pathway* = sentier. Barbara Ann Brennan baptise *pathwork* le travail à la fois analytique, magnétique et corporel qui, dans son optique, ouvre la voie au devenir spirituel de l'homme.

Avertissement

Le livre de Barbara Ann Brennan est bien autre chose qu'un simple ouvrage de praticien désireux de faire connaître sa méthode. S'il est avant tout le reflet d'une trajectoire de scientifique et de thérapeute, il se réclame aussi d'une approche intellectuelle, métaphysique et spirituelle très personnelle. C'est pourquoi il est essentiellement novateur et justifie un avertissement de principe, voire certaines précautions de lecture.

La réputation de Barbara Ann Brennan la classe aujourd'hui parmi les meilleures magnétiseuses et les praticiennes les plus aptes à comprendre et à traiter les multiples aspects du champ d'énergie humaine.

La première et la deuxième partie de son ouvrage nous familiarisent avec la théorie des champs énergétiques et ses applications à la psychothérapie. Elles sont de facture relativement classique et ne sauraient surprendre : elles attestent des grandes connaissances et de la maîtrise de l'auteur quant aux techniques thérapeutiques les plus performantes en la matière. De ce point de vue, Barbara Ann Brennan s'inscrit dans la lignée de théoriciens et maîtres à penser unanimement reconnus.

La singularité du thérapeute dans l'approche, la compréhension et le traitement de ses patients s'exprime, en revanche, avec une réelle originalité dès la troisième partie. Barbara Ann Brennan nous invite alors à entrer dans un univers tout autre, où la spiritualité et une certaine philosophie rejoignent la médecine.

Allant jusqu'au bout de ses recherches incessantes et de sa pratique qu'elle nous fait découvrir jusque dans les moindres détails, elle nous révèle ses conceptions de la vie et de la mort. Elle évoque pour nous sa croyance en la réincarnation et les incidences de cette prise de position sur son activité de praticien. Nous suivons pas à pas l'intégration de cette approche intellectuelle dans son vécu le plus immédiat.

Soyons clair : Barbara Ann Brennan ne cherche pas à plaire ou à convaincre, encore moins à s'inscrire dans un quelconque courant à la mode ; elle n'a rien à vendre. Elle se contente de poursuivre sa carrière et d'enrichir sa pratique, d'agir et de nous informer de la conception très personnelle qu'elle a de son métier.

Il n'en demeure pas moins que cette ouverture vers une philosophie de la vie fortement teintée de spiritualité ne peut que nous interpeller. Il est vrai que, d'autre part, elle se situe hors du cadre médical « classique » limitant habituellement cette profession. Enfin, nous ne pouvons ignorer que les conceptions émises se rattachent en droite ligne à un courant de pensée largement répandu de par le monde depuis plusieurs siècles, faisant référence aux mêmes données et paramètres spirituels ; il suffit pour s'en convaincre de constater que dans de nombreux pays une importante littérature spécialisée de haut niveau s'attache à ces sujets et mérite l'intérêt de tous.

C'est pourquoi, avant même de porter un jugement sur l'ouvrage de Barbara Ann Brennan, nous invitons toute personne qui s'étonnerait d'une telle approche à prendre connaissance des multiples aspects et fondements de cette orientation de pensée.

S'il est essentiel pour tout un chacun de se forger une opinion, encore faut-il le faire en connaissance de cause. Or comment se faire une idée juste sans avoir tenté d'approcher soi-même, aux sources les plus fiables et authentiques, ce dont il est question ?

Barbara Ann Brennan nous fait découvrir ainsi les sept chakras et leurs fonctions respectives, l'observation de l'aura de chaque individu et les diagnostics qu'il est possible d'en tirer.

Dans la quatrième partie, l'auteur poursuit son avancée hors des sentiers battus et va encore plus loin. Elle aborde un grand nombre de notions reconnues en certains milieux spirituels depuis fort longtemps :

– les « pouvoirs », qui permettraient à tout individu d'avoir un accès direct à l'information ;

– la capacité de « lecture à distance », offrant la possibilité de sonder littéralement l'état physique d'un individu hors de sa présence ;

– l'existence des fameuses « archives akashiques » que la plus haute spiritualité considère depuis fort longtemps comme le *grand livre de toutes les destinées humaines* ;

– l'existence de « maîtres spirituels », qui depuis une autre dimension contribueraient à guérir les humains dans certaines conditions particulières ;

– les contacts possibles de tout individu avec son « guide spirituel », afin d'éclaircir la trajectoire de sa vie.

Cette logique, cette volonté de réunir le médical et le spirituel,
conduit Barbara Ann Brennan à intégrer dans sa pratique les
notions de karma et de vies antérieures, insistant sur le fait que
celles-ci ont inévitablement une incidence sur notre évolution
présente et nos maladies d'aujourd'hui.

C'est donc bien un raccordement essentiel à la spiritualité que
préconise l'auteur du *Pouvoir bénéfique des mains*, soulignant à
l'attention des thérapeutes que l'aboutissement véritable de leur
fonction réside dans l'appartenance à une communauté spirituelle – pour laquelle les notions d'amour et de foi sont indissociables –, le but final recherché étant la guérison de l'âme, sans
laquelle on ne peut durablement parvenir à la guérison du corps.

En conclusion, selon Barbara Ann Brennan, pour aller véritablement jusqu'au bout de sa pratique, le thérapeute se doit de
vivre simultanément dans deux mondes : l'un spirituel, l'autre
physique. On l'aura compris, son livre, destiné à la fois aux
thérapeutes et aux patients, se veut le reflet d'une trajectoire
originale parce que très personnelle.

Libre à chacun de s'interroger sur les questions et les curiosités
qu'il ne manquera pas de susciter au plus profond de tout lecteur
ouvert et attentif, mais aussi sur ces possibles autres dimensions
de notre univers et de nous-même.

Préface

Nous vivons dans une ère nouvelle où, pour paraphraser Shakespeare, « il existe pour l'homme, entre le ciel et la terre, toujours plus d'éléments inconnus ». Ce livre s'adresse à ceux qui cherchent à comprendre leurs processus physiques et émotionnels au-delà du cadre de la médecine traditionnelle. Il traite de l'art de guérir par des voies tant physiques que métaphysiques, ouvre de nouveaux horizons sur les concepts d'identité psychosomatique étudiés par Wilhelm Reich, Walter Canon, Franz Alexander, Flanders Dunbar, Burr et Northrup, et bien d'autres chercheurs dans ce domaine.

L'auteur y expose ses expériences de magnétiseuse et retrace l'historique des recherches scientifiques sur le champ d'énergie humaine et l'aura. Ce livre est unique en ce qu'il relie la psychodynamique au champ d'énergie humaine et décrit les variations de ce champ d'énergie en fonction de la personnalité de chacun.

Les causes de la maladie vues sous l'angle de concepts métaphysiques sont définies en dernière partie et mises en relation avec les perturbations énergétiques de l'aura. Le lecteur trouvera aussi une définition de la nature de la guérison spirituelle et des rapports existant entre le magnétiseur et le patient.

Ce livre se fonde sur les expériences subjectives de l'auteur, nantie d'une formation scientifique de physicienne et de psychothérapeute. L'alliance de ses connaissances objectives et de ses expériences subjectives forme une méthode exceptionnelle en son genre pour étendre la conscience au-delà des confins du savoir objectif.

Ceux qui sont ouverts à cette approche trouveront dans cet ouvrage un matériel extrêmement riche en enseignements à mettre en pratique. Je conseille à ceux qui opposent à ce propos des objections majeures d'ouvrir leur esprit et de se poser simplement la question suivante : « L'existence de cette nouvelle perspective allant au-delà de l'expérimentation logique et objective est-elle envisageable ? »

Je recommande chaleureusement ce livre à ceux qui portent un intérêt passionné au phénomène de la vie sur le plan physique et métaphysique. Il est le résultat de nombreuses années de travail, d'efforts assidus. Il décrit l'évolution de la personnalité de l'auteur et le développement de ses dons particuliers de magnétiseuse. Le lecteur pénétrera dans un monde fascinant, rempli de merveilles.

On ne saurait trop louer Mme Brennan d'avoir eu le courage d'offrir à tous le fruit de ses expériences subjectives et objectives.

John Pierrakos
Institute of Core Energetics
New York
Auteur du *Noyau énergétique
de l'être humain*, Éditions Tchou.

PREMIÈRE PARTIE

VIVRE SUR UNE PLANÈTE D'ÉNERGIE

« Je maintiens que le sentiment religieux cosmique est la motivation la plus forte et la plus noble de la recherche scientifique. »

Albert Einstein

Chapitre premier

L'expérience de la guérison

Au cours de mes années de pratique de guérisseuse, j'ai eu le privilège de travailler avec beaucoup de personnages aussi pittoresques que sympathiques. En voici quelques-uns. Leur histoire est de celles qui rendent l'existence d'un guérisseur si passionnante.

Le premier patient qui vint me consulter, en 1984, un jour d'octobre, fut une femme. Jenny, jeune institutrice aux grands yeux bleus et aux cheveux bruns, pleine de vivacité, n'avait pas atteint la trentaine et mesurait environ un mètre soixante-cinq. Ses amis l'appelaient Dame Lavande car elle adorait cette couleur qu'elle portait constamment. Elle consacrait aussi une partie de son temps à réaliser d'exquises compositions florales pour les mariages et diverses festivités. À l'époque, elle était mariée depuis plusieurs années à un publicitaire prospère. Quelques mois auparavant, elle avait fait une fausse couche et n'avait pu parvenir à être enceinte depuis. Lorsque Jenny alla consulter son médecin pour savoir pourquoi elle était incapable de concevoir un enfant, elle apprit de mauvaises nouvelles. Après avoir subi de nombreux examens et pris conseil auprès de plusieurs autres médecins, une hystérectomie se révéla indispensable, dans les plus brefs délais, des cellules anormales s'étant développées dans son utérus à l'endroit où le placenta avait adhéré. Jenny, terrorisée, en fut anéantie. Son mari et elle avaient attendu d'être financièrement plus à l'aise pour fonder une famille, et voilà que tout espoir semblait perdu.

Lors de notre première entrevue, au mois d'août de la même année, elle n'avait pas fait mention de son histoire médicale. Elle s'était contentée de me dire : « J'ai besoin de votre aide. Dites-moi ce que vous voyez dans mon corps. J'ai une décision importante à prendre. »

Au cours de la séance de soins, je scrutai son champ d'énergie

– ou aura – en faisant appel à mon « haut sens de perception » (HSP). Je « vis » quelques anomalies cellulaires à l'intérieur de son utérus, sur la partie inférieure gauche, ainsi que les circonstances inhérentes à son avortement. Les cellules étaient localisées au point d'attache du placenta. J'« entendis » des mots définissant l'état de santé de Jenny et ce qu'il convenait de faire pour y remédier : elle avait besoin d'un mois de repos au bord de la mer, de vitamines, d'un régime alimentaire spécifique ; elle devait méditer quotidiennement et s'assurer deux heures au moins de solitude par jour. Après ce mois consacré à se soigner elle-même, il lui faudrait recourir au milieu médical traditionnel pour subir de nouveaux examens. Il m'a été dit ensuite que la guérison serait alors accomplie et qu'elle n'aurait plus besoin de revenir me voir. Au cours de cette consultation, je reçus des informations au sujet de son attitude psychologique et sur la manière dont celle-ci avait influé sur son inaptitude à guérir d'elle-même. Elle culpabilisait à propos de son avortement et le stress injustifié qui en résultait avait empêché son corps de récupérer après la fausse couche. Il me fut dit (et ce fut le plus dur pour moi) qu'elle ne devait plus consulter un médecin avant un mois. Un diagnostic de plus, ajouté aux pressions qu'elle subissait en faveur de l'hystérectomie, ne ferait qu'aggraver considérablement son stress. Elle était déjà suffisamment désespérée de ne pouvoir mettre au monde l'enfant qu'elle désirait. Elle quitta mon cabinet soulagée en me disant qu'elle allait réfléchir à tout ce qui s'était passé au cours de la séance.

En octobre, lorsque Jenny revint me voir, elle commença par me serrer très fort dans ses bras, puis m'offrit un charmant petit poème pour me remercier. Ses examens étaient normaux. Elle avait passé le mois d'août à Fire Island à s'occuper des enfants de ses amis, avait suivi son régime, pris ses vitamines, s'était ménagé des heures de solitude pour procéder à son autoguérison. Elle avait décidé de patienter encore quelques mois avant de tenter d'être à nouveau enceinte. J'appris un an plus tard qu'elle avait donné naissance à un solide garçon.

Ce même jour d'octobre, mon deuxième patient fut Howard, le père de Mary que j'avais soignée peu de temps auparavant à la suite d'un frottis PAP (état précancéreux) du troisième degré, résolu au bout de six séances de soins. Ses frottis sont normaux depuis plusieurs années. Mary, infirmière de son état, a fondé un organisme dispensant aux soignantes une formation de haut niveau adaptée aux progrès médicaux de pointe. Elle procure aux hôpitaux de la région de Philadelphie un personnel très qualifié, s'intéresse à mon travail et m'envoie régulièrement des patients.

Howard, ouvrier retraité, vint me consulter pendant plusieurs mois. Travailler avec lui fut un délice. Lorsqu'il se présenta à moi la première fois, il avait le teint gris, souffrait continuellement du cœur et pouvait à peine circuler dans une pièce sans être épuisé. Après la première séance, son teint était rose, la douleur avait disparu. Après deux mois de soins, à raison d'une séance par semaine, il se remit à danser. J'ai travaillé avec Mary. Nous avons combiné l'imposition des mains à des médications à base d'herbes prescrites par un naturopathe afin de nettoyer ses artères encrassées. Je continue encore à renforcer et à équilibrer son champ. L'amélioration évidente de son état fut constatée par ses médecins et par ses amis.

Je reçus le même jour un autre patient. Ed vint me consulter parce que les articulations de ses bras et de ses poignets le faisaient souffrir et faiblissaient de plus en plus. En outre, lors des rapports sexuels, ses éjaculations étaient douloureuses. Son dos était si faible qu'il ne pouvait plus rien porter, pas même quelques assiettes. Au cours des premiers soins, je « vis » dans son champ aurique que son coccyx avait été lésé lorsqu'il avait environ douze ans. À l'époque, il avait de gros problèmes liés à la puberté et aux manifestations naissantes de sa sexualité. L'accident les avaient relégués au second plan et lui avait permis de les supporter plus facilement. Son coccyx, comprimé à gauche, ne pouvait se mouvoir de façon adéquate pour aider le pompage du fluide cérébro-spinal dans son parcours normal. Il en résultait un grand déséquilibre qui débilitait tout son système d'énergie. La seconde étape du processus de dégénérescence avait affaibli la partie inférieure de son dos, ensuite le milieu, puis la zone supérieure. Dès qu'une partie de son corps s'anémiait par carence du flux d'énergie, une autre partie de son organisme tentait de compenser cet affaiblissement. C'est alors que les articulations de ses bras, soumises à une tension excessive, capitulant à leur tour, se dégradèrent. Le processus de dégénérescence totale mit des années à s'installer.

Ed et moi avons soigné avec succès cet état durant plusieurs mois. Nous avons travaillé d'abord sur le flux d'énergie pour décoincer le coccyx, le réaligner. Lorsque le flux fut renforcé et équilibré à travers tout le système, la vigueur d'Ed se restaura peu à peu. Cet après-midi-là, le seul symptôme subsistant encore se manifestait par une légère faiblesse du poignet droit. Je rétablis l'équilibre de son champ d'énergie, le fortifiai et prolongeai la séance pour laisser l'énergie curative baigner son poignet.

Muriel, une artiste, épouse d'un chirurgien réputé, fut ma dernière cliente du jour. Nous en étions à sa troisième séance. Trois semaines plus tôt, elle s'était présentée dans mon cabinet avec une thyroïde très hypertrophiée. Pour ce premier rendez-vous, je fis appel à mon « haut sens de perception » (HSP) afin de rassembler des informations sur son état. Je pus voir que cette hypertrophie n'était pas due à un cancer et qu'avec deux séances de soins associés aux prescriptions de ses médecins la grosseur disparaîtrait sans recourir à la chirurgie. Elle me confirma que plusieurs spécialistes, consultés auparavant, lui avaient prescrit des médicaments destinés à réduire sa glande thyroïde en lui précisant que le traitement l'atrophierait quelque peu, mais qu'une intervention chirurgicale serait néanmoins nécessaire. Il était possible qu'il s'agisse d'un cancer. L'intervention avait été prévue pour la semaine suivant notre second rendez-vous. Mais après deux séances de soins, l'opération se révéla inutile, à la grande surprise de ses médecins. Elle n'était revenue ce jour-là que pour m'assurer que sa santé s'était rétablie et que tout était rentré dans l'ordre. Et ce fut bien le cas.

Comment ces événements, miraculeux en apparence, ont-ils pu se produire ? Qu'ai-je fait pour aider ces gens-là ? Le procédé auquel j'ai eu recours s'appelle l'imposition des mains, la guérison par la foi ou guérison spirituelle. Il n'y a rien de mystérieux. Il est tout ce qu'il y a de plus honnête, bien qu'il soit très souvent d'une grande complexité. La procédure implique l'équilibrage du champ d'énergie. Je l'appelle le champ d'énergie humaine. Il existe autour de chacun de nous. Tout le monde possède un champ d'énergie, une aura qui l'enveloppe et inter-pénètre le corps physique. Ce champ d'énergie est intimement lié à la santé. Le haut sens de perception est le moyen de percevoir au-delà des limites normales des sens humains. Grâce au HSP, on peut voir, entendre, sentir, goûter et toucher ce qui, normalement, ne peut être perçu. C'est une sorte de voyance dans laquelle une image se forme dans l'esprit sans avoir recours à la vue. Il ne s'agit pas d'imagination. On l'appelle parfois clairvoyance. Le HSP révèle l'interaction du monde dynamique fluide sur les champs d'énergie vitale entourant et pénétrant tout. Presque toute ma vie, j'ai dansé avec la mer d'énergie vivante dans laquelle nous existons. Tout au long de cette danse, j'ai découvert que cette énergie nous soutient, nous nourrit, nous fait vivre. C'est par elle que nous percevons les autres ; nous en sommes pétris ; elle fait partie de nous.

Mes patients, mes étudiants me demandent quand j'ai com-mencé à voir les champs d'énergie entourant les êtres et quand je me suis rendu compte de l'utilité de cette aptitude. Que ressent-on lorsqu'on a la capacité de percevoir au-delà des limites naturelles des sens ? Ma constitution est-elle particulière ? Peut-on apprendre à voir l'aura ? Dans l'affirmative, que peuvent-ils faire pour élargir leur propre portée de perception ? Quelle serait la valeur de cet acquis dans leur existence ? Pour répondre à ces questions correctement, je dois remonter à mon enfance.

Elle s'est déroulée de façon très simple. J'ai grandi dans une ferme du Wisconsin. Les compagnons de jeux étant plutôt rares dans les environs, je passais le plus clair de mon temps toute seule. Je pouvais rester assise dans les bois pendant des heures, parfaitement tranquille, attendant que des petites bêtes viennent à moi. Je m'intégrais à tout ce qui m'environnait. Ce n'est que beaucoup plus tard que j'ai commencé à comprendre la signification de ces heures de silence et d'attente. Ces moments de quiétude dans les bois me permettaient d'accéder à un état de conscience amplifié, dans lequel j'étais capable de percevoir ce qui m'entourait au-delà de la portée humaine naturelle. Je me souviens que je pouvais repérer l'endroit où se tenait chaque animal sans le regarder. Je sentais sa présence. Lorsque je m'amusais à marcher les yeux bandés, je sentais les arbres bien avant de les toucher de mes mains. Je me suis aperçue qu'ils me paraissaient plus larges que lorsque je les voyais à l'œil nu et que je sentais les champs d'énergie de vie qui les enveloppaient. Plus tard, j'ai appris à voir l'aura des arbres, des petits animaux, et découvert que tout était nimbé d'un champ d'énergie semblable, en quelque sorte, à la lueur se dégageant d'une bougie. Je me suis mise à voir aussi que tout était connecté par ces champs d'énergie. Il n'existait pas d'espace sans champ d'énergie. Tout, y compris moi, vivait dans une mer d'énergie.

Cette découverte ne m'étonna pas outre mesure. Elle me paraissait aussi naturelle que le spectacle d'un écureuil en train de manger un gland sur une branche d'arbre. Je n'ai jamais érigé ces expériences en théories sur la marche du monde. J'acceptais tout comme étant parfaitement naturel, présumant que tous le savaient, sans plus y penser.

Adolescente, j'ai cessé de vagabonder dans les bois. J'ai commencé à m'intéresser au fonctionnement de la vie et à me demander pourquoi les choses étaient ce qu'elles sont. En quête d'un ordre cohérent pour comprendre le monde, je me posais des questions sur tout. Puis j'ai fréquenté l'Université où j'ai passé une maîtrise de sciences en physique atmosphérique. J'ai travaillé ensuite pour le Département de la Recherche de la NASA pendant plusieurs années. Plus tard, j'ai complété ma formation et suis devenue conseillère. Ce n'est qu'après avoir exercé quelques années dans cette branche que je me suis surprise à voir des couleurs autour de la tête des gens. Je me suis souvenue alors de mon vécu enfantin dans les bois. C'est à ce moment-là que j'ai compris que ces expériences préludaient à la naissance de mon haut sens de perception, disons de ma clairvoyance. En fait, ces délicieux secrets de mon enfance m'ont finalement conduite au diagnostic et à la guérison de maladies graves.

Si je me tourne vers mon passé, je me rends compte que le développement de mes dons est apparu dès ma naissance, comme si une main invisible guidait ma vie, m'amenait pas à pas à vivre chaque expérience, comme on va à l'école, l'école de la vie.

Les sensations éprouvées dans les bois m'ont aidée à aiguiser mes sens. Mes années d'université ont contribué à développer ma pensée logique. Ma formation de conseillère psychologique m'a ouvert les yeux et le cœur sur l'humanité, et, pour finir, mon éducation spirituelle (dont je parlerai plus tard) a conféré à mes expériences hors du commun suffisamment de crédibilité pour permettre à mon esprit d'en accepter la « réalité ». Dès lors, j'ai pu élaborer une structure adéquate pour comprendre ces expériences. Le haut sens de perception et le champ d'énergie humaine sont devenus, peu à peu, parties intégrantes de mon existence.

Je crois fermement qu'ils peuvent s'intégrer à la vie de tout le monde. Pour développer son HSP, il est nécessaire d'entrer en état de conscience amplifiée. Il existe beaucoup de méthodes pour y parvenir. La méditation est le moyen le plus rapide, le mieux connu ; elle peut être pratiquée sous bien des formes. Il importe de découvrir celle qui vous convient le mieux. Plus avant dans ce livre, je vous en suggérerai quelques-unes parmi lesquelles vous pourrez choisir. J'ai découvert que cet état de conscience peut survenir en faisant du jogging, en marchant, en pêchant, assis sur une dune de sable, en contemplant le mouvement des vagues, ou dans les bois, comme moi, quand j'étais petite ; comme vous l'avez fait aussi, que vous appeliez cela méditer ou rêver. L'essentiel, en l'occurrence, consiste à prendre le temps de vous mettre à l'écoute de vous-même, celui d'imposer silence à vos pensées bruyantes qui parlent constamment de ce que vous devez faire, de la manière dont vous auriez pu avoir le dessus dans tel conflit, de ce qui vous déplaît en vous, etc. Lorsque ce bavardage incessant est écarté, un monde de réalités douces et harmonieuses s'ouvre à vous. Vous commencez à fusionner avec votre entourage comme je le faisais dans les bois. Votre personnalité, loin de s'y perdre, se renforce.

Le processus d'intégration à l'environnement offre un autre moyen de dépeindre l'expérience de l'expansion de la conscience. Reprenons l'exemple de la bougie et de sa flamme pour établir un parallèle. Normalement, nous nous envisageons comme un corps (la cire et la mèche), doté de conscience (la flamme). Quand nous entrons en état de conscience amplifiée, nous nous percevons aussi comme la lumière émanant de la flamme. Où commence la lumière, où s'arrête la flamme ? Il semble exister une démarcation, mais où se situe-t-elle quand vous y regardez de plus près ? La flamme est complètement pénétrée par la lumière. Celle de la pièce, et qui ne provient pas de la bougie (la mer d'énergie), pénètre-t-elle la flamme ? Assurément. Où commence la lumière de la pièce et où finit celle qui vient de la bougie ? En physique, il n'existe pas de frontière délimitant la lueur d'une bougie. Elle se propage à l'infini. Dans ces conditions, où se trouve l'ultime limite ? Mon expérience du HSP résultant d'un état de conscience amplifié m'a montré qu'il n'existe pas de limite. Plus ma conscience se développe, plus mon HSP s'aiguise. Plus il s'aiguise, plus je suis capable de voir une réalité préexistante mais préalablement hors de portée de mon degré de perception. Cette réalité entre dans mon champ de vision, plus vaste à mesure que s'affine mon HSP. Au début, je ne pouvais voir que les champs d'énergie les plus denses autour des corps. Ils ne s'étendaient qu'à deux centimètres et demi environ de la peau. Quand je suis devenue plus experte, j'ai vu que le champ se propageait plus loin mais semblait d'une substance plus ténue, d'une luminosité moins intense. Chaque fois que je pensais en avoir défini la limite, je découvrais plus tard que je pouvais le percevoir au-delà de cette frontière. Où se limitait-il donc ? J'en ai conclu qu'il était plus facile d'en définir les couches : la couche de la flamme, celle de la lueur de la flamme et la lumière de la chambre. Les couches successives sont de plus en plus difficiles à distinguer. La perception de celles qui se situent à l'extérieur exige un état de conscience supérieur et un HSP plus finement accordé encore. À mesure que la conscience se développe, la faible brillance perçue au préalable acquiert une coloration plus intense.

Au cours du lent développement de mon HSP, j'ai accumulé des observations. La plupart proviennent de mes quinze années de métier de conseillère. J'ai, à la base, une formation de physicienne. Quand je me suis mise à « voir » l'énergie autour des corps, j'étais plutôt sceptique. Mais comme le phénomène se répétait, même si je fermais les yeux pour le dissiper ou si je l'observais sous tous les angles, j'ai commencé à l'examiner de plus près. C'est ainsi que mon parcours personnel a débuté, m'entraînant dans des mondes dont je ne soupçonnais pas l'existence. Il a totalement changé mon expérience de la réalité, des autres, de l'univers, et ma relation avec eux.

J'ai vu que le champ d'énergie est intimement lié à la santé et au bien-être. Si une personne est en mauvaise santé, le flux d'énergie de son champ est déséquilibré, ou la couleur de l'énergie stagnante est assombrie, parfois les deux. Au contraire, un sujet bien portant dégage des couleurs brillantes dont le flux irradie aisément dans un champ bien équilibré. Ces couleurs et ces formes sont très spécifiques à chaque maladie particulière. Le HSP est d'un apport extrêmement précieux en médecine et en conseil psychologique. Grâce à lui, je suis devenue efficace dans le diagnostic des troubles physiques, psychologiques, et capable de remédier à ces problèmes.

À l'aide du HSP, le mécanisme des troubles psychosomatiques se déroule directement sous vos yeux. Il montre comment débutent la plupart des maladies dans les champs d'énergie. Comment, avec le temps, en fonction du mode de vie, elles se transmettent au corps pour aboutir à de graves maladies. Très souvent, la source, la cause initiale du processus est due à un traumatisme psychologique ou physique, parfois aux deux. Mais si le HSP débusque l'origine d'une maladie, il révèle aussi la façon d'opérer pour inverser son processus.

Ainsi, en apprenant à voir le champ d'énergie, j'ai appris en même temps à agir sur lui consciemment, comme sur tout ce que je perçois. Je suis parvenue à manipuler mon propre champ afin d'exercer une interaction sur celui d'un patient, en vue de le rééquilibrer s'il était malsain et de rétablir la santé du malade.

J'ai découvert, en outre, qu'il me parvenait des informations sur l'origine de ses troubles. Elles semblaient provenir d'une intelligence supérieure à la mienne, dont je n'étais que le médium. Ces renseignements médiumniques m'arrivaient sous forme de mots, de concepts, d'images symboliques qui me traversaient l'esprit quand je travaillais sur le champ d'un patient. En l'occurrence, j'étais toujours en état de conscience altérée. Par une association de moyens faisant appel au HSP (médiumnité ou clairvoyance), mon habileté à décoder l'information s'est accrue, j'ai pu établir des corrélations – soit par une image symbolique se formant dans mon esprit, soit par un concept ou un message verbal direct – avec ce que je voyais dans le champ d'énergie. Dans un certain cas, par exemple, j'ai entendu tout simplement « elle a un cancer » et j'ai vu une tache noire dans le champ d'énergie, correspondant par la taille, la forme et la localisation aux résultats des radiographies effectuées par la suite. Cet apport d'information combiné à mon HSP s'est révélé très efficace et m'a fait parvenir à une très grande exactitude pour définir l'état d'un patient et les actes d'autoguérison à prescrire en cours de traitement. Le processus comporte généralement une série de séances étalées sur plusieurs semaines ou plusieurs mois, selon la gravité des troubles. Il implique un rééquilibrage du champ, un changement d'habitudes et le traitement du traumatisme initial.

Il est essentiel de tenir compte de la signification profonde de sa maladie. On doit se demander : que signifie-t-elle pour moi ? Quel enseignement dois-je en tirer ? Peut-être est-elle simplement un message envoyé par le corps signifiant : « *Minute !... Quelque chose ne va pas. Tu n'es pas à l'écoute de la totalité de ton moi. Tu es en train d'en ignorer certains aspects très importants pour toi. De quoi s'agit-il ?* » La genèse d'une maladie doit être recherchée de cette manière, soit sur le plan psychologique ou intuitif, soit sur le plan de la compréhension ou en étudiant une altération peut-être inconsciente de l'état général. La santé exige plus de travail sur soi qu'avaler mécaniquement des pilules prescrites par un médecin. Sans une vraie transformation personnelle, vous pouvez même créer un autre problème qui vous renverra à la source initiale de la maladie. Cette source, je l'ai découvert, est la clé du problème qui se traite généralement en changeant de mode de vie, afin de le rendre plus conforme à la nature essentielle de l'individu. Elle conduit à son aspect le plus profond, que l'on appelle parfois le moi supérieur ou l'étincelle divine intérieure.

Chapitre 2

Comment utiliser ce livre

Ce livre est destiné essentiellement à ceux qui s'intéressent à la compréhension, à l'autorévélation d'eux-mêmes et à une nouvelle méthode qui se répand dans tous les États-Unis : l'art de guérir par l'imposition des mains. Ce travail implique une étude approfondie de l'aura humaine et de son rapport avec le processus de guérison psychologique et physique. Il procure une vision globale du mode de vie convenant à la santé et à l'épanouissement des êtres humains. Il a été écrit pour les professionnels de la santé, qu'ils soient thérapeutes du corps ou de l'âme, c'est-à-dire pour tous ceux qui aspirent à une meilleure condition physique, psychologique ou spirituelle.

Si vous souhaitez apprendre l'autoguérison, il vous met au défi car, je le souligne encore, l'autoguérison implique une autotransformation. Toute maladie psychologique ou physique vous conduira à une exploration intérieure et à des découvertes qui changeront totalement votre vie. C'est un guide de voyage vers l'autoguérison et la guérison d'autrui.

Pour les guérisseurs professionnels, quelle que soit leur spécialisation, c'est une source de références à consulter au fil des ans. Les étudiants s'en serviront dans leurs cours comme d'un manuel à utiliser sous le contrôle d'un guérisseur expérimenté. Ils trouveront des questions à la fin de chaque chapitre. Je leur conseille d'y répondre sans s'aider du texte. Ce qui veut dire qu'ils doivent l'étudier et faire les exercices qui y sont inclus. Ces exercices portent non seulement sur la guérison et les techniques de voyance, mais aussi sur l'autoguérison et l'autodiscipline. Ils sont conçus pour équilibrer la vie, imposer silence à l'esprit et amplifier les perceptions. Cet ouvrage ne peut remplacer les cours de guérison, mais il peut rendre de précieux services dans la préparation aux cours. Ne sous-estimez pas la somme de travail à accomplir pour être capable de percevoir les champs d'énergie et apprendre à agir sur eux. Des travaux pratiques seront nécessaires et la vérification de ces expériences requiert un enseignant-guérisseur qualifié. Pour percevoir le champ d'énergie humaine (CEH), il convient d'étudier et de pratiquer, mais aussi d'acquérir une maturité personnelle impliquant des transformations internes en vue d'affiner la sensibilité. Vous saurez ainsi différencier la rumeur intérieure de l'apport subtil d'informations qui ne peuvent être perçues qu'en imposant silence aux pensées.

Par ailleurs, si vous avez déjà commencé à percevoir au-delà de la normalité, ce livre peut servir à la vérification de ces expériences. Bien que chaque cas soit particulier, il existe des généralités communes au vécu de tous ceux qui s'engagent dans cette voie. Ces vérifications serviront à vous encourager à poursuivre votre route. Non ! Vous n'êtes pas en train de devenir fous ! Vous n'êtes pas les seuls à entendre des sons, à voir des lumières venus de « nulle part ». Les merveilleuses métamorphoses de votre vie ne font que commencer, d'une façon peut-être peu courante, mais des plus naturelles.

De nos jours, bien des êtres humains amplifient la portée normale de leurs cinq sens jusqu'au niveau suprasensoriel. Les preuves abondent, et dans une certaine mesure, beaucoup de gens sont dotés d'un HSP sans s'en rendre nécessairement compte. La plupart pourraient les développer davantage s'ils s'y consacraient sérieusement. Toutefois, il est fort possible qu'une transformation se soit déjà opérée dans les consciences et qu'un nombre croissant d'individus soient en train de développer un nouveau sens de perception par lequel ils captent des informations sur une fréquence probablement plus élevée. Tel est mon cas. Il se peut que ce soit le vôtre aussi. Le processus s'est déroulé progressivement en moi, lentement, de façon très organique. Les nouveaux univers qu'il m'a ouverts ont presque totalement modifié ma réalité personnelle. *Je tiens ce développement du haut sens de perception pour une étape évolutive naturelle de l'espèce humaine conduisant à une phase de progression.* En raison de ces nouvelles aptitudes, nous ne pourrons qu'être profondément honnêtes les uns envers les autres. Nos sentiments et nos réalités intimes ne pourront plus être masqués. Ils se communiquent automatiquement à nos champs d'énergie. À mesure que nous apprendrons à percevoir cette information, nous verrons et entendrons nos congénères beaucoup plus clairement qu'aujourd'hui.

Vous savez parfaitement reconnaître la colère lorsqu'elle s'empare de quelqu'un. C'est facile. Avec le HSP, vous verrez aussi un halo rouge se dégager de sa personne. Pour découvrir ce qui lui est arrivé à un niveau plus profond, il vous sera possible de vous concentrer non seulement sur la cause de sa fureur présente, mais aussi sur la corrélation qu'elle a avec son expérience enfantine et son rapport avec ses parents. Sous le halo rouge apparaîtra une épaisse couche grise d'une substance fluide véhiculant une lourde tristesse. En vous concentrant sur l'essence de cette substance grise, vous deviendrez probablement capable de visualiser la scène enfantine génératrice de cette douleur profondément enracinée. Vous constaterez aussi les dommages causés par la colère sur le corps physique. Vous observerez que cette personne réagit régulièrement par la colère à certaines situations, alors qu'il serait peut-être préférable dans son cas de pleurer pour donner libre cours à son émotion et résoudre ensuite son problème. À l'aide du HSP, vous saurez trouver les mots qui l'aideront à renoncer à sa fureur, à rétablir le contact avec une réalité plus profonde et à surmonter ses difficultés. Toutefois, dans certains cas, la colère exprimée convient parfaitement au processus de guérison. Lorsque vous aurez vécu ces expériences, plus rien ne sera comme avant. Votre vie commencera à changer d'une manière insoupçonnable. Vous comprendrez la signification précise de la relation de cause à effet. Vous verrez combien vos pensées affectent votre champ d'énergie et votre santé. Vous découvrirez enfin que vous pouvez orienter votre vie et votre condition physique. Nous créons notre expérience personnelle de la réalité à travers ce champ d'énergie qui est le médium de nos créations. Il peut devenir une clé pour décoder la façon dont nous créons notre réalité, pour la transformer si nous le désirons, pour trouver la piste conduisant au plus profond de notre être. Il peut construire le pont qui nous permet d'accéder à notre âme, à notre vie intime, à cette étincelle divine intérieure existant en chacun de nous.

J'aimerais vous encourager à modifier le « modèle » personnel que vous pensez être, vous guider à travers le monde du HSP vers celui du champ d'énergie humaine. Vous verriez alors comment vos actions et vos symptômes de croyance affectent votre réalité et contribuent à la créer, pour le meilleur et pour le pire. Et quand vous l'aurez vu, vous vous apercevrez que vous avez le pouvoir de changer les aspects de votre vie qui vous déplaisent et de valoriser ceux que vous aimez. Cela demande beaucoup de courage, de recherche personnelle, de travail et d'honnêteté. La voie n'est pas facile, mais c'est incontestablement la plus valable. Ce livre vous aidera à frayer votre chemin vers un nouveau mode de relation avec votre santé, avec votre vie entière et avec le monde. Accordez-vous le temps d'expérimenter ce nouveau rapport, le droit d'être la lumière de la bougie qui irradie dans l'univers.

J'ai divisé ce livre en plusieurs parties spécifiques consacrées chacune à des aspects particuliers du champ d'énergie humaine (CEH) et à son rapport avec vous. Vous avez pu constater que cette première partie traite de la place tenue par le champ aurique dans votre existence. Ce phénomène que les mystiques mentionnent depuis si longtemps, qu'a-t-il à voir avec vous ? Comment s'insère-t-il dans votre vie ? Quelle est son utilité ? L'historique des cas cités montre comment la prise de conscience de cette réalité peut changer notre destin. Jenny, par exemple, a compris qu'elle devait s'accorder suffisamment de temps pour se guérir avant d'être en état de porter un enfant. Elle a placé sa santé et sa vie entre ses mains (où de toutes façons, elles résidaient depuis toujours) pour transformer un futur affligeant en un sort beaucoup plus heureux. Ce type de connaissance peut nous mener à un monde meilleur, un monde d'amour, issu de la compréhension profonde, de la sororité et de la fraternité, où ceux que l'on considérait comme des ennemis deviennent des amis, en raison de cette compréhension.

La seconde partie est consacrée exclusivement au phénomène du champ d'énergie et le décrit, au point de vue historique, théorique, scientifique et expérimental. Le sujet épuisé, j'y expose mon opinion personnelle sur le CEH, fondée sur l'observation et la théorie, et l'associe aux conclusions relevées dans la littérature. Sur la base de cette information, je développe un modèle de CEH applicable au travail de guérison psychologique et spirituelle.

La troisième partie présente mes découvertes sur la relation existant entre le CEH et la psychodynamique. Il se peut que vous ne vous soyez jamais intéressés à la psychothérapie auparavant. Vous trouverez néanmoins cette troisième partie très révélatrice pour la découverte de soi. Elle pourrait vous aider à comprendre ce qui vous pousse à l'action et comment vous agissez. Cette connaissance sera très utile à ceux qui souhaitent franchir les limites conventionnelles de la psychologie, de la psychothérapie du corps, élargir leurs conceptions des êtres humains, leur réalité énergétique et spirituelle. Ces chapitres proposent des structures de références spécifiques permettant d'intégrer le phénomène du CEH à la psychodynamique pratique. Des graphiques montrent les variations survenant dans le CEH en cours de consultation. Ceux que la découverte de soi intéressent entreront, avec ce chapitre, dans un nouveau royaume où la réalité des interactions de leur champ d'énergie dans la vie quotidienne prend une signification neuve et profonde. Après avoir lu ce livre, vous pourrez trouver des moyens pratiques pour appliquer la dynamique du champ d'énergie dans vos rapports avec ceux qui vous sont chers, vos enfants, vos amis. Il vous aidera à comprendre votre milieu professionnel et vos collègues de travail. Des chapitres très techniques peuvent rebuter certains lecteurs (chap. 11, 12, 13). Ils s'en dispenseront, quitte à y revenir lorsqu'ils se poseront des questions plus spécifiques sur le fonctionnement du CEH.

La quatrième partie de ce livre porte sur les implications personnelles et pratiques résultant de l'expansion de votre champ de perception et, au niveau supérieur, sur leur interaction dans la société. Vous y trouverez de claires explications quant aux domaines dans lesquels les perceptions peuvent être accrues, sur l'expérimentation de cette ouverture et sur la façon de procéder pour y parvenir. Une structure théorique situe ces expériences et leur large éventail d'implications sur l'espèce humaine, lorsque, en tant que groupe, nous nous transformons. Ces mutations ne nous affectent pas uniquement à titre individuel, elles modifient totalement la trame de l'existence que nous menions.

La cinquième partie traite du processus de la guérison spirituelle. Je lui donne ce nom parce qu'elle est toujours liée à notre nature spirituelle innée. Il y est question des expériences et des techniques de guérison relatives au CEH et elle comporte des illustrations montrant les modifications du champ aurique en cours de traitement. Elle décrit clairement les soins à prodiguer aux différentes couches du champ. Associée aux informations sur l'expansion des perceptions de la quatrième partie et à la pratique, elle permet au guérisseur de s'initier à la guérison sur lui-même et sur les autres.

La plupart de ces techniques ne sont pas faciles à assimiler. Vous devrez probablement suivre des cours. Les explications fournies ici sont destinées à familiariser l'étudiant avec le sujet. Elles ne prétendent pas enseigner des techniques. Il est capital de faire contrôler vos connaissances par un guérisseur expert en la matière. Pour développer vos dons, une formation didactique, pratique et un travail personnel sont indispensables, comme dans toute autre discipline. Dans un proche avenir, je suis convaincue qu'il existera des programmes officiels de formation à l'usage des guérisseurs pratiquant l'imposition des mains et des magnétiseurs.

Si vous briguez le statut de guérisseur professionnel, cherchez-en un dès maintenant et devenez son apprenti.

Vous trouverez dans la sixième partie l'exposé d'un cas de guérison – celle de David – où le patient joue un rôle actif, démontrant ainsi comment de patient on devient guérisseur. Elle est consacrée ensuite aux méthodes pratiques d'autoguérison et définit les étapes que devront franchir ceux qui veulent devenir guérisseurs. Elle répond aux questions suivantes : comment retrouver la santé, rétablir l'équilibre de votre vie et les maintenir ? Quelles sont les étapes de développement personnel permettant de devenir guérisseur ? Qu'est-ce que la santé ? Qui est le guérisseur ?

Chapitre 3

Remarques sur la formation et l'orientation

J'estime qu'il est essentiel pour le guérisseur d'acquérir un certain nombre de connaissances de base : psychologie, anatomie, physiologie, pathologie, techniques de massage, quelques notions d'acupuncture, d'homéopathie, de diététique et de phytologie. Ces disciplines sont presque toujours associées à l'imposition des mains, soit par le guérisseur, soit par les autres professionnels de la santé s'occupant du malade. Le guérisseur doit donc avoir de bonnes notions de ces méthodes, comprendre comment elles contribuent à la guérison et forment un tout, afin de communiquer avec les autres thérapeutes. Divers soins peuvent être prescrits par le guérisseur, qui doit connaître l'anatomie et la physiologie afin d'interpréter l'information médiumnique. Il importe avant tout que le guérisseur soit capable de travailler de concert avec d'autres professionnels de la santé pour aider un patient à se guérir lui-même. Mon parcours personnel est le suivant : j'ai obtenu une licence de physique et une maîtrise de physique atmosphérique dans une université d'État. À la NASA, je me suis livrée à des recherches pendant cinq ans sur un satellite météorologique. Après une formation de deux années pour devenir conseillère en bioénergie, suivie d'un an de cours de massage, de deux années de travaux sur les états de conscience altérés, d'une année de spécialisation en techniques de relaxation profonde, d'un an d'homéopathie, de trois ans de recherches sur l'harmonisation des énergies profondes (Cove Energetics), j'ai passé plusieurs années d'apprentissage personnel et en groupes auprès de divers guérisseurs des États-Unis. En outre, pendant plus de quinze ans, j'ai travaillé en privé et en séminaire directement sur les champs d'énergie. Étant déjà établie dans la profession de conseillère psychologique, le moyen de me consulter était tout trouvé. Il suffisait aux patients de prendre rendez-vous. Le nombre de ceux qui préféraient avoir recours à la guérisseuse plutôt qu'à la thérapeute ne cessant de croître, ma fonction de conseillère s'est peu à peu muée en celle de guérisseuse. Pour finir, j'ai dû laisser ma pratique de conseillère à d'autres pour me consacrer à tous ceux qui optaient pour la guérison spirituelle.

Au cours de ces années, je me suis livrée à des expériences variées en vue de mesurer le champ d'énergie humaine. Ce n'est qu'après avoir accompli tout ce travail que je me suis sentie suffisamment qualifiée pour pratiquer des guérisons à New York et pour commencer à enseigner dans des cours et des séminaires.

Devenir guérisseur n'est pas tâche facile, comme toute tâche à bien accomplir. Il faut s'astreindre à une formation spirituelle et technique, passer par des épreuves auto-initiatiques qui mettent l'accent sur les faiblesses de la personnalité, stimulent les centres créatifs, les aspirations, et exigent une attention soutenue. Le guérisseur s'imagine parfois que ses difficultés proviennent de l'extérieur, ce qui est faux. Il les crée pour vérifier s'il est prêt et apte à manipuler l'énergie, le pouvoir et la clarté qu'il développe dans son propre système d'énergie à mesure qu'il progresse. Cette énergie et ce pouvoir doivent être utilisés avec probité et amour. La loi de cause à effet est constamment à l'œuvre dans toute action. Ce que vous émettez vous revient toujours. C'est ce que l'on appelle le karma. À mesure que l'énergie du guérisseur augmente, son pouvoir s'étend aussi. S'il fait de ce pouvoir un usage négatif, cette même négativité se retournera par la suite contre lui.

La main invisible qui me guide devient de plus en plus perceptible au fil des ans. Je ne l'ai d'abord sentie que vaguement. Je me suis surprise ensuite à voir des êtres spirituels, comme une visionnaire. Puis je les ai entendus me parler, je les ai sentis me toucher. À présent, j'accepte mon guide. Je le vois, je l'entends, je le sens. « Il » n'est ni homme, ni femme. « Il » dit que dans son monde, ces distinctions d'ordre sexuel n'existent pas. Que les êtres, à ce niveau d'existence, forment un tout. « Il » dit s'appeler Heyoan et que son nom signifie « Le vent qui souffle la vérité à travers les siècles ». Il s'est manifesté à moi lentement, et toujours à travers mon corps physique. La nature de notre relation se renforce chaque jour, à mesure qu'il me guide vers des niveaux supérieurs de compréhension. Vous le verrez se construire au cours de l'aventure que nous allons vivre ensemble. Parfois, je l'appelle simplement métaphore...

À travers ce livre, je partagerai avec vous certains exemples les plus manifestes de son pouvoir. Mais dès à présent, je vais vous montrer comment il opère afin que vous puissiez admirer sa simplicité.

Ses indications les plus dépouillées me parviennent quotidiennement, plusieurs fois par jour, en général à travers des sensations désagréables. Selon lui, si nous étions attentifs à ces manifestations, nous tomberions rarement malades. Autrement dit, en accordant plus d'attention aux malaises que vous ressentez, vous rétabliriez votre équilibre, et par conséquent votre santé. Cet inconfort peut se traduire par un malaise, une douleur, localisés dans le corps, mais peut aussi se manifester sur le plan émotionnel, mental ou spirituel. Il peut s'étendre à tous les domaines de votre vie.

Heyoan demande : « *Où réside le malaise de ton corps, de ta vie ? Depuis quand t'en es-tu rendu compte ? Que te signifie-t-il ? Qu'as-tu fait pour y remédier ?* » Si vous répondez honnêtement à ces questions, vous découvrirez à quel point vous négligez le meilleur outil dont vous disposez pour conserver votre santé, votre bonheur et votre sagesse. Tout malaise ressenti dans votre corps ou dans votre vie est un message indiquant que vous avez dévié de votre véritable moi.

Au niveau élémentaire, l'orientation à suivre est de vous reposer quand vous êtes fatigué, de manger quand vous avez faim ce dont votre corps a besoin, quand il en a besoin. Elle implique également que vous devez régler un problème qui vous tracasse ou le rectifier. Avez-vous su structurer votre vie de manière convenable pour agir en ce sens ? Pas facile, n'est-ce pas ?

Lorsque vous serez plus attentif à vos besoins personnels, suffisamment à l'écoute de vos messages intérieurs manifestés par l'inconfort, vous deviendrez plus équilibré et lucide. Votre santé s'améliorera. La pratique de l'écoute intérieure induit, en outre, le phénomène d'orientation directe ou verbale. Vous pourrez commencer à recevoir des directives verbales fort simples, que vous entendrez en vous, mais dont vous saurez qu'elles émanent d'au-delà de vous. Pour apprendre à suivre ce guide, il convient de préciser deux points. Primo : vous devrez acquérir une certaine pratique dans la réception des directives qui vous sont destinées avant d'être à même d'en recevoir pour autrui. Secundo : l'information ou l'orientation reçue peut être très simple et sembler, au premier abord, dénuée d'importance. Vous pourrez, en fait, avoir l'impression de perdre votre temps en vous y conformant. J'ai pu me rendre compte qu'il y a une raison à cela. Par la suite, il se peut que le guérisseur exerçant à titre professionnel canalise sur la vie ou la maladie d'une personne des informations spécifiques qui lui paraîtront dénuées de sens, ineptes, ou franchement erronées. Cela peut arriver, mais la plupart du temps c'est son esprit rationnel qui est à l'œuvre. Le renseignement issu d'un authentique canal médiumnique dépasse souvent le niveau de compréhension de la pensée rationnelle du médium. Il doit alors faire appel à toutes ses expériences antérieures, se souvenir des indications qui, sur le moment, lui ont semblé dénuées de sens, pour devenir plus tard très utiles et compréhensibles quand l'information s'est trouvée complétée. Je sais à présent qu'au cours d'une séance de soins d'une heure je recevrai des messages médiumniques discursifs, mais qu'une image se formera dans mon esprit et m'apportera une information plus compréhensible que si je l'avais interprétée sur le mode strictement rationnel ou linéaire. En réfléchissant bien, vous commencerez à reconnaître l'action directrice de ce guide sur les axes principaux de votre vie. Pourquoi tel événement a-t-il fait suite au précédent ? Qu'en avez-vous retiré ? Ce n'est pas par hasard que je me suis astreinte, au départ, à une formation de physicienne, puis de conseillère psychologique, pour devenir ensuite guérisseuse. Toutes ces formations m'ont préparée au travail de ma vie. La physique m'a donné la structure de base nécessaire à l'examen de l'aura. Mon éducation de conseillère m'a servi à comprendre la psychodynamique du flux d'énergie dans le champ aurique et m'a fourni, en outre, l'occasion d'observer celui de nombreuses personnes. Je n'aurais pas été capable de coordonner ces éléments disparates sans ces formations préalables. Je ne me rendais certainement pas compte, quand je travaillais pour la NASA, que je me préparais à devenir magnétiseuse. Je n'avais jamais entendu parler de quoi que ce soit de cet ordre, et la maladie ne m'intéressait nullement. Je voulais savoir comment fonctionnait le monde et quel était son mécanisme. Je cherchais partout des réponses. Tout au long de ma vie, cette soif de comprendre a été un des facteurs les plus puissants. Et vous, à quoi aspirez-vous ? Quelle est votre soif ? Quelle qu'elle soit, elle vous portera à faire le nécessaire pour accomplir votre tâche, quand bien même ignoreriez-vous encore en quoi elle consistera au juste. Tout ce qui se présente à vous sous des dehors aisés et vous paraît aussi merveilleux qu'extrêmement agréable à faire, n'hésitez pas, faites-le ! Là est votre guide. Laissez-vous emporter sans résistance dans la danse de votre vie. Sinon, vous bloquerez à la fois la force directrice et votre progression. Il arrive par moments que mon orientation soit plus évidente qu'à d'autres : en une occasion, notamment, où elle fut si belle et profonde qu'elle m'a permis, depuis, de surmonter bien des épreuves. J'étais alors conseillère psychologique à Washington quand, au cours d'une consultation, j'ai commencé à discerner ce que l'on peut appeler les *vies antérieures*. Je voyais la personne avec laquelle je travaillais dans un décor et un cadre temporels totalement différents. Quelle que fût la scène, elle était en rapport, d'une certaine façon, avec ce qui se passait dans sa vie présente. Par exemple, une femme qui avait peur de l'eau s'était noyée dans une autre vie. Elle répugnait également à demander un service dans cette existence. Dans celle où elle avait péri, personne ne l'avait entendue crier à l'aide lorsqu'elle était tombée d'un bateau. Cette difficulté à se faire aider dans la vie la faisait souffrir beaucoup plus que sa peur de l'eau. Quoi qu'il en soit, je ne savais comment utiliser ces informations de manière efficace. Je me suis mise à prier pour être guidée. J'avais besoin de trouver quelqu'un de confiance, ou un groupe de gens capables d'interpréter ces données de façon professionnelle.

La réponse me parvint un soir où je campais sur une plage de l'île d'Assateague, dans le Maryland. Il pleuvait. J'avais disposé un plastique sur mon sac de couchage et au-dessus de ma tête. Au milieu de la nuit, je fus réveillée par quelqu'un qui m'appelait par mon nom. La voix était très distincte. « Il n'y a personne ici », me dis-je en contemplant le ciel. Soudain, je m'aperçus que je regardais le plastique. Je le repoussai d'un grand geste et retombai en arrière, saisie d'un profond respect à la vue du déploiement d'étoiles scintillantes au-dessus de moi. J'entendis une musique céleste s'élever et résonner d'une étoile à l'autre. Je tins cette expérience pour une réponse à mes prières. Peu de temps après, j'ai découvert le Phoenicia Pathwork Center où j'ai passé les neuf années qui suivirent à acquérir la formation dont j'avais besoin pour interpréter les vies antérieures et d'autres données suprasensorielles.

Quand le temps fut venu pour moi d'avoir une activité de conseillère à New York, je le sus par l'intensité des pulsions ressenties. Je trouvai immédiatement un bureau et, comme je voulais changer de vie, je consultai mon guide par écrit. La réponse fut résolument affirmative. Je me lançai donc. J'ai été amenée progressivement à infléchir ma carrière de conseillère vers celle de guérisseuse. Comme je l'ai dit, cela se fit « automatiquement » lorsque les gens vinrent me voir pour me demander de les soigner. Puis, je reçus des instructions verbales directes de mon guide me disant d'interrompre cette activité pour me consacrer à l'enseignement et à la rédaction de ce livre, de façon à toucher un public plus vaste. Se plier à de tels changements n'est pas si facile. Chaque nouvelle orientation est un défi. Il semble que dès que je m'installe dans la « sécurité », il est temps pour moi de changer de vie et, par là même, d'évoluer. Je ne sais pas vraiment ce que l'avenir me réserve, mais je suis sûre que je serai guidée pas à pas sur ma voie.

En chaque personnalité humaine réside un enfant. Tout le monde se souvient de ce qu'a été son enfance, de la sensation de liberté intérieure de l'enfant et de sa façon directe d'expérimenter la vie. Cet enfant intérieur est un sage. Il se sent solidaire de tout ce qui vit. Il sait, à l'évidence, ce qu'est l'amour. Cet enfant intérieur est peu à peu refoulé à mesure que nous devenons adultes et que nous essayons de vivre en nous fiant uniquement à notre esprit rationnel, lequel nous limite, nous mutile même. Cet enfant intérieur doit vivre à découvert pour commencer à suivre son guide. Vous devez retrouver votre enfant intérieur confiant, aimant et sage pour développer votre capacité à recevoir et à suivre les directives de votre guide. Nous aspirons tous à la liberté. C'est par l'enfant que nous la gagnerons. En accordant plus de liberté à cet enfant intérieur, l'adulte et l'enfant qui constituent votre personnalité pourront entamer un dialogue. Ce dialogue intégrera les facettes libres et aimantes de votre personnalité à celles, beaucoup plus complexes, de l'adulte.

Tout au long de ce livre, vous entendrez parler l'enfant, la guérisseuse, la conseillère, la physicienne, qui vous aideront à libérer votre réalité figée et à étendre votre champ d'expérience. Ce dialogue est une porte ouverte sur le merveilleux. Trouvez-le en vous-même et nourrissez-le.

Nous sommes tous guidés par des maîtres spirituels qui nous parlent en rêve, qui nous soufflent nos intuitions et même, si nous sommes attentifs, s'adressent à nous directement, parfois par écrit pour commencer, puis au moyen de sons, de voix ou de concepts. Ces maîtres sont emplis d'amour et de respect pour nous. Au cours de votre cheminement, vous pourrez peut-être les voir ou communiquer avec eux. Tel est mon cas. Cela changera votre vie, car vous découvrirez que vous êtes aimé totalement, inconditionnellement, à tout instant. Vous méritez cet amour tout comme vous méritez la santé, le bonheur et l'épanouissement. Il est en votre pouvoir de les créer. Il vous est possible d'apprendre, petit à petit, le processus qui changera votre vie et lui donnera tout son sens. Demandez des directives pour savoir où il vous faut aller ou quelle voie vous devez suivre, dès maintenant, et vous serez guidé. Que vous soyez atteint d'une maladie qui met vos jours en péril, que vous traversiez une crise conjugale, que vous ayez un problème de volonté, une dépression, que vous vous trouviez dans une situation délicate dans le champ d'activité que vous avez choisi, vous pouvez commencer à tout changer, tout de suite, à l'instant même. Vous pouvez vivre en harmonie avec votre aspiration la plus profonde, avec le meilleur que vous puissiez offrir à vous-même et à autrui. Demandez de l'aide, simplement. Il sera répondu à vos requêtes.

Révision du chapitre 3

1. Quelle sorte de formation technique est nécessaire au guérisseur et pourquoi ?
2. Quelle est la forme la plus élémentaire d'orientation dans votre vie ?

Sujets de réflexion

3. Quelles sont les expériences les plus intenses d'orientation de votre existence ? Quelle incidence ont-elles eue sur votre vie ?
4. Dans quelle mesure êtes-vous capable de suivre ces directives ?
5. Êtes-vous consciemment à l'écoute ou en demande de directives ? À quelle fréquence ?

DEUXIÈME PARTIE

L'AURA HUMAINE

« Les miracles ne sont pas contre nature. Ils ne sont en contradiction qu'avec l'idée que nous nous faisons de la nature. »

Saint Augustin

L'expérience personnelle

Dès que nous nous autorisons à développer un nouveau type de sensibilité, notre regard sur le monde change totalement. Nous accordons plus d'attention à des aspects de l'expérience qui nous auraient parus peu signifiants auparavant. Nous nous surprenons à user d'un langage particulier, de locutions telles que « mauvaises vibrations » ou « énergie positive ». Nous remarquons des phénomènes d'attirance ou de rejet spontané pour des personnes dont nous ne savons rien, et nous en tenons compte. Nous aimons ou pas les « vibrations » d'untel. Si quelqu'un nous observe à notre insu, nous le sentons et cherchons aussitôt à voir de qui il s'agit. Nous avons parfois l'impression qu'un incident est imminent, et il se produit. Nous commençons à nous fier à nos intuitions. Nous « savons », sans savoir pourquoi ni comment. Lorsqu'un ami a besoin d'aide, nous le ressentons et si nous parvenons à satisfaire ce besoin, nous sommes contents d'avoir vu juste. Quand il nous arrive de nous quereller, notre estomac se crispe, nous sommes « ulcérés », nauséeux, comme si nous avions encaissé un direct au plexus. Parfois, à l'inverse, nous nous sentons enveloppés d'amour, cajolés, nous baignons dans un océan de douceur radieuse et bienfaisante. Toutes ces impressions se convertissent en réalités dans les champs d'énergie. Notre vieil univers d'objets solides, concrets, est enveloppé, pénétré, par un monde fluide d'énergie irradiante, constamment mouvant, changeant comme la mer.

Au fil des ans, mes observations m'ont permis de découvrir les contreparties de ces expériences. Dans l'aura qui entoure et interpénètre le corps, elles revêtent des formes aux composants observables et mesurables. Lorsqu'une personne a le « coup de foudre » pour une autre, l'éclair est littéralement visible pour le clairvoyant. Si votre estomac se tord sous le coup d'une émotion, il le voit aussi. Je peux le voir et vous le pourrez aussi, en suivant votre intuition, en affinant vos sens. Pour parvenir à ce haut niveau de perception et vaincre les blocages de nos esprits peu enclins à admettre que nous obéissons, nous aussi, à des lois universelles, il est bon de savoir que les scientifiques n'ignorent pas l'existence de ces champs d'énergie. Ils savent que l'organisme ne se limite pas à une structure physique de molécules mais qu'il comporte aussi des champs d'énergie. Nous passons continuellement du monde statique des solides à celui des champs d'énergie aux formes mouvantes et changeantes.

Quelle fut la réaction des êtres humains face à une telle information ? Ils s'adaptèrent. Si cette information existe, autant l'expérimenter. Et les savants apprirent à mesurer ces transformations subtiles. Ils fabriquèrent des appareils afin de détecter ces champs d'énergie émis par nos corps et d'en mesurer les fréquences : celle de la décharge électrique du cœur à l'aide de l'électrocardiogramme (ECG), celle du cerveau par l'électro-encéphalogramme (EEG). Un détecteur de mensonge mesura l'électricité potentielle de la peau. De nos jours, on sait même mesurer les champs magnétiques à l'aide du SQUID, un appareil ultrasensible, super conducteur d'interférence du quantum, sans contact avec le corps. Le Dr Samuel Williamson, de l'université de New York, affirme que le SQUID apporte plus d'informations sur le fonctionnement du cerveau qu'un simple EEG.

La médecine se fia de plus en plus à cet appareillage sophistiqué mesurant les pulsations de la santé et de la maladie du corps. Et la vie finit par se définir en termes de pulsions et de schémas d'énergie.

En 1939, le Dr H. Burr et le Dr F. Northrop, de l'université de Yale, découvrirent qu'en mesurant le champ d'énergie d'une graine (dit L ou *life field*), on pouvait prévoir la vitesse de croissance et la vitalité de la future plante. En mesurant celui d'un œuf de grenouille, ils sont parvenus à localiser l'emplacement de son système nerveux et, par le même procédé, à délimiter la période d'ovulation chez la femme. Et une nouvelle méthode de contrôle des naissances est née.

Le Dr Léonard Ravitz, de l'université William and Mary, démontra en 1959, que les fluctuations du champ d'énergie étaient liées à l'état mental, à la stabilité psychologique et à leurs variations, postulant ainsi l'existence d'un champ associé au processus de la pensée, dont les perturbations se manifestent par des symptômes psychosomatiques.

Dans l'État de New York, en 1979, un autre chercheur, le Dr Robert Becker, de l'Upstate Medical School de Syracuse, dressa la carte d'un champ électrique extrêmement complexe évoluant autour du corps humain : ces réseaux vibratoires épousent non seulement la forme exacte du corps, mais ils reproduisent également tous les détails du système nerveux central. Il donna à ce champ le nom de « Système de contrôle du courant direct » et découvrit que les fluctuations de sa forme et de son intensité étaient associées à l'état psychologique et physiologique du sujet testé. Puis il prouva que les particules circulant dans ce champ étaient de la taille des électrons.

En Russie, le Dr Victor Inyushin, de l'université de Kazakh, se livrait déjà, depuis les années 1950, à des études intensives sur le champ d'énergie humaine. Ses expériences l'amenèrent à supposer l'existence d'un champ d'énergie bioplasmatique composé d'ions, de protons et d'électrons libres et se distinguant des quatre états connus de la nature, à savoir : solide, liquide, gazeux et plasmatique. Selon Inyushin, ce champ d'énergie bioplasmatique pourrait constituer un cinquième état de la matière. Ses observations lui montrèrent que les particules bioplasmatiques sont constamment renouvelées par un processus chimique dans la cellule, et qu'elles sont continuellement mouvantes ; qu'il semble exister un équilibre relativement stable entre les particules négatives et les positives. Si cet équilibre est rompu, l'organisme s'en trouve affecté. Inyushin découvrit qu'en dépit d'une stabilité normale du bioplasma, une quantité considérable de cette énergie s'irradie dans l'espace et que les nuages de particules bioplasmatiques émanant de l'organisme, en mouvement dans l'air, étaient mesurables.

Nous voici donc plongés dans un monde de champs d'énergie, de formes-pensées, de courants bioplasmatiques épousant les contours de notre corps. Nous voici devenus vibrants et irradiants ! Si l'on se réfère à la littérature, quand bien même venons-nous tout juste de l'apprendre, le phénomène est connu depuis belle lurette ! Le monde occidental l'a méconnu ou rejeté un certain temps, durant lequel les savants se sont consacrés à parfaire nos connaissances du monde physique. À présent, ce savoir s'est accru. La physique de Newton a cédé la place à la relativité, à l'électromagnétisme, à la théorie des particules. Et nos facultés de compréhension du rapport existant entre le monde objectif décrit par les physiciens et le monde subjectif atteint par l'expérience directe se sont accrues.

Chapitre 4

Notre vision de nous-mêmes et de la réalité. Opinions scientifiques occidentales

Que cela nous plaise ou non, nous sommes les produits de notre héritage scientifique occidental. Notre façon de penser, de nombreuses définitions de nous-mêmes s'inspirent des modèles scientifiques employés par les physiciens pour décrire l'univers. Ce chapitre est un bref historique montrant que les changements d'opinion des savants correspondent aux modifications de l'idée que nous avons de nous-mêmes.

Souvenez-vous que le système scientifique occidental se fonde sur la concordance entre les preuves mathématiques et expérimentales. Quand cette condition n'est pas remplie, le physicien passe à une autre hypothèse, jusqu'à ce qu'il parvienne à fournir cette preuve, jugée applicable à l'explication d'un ensemble de phénomènes. C'est pourquoi cette méthode est un puissant outil. Son application pratique conduisit à de grandes inventions telles que l'électricité, à l'utilisation des radiations subatomiques en médecine, comme les rayons X, les scanners et les lasers.

Dès que notre savoir s'étend, un nouveau phénomène est découvert. Bien souvent, les théories en cours n'y sont pas applicables. Nous échafaudons alors de nouvelles théories, généralement fondées sur la somme des connaissances précédentes. Nous nous livrons à de nouvelles expériences, jusqu'à ce que l'une d'elles confirme la justesse de l'hypothèse. La nouvelle preuve mathématique accède dès lors au statut de loi physique. L'exercice consistant à rechercher des procédés inédits pour décrire un phénomène inédit élargit toujours notre horizon. Il stimule notre esprit de réflexion, généralement limité à la matière et à la réalité physique. Nous intégrons les idées neuves à nos vies quotidiennes et commençons alors à modifier notre vision de nous-mêmes.

On verra, dans ce chapitre, la vision scientifique de la réalité pencher en faveur du concept des champs d'énergie humaine, et même aller bien plus loin, dans un domaine que nous commençons à peine à explorer, celui de la vision holographique de l'univers, où tout est connecté à tout et correspond à une expérience globale de la réalité.

Mais pour commencer, révisons un peu notre histoire.

La physique de Newton

Au fil des siècles, la religion chrétienne modela presque entièrement la culture occidentale, et par conséquent notre mode de pensée. La plupart de nos définitions s'appuyaient donc, tout récemment encore, sur une physique datant de plusieurs centaines d'années. D'où notre insistance à nous voir nous-mêmes comme des corps solides. De la fin du XVIIe siècle au début du XVIIIe, Isaac Newton et ses confrères partagèrent allègrement cette opinion. Au XIXe siècle, la physique newtonienne servit à décrire un univers constitué de blocs fondamentaux appelés atomes. L'atome newtonien – composé d'un noyau de neutrons et de protons, autour duquel gravitent des électrons, comme la Terre tourne autour du Soleil – fut tenu pour un corps solide. Et la mécanique newtonienne décrivit brillamment le mouvement des planètes, des engins mécaniques, des fluides. L'énorme succès du modèle mécanique incita les physiciens du XIXe siècle à croire que la Terre était, effectivement, une gigantesque mécanique fonctionnant selon les lois de la gravitation newtonienne. Celles-ci devinrent la loi fondamentale de la nature, et la mécanique de Newton, la théorie suprême du phénomène naturel. Or cette loi faisait de l'espace et du temps des valeurs absolues et réduisait les phénomènes physiques naturels à de simples manifestations du principe de causalité. Tout devait pouvoir se décrire avec objectivité. Toute réaction physique devait avoir une cause physique. On ignorait à cette époque, que l'interaction de l'énergie et de la matière aboutirait à la « T.S.F. », c'est-à-dire à la production de sons véhiculés par des ondes invisibles, impalpables. Il ne vint à l'idée de personne de démontrer que l'expérimentateur lui-même affecte le résultat de l'expérience, ce qui se vérifie non seulement dans les tests psychologiques, mais également dans les expériences physiques. Mais de nos jours, les physiciens en ont fait maintes fois la preuve.

Cette position était très confortable. Certains préféreraient sans doute croire que le monde est solide, quasiment immuable, qu'il obéit à des lois très clairement définies. En grande partie, notre vie quotidienne se conforme encore à la mécanique newtonienne. Si l'on fait abstraction des installations électriques, nos maisons demeurent fort newtoniennes. Nous expérimentons notre corps de façon mécanique. La plupart de nos expériences se définissent en termes d'espace tridimensionnel, de temps linéaire. Nous avons tous une montre. Nous en avons besoin pour mener l'existence que nous avons structurée de façon de plus en plus linéaire. Quand on se précipite au travail pour gagner sa vie en s'efforçant d'être « à l'heure », il est facile de se prendre pour une machine, de perdre de vue l'expérience intérieure humaine beaucoup plus profonde. Si vous demandez à une personne de vous dire l'idée qu'elle se fait de la composition de l'Univers, elle décrit la plupart du temps le modèle newtonien, celui de l'atome, avec ses électrons tournant autour d'un noyau de protons et de neutrons. Notre situation devient alors quelque peu déconcertante. Par extension, au sens propre, nous en sommes réduits à nous voir comme des balles de ping-pong virevoltant les unes autour des autres.

La théorie du champ

Au début du XIXᵉ siècle, un nouveau phénomène physique fut découvert que l'on ne put expliquer à l'aide de la physique newtonienne. L'observation de ce phénomène électromagnétique conduisit au concept du champ, qui fut défini comme une condition de l'espace potentiellement productrice d'une force. La vieille mécanique newtonienne se borna à déclarer que l'interaction des particules à charge négative et positive était semblable à celle des protons et des électrons et comparable à celle des masses exerçant leur attraction l'une sur l'autre. Mais Michael Faraday et James Clerck Maxwell trouvèrent au concept de champ un emploi mieux adapté. Ils prouvèrent que toute charge crée une « perturbation », ou une « condition », dans l'espace environnant, de sorte que l'autre charge, si elle se présente, subit une force. Le concept d'un univers empli de champs de force interférant les uns sur les autres était né. Il existait enfin une structure scientifique permettant d'expliquer notre capacité à nous affecter à distance, sans recours à la parole ou à la vue. Il nous est arrivé à tous de décrocher le récepteur du téléphone en sachant qui appelait, avant même que notre interlocuteur ait dit un mot. Quand leurs enfants ont des ennuis, où qu'ils soient, les mères souvent le savent. Ce savoir peut s'expliquer par la théorie du champ.

Il y a dix ou quinze ans, la plupart d'entre nous commençaient à peine à employer ces concepts pour décrire leurs interactions personnelles et à admettre (avec un siècle de retard sur les physiciens) que nous étions, nous aussi, composés de ces champs. Sans la voir, sans l'entendre, nous sentons une présence dans une pièce (interaction du champ). Nous parlons de bonnes ou mauvaises vibrations, de communiquer l'énergie, de lire dans la pensée d'autrui. Nous savons sur-le-champ si nous aimons ou pas une personne, si nous nous entendrons avec elle ou si un affrontement risque de se produire. Ce savoir, lui aussi, peut s'expliquer par l'interaction harmonieuse ou dissonante de nos champs.

La relativité

En 1905, Albert Einstein publia sa théorie particulière de la relativité et pulvérisa les concepts essentiels de la vision newtonienne. L'espace ne fut plus tridimensionnel et le temps cessa d'être une entité séparée. Les deux devinrent intimement liés et formèrent un continuum espace-temps à quatre dimensions. Nous ne pouvons donc plus parler de l'espace sans parler du temps, et vice versa. Qui plus est, la marche du temps n'est ni universelle, ni linéaire, ni absolue, mais relative. Autrement dit, deux observateurs se déplaçant à des vitesses différentes par rapport aux événements observés les ordonneront différemment. Toutes les mesures impliquant l'espace et le temps perdent donc leur sens absolu et deviennent, tout au plus, des éléments descriptifs du phénomène. Dans certaines conditions, selon la théorie d'Einstein, deux observateurs peuvent même voir les événements s'inverser dans le temps. En d'autres termes, l'observateur no 1 verra l'événement A se produire avant l'événement B, alors que pour l'observateur no 2, l'événement B aura lieu avant l'événement A.

Dans notre description du phénomène naturel et de nous-mêmes, le temps et l'espace sont tellement fondamentaux que leur modification entraîne celle de toute la structure dont nous nous servons pour décrire la nature et nous-mêmes. Nous avons donc appliqué ces éléments de la relativité d'Einstein à nos vies personnelles. Quand brusquement, en une sorte de flash psychique, nous avons le pressentiment qu'un ami est en danger, disons, par exemple, qu'il est sur le point de tomber dans un escalier, nous contrôlons l'heure et lui téléphonons, pour vérifier si l'incident s'est réellement produit et savoir si nous pouvons nous fier à notre intuition. Eh bien non, il ne s'est rien passé de tel ! Nous en concluons que notre imagination nous joue des tours et invalidons l'expérience, obéissant ainsi au fonctionnement de la pensée newtonienne.

Pour valider notre expérience suprasensorielle, il faut d'abord admettre que nous sommes en présence d'un phénomène qui ne peut s'expliquer par la mécanique newtonienne, pour laquelle notre vécu du dedans ne peut pas « objectivement » être réel. Or, le temps n'étant pas linéaire, il se peut que l'incident se soit déjà produit. Il peut arriver au moment où nous en avons l'intuition aussi bien qu'à l'avenir. Il se peut même qu'il ne survienne jamais. Mais rien ne prouve que notre intuition était fausse. Elle n'était pas vérifiable au moment précis où nous en avons cherché la corrélation, c'est tout.

Mais si dans ce flash concernant notre ami nous avons pu voir aussi un calendrier et une montre à l'heure newtonienne, notre intuition est de taille à intégrer cette information concernant le continuum espace-temps de l'événement. Il est plus facile, évidemment, de se cramponner à la réalité physique de Newton.

Il est temps d'arrêter d'invalider l'expérience sous prétexte qu'elle se situe hors des limites du mode de pensée newtonien et d'élargir le cadre de notre réalité. Nous avons tous vu le temps accélérer sa course ou la ralentir. Ceux qui en sont capables ont pu remarquer que leur temps personnel varie au gré de leur humeur et de leurs expériences. On s'aperçoit que le temps est relatif quand on vit le très long et terrifiant moment précédant un accident de voiture ou celui où on l'évite de peu. Ce temps, pourtant, ne dure que quelques secondes, montre en main. Mais pour celui qui le vit, il semble avoir ralenti sa course. Le vécu dans le temps ne peut se calculer avec une montre, car cet instrument newtonien sert à mesurer le temps linéaire, alors que notre expérience vécue se situe hors de ce système.

Souvent, lorsque nous retrouvons un ami après plusieurs années de séparation, nous avons l'impression de l'avoir quitté la veille. En thérapie régressive, de nombreuses personnes revivent des événements de leur enfance comme s'ils se produisaient à l'instant même. Il nous arrive aussi de découvrir que notre mémoire les restitue dans un ordre différent de celui d'une autre personne ayant vécu ces mêmes événements. (Essayez de comparer vos souvenirs d'enfance à ceux de vos frères et sœurs !)

Les Indiens d'Amérique ne disposaient pas de montres leur permettant d'inventer un temps linéaire. Leur culture le divisait en deux aspects : le présent et tous les autres temps. Les aborigènes d'Australie en connaissent deux aussi : le passé et le grand-temps, dont les événements, bien qu'ayant leur fréquence, ne peuvent être datés.

En conclusion de ses expériences sur les clairvoyants, Lawrence Le Shan en a défini deux : le temps régulier linéaire et le clairvoyant, désignant la nature de celui que vivent les clairvoyants lorsqu'ils font appel à leur don. Il ressemble au grand-temps. Ce qui s'y passe a une séquence, mais ne peut être vu qu'à titre personnel, en expérimentant ce flux séquentiel. Mais dès que le clairvoyant tente d'interférer activement sur celui qu'il est en train d'expérimenter, il est aussitôt replongé dans le temps newtonien et ne peut plus assister aux événements qui se déroulent hors des limites normales de l'« ici et maintenant ». Il doit s'efforcer de concentrer à nouveau toute son attention sur le temps clairvoyant pour y parvenir. On ne sait trop quelles sont les lois auxquelles obéissent ces passagers du temps. Il n'en reste pas moins que la plupart des clairvoyants parviennent à « lire » les futurs épisodes de la vie d'une personne ou ceux de son passé, et en fonction des besoins, à se concentrer sur n'importe quelle période requise.

Le continuum espace-temps d'Einstein montre que l'aspect linéaire des événements dépend de l'observateur. *Nous sommes tous trop enclins à envisager nos existences antérieures comme des vies strictement physiques s'étant déroulées dans le passé dans un contexte physique tel que le nôtre.* Nos vies passées peuvent pourtant se dérouler à l'instant même, dans un continuum espace-temps différent. Nombre d'entre nous ont revécu des vies antérieures et en ont ressenti les effets comme s'ils venaient tout juste de les éprouver. Mais nous parlons rarement de répercussions de nos vies futures sur celle que nous expérimentons ici et maintenant. Pourtant, *il est envisageable que dans l'existence que nous menons MAINTENANT, nous réécrivions notre histoire personnelle, à la fois passée et future.*

La relativité d'Einstein entraîne une autre conséquence importante : la matière et l'énergie sont devenues interchangeables et la masse, une simple forme d'énergie. La matière n'est plus que de l'énergie ralentie ou cristallisée. Nos corps sont faits d'énergie. C'est précisément ce dont il sera question dans ce livre. J'avais simplement oublié de souligner, dans cet exposé sur l'énergie des corps, que notre corps physique, lui aussi, en est une !

Le paradoxe

Au cours des années 1920, la physique passa à une autre réalité aussi étrange qu'inattendue, celle du monde subatomique. Lorsque les physiciens interrogent la nature, elle répond invariablement par un paradoxe. Plus ils tentent d'éclaircir le cas, plus le paradoxe se renforce, à tel point que pour finir, ils sont bien obligés d'admettre que ce paradoxe est lié, intrinsèquement, à la nature du monde subatomique auquel nous devons l'existence de notre réalité physique.

On peut fort bien se livrer à des expériences pour prouver que la lumière est une particule. Cependant, une légère modification de l'expérience prouvera aussi que la lumière est une onde. De sorte que pour définir le phénomène de la lumière, les deux concepts de l'onde et de la particule sont indissociables. Nous pénétrons, maintenant, dans un univers où règne le concept du « un et les deux ». Celui que les physiciens appellent la complémentarité. Ce qui revient à dire que si des particules et des ondes sont propres au phénomène, il convient, pour le décrire, d'employer les deux définitions qui sont complémentaires et non plus opposées, comme dans le vieux concept « soit l'un, soit l'autre ».

C'est ainsi que Max Planck découvrit que l'énergie radiante chaude (comme celle du radiateur de la maison) n'est pas émise en continu et qu'elle se manifeste sous forme de paquets d'énergie discontinus nommés « quanta ». Et Einstein postula que toute forme de radiation électromagnétique pouvait se manifester sous forme d'ondes et aussi sous la forme de ces quantas. Et chacun reconnut que ces quantas de lumière, ces paquets d'énergie méritaient de porter le nom de particules. Notons qu'à cette phase du jeu, la particule, considérée comme la définition la plus pure d'un « objet », est devenue un paquet d'énergie !

Ce « bloc structurel de base » de la physique newtonienne n'existe pas dans la nature, même au plus profond de la matière. La recherche de ces blocs de matière fut abandonnée lorsque les physiciens découvrirent l'existence d'une quantité si impressionnante de particules élémentaires qu'il devint difficile de la limiter à cet épithète. Depuis quelques dizaines d'années, les expériences des physiciens ont montré que la matière était sujette à de totales mutations. Au niveau subatomique, elle n'existe pas avec certitude, en des lieux définis, mais manifeste plutôt des « tendances à exister ». Toutes les particules sont capables de se transmuer en d'autres particules. Elles peuvent être créées par l'énergie et se convertir en d'autres particules, ou encore se fondre à nouveau à l'énergie. Quand et comment ? Nul ne le sait. Tout ce que l'on sait, c'est qu'elles le font continuellement.

Sur le plan personnel, nous constatons que dans les domaines de la psychologie moderne et de l'évolution spirituelle, l'ancienne formule « soit l'un, soit l'autre » se dissout dans celle du « un et les deux ». Nous ne sommes plus totalement bons ou méchants. Nous n'aimons ou ne haïssons plus aussi radicalement et découvrons en nous des aptitudes beaucoup plus vastes. Nous pouvons éprouver à la fois pour une même personne de l'amour et de la haine et tout un éventail d'émotions intermédiaires. Par voie de conséquence, nous agissons de façon plus responsable. Et nous voyons alors le vieux dualisme de Dieu et du Diable se fondre en un tout, où la déesse et le dieu intérieurs s'allient respectivement au dieu et à la déesse extérieurs. Le mal n'est plus opposé au divin. Il devient une résistance à la force du dieu et de la déesse. Tous sont des composants de la même énergie. La force déesse-dieu est à la fois noire et blanche, masculine et féminine, car elle contient la blancheur de la lumière et le noir velouté du vide.

Comme a pu le constater le lecteur, nous utilisons encore des concepts nourris de dualisme alors qu'il existe un monde d'« opposés apparents » se complétant mutuellement, donc, plus d'opposés « réels ». Dans ce système, le dualisme a pour seul but de nous propulser vers l'unité.

Au-delà du dualisme - L'hologramme

Les physiciens découvrirent que si des particules pouvaient être des ondes, c'est qu'elles n'étaient pas tout à fait physiques, comme celles du son ou les ondulations de l'eau, mais plutôt des ondes potentielles. Or, la probabilité d'une onde ne ressemble en rien à celle d'un objet. Elle relève davantage d'une probabilité d'interconnexion. Ce concept n'est pas facile à comprendre. Les physiciens veulent dire par là qu'il n'existe rien, en l'occurrence, de comparable à ce que nous avons coutume d'appeler une « chose ». Il s'agit plutôt de « circonstances » ou de pistes pouvant mener à des événements.

Cette fois, notre vieux monde d'objets solides, de lois déterministes de la nature, se dissout dans un monde d'interconnexions et d'apparences d'ondes. Le concept de « particule élémentaire », de « substance matérielle » ou d'« objet isolé » perd toute signification. L'Univers ressemble maintenant à une toile d'araignée dynamique, composée de types d'énergies inséparables. Il se définit comme une totalité dynamique dont rien ne peut être dissocié, pas même l'observateur.

Si l'Univers est une trame, si rien n'y peut être isolé, c'est qu'il n'existe aucune partie séparée du tout. Donc, logiquement, nous sommes un tout.

Le physicien David Bohm déclara récemment, dans son livre *The Implicate Order*, que les lois physiques originelles ne peuvent être découvertes par une science qui s'efforce de réduire le monde en miettes. Il parle d'un ordre impliqué existant à l'état tacite et non manifesté sur lequel repose toute réalité manifestée, qu'il appelle l'« ordre tacite expliqué ». Dans cet univers, tous les composants sont en connexion directe et leurs réactions dynamiques dépendent inéluctablement de l'ensemble du système. Nous abordons donc une nouvelle notion, celle de la totalité indivisible, qui réfute l'idée classique d'un monde analysable en pièces détachées, existant indépendamment les unes des autres.

Le Dr Bohm ajoute que la vision holographique de l'Univers constitue un tremplin pour la compréhension de l'ordre impliqué tacite et de l'ordre tacite expliqué. Car, dans un hologramme, chaque pièce est la réplique exacte du tout et peut servir à reconstituer tout l'hologramme.

Dennis Gabor, en 1971, reçut un prix Nobel pour avoir construit le premier hologramme : une photographie prise sans avoir recours à un objectif du champ d'ondes lumineuses réfracté par un objet, dont les mesures sont enregistrées sur une plaque, à la manière d'un schéma d'interférences. Lorsque l'hologramme, ou la photographie enregistrée, est placé dans un faisceau de lumière cohérente du type laser, l'onde d'origine du schéma se régénère pour former une image tridimensionnelle. Chaque pièce de l'hologramme est la représentation exacte du tout et peut reconstruire l'image entière.

Le Dr Karl Pribram, chercheur réputé pour ses travaux sur le cerveau, démontra, à l'aide de preuves accumulées pendant une dizaine d'années, que la structure profonde du cerveau est essentiellement holographique. Il déclara, en s'appuyant sur les analyses complexes de nombreux laboratoires de recherches sur les fréquences spatio-temporelles, que le cerveau structure la vue, l'ouïe, le goût, l'odorat et le toucher à la manière d'un hologramme. L'information est communiquée à tout le système, de sorte que chaque élément peut fournir l'information sur le tout. Le Dr Pribram ne se borne pas à se servir du modèle de l'hologramme pour décrire le fonctionnement du cerveau. Il l'applique aussi à l'Univers. Selon lui, le cerveau emprunte son processus au domaine holographique qui transcende le temps et l'espace. Les parapsychologues ont cherché quelle était l'énergie impliquée dans la télépathie, la psychokinésie et le magnétisme. Du point de vue de l'univers holographique, ces événements émergent de fréquences qui transcendent le temps et l'espace. Ils n'ont pas besoin d'être transmis. Ils sont potentiellement simultanés et omniprésents.

Quand nous parlerons des champs d'énergie de l'aura, nous nous servirons de termes et de définitions classiques qui feraient sourire ces physiciens modernes car, manifestement, le phénomène de l'aura se situe à la fois à l'intérieur et à l'extérieur du temps linéaire et de l'espace tridimensionnel. Dans les cas que je vous ai exposés précédemment, comme je vous l'ai dit, j'ai « vu » les événements liés à la puberté d'Ed, à l'époque où il s'est cassé le coccyx, car il portait cette expérience en lui, inscrite dans son champ d'énergie. De même que le « coup de foudre » passionnel peut être perçu dans le champ de la personne amoureuse. Il semble donc que le clairvoyant soit capable de remonter dans le temps pour assister au déroulement d'un événement passé. La plupart des expériences relatées dans ce livre ne prennent un sens que si l'on accepte d'aller au-delà des trois dimensions traditionnelles. La capacité de « voir » l'intérieur du corps et les champs énergétiques nous fait automatiquement entrevoir de nouvelles dimensions, encore expérimentales mais de plus en plus reconnues et explorées par le monde scientifique. Que l'on puisse « voir » des événements passés ou que l'on soit capable de prévoir des situations futures, dans un cas comme dans l'autre, nous sommes de toute évidence sortis du temps linéaire.

En utilisant le concept des champs pour décrire l'aura, nous allons baigner en plein dualisme. Nous séparerons le champ de nous-mêmes, nous nous livrerons à des observations sur « lui » et en parlerons comme d'un phénomène faisant « partie » de nous-mêmes. Nous userons de termes tels que « mon champ », « son aura », etc. Je dois m'excuser de ce dualisme classique et dire franchement que je suis incapable, pour le moment, de communiquer ces expériences sans recourir aux anciennes structures – celles-là même que je remets en cause tout au long de mon livre. Un « langage holographique » est peut-être en train de s'élaborer. Mais, au moment où j'écris ces lignes, pour me comprendre moi-même et être comprise, je suis encore prisonnière du vieux fonds socio-culturel dont je suis issue.

Dans une conception holographique de la réalité, chaque parcelle de l'aura représente et contient le tout. Nous ne pouvons donc que décrire notre expérience d'un phénomène que nous observons et créons en même temps. Toute observation affecte le modèle observé. Nous ne nous bornons pas à faire partie du modèle, nous sommes le modèle. Il est nous, et nous sommes lui. Mais à présent, il convient d'abandonner le mot « lui », de le remplacer par un terme plus approprié, afin de dénouer les blocages de notre cerveau quand nous tentons de communiquer.

Les physiciens usent de formules telles que « probabilités d'interconnexions » ou « trame dynamique de modèles d'énergie inséparables ». Dès que nous pensons en termes de modèles d'énergie inséparables, le phénomène aurique décrit dans ce livre ne paraît plus aussi inhabituel ou étrange.

Toute expérience est interconnectée. Lorsque nous en avons conscience et intégrons cette connexité à nos processus cognitifs, nous parvenons à être conscients de tous les événements sans dépendre du facteur temps. Mais dès que nous disons « nous », nous retombons dans le dualisme. Notre expérience de la vie étant en majeure partie dualiste, il est difficile d'expérimenter cette connexité. *La conscience de la totalité est extérieure au temps linéaire et à l'espace à trois dimensions, et de ce fait, difficilement identifiable.* Nous devons pratiquer l'expérience de la totalité pour être aptes à la reconnaître.

La méditation est un moyen de transcender les limites de la pensée linéaire et fait de la connexité une réalité expérimentale. Cette réalité est très difficile à expliquer à l'aide de mots, car nous les employons de façon linéaire. Nous avons besoin d'un vocabulaire adapté pour nous amener mutuellement à vivre ces expériences. Au Japon, les maîtres Zen donnent à leurs adeptes une courte phrase induisant la concentration lorsqu'ils méditent. Cette phrase appelée *koan*, est destinée à les aider à transcender la pensée linéaire. Celle-ci est une de mes favorites : « Quel son produit une main qui applaudit ? »

Je réagis à ce célèbre koan en m'étirant de tout mon long dans l'Univers, portée par un son inaudible qui semble résonner à l'infini.

La connexité supralumineuse

Les savants en sont maintenant à faire la preuve mathématique de la connexité universelle et immédiate dans le monde de la science.

En 1964, le physicien J. S. Bell publia une preuve mathématique que l'on appela le théorème de Bell. Ce théorème soutient le concept de « particules » connectées de façon à transcender l'espace et le temps, de sorte que tout ce qui arrive à une particule affecte toutes les autres. L'effet est immédiat, il n'a nul besoin du « temps » pour se transmettre. La théorie de la relativité d'Einstein tenait pourtant pour impossible qu'une particule puisse voyager plus vite que la lumière. Or, dans le théorème de Bell, les effets peuvent être « supralumineux ». C'est-à-dire plus véloces que la lumière, ce que l'expérimentation a prouvé. Nous voici, à présent, confrontés à un phénomène échappant à la théorie de la relativité, essayant d'aller au-delà de la dualité onde-particule.

Là encore, les perfectionnements de l'équipement scientifique nous incitent à pénétrer plus avant et plus minutieusement dans la matière pour y découvrir un phénomène qui ne peut s'expliquer par les théories reconnues. Ce type de sondage aboutit, au XVIIIᵉ siècle à la découverte de l'électricité, qui révolutionna le monde et nous amena à réfléchir plus intensément à notre identité. Puis, en 1940, l'énergie atomique vint à son tour bouleverser notre conception du monde. Il semble que nous allions, actuellement, au-devant d'une autre période d'énormes transformations. Si les physiciens parvenaient à comprendre le fonctionnement du mécanisme de cette connexité immédiate, il est concevable que nous apprendrions à être conscients de nos connexions instantanées avec le monde et avec nos semblables, ce qui, à l'évidence, révolutionnerait la communication. Cette connexion directe changerait aussi radicalement notre interaction avec les autres, car nous serions capables de lire dans leur pensée quand bon nous semblerait. Nous y verrions ce qu'ils ressentent, pourrions les comprendre en profondeur et avec sincérité. Nous constaterions aussi plus clairement que nos pensées, nos sentiments (champs d'énergie), affectent le monde, bien plus que nous ne le supposions.

Les champs morphogènes

Dans son livre *A New Science of Life*, Rupert Sheldrake suggère que d'invisibles champs d'organisation, pour l'instant inconnus, sont à la base de tous les systèmes connus. Ces champs factifs, bien que dépourvus d'énergie au sens habituel du terme, servent de moule aux formes et aux comportements. Leur effet transcende les barrières conventionnelles de l'espace et du temps. Ce qui revient à dire qu'il est aussi fulgurant à distance lointaine qu'à courte portée.

Selon cette hypothèse, quand un individu d'une espèce donnée apprend un nouveau comportement, le champ causatif de l'espèce ne se modifie que légèrement. Mais si ce comportement est répété de façon durable, le « champ de résonance morphogène » – c'est le nom donné par Sheldrake à cette invisible matrice – affecte l'espèce entière. (Morpho = forme et gène = propre à la génération). L'effet de ce champ résulte d'une « action à distance », à travers l'espace et le temps. Au point où nous en sommes, l'existence, cette fois, ne dépend plus de lois physiques affranchies du temps, mais d'une résonance morphique, transcendant l'espace et le temps. Ce qui veut dire que les champs morphogènes peuvent se faufiler à travers l'espace et le temps, influer sur les événements du passé et du futur, n'importe où, à n'importe quel moment. Lyall Watson dans son livre *Lifetide : the Biology of Conscienciousness*, nous en fournit l'exemple en illustrant ce que l'on appelle désormais le « principe du centième singe ». Watson a découvert que lorsqu'un groupe de singes apprend un nouveau comportement, d'autres singes, dans d'autres îles, coupées de tout moyen « normal » de communication, adoptent aussi ce même comportement.

Dans un article du journal *Revisions*, le Dr David Bohm déclara que ce principe s'applique aussi, en physique, au quantum. L'expérience Einstein-Pudolsky-Rosen avait montré qu'il pouvait exister des connexions non locales, ou subtiles, de particules distantes. Il devait donc exister aussi une intégralité au sein du système. De ce fait, le champ formatif devait être attribué à la totalité des particules et non à une seule. Mais ce qui arrive à une seule particule peut affecter le champ causatif de toutes les autres. Et Bohm de poursuivre : « La notion de lois intemporelles gouvernant le monde semble insoutenable, puisque le temps participe à la progression de la nécessité. » Sheldrake écrivit, en conclusion de cet article : « Le processus créatif donne naissance à une nouvelle pensée créatrice de nouvelles totalités. À cet égard, il est similaire au processus de la réalité créative de nouvelles totalités évolutionnelles. Le processus créatif peut donc être vu comme le développement successif de totalités de plus en plus complexes, d'un niveau supérieur à celui des premiers éléments, à l'origine séparés, puis connectés ensuite les uns aux autres. »

La réalité multidimensionnelle

Un autre physicien, Jack Sarfatti, dans *Psychoenergetics Systems* suggère l'existence d'un niveau supérieur de réalité où pourrait s'exercer une connexité supralumineuse, où les « choses » seraient plus connectées et les événements plus liés les uns aux autres. Ce plan supérieur au nôtre serait lui-même connecté à un plan plus élevé encore. Donc, en accédant à un plan supérieur, nous serions capables de comprendre le mécanisme de la connexité instantanée.

Conclusion

De l'avis des physiciens, il n'existe donc pas de blocs constitutifs de la matière. L'Univers est un tout inséparable, un gigantesque réseau de possibilités interactives et entremêlées. Les travaux de Bohm ont montré que l'Univers manifesté naît de ce tout. Étant donné que nous faisons partie de ce tout, il pense que si nous pouvions accéder à un état d'existence propre à cette totalité, devenir un tout, nous pourrions puiser à la source des forces créatrices de l'Univers pour guérir instantanément n'importe qui, n'importe où. Certains guérisseurs y parviennent dans une certaine mesure, en fusionnant avec Dieu et le patient pour ne plus faire qu'un.

Devenir guérisseur signifie que l'on se rapproche de cette force créative universelle que l'on nomme l'amour pour redéfinir le moi, devenir universel et ne plus faire qu'un avec Dieu.

L'accession à cette totalité passe par l'abandon de nos définitions limitées du moi, fondées sur notre passé newtonien séparatiste, et par notre identification aux champs d'énergie. Si nous parvenons à intégrer cette réalité à nos existences de manière pratique et vérifiable, nous pourrons faire la différence entre le fantasme et la possibilité d'une réalité plus vaste. Dès que nous nous associons aux champs d'énergie, une conscience supérieure s'associe conjointement à des fréquences plus élevées et cohérentes.

Le modèle Sarfatti nous laisse entrevoir un monde très semblable à celui qui est décrit dans ce livre, celui de l'aura et du champ d'énergie universel. Notre existence n'est plus limitée à un seul monde. Nos corps supérieurs (fréquences auriques plus élevées) sont mieux connectés à ceux des autres que nos corps physiques. À mesure que nous progressons, nous nous connectons de mieux en mieux, et pouvons éventuellement accéder à la fusion avec l'Univers. À la lumière de ce concept, l'expérience méditative peut être définie comme une élévation de notre conscience à une fréquence supérieure. Elle vous permet d'expérimenter la réalité de nos corps, de notre conscience et des mondes supérieurs dans lesquels nous existons.

Nous allons donc étudier de plus près le phénomène du champ d'énergie et voir ce que peut nous apprendre la science expérimentale.

Révision du chapitre 4

1. Comment les divers points de vue scientifiques ont-ils influencé nos conceptions de nous-mêmes ?
2. Pourquoi la notion d'un monde physique immuable est-elle devenue de nos jours inapplicable ?
3. Quelle importance revêt la contribution des idées de Faraday et de Maxwell sur le fonctionnement du monde ?
4. Qu'est-ce que la connexité supralumineuse ? Quelle est son incidence sur notre vie quotidienne ?
5. De quelle façon la notion de réalité multidimensionnelle nous aide-t-elle à décrire le CEH ?

Sujet de réflexion

6. Imaginez que vous êtes un hologramme. Pourquoi cette vision de vous-même est-elle illimitée ?

Chapitre 5

Histoire de la recherche scientifique sur le champ d'énergie humaine

Bien que les mystiques n'aient pas parlé des champs d'énergie et des formes bioplasmatiques, leurs traditions, cinq fois millénaires, dans toutes les parties du monde, concordent avec les observations récentes des scientifiques.

La tradition spirituelle

Dans toutes les régions, certains adeptes disent avoir vu de la lumière irradier autour de la tête de leurs semblables. À l'aide de pratiques religieuses telles que la méditation et la prière, ils atteignent un état de conscience amplifiée qui développe leurs aptitudes latentes à acquérir un haut sens de perception.

L'antique tradition spirituelle de l'Inde, remontant à cinq mille ans, parle d'une énergie universelle appelée *prana*. Cette énergie universelle est considérée comme l'élément constitutif de base et la source de toute vie. La prana, le souffle de vie, traverse toutes les formes et les anime. Les yogis manipulent cette énergie au moyen de techniques respiratoires par la méditation et par des exercices physiques afin de se maintenir en état de conscience altérée et de conserver une jeunesse dépassant, de beaucoup, la durée ordinaire.

Trois mille ans avant notre ère, les Chinois énoncèrent le principe d'existence d'une énergie vitale qu'ils appelèrent *ch'i*. Selon ce principe, toute matière, animée ou non, est composée de cette énergie universelle dont elle est imprégnée. Le ch'i comporte deux pôles de force : le yin et le yang. Quand le yin et le yang sont en équilibre, l'organisme est en bonne santé. La maladie témoigne de leur déséquilibre. Un yang trop puissant provoque une activité organique excessive. La prédominance du yin a pour conséquence une insuffisance fonctionnelle. Dans les deux cas, le déséquilibre est la cause de la maladie physique. L'art antique de l'acupuncture a pour but de rétablir la balance entre le yin et le yang.

La Kabbale, la théosophie mystique judaïque dont la tradition remonte à 538 avant J.-C., fait référence à ces mêmes énergies qu'elle appelle lumière astrale. Dans les peintures religieuses chrétiennes, Jésus et les hautes personnalités spirituelles sont représentés nimbés de champs lumineux. On trouve dans l'Ancien Testament de nombreuses références à la lumière entourant des êtres, ou aux apparitions lumineuses, mais au cours des siècles, ces phénomènes ont perdu leur signification première. La statue du Moïse de Michel-Ange représente le *karnaeem* sous la forme de deux cornes, à la place des deux rayons lumineux auxquels se réfère ce mot à l'origine. En hébreu, ce mot est en effet à double sens. Il peut signifier corne ou lumière.

Dans son livre *Future Science*, John White dresse la liste de quatre-vingt-dix-sept cultures faisant allusion au phénomène aurique, sous autant de dénominations différentes.

Bien des enseignements ésotériques – les anciens textes védiques hindous, les théosophes, les Rose-Croix, les guérisseurs indiens d'Amérique, les bouddhistes tibétains, indiens et zen au Japon, Mme Blavatsky et Rudolph Steiner, pour n'en citer que quelques-uns – fournissent des descriptions détaillées du champ d'énergie humaine. Récemment, de nombreuses personnes nanties d'une formation scientifique moderne ont pu ajouter à cette liste leurs observations concrètes, au niveau physique.

La tradition scientifique de 500 avant J.-C. au XIXe siècle

Au fil de l'histoire, la notion d'énergie universelle pénétrant toute la nature a été retenue par de nombreux penseurs et savants occidentaux. Cette énergie vitale, perçue comme un corps lumineux, apparaît pour la première fois dans les textes des pythagoriciens vers 500 avant J.-C. Ils la disaient capable de produire une variété d'effets sur l'organisme et notamment, de vaincre la maladie.

Deux érudits du début du XIIe siècle, Boirac et Liebault, constatèrent que les humains possédaient une énergie pouvant provoquer une interaction à distance entre plusieurs individus.

Ils rapportèrent qu'une personne pouvait avoir une influence bénéfique ou maléfique sur la santé d'une autre, par sa seule présence. Au Moyen Âge, le savant Paracelse appela cette énergie « Illiaster » et déclara qu'elle était composée de force et de matière vitale. Dans les années 1800, le mathématicien Helmont évoqua l'existence d'un fluide universel, immatériel et incondensable, répandu dans toute la nature, un pur esprit vital pénétrant tous les corps. Le mathématicien Leibnitz écrivit que les éléments essentiels de l'univers étaient des centres de force contenant leur propre source de propagation.

À la même époque, d'autres propriétés de l'énergie universelle furent observées par Helmont et Mesmer. Elles ont donné naissance au mesmérisme, lequel ouvrit la voie aux techniques d'hypnose. Ils avancèrent que les objets animés et inanimés pouvaient être chargés de ce « fluide » et que les corps matériels pouvaient exercer une influence les uns sur les autres à distance. Ce qui suggérait qu'un champ, en quelque sorte analogue à un champ électromagnétique, pouvait exister.

Le comte Wilhelm von Reichenbach, au milieu du XIXe siècle, passa trente ans à faire des expériences sur un « champ » qu'il appela la force « odique ». Il lui trouva beaucoup de propriétés similaires à celles du champ électromagnétique décrit par James Clerck Maxwell au début du siècle, mais il découvrit en plus plusieurs autres propriétés bien spécifiques. L'aimant, en particulier, hormis sa polarité magnétique, en révéla une autre, en rapport avec ce champ odique. D'autres objets, tels que les cristaux, présentent cette polarité sans être magnétiques. Les pôles du champ odique, pour les sujets sensitifs qui les observent, ont la propriété d'être soit « chaud, rouge et déplaisant » ou « bleu, froid et agréable ». Maxwell détermina, en outre, que les pôles opposés n'exercent pas d'attraction, comme les pôles électromagnétiques. En revanche, les pôles de même signe s'attirent. Autrement dit, les négatifs attirent les négatifs ou les positifs attirent les positifs. Ce phénomène aurique est très important, comme nous le verrons plus tard.

Reichenbach étudia la relation existant entre les rayonnements électromagnétiques du Soleil et les concentrations du champ odique qui en découlent. Il découvrit que la plus forte concentration de cette énergie se trouvait dans les bandes rouges et bleu-violet du spectre solaire. Il constata également que des charges opposées produisaient des sensations subjectives de chaleur et de froid d'intensité variable. Une série de tests lui permit d'établir une table de fréquence. Tous les éléments électropositifs provoquèrent sur les sujets des sensations de chaleur et un effet désagréable, alors que les éléments électronégatifs se révélèrent frais et agréables. L'intensité de la sensation correspondait à leur position sur la table de fréquence, et ces sensations allant du chaud au froid correspondaient aux couleurs du spectre variant du rouge à l'indigo.

Reichenbach découvrit que le champ odique pouvait être conduit par un fil métallique et que cette conduction était fort lente, environ 4 mètres par seconde. La vélocité semblait dépendre de la densité massique du matériau plutôt que de sa conductibilité. De plus, on pouvait charger les objets de cette énergie en procédant de même que si l'on employait un champ électrique. D'autres expériences démontrèrent qu'une partie de ce champ pouvait se concentrer comme la lumière à travers une lentille et que l'autre partie irradiait autour de la lentille, comme la flamme d'une bougie rayonne autour des objets placés sur sa trajectoire. Cette portion déviée du champ odique réagit comme une flamme de bougie exposée aux courants d'air, ce qui laissait supposer que sa composition était similaire à celle d'un fluide gazeux. Ces expériences montrent que le champ aurique a des propriétés particulières, qu'il est à la fois fluide et énergétique, comme les ondes lumineuses.

Reichenbach découvrit aussi que la force résidant dans le corps humain produisait une polarité semblable à celle des grands axes des cristaux. En se fondant sur cette preuve expérimentale, il définit le côté gauche du corps comme le pôle négatif et le droit comme le pôle positif. Ce concept est similaire aux principes yin et yang de la Chine ancienne mentionnés précédemment.

Observations des médecins au XXᵉ siècle

Les paragraphes précédents montrent que jusqu'au XXᵉ siècle, des études furent entreprises pour observer les caractéristiques diverses d'un champ d'énergie entourant les êtres vivants et les objets inanimés. Depuis le début de ce siècle, les médecins se sont mis à leur tour à s'intéresser à ce phénomène.

En 1911, le Dʳ William Kilner publia un rapport sur ses études concernant le champ d'énergie humaine, vu à travers des écrans ou des filtres de couleur. Il dit avoir vu une buée luminescente répartie en trois zones autour de tout le corps : a) tout contre la peau, une couche sombre d'un demi-centimètre ; b) une couche plus vaporeuse de deux centimètres et demi entourant la première et ruisselant du corps à la perpendiculaire ; c) une délicate luminosité extérieure, aux contours indéfinis, d'environ quinze centimètres d'épaisseur. Kilner constata que cette apparente aura – ainsi qu'il la nomma – différait considérablement d'un sujet à l'autre, suivant l'âge, le sexe, le niveau intellectuel et la santé. Certaines maladies se traduisaient par des taches ou des irrégularités dans l'aura, ce qui conduisit Kilner à élaborer un système de diagnostic basé sur la couleur, la texture, le volume et l'aspect général de l'enveloppe. Il diagnostiqua de la sorte des infections hépatiques, des tumeurs, des appendicites, l'épilepsie et des troubles psychologiques comme l'hystérie.

Au cours des années 1950, le Dr George de la Warr et le Dr Ruth Drown construisirent de nouveaux appareils détectant les radiations des tissus vivants. Ils élaborèrent un système de détection « radionique » permettant le diagnostic et les soins à distance en utilisant le champ biologique d'énergie humaine. Les travaux les plus impressionnants montrent des photographies de chevelures de patients servant d'antenne. Les clichés mettent en évidence des affections internes en cours de formation sur des tissus vivants : tumeurs et kystes du foie, tuberculose pulmonaire et tumeurs malignes du cerveau. Un fœtus de trois mois fut photographié *in utero*.

Le Dr Wilhelm Reich, psychiatre et collègue de Freud, s'intéressa à une énergie universelle qu'il appela « orgone ». Il étudia le rapport existant entre les altérations du flux d'orgone dans le corps humain et la maladie physique et psychologique. Reich mit au point une méthode de psychothérapie mêlant les techniques d'analyse freudienne de mise à jour de l'inconscient à des techniques physiques destinées à dénouer les blocages freinant le flux naturel d'énergie de l'orgone dans le corps. À l'aide de ce procédé, il parvint à soigner efficacement des patients affligés de symptômes névrotiques graves.

Durant une période allant des années 1930 aux années 1950, Reich se livra à des expériences sur ces énergies en utilisant les instruments électroniques et médicaux les plus perfectionnés de l'époque. Il observa leur pulsation dans le ciel, autour de tous les corps organiques ou inanimés, et celle de l'orgone émanant de micro-organismes, à l'aide d'un microscope très puissant construit spécialement à cet effet.

Reich mit au point divers dispositifs afin d'étudier le champ de l'orgone, dont un « accumulateur d'énergie orgonique » destiné à charger des objets. Il constata qu'un tube à vide, après une longue période de charge dans un accumulateur, réduisait la décharge du courant électrique à un potentiel considérablement inférieur à sa norme. Il affirma, en outre, pouvoir augmenter le taux d'usure d'un isotope radioactif en le plaçant dans un accumulateur d'orgone.

Dans les années 1930, le Dr Lawrence Bendit et Phœbe Bendit se livrèrent à des observations approfondies du CEH et rattachèrent ce champ à la santé, à la guérison et à l'épanouissement de l'esprit. Leurs travaux soulignent l'importance de la connaissance et de la compréhension des puissantes forces éthériques qui gouvernent la santé physique et mentale.

Plus récemment, le Dr Schafica Karagulla étudia les rapports existant entre certaines images mentales de patients et la maladie. Dianne, une voyante, observa les tracés énergétiques de personnes souffrant de maux divers. Après quoi elle fut capable de donner un diagnostic aussi précis et détaillé que celui d'un médecin, qu'il s'agisse de troubles cérébraux, pulmonaires ou intestinaux. Ces observations du corps éthérique rendirent parfaitement visible l'énergie vitale du corps : le champ, formant matrice, interpénètre la densité du corps physique comme une toile d'araignée étincelante de fils lumineux. Cette matrice énergétique est la structure fondamentale sur laquelle prend forme et se fixe la matière physique des tissus, lesquels n'existent que grâce au support de ce champ vital.

Le Dr Karagulla étudia aussi les maladies liées à un mauvais fonctionnement des chakras. Dianne vit chez un patient le chakra de la gorge hyperactif, rouge d'un côté, gris terne de l'autre. Lorsqu'elle examina sa thyroïde, elle lui trouva une texture trop molle et spongieuse. Le côté droit fonctionnait moins bien que le gauche. Les examens médicaux permirent alors de diagnostiquer la maladie de Basedow et une hypertrophie thyroïdienne du lobe droit.

Le Dr Dora Kuntz, présidente de la section américaine de la Société de Théosophie, exerça la médecine durant de nombreuses années tout en étant une guérisseuse réputée. Dans son livre *The Spiritual Aspects of the Healing Arts*, elle souligne que « si le champ vital est sain, son rythme intérieur est naturellement autonome » et que « chaque organe du corps a son rythme énergétique correspondant dans le champ éthérique ». Les différents rythmes exercent leur interaction dans les sphères d'activité des divers organes. Cette interaction tient lieu de transfert. Quand le corps est sain, ces rythmes se transmettent aisément d'un organe à l'autre. Mais en cas de troubles pathologiques, les rythmes, tout comme les intensités d'énergie, sont modifiés. Les séquelles d'une appendicectomie, par exemple, sont perceptibles dans le champ. Les tissus physiques, désormais adjacents, modifient leur fonction de transfert d'énergie, auparavant modulée par l'appendice. C'est ce que l'on appelle en physique la compatibilité ou l'incompatibilité d'impédance. Chaque tissu adjacent présente une compatibilité d'impédance qui permet à l'énergie de se répandre aisément dans la totalité du tissu. La chirurgie, la maladie, modifient cette impédance, et l'énergie, dans une certaine mesure, est gaspillée, plutôt que transférée.

Le Dr John Pierrakos mit au point un système particulier de diagnostic et de traitement des troubles psychologiques. Pour étudier le CEH, il se servit d'une technique dérivée du pendule. L'information tirée de ces observations aiguille le thérapeute qui peut pratiquer les exercices appropriés. Pierrakos, qui fut longtemps l'assistant et le proche collaborateur d'Alexander Lowen, se sert essentiellement de la bioénergie et des thérapies d'inspiration reichienne, tandis qu'Eva Pierrakos se spécialise davantage dans le travail analytique. Ce processus, appelé *core Energetics* agit en profondeur sur les défenses de l'ego et de la personnalité, débloque les énergies, équilibre entre eux tous les différents corps (physique, éthérique, émotionnel, mental et spirituel), afin de parvenir à une guérison harmonieuse de l'intégralité de l'être.

Je conclus de ce qui précède et de beaucoup d'autres travaux similaires que ces lumières émises par le corps humain sont étroitement liées à l'état général. Par conséquent, il est extrêmement important de pouvoir les observer, les mesurer à l'aide d'une instrumentation fiable et standardisée, afin de mettre cette information au service du corps médical. Non seulement ces mesures serviront au diagnostic, mais encore le champ énergétique, intelligemment utilisé par un thérapeute entraîné, va devenir lui-même le principal agent de guérison.

Mes collègues et moi nous sommes livrés à de nombreuses expériences pour mesurer le CEH. En voici une parmi bien d'autres : le Dr Richard Dobrin, le Dr John Pierrakos et moi-même avons mesuré dans une chambre noire l'intensité lumineuse d'une onde d'environ 350 nanomètres, avant, pendant et après le passage de dix femmes et de dix hommes. Les résultats ont indiqué un léger accroissement d'intensité lumineuse quand les personnes sont entrées dans la pièce obscure. Dans un cas, elle a sensiblement diminué en présence d'un sujet exténué, en pleine dépression nerveuse. Dans une autre expérience, entreprise avec le Cercle de parapsychologie des Nations Unies, nous avons pu montrer à la télévision, en noir et blanc, une partie du champ aurique, à l'aide d'un appareil dit « coloriste », qui permet d'amplifier fortement les variations d'intensités lumineuses près du corps. À l'université de Drexel, le

Dr William Eidson, Karen Gestla (une extraperceptive qui travailla avec le Dr Rhine à la Duke University pendant de nombreuses années) et moi-même, nous sommes parvenus à affecter un petit rayon laser de deux milliwatts, à l'aide de l'énergie aurique, soit en le courbant, soit en l'atténuant.

Toutes ces expériences m'aidaient à défendre le concept des champs d'énergie. Toutefois elles n'étaient pas suffisamment concluantes pour convaincre les milieux scientifiques officiels. Les résultats furent diffusés à l'échelle nationale sur la chaîne NBC, mais faute de subventions, des recherches plus approfondies ne purent être entreprises.

Au Japon, Hiroshi Motoyama réussit à mesurer les basses intensités lumineuses de sujets pratiquant le yoga depuis plusieurs années. Il procéda à cette expérience en chambre noire, à l'aide d'une caméra ultrasensible.

En Chine populaire, le Dr Zheng Rongliang, de l'université de Lanzhou, mesura l'énergie irradiée par le corps humain (appelée qi ou ch'i) à l'aide d'un révélateur biologique – la nervure d'une feuille – connectée à un appareil photoquantum (qui sert à mesurer les basses intensités). Il étudia les émanations du champ d'énergie d'un maître du qigong (une méthode d'exercices corporels pratiquée jadis en Chine) et les émanations du champ d'énergie d'un clairvoyant. Ses études montrèrent que le système de détection répondait à la radiation par une pulsation. La pulsation provoquée par la main du maître de qigong était très différente de celle du clairvoyant.

À Shanghaï, l'Atomic Nuclear Institute de l'Academia Sinica démontra que les émanations de force vitale des maîtres qigong semblaient comporter une onde sonore de très basse fréquence, ressemblant à une fluctuation de basse fréquence de l'onde porteuse. Dans certains cas, le qi fut également détecté comme un flux de microparticules d'un diamètre de soixante microns environ, d'une vélocité de vingt à cinquante centimètres par seconde.

Il y a quelques années, quelques scientifiques soviétiques de l'Institut A. S. Popow de bio-information, annoncèrent avoir découvert que les organismes vivants émettaient des vibrations d'énergie dont les fréquences allaient de 30 à 2 000 nanomètres. Ils appelèrent cette énergie le biochamp ou bioplasma. Ils constatèrent que les personnes capables de bons échanges vibratoires possédaient un biochamp plus large et affirmé.

Ces découvertes, confirmées par l'Académie des sciences de Moscou, furent très bien reçues dans les milieux de la recherche scientifique, en Grande-Bretagne, aux Pays-Bas, en Allemagne et en Pologne.

L'étude de l'aura humaine la plus passionnante, à mes yeux, est celle qui fut menée par le Dr Valorie Hunt et ses collègues de l'UCLA. Il s'agit d'un travail d'observation des effets du *rolfing* (Étude de la structure neuromusculaire du champ d'énergie et des approches émotionnelles sur le corps et sur le psychisme). Les signaux à basse fréquence émis par le corps au cours de séances de rolfing furent transcrits en millivolts. Pour réaliser ces enregistrements, le Dr Hunt utilisa de simples électrodes en argent et chlorure d'argent, placées à même la peau. Pendant que s'opérait la mesure des signaux électroniques, la Révérende Rosalyn Bruyere, du Healing Light Center de Glendale (Californie), observa les auras du rolfeur et du patient. Dans ses commentaires, enregistrés sur la même bande que la donnée électronique, elle fait le compte-rendu de la couleur, de la taille, des mouvements d'énergie des chakras et des nuages auriques impliqués.

Les scientifiques analysèrent ensuite les modèles d'ondes enregistrés (méthode Fourier) et les fréquences à l'aide d'un sonomètre. Les deux donnèrent de remarquables résultats. Les ondes stationnaires et leur fréquence correspondaient spécifiquement aux couleurs relevées par la Révérende Bruyere. Autrement dit, lorsqu'elle observa du bleu à un emplacement précis de l'aura, les mesures électroniques indiquèrent ponctuellement le modèle caractéristique de l'onde bleue, juste au même endroit. L'expérience fut répétée avec sept autres lecteurs d'auras. Ils virent eux aussi des couleurs auriques qui correspondaient à leur fréquence et leur modèle d'onde spécifique. En février 1988, les progrès de la recherche permirent d'établir une corrélation entre les couleurs et leurs fréquences (Hz = hertz ou cycle par seconde) :

Bleu	250 - 275 Hz plus 1 200 Hz
Vert	250 - 475 Hz
Jaune	500 - 700 Hz
Orange	950 - 1 050 Hz
Rouge	1 000 - 1 200 Hz
Violet	1 000 - 2 000 Hz plus 300-400 Hz
	600 - 800 Hz
Blanc	1 100 - 2 000 Hz

Ces bandes de fréquence, comparées à celles de la séquence de couleurs de l'arc-en-ciel, sont en ordre inverse, à l'exception des bandes additionnelles du bleu et du violet. Le Dr Hunt déclara :

« Depuis des siècles, les extrasensoriels ont vu et décrit les émissions auriques, mais c'est la première preuve objective électronique de fréquence, d'amplitude et de temps, cautionnant les observations jusqu'alors subjectives des décharges de couleurs autour de la peau. »

Les fréquences des couleurs enregistrées n'étaient pas exactement celles de la lumière, ni celles des pigments, ce qui n'invalide en rien cette découverte. Il faut tenir compte du fait que les couleurs, telles que nous les voyons, sont des fréquences captées et interprétées par l'œil, différenciées les unes par rapport aux autres, puis désignées par un mot normalisé. Toutefois rien n'indique que l'œil et les centres du cerveau n'interprètent la couleur qu'en termes de haute fréquence. L'ultime critère demeure l'interaction visuelle. Néanmoins, une instrumentation plus sophistiquée, qui commence d'ailleurs à apparaître dans quelques centres de recherches d'avant-garde, pourrait très vraisemblablement déceler de plus hautes fréquences que les 1 500 Hz enregistrés à l'origine.

Le Dr Hunt ajoute également que « les chakras portent bien, en effet, les couleurs décrites dans la littérature ésotérique : kundalini-rouge, ventre-orange, foie-jaune, cœur-vert, gorge-bleu, troisième œil-violet, et couronne-blanc. L'activité de certains chakras semble stimuler celle des autres. Le chakra du cœur semble, de très loin, le plus actif. Au cours des séances de rolfing, les sujets passent par beaucoup d'expériences émotionnelles, de réminiscences, d'images-souvenirs connectées aux différentes zones du corps soumises au rolfing. La mémoire de ces expériences s'emmagasine dans les tissus du corps, et ces récentes découvertes sur la couleur des énergies donnent une crédibilité accrue aux constructions psychosomatiques hindoues. »

Par exemple, un patient dont la jambe est « rolfée » peut fort bien revivre des expériences de sa petite enfance, notamment celle où on l'asseyait sur son pot. Il ne se contentera pas de s'en souvenir, il revivra émotionnellement la situation, non pas au niveau de l'intellect mais dans ses tripes. Tel est, à mon avis, l'avantage incontestable des thérapies corporelles dérivées des travaux de Wilhelm Reich : la résurgence des souvenirs douloureux n'est pas seulement verbale, elle n'est pas seulement émotionnelle, mais charnelle, c'est-à-dire que le corps exprime enfin sa souffrance, ses peurs, ses frustations. Or, dans ce domaine l'apprentissage de la propreté est l'une des étapes clés, et l'une des plus mal vécues, du fameux « dressage social ». Très souvent, les parents s'efforcent de mettre leur bébé sur le pot avant que son corps ait établi la connexion cerveau-muscle adéquate. Il est donc physiologiquement inapte au contrôle efficace de son sphincter. Du coup, le bébé compense en comprimant les muscles de ses cuisses. Il inflige ainsi beaucoup de tension et de fatigue à son corps. Souvent, cette fatigue devient coutumière. Elle peut s'étaler sur la vie entière, à moins qu'une thérapie reichienne ne soit entreprise – rolfing, bioénergie, intégration posturale, relaxation dynamique, etc. – en vue de travailler sur ces contractures, ces tensions musculaires, ces chagrins, ce stress.

Ceux d'entre nous – et ils sont nombreux – qui vivent continuellement les épaules serrées, offrent un bel exemple de tension mémorisée. Ils portent leur peur, leur anxiété sur les épaules. Demandez-vous de quoi vous avez peur. Ne serait-ce pas d'être incapable d'agir ? Pensez-vous constamment à ce qui arrivera d'épouvantable si vous ne réussissez pas ?

Conclusion

Si on définit le champ d'énergie humaine comme la somme des radiations et des émanations du corps, on constate que nombre de ses composants ont été mesurés et étudiés en laboratoire, qu'ils en soient électrostatiques, magnétiques, électromagnétiques, soniques, thermiques ou visuels. Ces évaluations correspondent toutes aux processus physiologiques normaux du corps et vont même au-delà. Elles fournissent un véhicule au fonctionnement psychosomatique.

Les travaux du Dr Hunt montrent des fréquences coïncidant avec celles des couleurs. Il se peut qu'elles aient des harmoniques supérieurs qui n'ont pu être enregistrés en raison de l'équipement limité des laboratoires mis à contribution.

Ces chiffres témoignent de la nature particulière du CEH, mouvant comme un fluide, comme l'air ou les courants d'eau. Les particules sont extrêmement petites, voire subatomiques, ainsi que le signalent la plupart des chercheurs. Lorsque ces menues particules chargées se rassemblent, elles forment des nuages que les physiciens appellent « plasmas ». Ces plasmas obéissent à certaines lois physiques, incitent les physiciens à penser qu'il pourrait s'agir d'un état se situant entre l'énergie et la matière. Or, un grand nombre de propriétés du CEH, contrôlées en laboratoire, évoquent un cinquième état de la matière que certains scientifiques appellent « bioplasma ».

Ces études montrent que le modèle convenu d'un corps consistant en systèmes (comme le système digestif) se révèle être insuffisant. Le développement d'un modèle additionnel, fondé sur le concept du champ organisateur d'énergie semble désormais indispensable. Celui du champ électromagnétique complexe ne peut y suffire. De nombreux phénomènes psychiques, directement liés au CEH, comme la prémonition, la médiumnité, le souvenir de vies antérieures ne s'expliquent pas avec un modèle électromagnétique.

Pour le Dr Valorie Hunt, « le corps peut être vu sous l'angle du concept de l'énergie d'un quantum propre à la nature cellulaire et atomique des fonctions organiques, transcendant tous les systèmes et tous les tissus. » Il estime que la vision holographique du CEH pourrait être la bonne : « Le concept de l'hologramme qui émerge dans le monde de la physique et de la recherche sur le cerveau, semble offrir une véritable vision cosmique et unifiée de la réalité. Il en appelle à une révision de l'interprétation de toutes les découvertes biologiques vues sous un autre angle. »

Marilyn Ferguson rapporte dans le *Brain Mind Bulletin* que le modèle holistique avait été salué comme un modèle « exemplaire par excellence, une théorie de l'intégralité ayant accès à toutes les merveilles de la science et de l'esprit encore à l'état sauvage, une théorie au système ouvert, mariant enfin la biologie à la physique ».

Révisions du chapitre 5

1. Comment le CEH a-t-il été mesuré ?
2. Quand les êtres humains étudièrent-ils le phénomène aurique pour la première fois ?
3. Quand l'aura fut-elle observée pour la première fois au XIXe siècle et par qui ?
4. En quoi le phénomène du CEH s'étend-il au-delà de la connaissance scientifique actuelle ?
5. Quel est le bon modèle théorique et expérimental de la science moderne applicable au phénomène du CEH ?

Chapitre 6

Le champ d'énergie universelle (CEU)

Quand, à l'âge adulte, j'ai recommencé à voir les champs d'énergie vitale, j'ai d'abord été sceptique et perturbée. À l'époque, je n'avais pas encore découvert la littérature dont je viens de parler dans les deux chapitres précédents, pas plus que je n'avais reçu les directives mentionnées au chapitre 3. Au cours de ma formation scientifique, j'avais entendu parler des champs d'énergie, mais de façon totalement impersonnelle, en termes de formules mathématiques. Où étaient-ils, en fait ? Que signi-fiaient-ils ? Est-ce que je nageais en plein fantasme ? Était-ce une projection de la pensée ? Étais-je en train d'expérimenter une autre dimension de la réalité ayant un sens, ordonnée, utile à la compréhension de ma vie présente, à celle de la vie tout court ?

J'avais lu des livres sur les miracles opérés jadis dans un lointain passé. Les personnes concernées m'étaient étrangères. Beaucoup de ces récits me paraissaient de pure fantaisie. La physicienne que je suis a besoin d'observer, de contrôler, pour savoir si le phénomène est « réel ». Je me suis donc mise à collationner les données, à savoir mes expériences personnelles, pour voir si elles s'adaptaient à quelque principe ou système logique, comme il est d'usage dans le monde de la physique. Je pensais, comme Einstein, que « Dieu n'avait pas joué l'Univers au dés ».

J'ai constaté que le phénomène observé ressemblait beaucoup au monde qui m'était familier. Il avait des formes, des couleurs bien ordonnées, clairement fondées sur la relation de cause à effet. Mais une petite inconnue, inexplicablement, m'échappait toujours. Soudain, je me suis rendu compte à quel point la vie serait limitée si le mystère de l'inconnu ne dansait constamment devant nous à mesure que nous avançons. Quelle était l'inconnue ? L'espace-temps ? Je le croyais à l'époque. À présent, je constate que nous avançons en passant par des expériences personnelles de la « réalité ». Que nous ne pensons, sentons, existons, amalgamons, individualisons, que pour mieux fusionner dans un tourbillon infini de transformations, à mesure que l'âme se forge, grandit et se dirige vers Dieu.

Ce que j'observais alors correspondait à ce que j'ai lu depuis dans de nombreux livres sur l'aura et les champs d'énergie. Les couleurs, les mouvements, les formes, tout concordait. Presque tout ce que j'ai lu, pratiquement, est postérieur à mes observations, comme si une invisible main m'amenait à expérimenter le phénomène, vierge de toute information à son sujet, afin d'éviter toute projection d'images mentales due à ces lectures. Je crois maintenant fermement à l'existence de ce guide. Il intervient sans cesse dans mon existence, la pénètre, m'emporte comme un chant vers de nouvelles expériences, de nouvelles leçons, à mesure que je grandis et deviens un être humain.

Exercices pour « voir » les champs d'énergie universelle

Pour observer un champ d'énergie, le moyen le plus simple consiste à se détendre, allongé dans l'herbe, par une belle journée de soleil et à contempler le ciel. Au bout d'un moment, vous verrez de minuscules globules d'orgone se trémousser dans le bleu, comme d'infimes ballons blancs. Parfois, un petit point noir y apparaît une seconde ou deux et s'efface, laissant une légère trace de son passage. En observant davantage et en élargissant votre vision, vous constaterez que tout le champ pulse à un rythme synchrone. S'il fait soleil, les petites boules d'énergie brilleront et se déplaceront très vite. Si le ciel est nuageux, elles seront translucides, inférieures en nombre et moins véloces. Si la ville baigne dans le brouillard, elles sont sombres, lentes à se déplacer et moins nombreuses encore. Elles sont déchargées. Dans les Alpes suisses, les journées hivernales sont très ensoleillées. C'est là que j'ai observé les globules les mieux chargés et les plus abondants. Tout est recouvert de neige, et la lumière solaire semble les nourrir.

Portez maintenant votre regard sur la cime des arbres se découpant sur le ciel. Vous pourrez voir, autour, une brume verte. Curieusement, les globules blancs n'existent pas dans cette brume. Mais si vous observez avec attention, vous les verrez, à l'orée du nuage vert. Cessant de s'agiter, ils se coulent dans l'aura de l'arbre où ils disparaissent. Apparemment, l'aura a absorbé les petits globules. Cette couleur verte apparaît au printemps, à l'époque des premières feuilles et aussi en été. Au tout début du printemps, cette aura prend, autour de la plupart des essences, une teinte rose-rougeâtre, la couleur des bourgeons.

Si vous placez une plante d'appartement sous une lumière vive, sur un fond noir, vous constaterez le même phénomène. Des fils de lumière, de couleur bleu-vert, fuseront de la plante, le long des feuilles, dans le sens de la pousse. L'effet sera immédiat. Puis la couleur pâlira lentement pour rejaillir du côté opposé. Ces lignes réagiront à votre main ou à un cristal, si vous l'approchez de la plante. Si vous éloignez le cristal, vous verrez son aura et celle de la plante s'étirer comme des caramels mous pour tenter de maintenir le contact (fig. 6-1).

*Figure 6-1 : effet du lapis sur l'aura
d'une plante.*

J'ai essayé, un jour, de voir le spectre d'une feuille, celui que produit l'effet Kirlian, dont on a tant parlé. Grâce au procédé photographique de Kirlian, tout le monde a pu voir la photo d'une feuille, après qu'elle a été amputée de moitié. J'ai donc observé l'aura d'une feuille. Je l'ai vue bleu pastel. Lorsque je l'ai coupée, toute son aura a viré au marron-sang. Saisie d'horreur, j'ai demandé pardon à la plante. Quand, au bout d'une minute ou deux, la couleur pastel s'est rétablie d'elle-même, elle montrait des traces bien définies de la partie manquante, moins

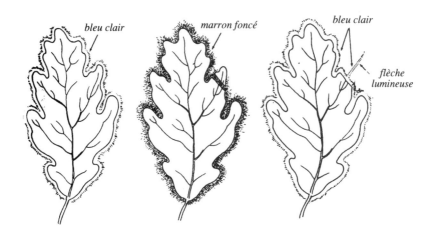

Figure 6-2 : vérification de l'effet fantôme
d'une feuille

évidentes toutefois que celles que j'avais vues sur le cliché Kirlian (fig. 6-2).

Les objets inanimés ont aussi une aura. La plupart des objets personnels s'imprègnent de l'énergie de leur possesseur et l'irradient. Les pierres précieuses, les cristaux en ont d'intéressantes, constituées de nombreuses couches, aux schémas et aux formes complexes, utiles pour soigner. L'aura de l'améthyste, par exemple, est toute dorée de rayons jaillissant de ses facettes naturelles.

Caractéristiques du CEU

Comme je l'ai dit au chapitre 5, le champ d'énergie universelle, connu et observé depuis des siècles, fut étudié dès le début de notre histoire. Chaque culture a donné au phénomène un nom différent, l'a considéré de son point de vue personnel, et, décrivant ce qu'elle voyait, en a défini les mêmes propriétés fondamentales que les autres. Avec le temps et les progrès de la méthode scientifique, la culture occidentale s'est mise aussi à enquêter avec plus de rigueur sur le CEU.

Quand l'état de notre équipement scientifique l'a permis, nous sommes parvenus à des estimations plus précises, qui nous incitent à croire qu'il pourrait s'agir d'une énergie non encore décelée par la science occidentale, ou d'une substance plus fine que celle que nous considérons comme de la matière. Mais si nous voyons la matière comme de l'énergie condensée, le CEU pourrait tenir à la fois de la matière et de l'énergie. Nous avons noté que certains scientifiques désignent le phénomène du CEU sous le nom de bioplasma.

Le Dr John White et le Dr Stanley Knipper dressèrent la liste de ses nombreuses propriétés : il sature tout l'espace, tous les objets animés et inanimés, connecte tous les objets et s'écoule de l'un à l'autre. Sa densité est inversement proportionnelle à la distance de sa source. Il obéit aussi aux lois d'induction harmonique et de résonance sympathique. On observe ce phénomène lorsqu'on heurte un diapason. Si un autre diapason se trouve à proximité, il se met à vibrer à la même fréquence et produit le même son.

Les observations visuelles montrent un champ extrêmement organisé en une série de lieux géométriques, des pulsations de points lumineux, de spirales, de réseaux de lignes, d'étincelles et de nuages. Il pulse et peut se toucher, se goûter, se sentir. Il a un son et une luminosité perceptibles, en tout cas pour ceux dont les sens sont déjà bien affinés. Les chercheurs dans ce domaine estiment que le CEU est essentiellement synergique, ce qui implique l'action conjuguée de plusieurs facteurs, plus efficaces ensemble qu'à titre individuel. En somme, le contraire de l'entropie. On emploie ce mot pour décrire la lente dégradation, si courante dans la réalité physique, le délabrement de la forme et de l'ordre. Le champ d'énergie humaine organise la matière, élabore des formes et pourrait bien exister au-delà de trois dimensions. Tout changement du monde matériel est devancé par une modification de ce champ. En revanche, le champ d'énergie universelle s'associe toujours à une forme de conscience, allant du développement extrême au niveau le plus primitif. La conscience hautement développée et liée aux plus hautes vibrations et aux niveaux d'énergie supérieurs.

Nous constatons donc que le CEU ne diffère pas tellement de tout ce que nous savons de la matière. Mais pour comprendre toutes ses propriétés, il nous oblige à nous servir de nos facultés extrasensorielles. Par certains côtés, c'est un élément naturel, comme le sel ou une pierre. Ses propriétés peuvent être définies à l'aide de méthodes scientifiques normales. Mais si nous creusons plus profondément sa nature, il échappe à l'expérimentation scientifique normale, devient insaisissable. Dès que nous estimons qu'il convient de le « remettre à sa place », en compagnie de l'électricité – un autre phénomène qui se révéla moins inusité qu'on le croyait – il nous glisse à nouveau entre les doigts.

Ce qui nous pousse à nous demander : « C'est quoi, au juste le CEU ? Et l'électricité alors, qu'est-ce que c'est ? »

Le CEU ne se contente pas d'exister en trois dimensions. Qu'est-ce que cela veut dire ? Il est synergique et construit des formes. Là, il va à l'encontre de la seconde loi thermodynamique établissant que l'entropie ne cesse de croître. Ce qui revient à dire que le désordre ne cesse d'augmenter dans l'Univers. Que l'on ne peut retirer d'un objet plus d'énergie que l'on n'en a mis, mais, en fait, toujours un peu moins (jamais on n'a pu fabriquer une machine au mouvement perpétuel). Le CEU ne s'en soucie guère. Il ne cesse de créer toujours plus d'énergie. Tel une corne d'abondance, il est toujours plein, quelle que soit l'énergie que vous y puisiez. Alors que nous risquions de sombrer encore plus profondément dans le pessimisme de l'ère nucléaire, ces concepts exaltants nous offrent une vision du futur pleine d'espérance ! Un jour, nous serons peut-être capables de construire une machine pour puiser de l'énergie dans le CEU. Elle suffirait à nos besoins sans menacer nos jours.

Révision du chapitre 6

1. Qu'est-ce qu'une aura ?
2. Une pièce de monnaie a-t-elle une aura ?
3. Qu'est-ce qui n'a pas d'aura ?
4. Décrivez le CEU.

Chapitre 7

Notre champ d'énergie ou l'aura humaine

Le champ d'énergie humaine est une des nombreuses manifestations de l'énergie universelle. On peut le décrire comme un corps lumineux, entourant et interpénétrant les corps physiques. Il émet des radiations caractéristiques, appelées globalement l'aura. Cette aura est la partie du CEU associée aux objets. Notre aura, ou champ d'énergie humaine (CEH), est la partie du CEU associée au corps humain. Se fondant sur leurs observations, les chercheurs ont créé des modèles théoriques divisant l'aura en plusieurs couches, parfois appelées *corps*. Les corps s'interpénètrent et se superposent en couches successives. Chaque couche recouvrant l'autre est d'une substance plus ténue que la précédente et ses vibrations plus élevées que celles du corps qu'elle entoure et interpénètre.

Exercice pour voir l'aura humaine

La pratique des exercices suivants constitue le meilleur moyen de commencer à ressentir le CEH. Si vous êtes en groupe, tenez-vous les mains. Laissez l'énergie de votre champ aurique s'écouler dans le cercle, et pendant un moment, sentez la pulsation du flux. Dans quel sens circule-t-il ? Qu'en pense votre voisin ? Sa réponse correspond-elle à vos sensations ? Maintenant, sans rien changer, sans bouger vos mains, arrêtez le flux d'énergie. Tenez-le prisonnier pendant un moment, puis libérez-le. Essayez encore. Sentez-vous une différence ? Que préférez-vous ? Faites le même exercice avec un partenaire. Asseyez-vous l'un en face de l'autre, paume contre paume. Laissez l'énergie passer naturellement. Quel chemin prend-elle ? Expédiez-la dans votre paume gauche, puis laissez-la passer dans la droite. Recommencez en sens inverse, puis arrêtez le flux et essayez de le repousser hors de vos mains. Aspirez-le ensuite des deux mains. Repousser, attirer, arrêter, tels sont les trois moyens de base dont se servent les magnétiseurs pour manipuler l'énergie. Pratiquez-les.

Maintenant, lâchez-vous et tenez vos paumes écartées de cinq à dix centimètres. Reculez et avancez lentement les mains pour diminuer ou augmenter l'espace qui les sépare. Construisez une forme. Pouvez-vous la sentir ? Quelle est cette sensation ? Écartez vos mains davantage, de vingt à vingt-cinq centimètres environ, puis rapprochez-les lentement jusqu'à ce que vous sentiez une résistance repoussant vos mains, vous obligeant à faire un léger effort pour les unir. Vous venez de réunir les bords d'un de vos champs d'énergie. Si vos mains sont éloignées de deux à trois centimètres, vous avez fait se toucher les orées de votre corps éthérique (première couche de l'aura). Si elles sont espacées de sept à dix centimètres, vous avez touché les bords extérieurs de votre corps émotionnel (seconde couche de l'aura). À présent, rapprochez vos mains très lentement, jusqu'à ce que vous sentiez réellement le bord extérieur de votre corps émotionnel, ou le champ d'énergie de votre main droite toucher la peau de votre main gauche. Rapprochez votre paume droite de deux à trois centimètres. Sentez le picotement, au dos de votre main gauche, au contact du champ d'énergie de votre main droite. Le champ d'énergie de votre main droite a traversé directement votre main gauche !

Écartez à nouveau vos mains de dix-huit centimètres. Pointez votre index droit sur la paume de votre main gauche. Le bout du doigt doit être à deux ou trois centimètres de la paume. Dessinez des cercles vers votre paume. Qu'éprouvez-vous ? Cela chatouille ? Que se passe-t-il ?

Dans une pièce faiblement éclairée, tenez vos mains de manière que les bouts de vos doigts soient pointés les uns vers les autres. Placez-les à soixante centimètres de votre visage. Veillez à vous mettre face à un mur blanc. Reposez vos yeux, puis contemplez, sans vous crisper, l'espace séparant vos doigts qui doivent être à trois centimètres de distance. Ne regardez pas une lumière vive. Vos yeux doivent être reposés. Que voyez-vous ? Rapprochez vos doigts, écartez-les. Que se passe-t-il dans l'espace, entre les doigts ? Que voyez-vous autour de la main ? Montez lentement une main, abaissez l'autre, de manière que les doigts changent de place. Que se passe-t-il maintenant ? 95 pour cent des personnes qui essaient cet exercice voient quelque chose.

Tout le monde sent quelque chose. Pour les réponses aux questions ci-dessus, référez-vous à la fin du chapitre.

Après avoir pratiqué ces exercices et ceux du chapitre 9 sur l'observation de l'aura, vous pourrez commencer à voir quelques premières couches de l'aura (fig. 7-1A). Plus tard, quand vous serez familiarisés avec les couches inférieures, vous pourrez pratiquer les exercices des chapitres 17, 18, 19, afin d'acquérir le haut sens de la perception. En ouvrant grand votre troisième œil (sixième chakra) vous entreverrez les niveaux supérieurs de l'aura (fig. 7-1B).

La plupart d'entre vous ont pu sentir, voir, expérimenter les couches inférieures de l'aura. Le moment est venu de les décrire.

Anatomie de l'aura

Les hommes ont élaboré beaucoup de systèmes pour définir le champ aurique. Tous divisent l'aura en couches, identifient celles-ci en fonction de leur emplacement, de leur couleur, de leur intensité lumineuse, de leur forme, de leur densité, de leur fluidité et de leur rôle. Chaque système s'articule autour du type individuel de recherche faite sur l'aura. Les deux systèmes les plus proches du mien sont celui de Jack Schwarz, qui comporte plus de sept corps, comme il le décrit dans son livre *Human Energy Systems*[1], et celui de la Révérende Rosalyn Bruyère du Healing Light Center de Glendale, en Californie. Son système, qu'elle décrit dans son étude *Wheels of hight, a Study of the Chakras*[2], compte sept corps.

Les sept couches du champ aurique

Au cours de mon travail de conseillère psychologique et de magnétiseuse, j'ai observé maintes fois les sept couches du champ aurique. Au début, je n'ai vu que les couches inférieures, plus denses et faciles à repérer. Plus je travaillais, plus j'en percevais. À mesure que j'accédais plus loin, le niveau de conscience nécessaire à cette approche s'amplifiait en moi. Il faut dire que pour parvenir à discerner les couches supérieures, comme la cinquième, la sixième ou la septième couche, je devais entrer en méditation, généralement les yeux fermés. Puis, après des années

1. Dutton, New York, 1980.
2. Healing Light Center, Glendale, Californie, 1987.

de pratique, j'ai commencé à voir la septième couche. J'en dirai quelques mots à la fin de ce chapitre. Mes observations m'ont fait découvrir un schéma fascinant en raison de son modèle dualiste. Toutes les couches sont très structurées, comme des ondes de lumière statiques. Mais des couches intermédiaires paraissent composées de fluides colorés constamment mouvants, qui s'écoulent à travers la forme construite par les ondes lumineuses, scintillantes et fixes. La direction du flux obéit, en quelque sorte, au tracé de la lumière statique, en suit les bordures. Le scintillement des formes stables semble être dû à un grand nombre de filaments lumineux, à des lumières, clignotant à grande vitesse, chacune à un rythme différent, de sorte que les lignes semblent être parcourues par de minuscules charges itinérantes.

La structure des première, troisième, cinquième et septième couches est donc définie. Mais la deuxième, la quatrième et la sixième sont composées de substances apparemment fluides, sans structure particulière. Elles doivent leurs formes au fait qu'elles s'écoulent à travers la structure des couches impaires, empruntant en quelque sorte la leur. Chaque couche interpénètre toutes celles qu'elle recouvre, y compris le corps physique. Le corps émotionnel s'étend donc au-delà du corps éthérique, jusqu'au corps physique, inclusivement. En réalité, chaque corps ne s'étale pas en couche, au sens où nous l'entendons communément. Il s'agit plutôt d'une version expansive de notre moi, aux formes internes plus restreintes.

Du point de vue scientifique, on peut considérer que chaque couche vibre à une fréquence supérieure à celle de la couche qu'elle recouvre, occupe le même espace que le taux de vibration inférieur et s'étend au-delà. Pour percevoir chaque niveau constitutif supérieur, l'observateur doit donc élever son niveau de conscience à une fréquence supérieure. Nous voici dotés de sept corps, occupant le même espace en même temps, s'étendant chacun au-delà du précédent. On n'est pas habitué à cela, dans la vie de tous les jours. Beaucoup s'imaginent, à tort, que l'aura est comme un oignon que l'on peut peler, une couche après l'autre. Il n'en est rien. L'aura n'a rien à voir avec un oignon.

Les couches structurées contiennent toutes les formes du corps physique, y compris les organes internes, vaisseaux sanguins, etc., et d'autres formes que ne contient pas le corps physique. Un flux d'énergie vertical pulse tout au long du champ dans la moelle épinière, s'étend au-delà du corps physique, au-dessus de la tête et sous le coccyx. Je l'appelle le conducteur vertical d'énergie. Dans son champ, il existe des tourbillons coniques appelés chakras. Les pointes de ces cônes sont plantées dans le conducteur vertical d'énergie, et ils débouchent au bord de la couche où ils résident.

Les sept couches et les sept chakras du champ aurique

Chaque couche est différenciée et exerce une fonction particulière, associée à un chakra. La première couche est associée au premier chakra, la suivante au deuxième, etc. Ces concepts d'ordre général deviendront beaucoup plus compliqués à mesure que nous entrerons dans le vif du sujet. Pour le moment, il convient d'en dresser la liste pour avoir une vue d'ensemble. La première couche est associée aux fonctions physiques, aux sensations physiques de la douleur et du plaisir. Elle est également liée à l'automatisme et à l'autonomie des fonctions organiques. La deuxième couche et le deuxième chakra sont généralement associés à l'aspect émotionnel des êtres humains et véhiculent notre vie émotionnelle et nos sentiments. La troisième couche est liée à nos fonctions mentales, à la pensée linéaire et au troisième chakra. Le quatrième niveau (quatrième chakra du cœur) sert de véhicule à l'amour, non seulement à celui que nous portons à nos conjoints, mais aussi à l'amour de l'humanité en général. Le quatrième chakra métabolise l'énergie de l'amour. Le cinquième plan est destiné à un dessein plus élevé, mieux connecté à la volonté divine. Le cinquième chakra est associé à la puissance du verbe qui confère une forme à la parole, à l'écoute et à la responsabilité de nos actes. La sixième couche et le sixième chakra sont voués à l'amour céleste, qui s'étend au-delà des limites humaines, embrasse tout ce qui existe. Il marque la décision de protéger et de nourrir tout ce qui vit, car toute forme de vie y est tenue pour une précieuse manifestation de Dieu. Le septième plan et le septième chakra couvrent la pensée supérieure, la connaissance et l'intégration de nos composés spirituels et physiques.

Il existe donc, dans notre système d'énergie, des lieux spécifiques pour les sensations, les émotions, les pensées, les souvenirs et les expériences non physiques dont nous parlons à nos thérapeutes. La compréhension du rapport entre nos symptômes physiques et ces localisations nous aidera à comprendre la nature de différents troubles, celle de la santé et de la maladie. Par conséquent, l'étude de l'aura peut jeter un pont entre la médecine traditionnelle et nos préoccupations plus holistiques.

Localisation des chakras

Les sept principaux chakras (fig. 7-2A) correspondent aux principaux centres nerveux du corps physique.

Le Dr David Tansely, expert électronicien, déclare dans son livre, *Radionics and the Subtle Bodies of Man*[3], que les sept chakras majeurs se forment aux points où les tracés lumineux permanents se croisent vingt et une fois.

Les chakras mineurs se situent aux points où les fils d'énergie se croisent quatorze fois (fig. 7-2B), et se répartissent de la façon suivante : un devant chaque oreille, un au-dessus de chaque sein, un au point de rencontre des clavicules, un dans la paume des mains, un sur la plante des pieds, un derrière chaque œil (non montré), un pour chaque gonade, un près du foie, un autre connecté à l'estomac, deux à la rate, un derrière les genoux, un près du thymus, et un dans la région du plexus solaire. À deux centimètres et demi du corps, le diamètre de ces chakras ne mesure que sept centimètres et demi. Les deux chakras mineurs des paumes de la main sont très importants en magnétisme. Quand les flux d'énergie se croisent sept fois, des tourbillons plus

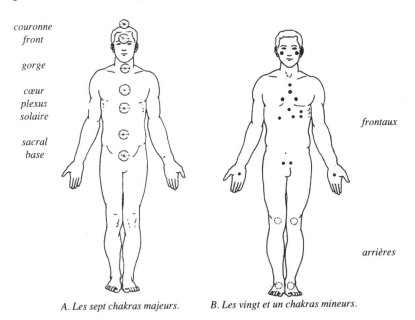

couronne
front

gorge

cœur
plexus
solaire

sacral
base

frontaux

arrières

A. *Les sept chakras majeurs.*   B. *Les vingt et un chakras mineurs.*

Figure 7-2 : localisation des chakras.

petits encore se créent. Beaucoup de minuscules centres de force

3. Health Science Press, Devon, G.-B., 1972.

existent là où les lignes se croisent moins souvent. Selon Tansely, ces petits tourbillons pourraient correspondre aux points d'acupuncture de la médecine chinoise.

Les chakras majeurs, situés sur la partie face du corps, sont couplés à leur contrepartie côté dos. Les deux sont considérés respectivement comme le plan frontal et le plan postérieur du chakra. Les aspects frontaux sont liés aux sensations, les postérieurs à la volonté, et les trois de la tête au processus mental, comme le montre la figure 7-3. Le second chakra a donc pour composants 2A et 2B, le troisième 3A et 3B, et ainsi de suite, jusqu'au sixième chakra. On peut, si on le souhaite, considérer le premier et le septième comme étant couplés, puisqu'ils sont affectés à l'arrivée et à la sortie du conducteur majeur de force, qui circule dans la colonne vertébrale en passant par tous les chakras. La racine, ou le cœur du chakra, se trouve à l'endroit où sa pointe est connectée à ce flux principal. Le contrôle des échanges d'énergie avec les couches de l'aura s'opère dans le cœur des chakras et par leur entremise. Ce qui veut dire que les sept chakras correspondent respectivement à une couche de l'aura et que chaque chakra prend un aspect différent dans chacune de ces couches, comme je l'expliquerai en détail dans la description des différentes couches. Pour passer de l'une à l'autre, à travers le chakra, l'énergie doit franchir le barrage des chakras-racines. La figure 7-4 montre le champ aurique interpénétré par les sept couches de l'aura et les sept couches des chakras.

L'énergie peut être vue comme un flux s'écoulant du champ d'énergie universelle dans tous les chakras. Chaque tourbillon semble entraîner, aspirer l'énergie puisée dans le CEU. Il fonctionne comme ceux que nous voyons dans l'eau, dans l'air, dans les cyclones, les typhons, les ouragans. Dans la première couche de l'aura, l'ouverture d'un chakra normal mesure quinze centimètres de diamètre, à deux centimètres et demi du corps.

La fonction des sept chakras

Chaque tourbillon négocie des échanges d'énergie avec le CEU. C'est pourquoi nous parlons d'ouverture au sens littéral. Tous les chakras, qu'ils soient majeurs, mineurs, inférieurs ou points d'acupuncture, sont des ouvertures permettant à l'énergie de circuler dans l'aura et hors de l'aura. Nous sommes des éponges dans la mer d'énergie qui nous environne. Cette énergie étant toujours associée à une forme de conscience, nous expéri-

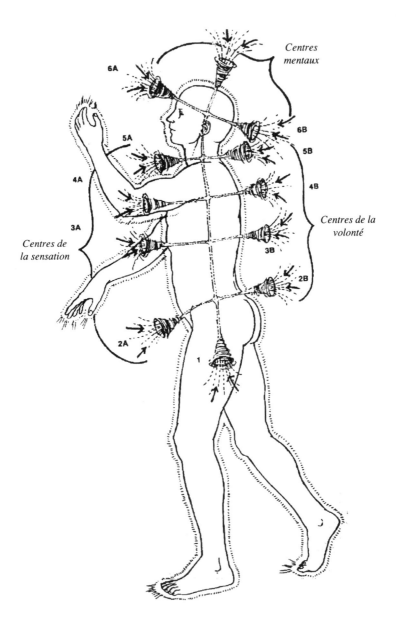

Fig. 7-3 : les sept chakras majeurs, vue frontale et arrière.

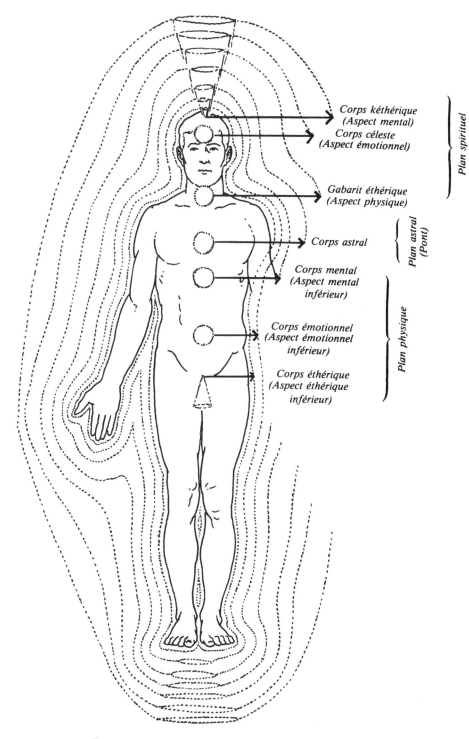

*Figure 7 – 4 : Système des sept couches auriques du corps
(Planche de diagnostic)*

mentons l'énergie échangée en termes de vision, d'ouïe, de sentiment, de sensation, d'intuition ou de connaissance directe. Le mot ouverture prend donc ici deux sens. Il s'applique, d'une part, au métabolisme d'une grande quantité d'énergie universelle à travers tous les chakras, grands et petits. D'autre part, il signifie, en même temps, l'admission et la prise en charge de la conscience associée à cette énergie qui va circuler en nous. La tâche n'est pas facile. La plupart d'entre nous en sont incapables. L'impact serait trop fort. Le matériel psychologique associé à ce champ ne parvient à la conscience que si nous la renforçons, par un travail personnel, à travers les chakras. Si un afflux soudain d'énergie libérait trop de matériel, nous ne pourrions plus le traiter du tout. Quel que soit notre degré d'évolution, nous devons travailler à ouvrir lentement nos chakras, pour avoir le temps de traiter le matériel personnel libéré et d'intégrer la nouvelle information à notre vie. Renforcer notre flux d'énergie, ouvrir nos chakras sont des objectifs très importants, car mieux l'énergie circule, mieux nous nous portons. La maladie est provoquée par un déséquilibre du flux d'énergie ou par un blocage dans son parcours. Dans le système d'énergie humaine, un flux déficient peut conduire à des troubles, altérer nos perceptions, émousser nos sensations et, par voie de conséquence, interférer sur une expérience de vie sans heurts et épanouie. Quoi qu'il en soit, nous ne sommes pas préparés, psychologiquement, à demeurer ouverts sans y travailler et sans avoir gagné en maturité et en clarté.

Nos cinq sens sont associés à leur chakra respectif, le toucher au premier ; l'ouïe, l'odorat, le goût, au cinquième (le chakra de la gorge) ; la vue au sixième (ou troisième œil). Nous en reparlerons plus longuement dans le chapitre consacré à la perception.

Les chakras du corps aurique exercent trois fonctions essentielles :

1.   Ils vitalisent le corps aurique et, par conséquent, le corps physique.

2.   Ils agissent sur divers aspects de l'autoconscience. Chacun est impliqué dans une fonction psychologique spécifique. Au chapitre 11, nous parlerons des effets psychologiques de l'ouverture de certains chakras dans le corps éthérique, émotionnel et mental.

3.   Ils transmettent l'énergie aux champs auriques. Chaque couche aurique dispose de son propre ensemble de sept chakras majeurs, logés à l'endroit correspondant dans le corps physique. La chose est possible, étant donné que chaque couche existe à des octaves de fréquence progressifs. Ces chakras ont l'air d'être emboîtés les uns dans les autres, comme une pile de verres. Chaque chakra d'un niveau supérieur à l'autre s'étend plus avant dans le champ aurique (jusqu'à l'orée de la couche aurique) et s'étend légèrement plus loin que le précédent.

L'énergie se transmet d'une couche à l'autre en passant par le sas des pointes des chakras. Chez la plupart d'entre nous, ces voies de passages sont scellées. Leur ouverture est le fruit d'un travail préalable de purification spirituelle, permettant aux chakras de transmettre l'énergie d'une couche à l'autre. Dans le corps éthérique, chaque chakra est en connexion directe avec sa réplique dans le corps supérieur plus subtil qui l'entoure et l'interpénètre. Dans le corps émotionnel, les chakras sont connectés à ceux du corps mental, d'une substance plus fine. Il en va de même pour les sept niveaux.

Dans la littérature ésotérique orientale, les chakras sont représentés comme s'ils comportaient un certain nombre de pétales. Si on les observe avec plus d'attention, ces pétales ressemblent à des petits tourbillons tournant à très grande vitesse. Chacun d'eux métabolise une vibration d'énergie qui résonne à sa fréquence spécifique de rotation. Le chakra pelvique, par exemple, a quatre petits tourbillons et métabolise quatre fréquences de base de l'énergie. Les couleurs observées dans les chakras correspondent à la fréquence de l'énergie métabolisée, à son intensité particulière.

Les chakras servant à vitaliser le corps, ils sont directement liés à sa pathologie. La figure 7-5 indique la position des sept chakras majeurs au long de l'épine dorsale et les zones du corps qu'ils gouvernent. Chacun est associé à une glande endocrine et à un système nerveux majeur. Il absorbe l'énergie universelle ou originelle (ch'i, orgone, prana, etc.), la divise en composants et l'envoie par coulées appelées nadis au système nerveux, aux glandes endocrines, puis dans le sang pour nourrir le corps, comme le montre la figure 7-6.

Le fonctionnement psychodynamique des chakras sera étudié en détail et relié essentiellement aux trois premiers plans de l'aura, car ceux-ci exercent une interaction physique, mentale et émotionnelle sur le plan terrestre. Par exemple, lorsque le chakra du cœur fonctionne convenablement, on est très apte à l'amour.

Figure 7-5

PRINCIPAUX CHAKRAS ET ZONES DU CORPS QU'ILS NOURRISSENT

CHAKRA	NOMBRE DE PETITS TOURBILLONS	GLANDE ENDOCRINE	ZONE DU CORPS DESSERVIE
7 - Couronne	972 Violet-blanc	Pinéale	Cerveau antérieur, œil droit
6 - Tête	96 Indigo	Pituitaire	Cerveau postérieur, œil gauche, oreilles, nez, système nerveux
5 - Gorge	16 Bleu	Thyroïde	Appareil bronchique et vocal, poumons, canal alimentaire
4 - Cœur	12 Vert	Thymus	Cœur, sang, nerf vague, système circulatoire
3 - Plexus solaire	10 Jaune	Pancréas	Estomac, foie, vésicule biliaire, système nerveux
2 - Sacral	6 Orange	Gonades	Système reproducteur
1 - Base	4 Rouge	Surrénales	Moelle épinière, reins

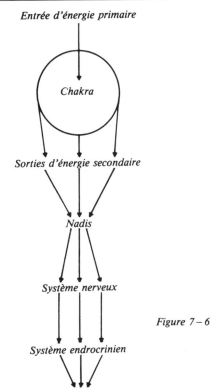

Entrée d'énergie primaire

Chakra

Sorties d'énergie secondaire

Nadis

Système nerveux

Système endrocrinien

Sang

Figure 7 – 6

Un premier chakra en bon état de marche garantit une forte envie de vivre, une bonne connexion à la terre et fait de son possesseur un personnage bien enraciné dans l'existence. Si son sixième et son troisième chakra tournent rond, il pensera clairement. Dans le cas contraire, ses pensées seront confuses.

Le corps éthérique (première couche)

Le *corps éthérique* (du mot éther, ou état entre l'énergie et la matière) est composé de minuscules lignes d'énergie ressemblant à une trame scintillante de rayons lumineux, comme ceux que l'on voit sur un écran de télévision (fig. 7-7). Sa structure est similaire à celle du corps physique, sous tous ses aspects anatomiques et organiques.

La matière physique des tissus corporels se forme et s'ancre sur la structure définie de lignes de force – ou matrice d'énergie – du corps éthérique. Les tissus physiques n'existent qu'en fonction du champ vital qui les soutient, ce qui revient à dire que le champ est prioritaire et non consécutif au corps physique. Cette relation fut observée dans la croissance des plantes par le Dr Pierrakos et moi-même. À l'aide du HSP, nous avons constaté qu'un champ d'énergie matrice projette la forme de la feuille préalablement à sa croissance. La feuille grandit ensuite dans cette forme préexistante.

La structure en trame du corps éthérique est constamment mouvante. La clairvoyance permet de discerner des étincelles de lumière bleuâtre parcourant ces fils d'énergie à travers tout le corps physique dense. Le corps éthérique s'étend de six millimètres à cinq centimètres au-delà du corps physique et pulse à raison de quinze à vingt cycles par minute.

Sa couleur varie du bleu pâle au gris. La lumière bleu clair indique une nature plus fine que la grise, c'est-à-dire qu'une personne sensitive, au corps délicat, a tendance à former une première couche plus bleue qu'une nature robuste, dont le corps éthérique sera plus grisâtre. Tous les chakras de cette première couche portent les couleurs du corps éthérique et varient du bleu au gris. Les chakras ressemblent à des réseaux lumineux formant des tourbillons, comme tout le corps éthérique. On peut percevoir tous les organes du corps physique, mais comme dessinés dans cette lumière bleue scintillante. Tout comme dans le système énergétique de la feuille, cette structure éthérique élabore le moule nécessaire à la croissance des cellules. Autrement dit, les cellules du corps se développent le long des tracés d'énergie du gabarit éthérique qui existe avant même leur développement. Si l'on isolait le corps éthérique, il ressemblerait à un homme ou à une femme faits de traits lumineux bleuâtres au scintillement constant, un peu comme *Les Maîtres de l'Univers* dans les dessins animés télévisés.

En observant l'épaule d'un sujet faiblement éclairé, placé sur un fond blanc uni, on peut voir pulser ce corps éthérique. La pulsation naît, disons, à l'épaule, puis poursuit son chemin le long du bras, comme une onde. Si l'on regarde plus attentivement, on aperçoit un blanc entre l'épaule et la brume lumineuse bleue. Puis vient la couche de bleu éclatant qui pâlit progressivement, à mesure qu'elle s'écarte du corps. Mais, attention ! À peine vue, sitôt disparue, car elle est très véloce. Elle pulsera le long du bras avant que vous ayez le temps d'y regarder à deux fois. Faites un autre essai. Vous attraperez la pulsation suivante au vol.

Le corps émotionnel (deuxième couche)

Le deuxième corps aurique, ou *corps émotionnel*, suit le corps éthérique. Sa substance plus fine est associée aux sentiments. Il épouse à peu près les contours du corps physique, et sa structure, plus fluide que celle du corps éthérique, n'est pas similaire à celle du corps physique. Il apparaît plutôt sous la forme de nuages colorés, de substance légère, fluide et continuellement mouvante. Il s'étend de deux à sept centimètres et demi du corps.

Ce corps émotionnel interpénètre les corps plus denses qu'il entoure. Ses couleurs vont des teintes claires et brillantes aux tons sombres et boueux, selon la clarté ou la confusion des sentiments ou de l'énergie qui les provoque. Les sentiments entiers, fortement chargés d'énergie comme l'amour, l'exaltation, la joie ou la colère se traduisent en couleurs brillantes et claires. Si les sentiments sont confus, elles sont sombres et fangeuses. Mais s'ils sont vitalisés par une interaction personnelle ou une psychothérapie corporelle, les couleurs se décantent et retrouvent leur brillance d'origine. Ce processus est expliqué au chapitre 9.

Le corps émotionnel renferme toutes les couleurs de l'arc-en-ciel. Voici la liste des chakras et de leur couleur respective : chakra 1 = rouge ; chakra 2 = orange ; chakra 3 = jaune ; chakra 4 = vert prairie brillant ; chakra 5 = bleu ciel ; chakra 6 = indigo ; chakra 7 = blanc.

Le chapitre 9 rend compte de certaines observations faites sur le corps émotionnel au cours de séances de psychothérapie. Ce corps paraît donc formé de taches de couleur se déplaçant dans le moule du corps éthérique et s'étendant un peu à l'extérieur. Une personne peut aussi émettre des taches d'énergie colorée dans l'air environnant, que l'on observe, en particulier, au cours d'une séance de thérapie, lorsque les sentiments sont libérés.

Le corps mental (troisième couche)

La troisième couche de l'aura s'appelle le *corps mental* (fig. 7-9). Il s'étend au-delà du corps émotionnel. Ses substances, plus fines encore, sont toutes associées aux pensées et au processus mental. Ce corps apparaît généralement comme une lumière jaune et brillante, irradiant de la tête et des épaules pour se propager au corps entier. Lorsque son possesseur se concentre sur son processus mental, elle se répand et augmente de brillance. Elle s'étend de huit à vingt centimètres du corps.

La structure du corps mental contient celle de nos idées. Dans le champ de ce corps, essentiellement jaune, on peut voir les pensées se former, par bouffées de forme et de brillance variées. D'autres couleurs, émanant en même temps du plan émotionnel, se superposent à ces formes-pensées. La couleur additionnelle représente l'émotion qu'elles suscitent chez le sujet. Plus l'idée est claire et bien structurée, plus la forme-pensée associée à l'idée est bien conformée. En nous concentrant sur les pensées qu'elles représentent, nous rehaussons ces formes. Les pensées deviennent alors des forces très puissantes, influencent nos vies. Ce corps fut pour moi le plus difficile à observer. Il est fort possible que cela soit dû, en partie, au fait que les êtres humains commencent à peine à développer leur corps mental et à user de leur intellect avec un peu plus de discernement. C'est pourquoi nous sommes très conscients du rôle de l'activité mentale et nous nous considérons comme une société analytique.

Au-delà du monde physique

Dans la méthode que j'utilise pour guérir (fig. 7-4), les trois couches inférieures de l'aura sont associées aux énergies du monde physique qu'elles métabolisent. Les trois couches supérieures métabolisent celles qui sont associées au monde spirituel. La quatrième couche, ou *plan astral*, associée au chakra du cœur, est le creuset, le transformateur, par lequel toutes les énergies passent d'un monde à l'autre. Ainsi, l'énergie spirituelle doit passer à travers le feu du cœur pour se transformer en énergie physique de plus basses fréquences. Quant aux énergies physiques des trois couches auriques inférieures, elles doivent, elles aussi, passer par le creuset du cœur pour devenir spirituelles. Dans la magnétisation de tout le spectre, dont il sera question au chapitre 22, nous utiliserons les énergies associées à toutes les couches et à tous les chakras, et nous les ferons passer par le cœur, centre de l'amour.

Jusqu'ici, nous avons surtout parlé des trois couches inférieures. La plupart des méthodes de psychothérapie corporelle que j'ai vu appliquer aux États-Unis utilisent principalement celles-ci et le cœur. Dès que l'on examine les quatre couches supérieures du champ aurique, tout change, car lorsque vous amplifiez vos perceptions au-delà de la troisième couche, *vous commencez aussi à percevoir des êtres ou des entités qui existent dans ces couches, sans corps physique.* Selon mes observations et celles d'autres clairvoyants, des plans de réalité inconnus, des bandes de fréquences différentes s'y manifestent, au-delà du physique. Et les quatre couches supérieures du champ aurique correspondent à ces quatre niveaux de réalité. Je le répète, cet exposé n'est qu'une approche d'un système par lequel nous tentons d'expliquer le phénomène observé. Je suis convaincue qu'à l'avenir, de meilleurs systèmes seront élaborés. En attendant, je me sers de celui-ci pour me faire comprendre.

Si dans la figure 7-4 j'ai associé les trois chakras supérieurs au fonctionnement physique, émotionnel et mental de l'être humain, c'est que la plupart d'entre nous n'emploient cette partie d'eux-mêmes qu'à ces types limités de fonctions. Mais il existe des desseins plus élevés d'amour et de connaissance, où tous les concepts sont compris sur-le-champ. La quatrième couche est celle de l'amour et la voie d'accès aux autres états de la réalité.

Car en vérité le schéma est plus compliqué que cela. Chaque couche supérieure à la troisième constitue un niveau complet de réalité, avec ses entités, ses formes et ses fonctions propres, allant bien au-delà de ce que, normalement, nous appelons la condition humaine. Chaque couche est un univers entier, dans lequel nous vivons et auquel nous devons notre existence. Ces réalités, nous les expérimentons dans le sommeil, sans en garder le souvenir. Certains y accèdent en amplifiant leur conscience par des techniques méditatives, pour forcer les scellés des chakras-racines, frayer ainsi une voie de passage à la conscience pour la faire voyager. Ce qui suit ne portera que sur la description des plans auriques et de leurs fonctions limitées. Plus avant dans ce livre, nous nous étendrons davantage sur les couches supérieures et leurs « fréquences de réalité ».

Le plan astral (quatrième couche)

Le *corps astral* (fig. 7-10) est amorphe et composé de nuages aux couleurs plus belles que celles du corps émotionnel. Il a tendance à adopter les mêmes teintes, mais infusées de la lumière rose de l'amour. Il s'étend à une distance de quinze à trente centimètres du corps. Les chakras, de la même gamme que celle de l'arc-en-ciel, sont, eux aussi, rosis par l'amour. Sur le plan astral, le chakra du cœur d'une personne aimante baigne dans le rose.

Lorsque deux personnes tombent amoureuses l'une de l'autre, on peut voir de beaux arcs roses relier leur cœur et s'ajouter aux pulsations dorées de la glande pituitaire, comme j'ai pu l'observer. Si une relation se noue, elles développent des liens hors des chakras qui les connectent. Ces cordons additionnels existent dans de nombreux plans du champ aurique. Plus la relation est durable et profonde, plus ils sont nombreux et solides.

Mais lorsque cette union prend fin, ces cordes se rompent, provoquant souvent beaucoup de douleur. La période consacrée à la surmonter coïncide généralement avec la déconnexion de ces attaches du plan inférieur du champ et leur nouvel enracinement dans le moi.

Un grand nombre d'interactions entre les individus s'opèrent dans le plan astral. Certaines agréables, d'autres moins. La différence est sensible. Vous pouvez vous sentir mal à l'aise en présence d'une personne se tenant à l'autre bout d'une pièce, apparemment inconsciente de votre présence. Mais sur un autre plan, un tas de choses se passent. J'ai vu des gens, côte à côte dans un groupe, feindre l'indifférence, alors qu'au niveau de l'énergie, tout un réseau de communication s'établissait. Une quantité de formes d'énergie circulaient entre eux. Vous en avez certainement fait l'expérience vous-mêmes. Cette situation se produit, notamment, entre un homme et une femme. Il ne s'agit pas uniquement d'un langage du corps, mais d'un véritable phénomène énergétique perceptible.

Lorsque deux personnes, dans une réception par exemple, fantasment qu'elles feraient volontiers l'amour ensemble, un véritable contrôle s'effectue dans leurs champs énergétiques pour déterminer s'ils sont synchrones et si le partenaire est compatible. Vous trouverez au chapitre 9 d'autres exemples de ce phénomène d'interaction aurique.

Le gabarit du corps éthérique (cinquième couche)

J'appelle gabarit éthérique la cinquième couche de l'aura (fig. 7-11), parce qu'il renferme toutes les formes du plan physique dans un calque, ressemblant à un cliché photographique en négatif. C'est le moule de la *couche éthérique*, tel qu'il en a été décidé là pour le corps physique. C'est-à-dire que la couche éthérique du champ d'énergie doit sa structure au gabarit du plan éthérique. Il est le calque de la forme parfaite que doit emprunter la couche éthérique et s'étend de trente à soixante centimètres du corps. En cas de maladie, quand la couche éthérique se détériore, un travail sur le gabarit se révèle nécessaire pour rétablir sa forme originelle. C'est à ce niveau que le son crée la matière et contribue le mieux à la guérison. Nous en reparlerons au chapitre 23. À mes yeux clairvoyants, ces formes apparaissent en lignes claires ou transparentes sur un fond bleu cobalt, un peu comme un plan d'architecte, si ce n'est qu'il existe dans une autre dimension. Tout se passe comme si la forme se constituait en remplissant l'espace servant de fond, le vide créant la forme.

Comparons, pour illustrer cet exemple, la création d'une sphère en géométrie euclidienne à ce qui se produit dans l'espace éthérique. En géométrie euclidienne, on définit d'abord un point. À partir de ce point, on trace, avec un compas, une surface sphérique en trois dimensions. Dans l'espace éthérique, ou ce que l'on pourrait appeler l'espace négatif, pour former une sphère, le procédé inverse s'applique. Un nombre infini de plans viennent de toutes les directions, remplissent tout, à l'exception d'une zone spatiale sphérique demeurant vide. La sphère se définit ainsi comme la zone non remplie par tous les plans unis les uns aux autres pour la délimiter dans l'espace.

De même, le gabarit éthérique crée un espace vide, ou négatif, dans lequel la première couche éthérique de l'aura peut exister. C'est le moule du corps éthérique, qui forme ensuite la structure de la grille (champ d'énergie structurée) sur laquelle le corps physique se développe. Le plan éthérique, gabarit du champ d'énergie universelle, contient donc tous les genres et les formes existant au plan physique, à l'exception du plan gabarit. Ces formes, en espace négatif, créent un vide dans lequel la structure de la grille éthérique se développe et sur laquelle repose toute manifestation physique.

En se concentrant uniquement sur la fréquence vibratoire du cinquième plan pour observer le champ d'un sujet, on peut isoler la cinquième couche de l'aura. Quand il m'arrive de le faire, je vois la forme de son champ aurique qui s'étend environ à soixante-quinze centimètres et ressemble à un ovale étroit. Elle contient la structure complète du champ, y compris celle des chakras, des organes et de la forme du corps (les membres etc.) en négatif. Toutes ces structures semblent faites de lignes transparentes sur un fond bleu foncé représentant un espace solide. En m'accordant à ce plan, je peux, dans cette perspective, percevoir de même toutes les autres formes dans mon environnement. Cela paraît se produire automatiquement quand j'accorde mon mécanisme de perception à cette portée. Mon attention se fixe d'abord sur l'aspect général de la cinquième couche, puis je me concentre sur les aspects particuliers du sujet.

Le corps céleste (sixième couche)

La sixième couche est le corps émotionnel du plan spirituel, appelé *corps céleste* (fig. 7-2). Il s'étend de soixante à quatre-vingts centimètres du corps. L'extase spirituelle s'expérimente à ce niveau que l'on peut atteindre par la méditation et par d'autres méthodes de transformation mentionnées dans ce livre. Quand nous parvenons à ce point d'existence, nous sentons que nous sommes connectés à tout l'univers. Nous voyons la lumière et l'amour dans tout ce qui existe. Immergés dans cette lumière, nous comprenons que nous en sommes pétris, qu'elle est en nous et que nous ne faisons qu'un avec Dieu. La conscience s'élève alors au sixième plan de l'aura.

Dès que la connexion entre l'ouverture du chakra du cœur et celle du chakra céleste s'établit, l'amour inconditionnel s'épanche. L'amour pour l'humanité, pour nos semblables, se confond à l'extase spirituelle qui va au-delà des réalités physiques et s'étend à tous les règnes de l'existence. La combinaison des deux débouche sur l'amour inconditionnel.

Le corps céleste m'apparaît sous de belles teintes scintillantes, essentiellement pastel. Cette lumière aux éclats d'or et d'argent, opalescente, semble nacrée. Sa forme, moins définie que celle du calque éthérique, paraît irradier du corps, comme la lueur incandescente d'une bougie. Il fuse, à l'intérieur, des rayons plus intenses et brillants.

Le gabarit kéthérique ou corps causal (septième couche)

La septième couche est celle du *corps causal* qui est l'équivalent du plan mental dans le domaine plus élevé, plus « vibrant » des valeurs spirituelles. Le corps causal est aussi appelé *gabarit kéthérique* (fig. 7-2). Il s'étend de soixante-quinze centimètres à un mètre du corps, environ. Si nous élevons notre conscience au septième niveau de l'aura, nous savons que nous ne faisons qu'un avec le Créateur. La forme extérieure de ce corps ressemble à un œuf et contient tous les corps auriques associés à la présente incarnation d'un être. Il constitue de ce fait un gabarit supérieurement structuré. Il apparaît à ma vue sous la forme de minuscules filaments de lumière or et argent très stables, maintenant la forme entière de l'aura. Il renferme la trame dorée du corps physique et de tous les chakras.

Quand je « m'accorde » sur la fréquence de la septième couche, je perçois de belles lumières dorées et étincelantes. Elles pulsent si vite que je les dirais chatoyantes, comme des milliers de fils d'or. Selon la personne, l'œuf d'or s'étend, à l'extrémité la plus fine, de quatre-vingt-quinze centimètres à un mètre environ autour de la partie inférieure du corps, et dans sa partie la plus large, à environ quatre-vingts ou quatre-vingt-dix centimètres au-dessus de la tête, ou même plus loin si la personne est très énergétique. À mes yeux, le bord extérieur ressemble vraiment à une coquille d'œuf, d'une épaisseur allant d'un demi-centimètre à un peu plus d'un centimètre, paraissant très solide, élastique. Il résiste à la pénétration, protège le champ aurique comme la coquille d'œuf protège le poussin. À ce niveau de l'aura, tous les chakras, toutes les formes des corps emboîtés semblent faits de lumières d'or. C'est la couche la plus robuste, la plus tonique du champ aurique.

Ce corps, comparable à une onde lumineuse continue, vibre à une fréquence extrêmement élevée. Quand on l'observe, on peut presque en entendre le son. Je suis convaincue que l'on pourrait y parvenir en méditant sur cette image. Ce gabarit d'or contient aussi le courant central de force qui circule du haut en bas de la colonne vertébrale et alimente le corps entier, transporte l'énergie en passant par la racine des chakras et connecte ces derniers entre eux.

Le flux d'énergie vertical induit d'autres courants perpendiculaires pour former des flèches d'or qui fusent à l'extérieur du corps. Celles-ci induisent à leur tour d'autres courants qui encerclent entièrement le champ aurique, de sorte que toutes les couches constitutives sont maintenues dans ce réseau comme dans une corbeille. Ce réseau témoigne de la puissance de la lumière d'or, de l'esprit divin qui confère au champ total sa cohérence et son intégralité.

De plus, à l'intérieur de la coquille d'œuf, dans la couche kéthérique, résident aussi les séquences des vies antérieures. Ce sont des bandes de lumières colorées encerclant complètement l'aura et que l'on retrouve sur toute la surface de la coquille, qui s'en trouve comme striée. Le ruban lumineux qui entoure la zone du cou et de la tête est, en général, la bande qui contient la vie antérieure sur laquelle on travaille pour éclaircir les situations de la vie présente. Jack Schwarz parle de ces bandes et de leur signification, en fonction de leur couleur. Dans le chapitre consacré à la guérison, j'expliquerai comment il convient de travailler sur ces « rubans ». Le plan kéthérique est la dernière couche aurique du niveau spirituel. Le plan cosmique se trouve au-delà. Nous abordons alors des niveaux situés au-dessus de l'énergie, où les vibrations sont extêmement rapides et fluctuantes. On ne peut espérer se familiariser avec le plan cosmique au cours d'une brève vie humaine. Son exploration demande plusieurs incarnations successives.

Le plan cosmique

Les deux niveaux supérieurs au septième qu'il m'est possible de voir pour le moment sont la huitième et la neuvième couche. Ils sont associés respectivement au huitième et au neuvième chakra, situés au-dessus de la tête. Ces niveaux cristallins, composés de très hautes et fines vibrations, semblent suivre le schéma général d'alternative entre la substance (huitième plan) et la forme (neuvième plan). La huitième couche paraît être d'une substance essentiellement fluide, et la neuvième a l'air d'un moule cristallin de tout ce qui se trouve au-dessous d'elle. Je n'ai pas trouvé de références à ces plans dans la littérature, mais il se peut qu'ils existent. J'en sais très peu de choses, si ce n'est leur utilisation dans certaines pratiques thérapeutiques très puissantes, indiquées par quelques-uns de mes guides. Je parlerai de ces méthodes au chapitre 22.

La perception des champs

Souvenez-vous, c'est important, que lorsque votre clair-voyance débutera, vous ne verrez probablement que les premières couches de l'aura sans être capable de les distinguer les unes des autres. Vous ne percevrez sans doute que des couleurs et des formes. À mesure que vous progresserez, vous vous sensibiliserez à des fréquences de plus en plus élevées qui vous permettront de percevoir les corps supérieurs. Vous deviendrez capables de distinguer les couches et de vous concentrer sur celle de votre choix. La plupart des illustrations des chapitres suivants ne montrent que les trois ou quatre corps auriques inférieurs, sans distinction entre les couches. Ces dernières semblent se mêler les unes aux autres et agir conjointement dans la plupart des interactions décrites. C'est que, la plupart du temps, nos émotions inférieures, nos mécanismes de pensée de base et nos sensations sont mêlés et confus. Nous ne savons pas très bien les démêler en nous, et cette confusion transparaît dans l'aura. Très souvent le corps mental et le corps émotionnel semblent agir et se confondre en une seule forme. Dans les descriptions thérapeutiques qui suivront, il sera fait peu de différence entre les corps. Toutefois, grâce au processus thérapeutique, ou à tout autre processus de croissance, les couches deviennent plus distinctes. Le patient devient beaucoup plus apte à faire la distinction entre les émotions basses et celles, plus élevées, de l'amour inconditionnel associé aux plans auriques supérieurs. Ce discernement s'acquiert par la compréhension de la relation de cause à effet, dont le processus est décrit au chapitre 15. En d'autres termes, le patient commence à comprendre les effets de ses systèmes de croyance sur le corps mental, la manière dont ses idées influent sur les émotions, puis sur le corps éthérique, et, pour finir, sur le corps physique. Cette prise de conscience permet alors de faire la distinction entre les couches du champ aurique, qui deviennent réellement plus claires. Dès que cette relation entre les sensations physiques et les émotions est perçue, les pensées et les actes peuvent s'accorder.

Lorsque nous aborderons les chapitres concernant les soins, il deviendra très important de pouvoir distinguer les couches de l'aura les unes des autres.

Comment voir l'aura humaine : exercices et réponses aux questions

L'énergie circule presque toujours de gauche à droite autour du cercle. Il semble très désagréable de l'arrêter et il est généralement impossible d'y parvenir totalement. La sensation de construire quelque chose entre vos mains se traduira par des picotements, une pression comparable à celle d'une décharge

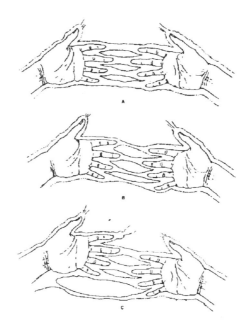

Fig. 7-14 : l'aura autour des doigts.

d'électricité statique, au moment où la limite du corps d'énergie touchera la surface de la peau. Si vous tracez des cercles à cette distance dans la paume de votre main, vous sentirez un léger picotement. Suivez son tracé.

Vous verrez vraisemblablement une faible brume autour de vos doigts et de vos mains, comme une onde de chaleur s'élevant au-dessus d'un radiateur. Elle peut être de couleurs diverses, mais le plus souvent bleue. En général, au début, elle est incolore. Les corps d'énergie s'étirent comme du caramel mou entre les doigts, lorsque cette brume, à leur extrémité, entre en contact avec celle des doigts de la main opposée. Si vous décalez vos doigts, la brume suit, pour commencer, le doigt du premier contact, puis saute au suivant (fig. 7-14).

Révision du chapitre 7

1. Quelle est la relation entre le champ d'énergie universelle et le champ d'énergie humaine ?
2. À quoi ressemble le corps éthérique ? En quoi diffère-t-il du corps émotionnel ?
3. Quelles sont les trois principales fonctions des chakras ?

4. Qu'est-ce qui détermine la couleur d'un chakra ?
5. Où se trouve le cœur du chakra ?
6. À quelles structures anatomiques les chakras sont-ils associés ?
7. Décrivez les sept couches inférieures du champ aurique et leurs fonctions.
8. Décrivez la relation entre les chakras et les couches de l'aura.
9. Où se situent les huitième et neuvième chakras ?
10. Décrivez un chakra sur la septième couche du champ.
11. Où se situe le courant principal de force ?
12. Quelle est la couche qui maintient la cohérence du CEH ?
13. Dans quelle couche du CEH les émotions apparaissent-elles ?

TROISIÈME PARTIE

LA PSYCHODYNAMIQUE ET LE CHAMP D'ÉNERGIE HUMAINE

« *La lumière d'or de la flamme d'une bougie s'assied sur le trône de la lumière noire qui s'accroche à la mèche.* »

Le Zohar

Introduction

L'expérience thérapeutique

Quand je suis devenue psychothérapeute, j'ai recommencé à voir des auras. Dans ce contexte, non seulement il m'était permis d'observer les gens de près, mais qui plus est, j'étais invitée à le faire. Au cours de mes années de pratique, j'ai pu observer la structure et le comportement de nombreux patients. C'est un privilège inestimable car, normalement, l'éthique sociale définit très clairement les limites de ce type de « curiosité ». Je suis persuadée qu'il vous est arrivé de vous intéresser, sans trop savoir pourquoi, à une personne inconnue, remarquée dans un bus, un lieu public, un magasin. Si vous l'observez même brièvement, le regard de cette personne accroche le vôtre et vous fait savoir, sans la moindre équivoque, que vous feriez bien de cesser de la dévisager de la sorte. Tout d'abord, comment a-t-elle su que vous la regardiez ? Par le champ d'énergie. Pourquoi vous signifie-t-elle ensuite d'arrêter votre manège ? Parce que les gens deviennent très nerveux dès qu'ils se sentent observés. Nous détestons que notre structure intérieure soit percée à jour par les autres. Beaucoup ont honte de ce qu'on risquerait de découvrir en eux. Nous avons tous des problèmes. Nous essayons évidemment de les cacher, en tout cas les plus gênants pour notre amour-propre. Dans ce chapitre, nous allons parler précisément de ces problèmes, tels que les révèle l'examen de l'aura. Nous verrons se modifier les couleurs de l'aura au cours des séances de bioénergie. Nous verrons également le rôle joué par la « cuirasse caractérielle » reichienne. Mais commençons par l'enfance, la base même de toutes les psychothérapies.

Il existe d'innombrables études sur la croissance de l'être humain et son évolution. Erik Erickson s'est rendu célèbre par ses travaux portant sur la démarcation des étapes de la croissance et de l'évolution, en fonction de l'âge. Ces divers stades font désormais partie de notre langage courant. On parle du stade oral, de l'adolescence, de la puberté, etc. Aucune de ses études ne mentionne l'aura, inconnue encore aujourd'hui de la plupart des psychologues. Pourtant, si on apprend à l'observer, l'aura est très révélatrice de la constitution psychologique et du processus de croissance d'une personne. À n'importe quelle étape de la croissance, ce qui se manifeste dans l'aura est directement lié au développement psychologique marquant cette étape. En fait, du point de vue aurique, cette évolution peut être vue comme l'issue naturelle, programmable, des forces en action dans le champ énergétique. Nous allons voir comment se développe habituellement notre champ d'énergie, de la naissance à la mort.

Chapitre 8

L'évolution humaine et son illustration dans l'aura

Pour établir un tableau panoramique de l'expérience humaine de la naissance à la mort, et même au-delà, je m'en référerai à la tradition psychologique et métaphysique. Si la métaphysique vous dérange, tenez-la simplement pour une métaphore...

L'incarnation

Le processus de l'incarnation ne commence pas à la naissance pour s'achever à la mort. Nous le décrirons ici en termes métaphysiques. L'incarnation est une mutation organique de l'âme, au cours de laquelle des vibrations supérieures très subtiles – ou des aspects de l'âme – irradient constamment, à travers les corps auriques dont nous avons parlé, des plus subtils aux plus denses, pour finir dans le corps physique. Ces énergies successives pourvoient à la croissance de l'individu sa vie durant.

À chaque étape importante de sa vie correspondent de nouvelles vibrations et une activation de différents chakras.

À tous les stades de son évolution, une nouvelle énergie, une nouvelle conscience permettent l'expansion de la personnalité. Chaque palier apporte des terrains d'expérience et d'apprentissage inédits. Vue sous cet angle, la vie est remplie de découvertes aussi passionnantes que riches pour l'élévation de l'âme.

Le processus d'incarnation est commandé par le moi supérieur. Le modèle de notre vie présente est contenu dans la septième couche de l'aura. C'est le gabarit du plan kéthérique, ce moule dynamique, constamment changeant à mesure que l'individu fait des choix délibérés de processus de vie et de croissance. En grandissant, l'être développe son aptitude à soutenir des niveaux de vibrations, d'énergies et de conscience de plus en plus élevés, qui pénètrent dans ses véhicules et qui proviennent de ses corps auriques et de ses chakras. Il s'éveille donc à des réalités de plus en plus vastes, à mesure qu'il fraye sa route dans la vie. À l'image de l'humanité, tout individu progresse. Chaque génération est, généralement, mieux armée pour supporter des vibrations plus hautes et plus rapides que la précédente. De sorte que le niveau d'évolution de l'humanité entière s'ouvre à des réalités chaque fois plus vastes. Ce principe de progression de l'espèce humaine se retrouve dans de nombreux textes religieux tels que la Kabbale, la Bhagavad-Gītā, les Upanisad et bien d'autres encore.

Le processus d'incarnation avant la conception a été commenté par Mme Blavatsky, et plus récemment par Alice Bailey, Phoebe Bendit et Eva Pierrakos. Selon cette dernière, l'âme en voie d'incarnation rencontre ses guides spirituels pour planifier son existence à venir. Au cours de ce concile, l'âme et ses guides considèrent les tâches nécessaires à sa croissance, déterminent le karma permettant de les accomplir en provoquant des rencontres favorables à ce dessein et les systèmes de croyances à clarifier par l'expérience. Ce travail d'une vie est généralement défini comme une tâche personnelle à mener à bien.

Supposons qu'un individu ait besoin d'accroître son ascendant sur les autres. En entrant dans la vie physique, il se mettra spontanément dans des situations où l'autorité sera la seule issue. Les circonstances auront beau être différentes pour chaque personne, l'objectif n'en sera pas moins l'autorité. Il se peut que l'individu en question soit issu d'une famille où l'autorité est héréditaire, comme ces longues lignées de dirigeants de sociétés ou de leaders politiques. D'autres, en revanche, peuvent être nés dans une famille où l'autorité est inexistante ou considérée comme négative, à renverser, contre laquelle il convient de se révolter. La tâche de l'individu consiste alors à accepter cette éventualité de façon équilibrée et confortable.

Selon Eva Pierrakos, les conseils qu'une âme reçoit de ses guides dépendent de sa maturité. Les parents choisis pourvoiront à l'environnement nécessaire à l'expérience physique. Ce choix détermine le mélange d'énergies qui constitueront par la suite le véhicule dans lequel l'âme s'incarnera pour accomplir sa tâche. Ces énergies sont dosées de façon très précise. L'âme sera équipée exactement de ce qui lui convient pour y parvenir. Elle est donc chargée, à titre personnel, d'apprendre, par exemple, à commander. Elle est aussi astreinte à une tâche « mondiale » comportant l'obligation d'une offrande au monde. Le dessein est si bien unifié que l'accomplissement de la tâche personnelle libère des énergies permettant de souscrire à l'obligation envers le monde.

Dans l'exemple mentionné relatif à l'autorité, l'individu aura besoin d'acquérir cette qualité ou ce don, avant d'exercer le rôle de leader dans le champ d'activité qu'il a choisi. L'âme peut avoir été intimidée par sa lignée d'ancêtres, de chefs. La réaction contre cet héritage peut également apporter une saine émulation, le désir de les surpasser. Chaque cas est spécifique, très personnel, compte tenu de l'unicité de l'âme venue pour apprendre.

Le plan de vie comporte beaucoup de probabilités permettant le libre arbitre. À l'édification de cette vie se mêle l'action de la loi de cause à effet. Car nous créons notre propre réalité émanant de nombreuses parties de notre être. Bien qu'une grande partie de notre expérience puisse être vue sous l'angle de la relation de cause à effet, cette création n'est pas toujours facile à comprendre. Nous créons, littéralement, ce que nous voulons. Et ce que nous voulons existe dans le conscient, l'inconscient, le surconscient d'essence divine et l'inconscient collectif. Ces forces créatives coopèrent pour créer l'expérience à bien des niveaux de notre être, à mesure que nous progressons dans la vie. Le karma est, pour moi, la relation de cause à effet à long terme. Là encore, la loi karmique se manifeste à de nombreux niveaux de notre être. Nous créons donc, à titre personnel comme en groupe ; et, bien entendu, il existe des groupes plus importants, à l'intérieur desquels s'en créent d'autres, plus restreints. Tous participent au grand œuvre de l'expérience de vie créative. Sous cet angle, il est facile d'admirer la richesse de la vie avec l'émerveillement d'un enfant.

Après ce « planning », l'âme entame un lent processus qui lui fait perdre peu à peu conscience du monde spirituel. À la conception, un lien énergétique se tisse entre elle et l'ovule fécondé. À ce moment, une matrice éthérique se forme également, pour protéger l'âme entrante des influences extérieures à celles de la mère. À mesure que le corps se développe, l'âme, comme « attirée », commence à se connecter consciemment au corps. Il se produit alors une forte décharge d'énergie consciente dans le corps en formation. Puis elle reperd conscience pour s'éveiller petit à petit au monde physique. Ce violent éclair de conscience correspond aux premiers mouvements du fœtus.

La naissance

La naissance est un moment exceptionnel pour l'âme entrante, celui où elle perd la protection de sa matrice éthérique et où, pour la première fois, elle est soumise aux influences de l'environnement, seule, dans la mer d'énergie qui nous entoure tous. Elle est touchée par ce champ. C'est aussi au moment de la naissance que les champs célestes, plus vastes et puissants, influencent le nouveau champ d'énergie de l'âme pour la première fois. Et, bien entendu, c'est à ce moment aussi que la mer d'énergie se trouve désormais enrichie d'un nouveau champ qui l'influence et résonne comme une note s'ajoutant à la symphonie de la vie.

Le premier âge

Le lent processus d'éveil au monde physique se poursuit après la naissance. Au cours de cette période, le bébé dort beaucoup. L'âme occupe ses corps d'énergie supérieurs et laisse les corps physique et éthérique vaquer à leur travail de construction du corps.

Au premier âge de sa vie, le travail de l'enfant consiste à s'habituer aux limites de la sensation physique et du monde tridimensionnel. J'ai vu se débattre beaucoup de nouveau-nés au cours de ce processus. Ils ont encore vaguement conscience du monde de l'espace et je les ai vus lutter pour parvenir à quitter des compagnons de jeux spirituels afin d'opérer un transfert d'affection sur leurs nouveaux parents matriciels. Ceux que j'ai observés avaient leur chakra-couronne largement ouvert (fig. 8-1) et s'efforçaient de s'habituer au confinement dans le corps étriqué d'un bébé. Quand je les ai vus quitter leur corps physique, ils apparaissaient très souvent dans leurs corps supérieurs comme des ectoplasmes d'environ trois mètres de haut et devaient s'astreindre à d'énormes efforts pour ouvrir la racine du chakra et se connecter à la terre.

J'ai vu, par exemple, un garçon naître un mois plus tard que prévu. Après l'accouchement, très rapide, sa température monta de façon inquiétante. Craignant une encéphalite, les médecins pratiquèrent une ponction lombaire, dans la région du chakra du sacrum. L'enfant se débattait, refusant de quitter trois compagnons de jeux spirituels, dont une femme, qui ne voulaient absolument pas qu'il parte. Dans ce combat, aidé par son guide, il semblait disposé à se connecter à la terre. Mais dès qu'il

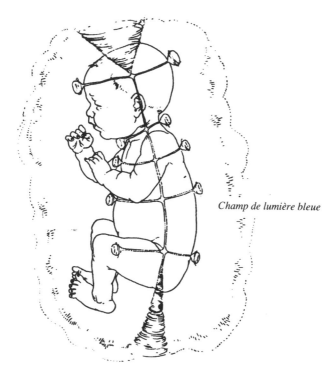

Champ de lumière bleue

Fig. 8-1 : aura normale d'un nourrisson

perdait contact avec lui, il revoyait ses amis, cette femme et luttait farouchement, tiraillé entre les deux mondes. Se sentant plus d'affinités avec la femme spirituelle qu'avec sa mère physique, il refusait de s'incarner, projetait son énergie hors du chakra du coccyx, sur la droite, afin d'empêcher son enracine-ment à la terre en la faisant passer correctement par le chakra-racine de base (premier chakra). Il y parvenait en partie, grâce au trou aurique ménagé par la ponction. Après avoir combattu de la sorte un certain temps, il reprit contact avec son guide, se calma, ouvrit la racine de son chakra et le processus de la naissance reprit son cours.

Je tentai de lui prodiguer des soins qu'il accepta la première fois, puis refusa ensuite. Quand j'envoyais de l'énergie dans son aura, il se mettait à hurler. Il savait ce que j'avais l'intention de faire et ne voulait plus que je l'approche, sachant que j'essayais, dans la septième couche aurique, de colmater le trou de son aura pour renvoyer l'énergie vers le bas. Il s'y opposait farouchement. J'essayai même quand il dormait profondément. Dès que j'arri-vais à trente centimètres de lui, il se réveillait et hurlait. Il menait vraiment un rude combat et ne voulait personne pour l'aider. Un problème secondaire vint s'y ajouter. Des troubles intestinaux se manifestèrent, liés au surmenage constant du chakra du plexus solaire, dû aux cris et aux larmes. Il finit par opter pour le monde physique et ce problème put être traité ensuite. Le thème astrologique de cet enfant montra clairement qu'il avait l'étoffe d'un leader.

Lorsqu'elle commence à travailler à ouvrir le chakra-racine pour s'enraciner au plan physique, l'âme entre et ressort donc souvent par le chakra-couronne. À ce stade, le chakra-racine ressemble à un entonnoir très étroit et le chakra-couronne à un très large entonnoir. Les autres chakras ont l'air de petites coupes à thé chinoises, peu profondes, reliées à l'épine dorsale par un mince filet d'énergie (fig. 8-1). L'aspect général du champ d'un nourrisson paraît amorphe, bleu ou grisâtre.

Lorsqu'un bébé fixe son attention sur un objet du plan physique, l'aura se tend, se met à briller, spécialement autour de la tête. Lorsque son intérêt faiblit, les couleurs de l'aura se fanent également. Toutefois, l'expérience est retenue sous forme de couleur. Chaque expérience ajoute un peu de couleur à l'aura et la rehausse à titre individuel. Le travail de construction de l'aura se poursuit ainsi tout au long de la vie, de sorte que toutes les expériences de l'existence s'y accumulent.

Après la naissance, une forte énergie de connexion, appelée parfois plasmagerme, subsiste entre la mère et l'enfant : elle est à l'apogée de sa puissance à cette étape, mais subsiste toute la vie, moins prononcée à mesure que l'enfant grandit. Par ce cordon ombilical psychique, les enfants demeurent connectés à leurs parents à travers les ans. Très souvent, les uns ressentent les traumatismes des autres, quelle que soit la distance qui les sépare sur le plan physique.

Le champ de l'enfant est complètement ouvert, perméable à l'atmosphère dans laquelle il vit. Que tout ait lieu au grand jour ou pas, l'enfant sent ce qui se passe entre ses parents. Il réagit constamment à son environnement énergétique de façon cohérente, en fonction de son tempérament. Il peut en éprouver de vagues peurs, des fantasmes, des accès de colère, tomber malade. Tous ses chakras sont ouverts, car il n'existe pas encore de film protecteur pour faire écran aux influences psychiques captées, ce qui le rend très impressionnable et vulnérable. Les chakras d'un enfant ne sont pas aussi développés que ceux d'un adulte et l'énergie qui y pénètre, bien qu'elle ne soit expérimentée que d'une manière vague, n'en entre pas moins dans son champ. Il doit s'en accommoder d'une façon ou d'une autre. (Voir la figure 8-2, comparant la chakra d'un enfant à celui d'un adulte.)

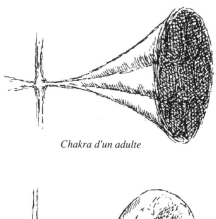

Chakra d'un adulte

Chakra d'un enfant

Figure 8-2 : chakras d'un adulte et d'un enfant

Vers l'âge de sept ans, un écran protecteur se forme sur l'ouverture de ses chakras, filtrant les influences provenant du champ d'énergie universelle. L'enfant n'est donc plus aussi vulnérable qu'auparavant. Cette phase peut être considérée comme une étape de la croissance. Il se personnalise, l'âge de raison approche.

On voit fréquemment des petits courir se blottir auprès de leur mère ou de leur père. Ils viennent se protéger des influences extérieures en se réfugiant dans le champ de leurs parents. En raison de cette vulnérabilité de l'enfant, je suis très « vieux jeu » et très réticente lorsqu'il s'agit d'admettre des enfants dans les thérapies de groupe. À moins qu'il n'ait régressé à son degré de vulnérabilité, l'adulte n'a aucune idée de ce que peut ressentir un enfant. J'ai vu des parents se croyant « modernes », ou cédant aux pressions du groupe, faire subir involontairement à leur enfant un choc psychique bien superflu en le faisant assister à une expérience de thérapie de groupe. Les débordements des adultes heurtent le système des petits comme un choc physique. La douleur, la dépression les submergent, les oppressent comme une nappe de brouillard.

L'allaitement au sein procure à l'enfant sa nourriture physique et de l'énergie éthérique. Un petit chakra, à chaque sein, y pourvoit. N'oubliez pas que le chakra d'un nourrisson n'est pas totalement développé et ne peut donc métaboliser toutes les énergies du champ universel nécessaires à ses besoins.

La petite enfance

La vie émotionnelle de l'enfant s'enrichit à mesure qu'il grandit et que son deuxième chakra se développe. Il imagine des mondes dans lesquels il vit et commence à se sentir différencié de sa mère. Dans ces univers qui l'aident à accomplir cette séparation, il entasse des possessions dont les projections dans son champ éthérique ressemblent à des amibes. Plus il confère d'importance à ces objets dans la construction de son monde fantasmatique, plus il les entoure d'énergie consciente. Ils deviennent partie intégrante de son moi. Lorsqu'un de ces objets lui est arraché de force des mains, son champ se déchire. Il en souffre physiquement et émotionnellement.

Vers l'âge de deux ans, l'enfant considère ses parents comme ses possessions : « moi, mon papa, ma maman, etc. » Dans son aura, le rouge, l'orange et le rose s'affirment plus visiblement. Il apprend sa relation avec les autres et commence à les aimer de façon élémentaire. Plus apte à s'écarter du champ de sa mère, il y demeure encore connecté par un ombilic éthérique. Le processus de séparation et d'identité indépendante débute donc sous la protection de cet ombilic éthérique grâce auquel il est sûr que sa mère n'est jamais bien loin. Pour le clairvoyant, cet espace apparaît sous la couleur bleue de l'énergie du plan éthérique. L'enfant préfère y jouer seul. S'il y admet un compagnon de jeu, il veille à ce qu'il ne le perturbe pas trop. À cet âge, son ego n'est pas assez fort pour définir clairement la limite de son moi par rapport à celui d'un autre. Il lutte pour établir son unicité mais continue à se sentir connecté à tout. Ses objets personnels servent d'instruments d'individualisation, pour définir son espace d'énergie privé. De cinq à sept ans, lorsqu'un autre enfant pénètre dans sa chambre, il est partagé entre le désir de communiquer avec lui et celui de protéger l'image de son moi. Il lutte pour conserver le contrôle de ses objets personnels qui l'aident à savoir qui il est, objets sur lesquels il a transféré son énergie consciente. L'enjeu consiste donc à discerner et maintenir son individualité tout en se connectant à un individu différencié.

Vers l'âge de sept ans, l'enfant commence à tisser une grande quantité d'énergie dorée dans l'espace qui devient plus libre et vaste, moins connecté à la mère. Il s'ouvre davantage aux visiteurs. Plus conscient de son moi, il commence à discerner ses similitudes avec les autres êtres humains, à autoriser l'ego de « l'autre » à s'exprimer plus librement dans son espace privé. Le visiteur peut alors créer toutes sortes de formes d'énergie dans son territoire et rehausser sa vie imaginaire qui devient plus amusante, plus vivante. C'est le moment où les enfants forment des « bandes ». Un des facteurs de cette évolution tient au fait qu'aux alentours de la septième année de sa vie, tous les chakras d'un enfant ont acquis un écran protecteur qui filtre les nombreuses influences énergétiques provenant du champ qui l'entoure. Il se sent en sécurité dans son champ aurique, qui le protège réellement.

Exercices de perception des espaces psychiques

Les adultes, comme les enfants, gorgent leur espace d'énergie. Ces espaces psychiques sont des aires de refuge où ils vivent en sécurité. Essayez de sentir ceux que les autres se créent. Vous en apprendrez beaucoup sur vous et sur les possesseurs de ces espaces. Commencez d'abord par ceux que vous fréquentez régulièrement. Circulez dans la chambre d'un ami. Que ressentez-vous ? L'aimez-vous ? Avez-vous envie d'y rester ou de vous en évader ?

Si vous avez plusieurs enfants, entrez dans leur chambre. Sentez la différence d'énergie dégagée par chacune. En quoi lui correspond-elle ? Qu'exprime-t-elle de lui ? Sa couleur lui convient-elle ou la lui avez-vous imposée ? Réfléchissez-y.

Tentez la même expérience dans divers magasins. Pour ma part, il m'est impossible de supporter certains types d'énergie émanant de quelques boutiques.

Faites aussi quelques expériences avec des objets. Dans un petit groupe de personnes (que vous connaissez peu, de préférence) ayant déposé des objets personnels, choisissez celui de ces objets qui vous attire plus particulièrement. Prenez-le en main. Que ressentez-vous ? Vous paraît-il lourd, chaud, amical, hostile, triste, joyeux, inoffensif, menaçant, sain, morbide ? Évoque-t-il des images ? Prenez le temps de vous en pénétrer et vérifiez vos impressions auprès du propriétaire de l'objet. Je suis prête à parier que vous tomberez juste au sujet de quelques-uns des objets sélectionnés. Pratiquez cette méthode et vous y parviendrez encore mieux la prochaine fois.

La période de latence

Lorsque l'enfant entame sa période de latence, qui se situe entre l'âge de sept ans et celui de la puberté, ses facultés mentales se développent en même temps que son troisième chakra, et la couleur jaune vient s'ajouter à celles de son aura. Ce chakra métabolise les énergies mentales. Bien que l'enfant soit scolarisé, ces énergies servent essentiellement à enrichir sa vie imaginaire. De profondes pulsions téléologiques, des connexions au long passé évolutif de l'humanité entrent alors en jeu. L'enfant devient chef indien, princesse ou *wonder woman*. Ce besoin pressant d'idéaliser révèle les aspirations de l'âme, et plus probablement encore sa tâche à accomplir dans ce monde. Les aspirations spirituelles intimes d'un individu, ses objectifs et ses qualités s'expriment dans ces archétypes qui se jouent dans les cours de récréation de l'école, au moment où les trois premiers centres du plan terrestre, physique, émotionnel et mental, travaillent de concert pour exprimer la première phase de l'incarnation de l'âme.

L'adolescence

Le défi à relever dans l'adolescence, comme dans toutes les étapes de la croissance, consiste à trouver le moi et à y être fidèle, en dépit du chaos des transformations physiques et émotionnelles, des tendres penchants et des douloureux rejets.

L'approche de la puberté prélude à de grands changements de tout le corps et du champ d'énergie de l'enfant. La couleur verte s'ajoute à son aura. Son espace privé commence à accepter et à digérer les vibrations amies. Le chakra du cœur permet d'accéder à des sentiments nouveaux, aux prémisses de l'éros. L'amour émerge des profondeurs du psychisme, une belle couleur rose imprègne le champ. La glande pituitaire (chakra du troisième œil) est stimulée. Le corps entame sa maturation pour parvenir à l'âge adulte. Tous les chakras sont affectés par ces transformations. Ces nouvelles et fortes vibrations sont parfois accueillies avec passion, quelquefois détestées, car elles conduisent à d'autres aspirations et à une vulnérabilité que l'individu n'a pas encore expérimentée. Il arrive que tout le champ en soit perturbé et les chakras totalement déséquilibrés, tandis que dans d'autres cas, tout baigne au contraire dans l'harmonie. La réalité émotionnelle de l'adolescent subit donc de grandes métamorphoses, et ses actes expriment sa confusion. Par moments, il se comporte comme un enfant, à d'autres comme un adulte.

L'individu répète alors toutes les étapes de sa croissance dont il a l'expérience, mais d'une manière différente. Les trois premières étapes tournent autour du moi considéré comme le centre de l'univers. Ce qui fut d'abord « moi, mon papa, ma maman, mes amis » passe à la relation « moi et toi ». Le « je » n'existe plus tout seul. Le bien-être de « je » dépend à présent des ajustements au « non-je », dus en partie au fait qu'il ne « possède » plus l'objet aimé, comme ce fut le cas avec ses parents et ses jouets. Son bonheur dépend, maintenant de l'équilibrage de ses actes en vue de convaincre l'objet de son amour de l'aimer en retour, du moins le croit-il. Ce qui crée une tension entre ce qu'il pense être et ce qu'il pense qu'il devrait être pour satisfaire au désir de l'autre. Cela, bien entendu, s'est déjà produit avec ses parents et remonte en surface avec plus de force, car, à tout moment, l'être aimé peut choisir quelqu'un d'autre que lui, et souvent le fait notoirement.

L'âge adulte

À la fin de l'adolescence, les chakras et le modèle d'énergie utilisé par l'individu sont en place. Tous les chakras ont atteint leur forme adulte. À cette étape, l'individu peut vouloir se stabiliser et ne plus changer. Certaines personnes y parviennent et s'installent en relative sécurité dans une stagnation de réalité limitée, étriquée, mais sans surprise et clairement codifiée. D'autres ont la « chance » de voir la réussite sociale leur sourire et d'être heureux au niveau de l'avoir et de l'ego. Ceux-là marquent simplement un temps d'arrêt dans le difficile processus du devenir. Comme disait un homme qui me fut présenté, officier supérieur qui termina sa brillante carrière à un haut poste au Pentagone : « Pourquoi chercherais-je un autre monde, puisque je suis heureux dans celui-ci ? »

La plupart des êtres, cependant, ne parviennent pas à s'ancrer dans des certitudes de ce genre. À un moment ou à un autre, des événements, trop souvent qualifiés de « fortuits », voire d'« injustes », viennent les déstabiliser. Alors, ébranlés dans leurs croyances, traumatisés par des expériences qu'ils croient négatives, ils constatent que la réalité n'est pas du tout facile à cerner, encore moins facile à codifier, et à partir de ce tournant très important, ils continuent toute leur vie à en chercher la signification...

À la maturité, la relation « toi-moi » peut aussi s'élargir pour inclure la famille ayant sa propre forme d'énergie. Pour venir à l'aide de cet échange consistant à donner et à recevoir, des énergies supplémentaires circulent alors par le chakra de la gorge. Avec le temps, cette relation peut s'étendre de l'individu au groupe, le cœur s'élargir pour inclure l'amour de l'humanité à l'amour familial. Une belle couleur lilas apparaît alors dans l'aura, impliquant l'intégration du moi, de l'autre, et de la conscience de groupe. Le troisième œil commence à s'ouvrir. Le champ énergétique accepte de plus hautes vibrations. L'unité apparaît dans tout ce qui existe, tandis qu'au sein de cette union, chaque âme individuelle demeure précieuse et unique.

La maturité

À mesure qu'approchent la vieillesse et la mort, des vibrations de plus en plus hautes et de plus en plus subtiles peuvent s'ajouter aux énergies physiques habituelles. Les cheveux blanchissent, comme une lumière blanche apparaît dans l'aura. Une relation personnelle, très profonde, avec Dieu s'ajoute dès lors à la relation « moi-toi ». L'énergie terrestre, inférieure, métabolisée par les chakras inférieurs, décroît. Elle est remplacée par des énergies supérieures ayant plus d'affinités avec l'esprit qu'avec la vie physique. L'être se prépare à rejoindre le monde des esprits. Lorsque ce processus naturel est bien compris, le sujet n'y oppose pas de résistance. Alors la sérénité, l'amour emplissent sa vie. Tout le processus de croissance qui s'est déroulé au cours des années passées est en place. Le chakra du plexus solaire fonctionne de façon plus harmonieuse. La qualité des perceptions augmente en dépit du déclin des forces physiques. La vie devient plus intéressante, plus riche en expériences. Il est fort regrettable que notre culture, en règle générale, ne respecte ni n'utilise cette grande source de sagesse et de lumière, comme d'autres le font, celle des Indiens d'Amérique notamment, où les grands-pères et les grands-mères détiennent le pouvoir des décisions prises pour la communauté.

La mort

Selon Phoebe Bendit, au moment de la mort, un rayon lumineux jaillit au sommet de la tête à travers le chakra-couronne, à l'instant où un être quitte le plan terrestre. Ce passage a souvent été décrit comme un long tunnel noir entre la vie et la mort, au bout duquel brille une lumière. Cette « expérience du tunnel » s'assimile aussi au parcours de l'âme remontant le courant principal d'énergie, tout au long de l'épine dorsale afin de quitter le corps pour se fondre dans la brillante lumière du chakra-couronne.

Après la mort, l'âme est accueillie par de vieux amis décédés et par ses guides spirituels : il voit sa vie passée se dérouler très rapidement et clairement, de manière qu'il ne puisse y avoir d'erreurs sur ce qui s'est passé, les choix qui ont été faits, les leçons apprises, celles qui resteront applicables à la prochaine incarnation. Une célébration de la tâche accomplie a lieu, suivie d'un séjour dans le monde spirituel avant l'incarnation suivante.

J'ai souvent observé des personnes mortes après une longue maladie et les ai vues reposer entourées d'une lumière blanche qui persistait un certain temps après leur décès. Elles semblaient prises en charge par une sorte d'hôpital, de l'autre côté.

J'ai examiné l'aura de deux personnes à l'agonie après une longue maladie, deux jours avant leur fin. Deux cancers. Les trois corps inférieurs, fragmentés, se dégageaient du corps en boules nuageuses opalescentes qui le nimbaient d'une pâleur translucide. Les trois chakras inférieurs étaient également brouillés. De longs filaments d'énergie sortaient du plexus solaire. Les quatre chakras supérieurs semblaient être très largement ouverts, presque comme des trous béants, sans écrans protecteurs. Ces personnes passaient leur temps à quitter leur corps puis à y revenir. Elles semblaient ailleurs, auprès de leurs guides spirituels. Lorsqu'elles réintégraient leur corps, la chambre s'emplissait d'esprits. Dans un cas, j'ai vu Azraël garder la porte. Je lui ai demandé pourquoi il n'aidait pas cette personne qui souffrait terriblement à mourir. Il m'a répondu : « Je n'en ai pas encore reçu l'ordre. » (Azraël, l'ange de la mort, m'a paru jeune et beau, et non terrifiant comme on le décrit parfois.)

Heyoan et la mort

J'ai reçu de mon guide, Heyoan, des enseignements sur le processus de la mort. J'aimerais les citer ici. Il m'a dit tout d'abord que la mort n'était pas ce que nous croyons, mais une transition d'un état de conscience à un autre. Nous sommes déjà morts plusieurs fois, seulement nous l'avons oublié. Nous sommes coupés de ces anciennes parties de nous-même par un mur qui sépare la conscience de veille de cet immense et insondable réservoir de souvenirs qu'est le subconscient. Nous nous incarnons pour essayer de revoir, de retrouver ces expériences oubliées[1]. Donc, bien que la mort nous fasse peur, nous l'avons déjà vécue. L'incarnation est un processus de réintégration à notre être plus vaste, par lequel nous gagnons toujours davantage de vie. La seule à mourir, m'a-t-il dit, est la mort.

Au cours de nos existences, nous cloisonnons les expériences que nous souhaitons oublier de façon si efficace que nous ne parvenons à nous remémorer qu'un petit nombre d'entre elles. Ce cloisonnement débute dès l'enfance et se poursuit tout au long de notre vie. Ces parcelles de conscience cloisonnées apparaissent dans le champ aurique sous forme de bouchons. Nous y reviendrons dans le chapitre traitant de la psychodynamique. Selon Heyoan, la mort, c'est-à-dire la vie, se trouve de l'autre côté de notre mur intérieur.

« Tu le sais bien, tout ce qui te sépare de toi-même, c'est toi ! N'oublie pas que la mort s'est déjà manifestée dans ces morceaux de toi dont tu t'es séparée par ton mur. C'est probablement la meilleure définition de ce que les humains appellent la mort. Mourir, n'est-ce pas être muré, séparé ? Oublier qui nous sommes réellement, c'est cela la véritable mort ! Tu t'incarnes pour ramener à la vie ces parties de toi appartenant déjà, et depuis longtemps, à ce que tu appelles improprement la mort, si toutefois nous pouvons encore employer ce terme...

« Nous autres ici, nous considérons ce processus comme une transition vers une conscience plus vaste existant dans le champ énergétique. Pour t'aider à le comprendre du point de vue aurique, je vais essayer de te le décrire. Il s'agit, vois-tu, d'un nettoyage du champ, d'une illumination et d'une ouverture de tous les chakras. En mourant, tu pars pour une autre dimension. Les trois chakras et les trois corps inférieurs se dissolvent. Note bien qu'il est question d'une *dissolution*. Ceux qui ont vu des personnes sur le point de mourir ont pu observer que la peau des mains, du visage, prend une teinte nacrée au moment du décès. De beaux nuages opalescents se dégagent des trois corps inférieurs servant à maintenir la cohésion du corps physique. Ils se désintègrent par bouffées. Des cordes d'énergie s'échappent des chakras supérieurs, ouverts comme de grands trous béants vers d'autres dimensions. Les champs d'énergie se séparent au cours de ces étapes préliminaires de la mort où les zones inférieures du champ se dissocient des parties supérieures. Pendant trois heures

---

1. Ce « mur » dressé dans notre monde intérieur est l'un des grands outils de travail des techniciens de la Gestalt-thérapie. Il a également été repris par certains analystes transactionnels de l'école bernienne. Nous en parlerons plus en détail au chapitre 14.

environ avant le décès, un nettoyage du corps s'opère. À l'issue de ce baptême spirituel, l'énergie jaillit comme une fontaine du courant vertical de force. Un flux de lumière dorée nettoie tous les blocages, tous les bouchons et la couleur de l'aura devient celle de l'or blanc. Comment un être à l'agonie mémorise-t-il cette expérience ? Tu en as déjà entendu parler. Il voit sa vie entière se purifier dans cet or. C'est ainsi qu'il vit sa mort, tandis que dans l'aura, un phénomène concomitant se produit. Toutes ses inhibitions, toutes ses erreurs karmiques, toutes les expériences oubliées de cette vie et des autres se débloquent et affluent à la conscience. Lorsqu'une personne s'en va, cette conscience l'accompagne. La mort est le processus de dissolution de beaucoup de murs. Or tant que ces barrages subsistent, il ne peut y avoir de véritable intégration.

« Lorsque les murs de l'oubli se dissolvent, tu découvres qui tu es réellement. Tu t'intègres à ton moi supérieur, tu en ressens la luminosité, l'amplitude. Contrairement à l'opinion courante, la mort est une expérience merveilleuse. Tu as lu naturellement, et tu as fait lire à tes patients, les descriptions qu'en font ceux qui, déclarés cliniquement morts, sont revenus à la vie. Tous parlent d'un tunnel au bout duquel brille une lumière intense, d'une rencontre avec un Être prodigieux. La plupart passent leur vie en revue, en discutent avec lui, et racontent qu'ils décidèrent eux-mêmes de retourner dans le monde physique pour compléter leur enseignement, bien à regret, car tout était si beau là d'où ils reviennent. Ils n'ont plus peur de mourir, envisagent cette issue avec sérénité, comme un grand soulagement.

« Ton mur te sépare de cette vérité. Ce que tu appelles à tort la mort n'est en réalité qu'une transition vers la lumière. La vraie mort, celle que tu t'imagines devoir subir comme une malédiction, comme un châtiment, celle-là est prisonnière à l'intérieur de ce mur. Chaque fois que tu t'écartes de toi-même, de quelque façon que ce soit, tu endures une petite mort. Dès que tu bloques ta merveilleuse force de vie, que tu l'empêches de s'écouler, tu crées de nouveaux éclatements à l'intérieur de toi. Ton monde du dedans se morcelle encore un peu plus. De sorte qu'en te souvenant de ces parcelles séparées de ton être, déjà mortes, en les réintégrant en toi, tu renais à la vie. Le mur érigé entre la réalité spirituelle et la réalité physique se dissout lorsque tu étends ta conscience. Cette dissolution dans la mort doit donc s'envisager comme une libération de l'illusion, qui te permet de te redéfinir dans une réalité plus vaste, dans laquelle tu conserves ton individualité. En abandonnant ton corps, l'essence de ton moi est préservée. Cette essence, tu la ressens quand tu médites sur le passé et l'avenir. » (Nous parlerons de ces méditations au chapitre 27 sur l'autoguérison.)

« Ton corps physique meurt, mais tu passes à un autre plan de réalité en gardant l'essence de ton être réel au-delà de la chair et de l'incarnation. Et lorsque tu quitteras ton enveloppe charnelle, tu te sentiras devenir un point de lumière dorée sans cesser pour autant d'être toi-même. »

Révision du chapitre 8

1. Pourquoi une âme prend-elle un corps en charge ?
2. Que signifie le moment de la naissance par rapport au CEH ?
3. Quelles sont les deux différences essentielles entre les chakras d'un petit enfant et ceux d'un adulte ?
4. Quelle relation existe-t-il entre l'aura et le développement de l'enfant ?
5. Pourquoi un enfant souffre-t-il et pleure-t-il lorsqu'on lui arrache un objet des mains ?
6. Pourquoi un enfant aime-t-il se blottir dans l'aura d'un adulte ?
7. Quels sont les principaux développements de l'aura au cours des étapes suivantes : avant la naissance, au moment de la naissance, au premier âge, à la petite enfance, pendant la période de latence, à la puberté, à l'âge adulte, à la maturité, à la vieillesse et à la mort ?
8. À quel âge le processus d'incarnation s'achève-t-il ?
9. Décrivez l'expérience de la mort, telle qu'elle est perçue par des observateurs du CEH.

Sujets de réflexion

10. Discutez de la relation qui existe entre le CEH et l'espace personnel d'un individu.
11. Discutez de la relation qui existe entre les limites personnelles d'un individu et le CEH.

Chapitre 9

Fonction psychologique des sept chakras majeurs

Lorsqu'un être humain parvient à l'âge de la maturité et que ses chakras se développent, chacun d'eux représente le modèle d'évolution psychologique de sa vie. En général, nous réagissons aux expériences déplaisantes en bloquant notre sensibilité et en entravant la circulation des courants énergétiques. Le fonctionnement de nos chakras s'en ressent, bien évidemment. Il en résulte une forte inhibition de notre potentiel de développement, puisque notre monde du dedans ne peut s'équilibrer harmonieusement. Si un enfant est trop fréquemment repoussé lorsqu'il tente de témoigner de l'amour aux autres, il est probable qu'il cessera d'en offrir. Pour arriver à ce résultat contraire à sa nature, il s'efforcera sans doute de refouler ses pulsions d'amour, ce qui aura pour effet de stopper ou de ralentir le flux d'énergie au niveau du chakra du cœur. Une maladie psychosomatique en résultera très probablement par la suite.

Ce même processus agit sur tous les chakras. Lorsqu'un individu refoule une expérience en cours, de quelque nature soit-elle, il bloque en même temps ses chakras qui, parfois, se déforment. Un chakra bloqué, entravé dans son fonctionnement par des tampons d'énergie stagnante, tourne de façon irrégulière et en sens inverse de celui des aiguilles d'une montre. En cas de maladie, il se distord ou peut même se déchirer.

Pour métaboliser convenablement les énergies provenant du champ universel, les chakras doivent être « ouverts » et tourner dans le sens des aiguilles d'une montre. Ce sens giratoire attire l'énergie du CEU dans l'entonnoir, tout comme en électromagnétisme une règle établit qu'un fil électrique tenu dans la main droite induit le courant alternatif d'un champ magnétique dans ce fil. Les doigts pointent en direction du pôle magnétique positif. Le pouce se tourne automatiquement dans la direction du courant induit. La même règle s'applique aux chakras. Si vous tenez votre main droite au-dessus d'un chakra, de façon que les doigts soient recourbés dans le sens des aiguilles d'une montre autour de son bord extérieur, votre pouce pointera vers le corps, dans la direction du courant. Le chakra est alors dit « ouvert » aux énergies entrantes. Si, au contraire, vous recourbez vos doigts autour du chakra dans le sens opposé, votre pouce sera pointé vers l'extérieur, en direction du flux. Lorsqu'un chakra tourne à l'envers, le courant s'écoule hors du corps et nuit donc au métabolisme. Autrement dit, quand un chakra tourne à contresens, les énergies qui nous sont nécessaires, et que nous ressentons comme une réalité physiologique, ne s'écoulent pas dans le chakra. Nous disons alors qu'il est « fermé » aux énergies entrantes.

La plupart des patients que j'ai pu observer montraient trois ou quatre chakras tournant, par moments, à contresens. En général, la thérapie permet de les ouvrir progressivement. Les chakras ne servent pas uniquement à métaboliser l'énergie. Ils la palpent et nous renseignent sur le monde qui nous entoure. Si nous les « fermons », cette information ne peut pénétrer en nous. *Quand nous faisons tourner nos chakras à contresens, nous envoyons notre énergie vers le monde extérieur. L'énergie que nous sentons est la nôtre et nous pensons que tel est le monde. En psychologie, on appelle cela une projection.*

La perception imaginaire que nous projetons sur notre environnement est fondée sur l'image que nous en avons perçue à travers nos expériences enfantines, formée dans l'esprit de l'enfant que nous étions alors. Chaque chakra étant associé à une fonction psychologique spécifique, ce que nous projetons à travers lui influe sur la zone générale qu'il régit et sera très personnel pour chacun de nous, étant donné que toute expérience de vie est unique. En évaluant l'état des chakras, nous pouvons donc prévoir les conséquences à long terme de leur fonctionnement sur la vie courante d'une personne.

John Pierrakos et moi-même avons étudié le rapport étroit existant entre le mauvais fonctionnement d'un ou de plusieurs chakras et divers troubles psychosomatiques. Toute perturbation d'un chakra, mesurée par des techniques de radiesthésie, correspond presque toujours à un malaise dans la zone associée (voir le chapitre 10 traitant des techniques de radiesthésie). Grâce à ces constats de l'état des chakras, nous pouvons établir le diagnostic des carences, donc des besoins d'un patient. Il m'arrive souvent de travailler directement sur les chakras lorsque je sens que je peux, sans trop de risques, amener un changement assez rapide dans la structure psychologique de la personne que je soigne. Nous avons découvert aussi que les modèles psychologiques décrits par les thérapeutes sont connectés au champ d'énergie humaine, où leurs localisations, leurs formes et leurs couleurs sont prévisibles.

La figure 7-3 montre où sont situés les sept centres majeurs d'énergie des chakras servant au diagnostic des états psychologiques. Ils se subdivisent en centre du mental, de la volonté, de la sensation. Ces trois types de chakras correspondant à la raison, à la volonté et à l'émotion doivent être équilibrés et ouverts chez quelqu'un de sain. Les trois chakras situés dans la région de la tête et de la gorge gouvernent la raison. Ceux qui sont situés sur le devant du corps régissent les émotions. Leur contrepartie, au dos, ont en charge la volonté. La liste de la figure 9-1 dresse un tableau des chakras majeurs et de leurs fonctions psychologiques.

Voyons à présent le secteur sur lequel chaque chakra exerce ses fonctions psychologiques :

Le premier chakra ou centre coccygien est associé à la quantité d'énergie physique et à la volonté de vivre dans la réalité matérielle. Là se localise la première manifestation de force de vie dans le monde physique. Lorsque cette force fonctionne pleinement à travers ce centre, l'individu manifeste un ardent désir de vivre dans la réalité physique. Cette force, circulant librement à travers les trois chakras inférieurs, se combinant au flux puissant descendant dans les jambes, indique un grand besoin d'activité physique, souvent lié à des appétits sensuels, pas obligatoirement sexuels d'ailleurs. Le coccyx agit comme une pompe, puise l'énergie du plan éthérique et aide le flux d'énergie à monter dans la colonne vertébrale.

Le type coccygien est bien enraciné dans la réalité physique. Une réelle présence émane de lui sous forme d'un rayonnement d'énergie vitale. Il agit souvent comme un générateur, dynamise ceux qui l'entourent, recharge leur système d'énergie par son plaisir d'être sur terre et sa foi dans la vie.

Quand le centre coccygien est bloqué ou fermé, une grande partie de la vitalité physique, de la force de vie, est bloquée aussi et la personne dans ce cas n'a qu'une faible emprise sur l'univers matériel. Elle n'habite pas son corps, évite l'activité corporelle, possède peu d'énergie et peut même paraître maladive. Les individus bloqués au niveau coccygien sont généralement vieux de bonne heure.

Le centre pubien (chakra 2A) est associé à la qualité de l'amour porté au sexe opposé. Lorsqu'il est ouvert, il renforce la faculté de donner et de recevoir du plaisir sexuel. Dans ce cas, la personne a vraisemblablement des rapports sexuels satisfaisants. Sa capacité orgasmique est plutôt supérieure à la moyenne. Toutefois, l'orgasme total de tout le corps requiert l'ouverture de tous les chakras.

Le centre du sacrum (**chakra 2B**) est lié à la quantité d'énergie sexuelle dont dispose un individu. Quand il est ouvert, l'homme ou la femme est en pleine possession de ses moyens. Si ce centre se bloque, en dépit de la réelle force de la personne, de sa puissance potentielle, sa sexualité sera faible et le plus souvent frustrante. Elle n'éprouvera sans doute plus guère de pulsions sexuelles et déniera l'importance du plaisir, ce qui entraînera une sous-alimentation de cette zone. Ou bien elle fuira dans les voies détournées des déviations, des perversions. L'orgasme baigne le corps entier d'énergie vitale. S'il n'est plus nourri de cette façon, il est privé de l'aliment psychologique de la communion résultant du contact avec le corps d'une autre personne.

Relation entre les chakras 2A et 2B. Le centre du sacrum agit en corrélation avec le chakra pubien. C'est au point de rencontre de ces deux centres que la force vitale exerce sa seconde fonction, au cœur même de l'épine dorsale. Elle manifeste là sa puissante nécessité d'union sexuelle. Cette force fusionnelle est celle qui brise les barrières érigées entre deux personnes par le petit « je-suis » socio-culturel et les pousse à se rapprocher l'une de l'autre à un niveau plus profond.

La sexualité de chaque individu est donc directement reliée à cette force de vie. La région pelvique étant la principale source de vitalité, tout centre bloqué dans cette zone entraînera un appauvrissement physique et sexuel. Pour la plupart des êtres humains, l'énergie sexuelle circule, se charge et se décharge par l'orgasme, à travers ces deux chakras. Ce mouvement plonge le corps dans un bain d'énergie qui le nettoie et le revitalise. Il débarrasse l'organisme de son énergie stagnante, de ses déchets, de ses tensions accumulées. Un bon orgasme est très important pour le bien-être physique et mental.

La relation sexuelle, par la communion profonde du don réciproque et l'abandon mutuel, constitue un des moyens essentiels dont dispose l'humanité pour sortir de l'isolement de l'ego et expérimenter l'unité. Lorsqu'elle se pratique avec amour et respect de l'unicité de l'autre, l'expérience est alors éminemment sacrée. Elle unit une puissante pulsion d'évolution du plan physique à un désir ardent, spirituel, d'union avec le divin. C'est un mariage des aspects spirituels et physiques de deux êtres.

Figure 9-1

LES PRINCIPAUX CHAKRAS
ET LEUR FONCTION PSYCHOLOGIQUE

CENTRES DU MENTAL	*ASSOCIÉS A :*
7 Centre couronne	Intégration totale de la personnalité à la vie. Aspects spirituels de l'espèce humaine.
6A Centre frontal	Capacité de visualisation et de compréhension des concepts mentaux.
6B Exécutif mental	Capacité de mise en pratique des idées.
CENTRES DE LA VOLONTÉ	
5B Base du cou	Sens du Moi socio-professionnel.
4B Entre les omoplates	Volonté de l'ego ou volonté à l'égard du monde extérieur.
3B Centre du diaphragme	Guérison, intention à l'égard de sa santé personnelle.
2B Centre sacral	Quantité d'énergie sexuelle.
1 Centre coccygien	Quantité d'énergie physique. Volonté de vivre.
CENTRES DE LA SENSATION	
5A Centre de la gorge	Compréhension et assimilation.
4A Centre du cœur	Sentiments d'amour pour les autres êtres humains, ouverture à la vie.
3A Plexus solaire	Aptitude au plaisir, expansivité, sagesse spirituelle, conscience de l'universalité de la vie et de sa propre identité dans l'Univers.
2A Centre pubien	Qualité de l'amour pour le sexe opposé, aptitude à donner et à recevoir le plaisir physique, mental et spirituel.

Pour ceux qui ont déjà ressenti cette communion et sont passés à d'autres étapes de leur route spirituelle, cette décharge essentielle n'est plus nécessaire à leur équilibre intérieur. (La plupart des humains n'entrent pas dans cette catégorie.) De nombreuses pratiques spirituelles utilisent la méditation pour contenir, transformer et diriger l'énergie sexuelle vers d'autres voies. Il s'agit alors de faire remonter les énergies pelviennes le long de l'épine dorsale afin de les convertir en vibrations plus hautes dont on se sert pour construire des corps spirituels plus subtils. Cette pratique, très puissante, peut être dangereuse. C'est pourquoi elle nécessite un guide. Gopi Krishna, dans son livre intitulé *Kundalini*, parle de la transformation de sa semence physique, de son sperme, en énergie spirituelle. De nombreuses disciplines préconisent la rétention du sperme en vue de sa transformation en semence spirituelle. Le fameux « yoga tantrique » est sans doute l'une des mieux connues, en tout cas au niveau discutable d'une vulgarisation pas toujours très intelligente.

Blocages des chakras 2A et 2B. Le blocage du centre pubien peut provoquer chez la femme une incapacité à atteindre l'orgasme. Elle devient inapte à s'ouvrir et à recevoir la nourriture sexuelle prodiguée par son partenaire, probablement aussi à se connecter à son vagin de manière à prendre plaisir à la pénétration. Elle sera généralement plus encline à la stimulation clitoridienne. Une femme inhibée à ce niveau peut également désirer être la plus agressive dans l'acte sexuel, préférer chevaucher son partenaire et prendre l'initiative du mouvement. La distorsion se manifeste alors par la nécessité de conserver le contrôle des opérations. Dans une relation normale, elle pourrait être tantôt active, tantôt réceptive, mais en l'occurrence, sa peur inconsciente des prétendus « pouvoirs » (imaginaires, bien entendu) de son partenaire prédomine. Avec de la douceur, de la patience et beaucoup d'amour, elle peut parvenir, au bout d'un certain temps à ouvrir son chakra pubien et prendre plaisir à la pénétration. Elle devra pour cela affronter ses peurs, ses refus, ses blocages, découvrir les images ou les sensations qui les ont provoqués. Cela n'implique pas qu'une femme ne puisse être sexuellement active. Il s'agit plutôt de remédier à un déséquilibre dans la façon de donner et de recevoir.

Chez l'homme, un blocage du chakra pubien s'accompagne souvent d'éjaculation précoce, parfois d'une incapacité d'érection. Au niveau profond, il a peur de libérer sa pleine puissance sexuelle, et par conséquent la refuse. Son flux d'énergie est souvent discontinu, stagnant ou dirigé vers son dos, hors du chakra du sacrum, de sorte que dans l'orgasme, cette énergie est projetée vers la partie postérieure du second chakra au lieu d'alimenter le pénis. Cette expérience pénible, douloureuse, entraîne une aversion pour l'orgasme. Le sujet évite alors tout rapport sexuel, ce qui suscite bien évidemment de nouvelles difficultés avec sa partenaire, comme chez la femme incapable d'atteindre l'orgasme. En vertu de la loi d'attraction des semblables, il arrive très souvent que ce type de personnes se trouvent réunies en couple et partagent le même problème. Chez nombre d'entre eux, la solution de facilité consiste à accuser l'autre de l'échec de la relation. On se lance alors à la recherche d'une autre partenaire, tout aussi inadéquate, naturellement, ce qui a pour effet de perpétuer la situation, jusqu'à ce que le tenant du problème veuille bien admettre sa propre participation à l'échec. Le travail de recherche des images, des situations ou des interdits qui sont à l'origine du problème peut alors commencer.

Dans un tel cas, la compréhension, l'acceptation et la participation active des partenaires sont une aide précieuse. S'ils admettent leurs difficultés au lieu de s'en blâmer mutuellement, ils peuvent alors s'aider et se comprendre. De cette compréhension naîtra éventuellement une nouvelle forme de rapports réciproques. Cette évolution demande du temps et de la patience. Elle implique le don de soi, sans exiger la satisfaction du désir personnel. Lorsqu'on passe du stade des reproches au stade de l'amour, la confiance, le respect mutuel se développent très vite. En règle générale, la sexualité se libère pour se transformer en échange enrichissant. Il est fréquent qu'un centre soit fermé tandis que l'autre est ouvert. Les chakras couplés (avant-arrière) travaillent le plus souvent ainsi. Si leur possesseur ne peut supporter la puissance des deux aspects de son chakra fonctionnant de pair, il en résulte un usage excessif de l'un et une déficience de l'autre. Il arrive, par exemple, que pour certaines personnes il soit difficile de ressentir une très grande puissance sexuelle et en même temps de donner et de recevoir en faisant l'amour. Elles convertissent alors cette puissance en fantasme, plutôt que d'attendre le moment de la laisser s'épanouir et d'immerger leur moi dans les mystères des profondeurs de leur partenaire. Les êtres humains sont infiniment beaux et complexes. Nous nous permettons très rarement de nous aventurer sans inhibition dans l'émerveillement lié à cette beauté. Les problèmes psychologiques accompagnant le déséquilibre des chakras 2A et 2B aboutissent presque toujours au repli sur soi, à l'isolement, à des conditions de vie précaires, voire misérables, alors que l'on a souvent affaire à des individus remarquablement doués dans d'autres domaines.

Lorsque, par exemple, la force du centre arrière prédomine (qu'il tourne bien dans le sens des aiguilles d'une montre), mais que le centre avant est faible ou fermé, l'individu ressent de grands besoins sexuels, sa demande de rapports est exigeante, mais il n'est apte ni à donner, ni à recevoir à ce niveau. Cette énergie sera donc très difficile à satisfaire. Il en va de même quand le centre arrière, bien que fort, tourne à contresens. Le comportement sexuel peut alors s'accompagner d'images négatives, voire de fantasmes sadomasochistes rendant sa demande encore plus difficile à satisfaire. Un sujet doté d'une telle configuration doit alors beaucoup travailler dans le sens d'une grande sublimation pour éluder cette violence et la honte qu'il éprouve à nourrir secrètement de tels sentiments. Il peut aussi préférer avoir de nombreuses aventures, rater ainsi la chance d'une communication profonde entre deux âmes au cours de l'acte sexuel, briser ses engagements. Ou bien se révéler incapable de tout engagement là où ses pulsions érotiques risqueraient d'être impliquées.

Le plexus solaire (chakra 3A) est associé au grand plaisir que retire un individu de la connaissance de son unicité et de la place qu'il occupe dans l'Univers. Une personne dont le chakra 3A est ouvert peut contempler le ciel étoilé et sentir qu'elle en fait partie. Elle est fermement ancrée à sa place, consciente de son aspect unique dans l'univers manifesté dont elle tire sa sagesse spirituelle.

Bien que le plexus solaire soit un chakra mental, son fonctionnement sain est directement lié à la vie émotionnelle de l'individu, car la pensée, c'est-à-dire le processus mental, sert de régulateur à la vie émotionnelle. La compréhension mentale des émotions les ordonne dans un cadre acceptable pour définir la réalité.

Si ce centre est ouvert et fonctionne harmonieusement, la vie émotionnelle s'épanouit et le sujet n'en est pas submergé. Si sa membrane protectrice se déchire, il éprouve des émotions extrêmes et incontrôlées, subit l'influence astrale de sources extérieures qui le plongent dans la confusion. Il peut se perdre dans l'univers stellaire et même souffrir physiquement dans cette zone du corps du surmenage de ce chakra. Une maladie due à un épuisement surrénal n'est alors pas exclue.

Quand ce centre est fermé, le sujet bloque ses émotions. Il se peut même qu'il ne ressente rien et reste parfaitement étranger à leur signification profonde. Auquel cas il ne peut pas être connecté à sa propre unicité dans l'univers et à son dessein supérieur.

Très souvent, ce centre sert de tampon entre le cœur et la sexualité. Quand le plexus solaire est bloqué, le cœur et le sexe fonctionnent séparément. Autrement dit, la sexualité n'est pas connectée profondément à l'amour. Ces deux centres sont connectés lorsqu'un être est conscient de son existence bien ancrée dans l'univers physique et dans la longue lignée historique des êtres humains qui ont participé à la création du véhicule physique qu'il possède actuellement. Nous ne devons jamais sous-estimer notre nature physique.

Le centre du plexus solaire joue un rôle très important dans la connexion des êtres humains. Après sa naissance, l'enfant demeure connecté à sa mère par un ombilic éthérique dont les cordes représentent la connexité humaine. De même, lorsqu'une personne noue une relation avec une autre, des cordes poussent entre leurs chakras 3A. Plus ces connexions sont fortes, plus ces cordes sont résistantes et nombreuses et si cette relation prend fin, ces liens se déconnectent lentement.

D'autres chakras développent aussi ces attaches au cours d'une relation, mais celles du troisième chakra s'apparentent à la connexion mère/enfant et, en termes d'analyse transactionnelle, jouent un rôle très important dans le processus thérapeutique. L'analyse transactionnelle est une méthode par laquelle se détermine la nature de notre interaction. La vôtre est-elle celle qu'un enfant entretient avec un parent (enfant/parent) ? Agissez-vous avec les autres comme s'ils étaient des enfants et vous l'adulte (adulte/enfant), ou comme s'ils étaient adultes aussi ? Ce type d'analyse est très révélateur de vos réactions personnelles avec les autres. La nature des cordes tissées entre les chakras des membres de votre famille se reflétera dans toutes les relations que vous nouerez plus tard avec les autres. Lorsque vous étiez enfant, ces cordes ne représentaient que la relation enfant/mère. À l'âge adulte, il est probable que vous développerez aussi ce même type de cordes enfant/mère entre vous et votre partenaire. Mais à mesure que vous avancerez dans la vie et deviendrez adulte, vous les transformerez graduellement en cordes adulte/adulte.

Le centre du diaphragme (chakra 3B), situé à l'arrière du plexus solaire, est lié aux intentions d'un individu à l'égard de sa santé physique. S'il éprouve un fort sentiment d'amour envers son propre corps et s'il a l'intention de le conserver en bonne santé, ce centre est ouvert. On l'appelle aussi le centre de la guérison, tant physique que spirituelle. Chez certains guérisseurs, il est très développé et large. Il régit également la volonté, comme celui qui se trouve entre les omoplates. Associé au centre du plexus solaire situé sur le devant du corps, il est généralement ouvert si ce dernier l'est aussi. Une personne au plexus ouvert, et de ce fait connectée à sa place dans l'univers, l'accepte, s'y adapte aussi parfaitement qu'un brin d'herbe ou de muguet. L'acceptation du moi se manifeste, au plan physique, par une bonne santé. Mais le bon état général, mental, émotionnel et spirituel exige que tous les centres soient ouverts et équilibrés.

À mesure que nous avançons dans la description des chakras, vous pouvez constater que les aspects frontaux et postérieurs des chakras travaillent de pair, sont couplés. Il importe donc davantage de rétablir l'équilibre entre les deux que de tenter d'en ouvrir un seul très largement.

Le chakra du cœur (4A) est celui par lequel nous aimons. L'énergie de connexion à tout ce qui vit s'écoule à travers lui. Plus ce centre est ouvert, plus notre aptitude à aimer étend son rayon d'action. Lorsqu'il fonctionne bien, nous nous aimons nous-mêmes, nous chérissons nos enfants, nos compagnons, nos familles, nos animaux domestiques, nos amis, nos voisins, nos compatriotes, nos congénères et toutes les créatures amies de cette terre.

Nous nous connectons par ce centre à nos relations aimantes, qu'il s'agisse de nos enfants, de nos parents, de nos compagnons dans la vie. Vous avez sans doute entendu parler des « liens du cœur ». L'expression rend parfaitement compte de ces connexions occultes. Les tendres sentiments qui s'écoulent à travers ce chakra nous font parfois monter les larmes aux yeux, lorsque nous expérimentons cette ouverture à l'amour. Nous comprenons alors tout ce que nous avons manqué auparavant, et nous en pleurons. Lorsque ce chakra est ouvert, nous voyons notre semblable en chaque individu, son unicité, sa beauté intérieure et sa lumière, sans ignorer pour autant ses aspects négatifs ou sous-développés. En revanche, une personne négative (fermée) a du mal à aimer totalement, à donner de l'amour sans rien attendre en retour.

Le chakra du cœur est celui sur lequel on travaille le plus pour opérer une guérison. Toutes les énergies métabolisées par les racines des chakras remontent le courant vertical et passent par le chakra du cœur du guérisseur avant de rayonner de ses yeux et de ses mains. Au cours de ce processus, le cœur transmute les énergies du plan terrestre en énergies spirituelles et celles du plan spirituel en énergies du plan terrestre pour les mettre au service du patient. Nous en parlerons plus en détail dans le chapitre traitant de la guérison.

Le chakra 4B, situé entre les omoplates, est associé à la force de volonté de l'ego, au désir de puissance, au contrôle exercé sur l'extérieur. Par ce centre, nous agissons dans le monde physique pour obtenir ce que nous voulons.

Si ce centre tourne dans le sens des aiguilles d'une montre, nous adoptons des attitudes positives dans nos entreprises et considérons les autres comme les alliés de nos accomplissements. Nous vivons de ce fait des expériences essentiellement gratifiantes puisque, au niveau des apparences, le monde semble venir à nous. Notre volonté s'accorde à la volonté divine, celle de nos amis se soumet à la nôtre. Si, par exemple, vous désirez écrire un livre, vous envisagez que vos amis vous y aideront, qu'il sera accepté par l'éditeur, et vous l'écrivez persuadé qu'il vous dira : « C'est exactement le livre que nous attendions ! »

Si ce centre tourne à contresens, l'opposé se produira. Votre conception de la volonté divine sera faussée, du coup les autres s'opposeront à votre volonté. Vous aurez l'impression qu'ils vous barrent la route dès que vous manifestez le désir d'entreprendre quelque chose. Au lieu de les sentir coopératifs, vous ne saurez si vous devez les combattre ou leur courir après pour obtenir ce que vous voulez. Votre credo sera « mon désir passe avant le leur » et « ma volonté passe avant celle de Dieu ». Ce qui implique des croyances profondément erronées concernant le fonctionnement de l'Univers.

Une personne qui perçoit l'Univers comme un lieu essentiellement hostile, où seuls les plus agressifs survivent, se prépare par définition de puissants agresseurs. Elle s'en tient à cette formule : « Il faut que je fraye ma route contre vents et marées. Ma survie en dépend. » Elle ne se sent en sécurité qu'en contrôlant les autres. La seule solution dans ce cas consiste à se rendre compte que son environnement hostile découle de sa propre agressivité, puis à courir le risque de voir si la vie est possible sans l'exercice de ce contrôle. Si le sujet y parvient, ses expériences lui feront découvrir un univers bienveillant, prodigue et sans danger, dans lequel l'existence de l'individu est soutenue par tous.

Ce centre peut, dans un autre cas, tourner dans le bon sens, mais être couplé à un petit chakra du cœur tournant à contresens. Dans ce cas, les pensées du sujet ne sont pas résolument négatives, mais ce « chakra satellite » entrave cependant le libre épanouissement de la fonction du cœur. Ne pouvant se laisser aller à la confiance et à l'amour, c'est-à-dire laisser affluer l'énergie au chakra du cœur (4A), la personne compensera ce manque par la volonté, enverra davantage d'énergie vers l'aspect arrière du chakra 4, entre les omoplates, comme si elle se disait en secret : « Je veux tracer ma route personnelle sans m'encombrer de vos petites histoires d'humanité. » Ce type d'individu compte davantage sur la volonté que sur l'amour, préfère le pouvoir au charisme. Cette distorsion apparaît dans la relation amoureuse quand un être préfère en « posséder » un autre, plutôt que de voir en lui son égal.

Le chakra de la gorge (5A) est situé sur le devant de la gorge et associé à la responsabilité de ses besoins personnels. Le nouveau-né est placé en contact avec le sein de sa mère. Mais il doit téter pour gagner son lait. Le même principe s'appliquera tout au long de sa vie. Plus il avancera en âge, plus il ne devra compter que sur lui pour satisfaire ses besoins. Et son chakra de la gorge ne fonctionnera convenablement que lorsqu'il cessera d'accuser les autres de ses propres manques et parviendra à créer ce dont il a besoin, selon ses désirs.

Ce centre révèle aussi la réceptivité d'une personne à l'égard de ce qui vient à elle. S'il fonctionne à contresens, elle ne saisira pas au vol les occasions qui lui seront offertes. Cette attitude relève, au premier chef, de l'image préconçue de ce qui l'attend dans la vie. Lorsqu'un individu se forge une idée négative du monde extérieur, l'envisage comme un milieu essentiellement hostile, il devient circonspect, se perd en suppositions négatives à l'encontre de ce qui lui arrive, s'attend à être confronté à l'hostilité, à la violence ou à l'humiliation, plutôt qu'à l'amour ou à l'entraide. Ce type de prévisions négatives établit un champ de force négatif, auquel répond une modulation négative. En vertu de la loi d'attraction des semblables, s'il craint la violence, c'est qu'il la nourrit en lui, comme je l'explique au chapitre 6 traitant de la nature du CEU.

Lorsqu'un être ouvre son centre de la gorge, il attire peu à peu de quoi l'alimenter, puis devient apte à le maintenir ouvert la plupart du temps. Il se peut qu'au cours de ce processus, en raison de sa méfiance, il attire une charge négative. S'il est capable de surmonter cette épreuve, d'en comprendre la cause originelle, de regagner confiance, le chakra de la gorge s'ouvrira à nouveau. Ce processus d'ouverture et de fermeture se poursuivra jusqu'à ce que l'idée erronée qu'il se fait du danger qu'il court à donner et à recevoir se transforme en confiance à l'égard de la nourriture offerte par l'Univers.

L'assimilation de ce concept, nouveau pour lui, s'opère à l'arrière du **cinquième chakra (5B) qualifié parfois de centre professionnel.** Il est associé à la conception qu'une personne a d'elle-même au sein de la société, de son milieu professionnel ou de ses semblables. Un individu mal à l'aise dans ces domaines de sa vie peut fort bien masquer cet inconfort par de la morgue, afin de compenser le peu d'estime éprouvé à son propre égard. En général, ce centre situé à la base du cou est ouvert si l'individu réussit dans une profession qu'il est heureux d'exercer. Si elle est stimulante, épanouissante, il travaille du mieux qu'il peut et son centre s'épanouit pleinement. Il aura toutes les chances de réussir et d'obtenir l'adhésion de son milieu professionnel. Dans le cas contraire, ses efforts seront limités, il connaîtra l'échec professionnel et le compensera par de l'orgueil. En réalité, il « sait » par le dedans qu'il aurait pu être meilleur s'il avait fait de son mieux, ou s'il avait choisi un métier plus stimulant. Comme il n'y parvient pas, l'orgueil est son moyen de défense pour masquer un désespoir réel sous-jacent. Il n'ignore pas qu'il est en situation d'échec dans la vie et qu'il en sera probablement victime, mais il prétendra que personne ne lui a permis de développer son grand talent. Il a besoin d'être libéré de son orgueil, afin d'être affranchi du même coup de sa souffrance et de son désespoir.

Dans ce centre réside aussi la peur de l'échec qui bloque son impulsion de saisir la chance au vol, dans ses relations tant personnelles que professionnelles. En évitant tout contact, un individu dans ce cas révèle aussi clairement sa peur de ne pas être aimé, d'entrer en compétition que s'il déclarait ouvertement : « Je vaux cent fois mieux que vous ! C'est vous, bande de minables, qui n'êtes pas assez bien pour moi. » Étant donné que nos impressions de rejet proviennent de nous-mêmes et que nous les projetons sur les autres, nous les évitons de crainte d'être rejetés. En prenant le risque de vous orienter vers la profession que vous avez envie d'exercer, d'établir les contacts que vous souhaiteriez établir, et de dévoiler avec franchise et simplicité vos sentiments à ce sujet, vous vous en libérez, et par conséquent, vous ouvrez ce chakra.

Le centre frontal (chakra 6A) est lié à la capacité de visualisation et de compréhension des concepts mentaux qui fabriquent nos conceptions personnelles de la réalité, notre vision du monde ou de l'Univers, également l'idée que nous nous faisons de ce que l'avenir nous réserve. Si ce centre fonctionne à contresens, nos concepts mentaux sont confus, les images que nous nous faisons de la réalité sont fausses et généralement négatives. Une personne dans ce cas projette ces images sur le monde, crée le sien en s'appuyant sur ces données. Si son centre est faible et stagnant, ses idées créatrices sont souvent bloquées en raison de la faiblesse du flux qui s'écoule dans ce centre. S'il tourne résolument à contresens, les idées générées seront résolument négatives aussi. Cet état, combiné à un centre exécutif très actif, situé à l'arrière de la tête (chakra 6B), peut ravager une vie entière.

En cours de thérapie de purification, c'est-à-dire d'évacuation des images et des croyances négatives, lorsqu'une de ces images émergera dans le système d'énergie et commencera à exercer sa domination, ce centre se mettra probablement à fonctionner à contresens, même si de manière habituelle il tourne correctement. Ce type de thérapie fait resurgir l'image, rend son action manifeste dans la vie du patient. À l'aide des soins, il la comprend et la tient dès lors pour ce qu'elle est. Le centre se remet ensuite à tourner dans le bon sens. La giration à contresens peut généralement être détectée par un guérisseur aguerri. L'instabilité des sentiments qui l'accompagne lui signale l'anomalie. Le chakra peut aussi fonctionner de façon chaotique, ce qui lui indique que les conceptions de la réalité de son patient ébranlent fortement sa personnalité.

Le centre mental exécutif (chakra 6B), situé à l'arrière de la tête, préside à la mise en œuvre des idées créatives formulées par le centre frontal correspondant. Si le centre du pouvoir exécutif est ouvert, les idées sont suivies d'actions appropriées en vue de les matérialiser dans le monde physique. Dans le cas contraire, la personne rencontrera énormément de difficulté pour faire fructifier ses idées.

Il est particulièrement frustrant de posséder un centre frontal ouvert (6A) quand le centre arrière est fermé. En pareil cas, les idées créatives affluent mais ne semblent jamais aboutir à rien. Cette situation s'accompagne, la plupart du temps, de justifications mêlées de reproches, de rejet de la responsabilité sur le monde extérieur. Souvent, le patient manifestant ces symptômes a simplement besoin d'apprendre à faire, pas à pas, ce qu'il désire accomplir. En pratiquant par petites étapes, une quantité de sentiments affluent, du type « il m'est insupportable d'attendre aussi longtemps », « je refuse d'endosser la responsabilité de ce qui m'arrive », ou encore « je ne veux pas mettre cette idée en pratique dans la réalité physique, je m'insurge contre ce long processus créatif, tout ce que je veux, c'est que tout arrive sans trop me fatiguer ; à vous le travail, à moi l'idée ». La personne qui tient ces raisonnements a probablement manqué son apprentissage précoce, dès ses premiers pas dans le monde physique, pour atteindre le but qu'elle vise. Il peut s'agir aussi d'une résistance à l'existence dans le monde physique et à la condition d'apprenti.

Par ailleurs, si ce centre 6B tourne dans le bon sens et que le centre frontal fonctionne à contresens, la situation se révèle être encore plus perturbante, car bien que les concepts de base ne s'appuient pas sur la réalité, cette personne peut parvenir à les promouvoir avec un certain succès.

Si, par exemple, vous pensez que le monde est un lieu répugnant, « une foire d'empoigne où chacun doit se brûler les doigts pour tirer les marrons du feu », et que vous avez la possibilité de le faire, car vous connaissez les règles du jeu pour arriver à vos fins, votre pouvoir exécutif peut s'exercer, mais vous pouvez très bien devenir un criminel. En pareil cas, la voix du cœur n'est plus écoutée. Dans une certaine mesure, la vie aura souvent tendance à vous donner raison. Vous réussirez dans vos entreprises illicites, jusqu'au jour où vous serez pris à votre propre piège. Dans ce type de configuration, vous pouvez aussi lutter pour faire aboutir ce qui est impossible à accomplir dans le monde physique. Ou encore devenir le moteur véhiculant les idées des autres, sans discernement.

Le centre de la couronne (chakra 7) connecte l'individu à sa spiritualité et à l'intégration de tout son être physique, émotionnel, mental et spirituel. S'il est fermé, c'est qu'il n'a sans doute jamais vécu cette expérience de connexion à sa spiritualité. Le « sens cosmique » lui fait défaut. Il ne comprend probablement rien à ce que racontent ceux qui parlent de leurs expériences spirituelles. Si ce centre est ouvert, la personne qui en dispose expérimente souvent sa spiritualité de façon très personnelle, unique pour chaque individu. Elle ne se définit pas par des dogmes, se traduit difficilement par des mots. Il s'agit plutôt d'une façon d'être, d'un état de transcendance de la réalité terrestre, en réalité de l'infini, allant au-delà de celle du monde physique. Elle crée chez l'individu un sentiment de plénitude, de paix, de foi, donne un but à son existence.

Révision du chapitre 9

1. Décrivez la fonction psychologique de chaque chakra.
2. Précisez ce qu'est un chakra ouvert et fermé, conformément aux explications de ce chapitre.

Chapitre 10

Diagnostic d'un chakra ou d'un centre d'énergie

Il existe plusieurs moyens de discerner l'état des chakras. Au début, il vous faudra beaucoup de pratique. C'est le procédé le plus commode pour y parvenir.

Dans mon cas personnel, le pendule a été un excellent outil de débutant lorsque j'ai commencé à sentir l'état des chakras. Cet instrument contribuera à amplifier votre sensibilité au flux d'énergie. Les meilleurs sont en bois de hêtre et en forme de poire, mesurent deux centimètres et demi de diamètre pour quatre centimètres de haut. Leur champ d'énergie diffus, leur forme facilement perméable, symétrique autour de leur axe vertical, sont très favorables à ce type d'utilisation. (On peut se les procurer en Angleterre au Metaphysical Research Group, Archer's Court, Stonestile Lane, Hasting, Sussex.)

Si vos mains ont acquis de la sensibilité, si vous aimez toucher, vous pouvez pratiquer en sentant le flux d'énergie aller et venir dans les chakras et dans vos mains. Cette méthode permet de sentir si l'énergie s'écoule librement ou stagne, si elle paraît faible ou forte. Vous pouvez aussi placer simplement le bout de vos doigts sur un point d'acupuncture. Par ce mode d'auscultation vous pouvez même éprouver, en réponse, dans votre propre corps, des sensations physiques qui vous fourniront l'information souhaitée.

Lorsque par la suite vous aurez développé votre haut sens de perception, vous pourrez, en regardant simplement les chakras, voir comment ils tournent (régulièrement ou irrégulièrement), leur couleur et leur aspect (sombre, obstrué, délavé, faible, clair, brillant, intense). Vous pourrez aussi les percevoir dans chaque couche du champ aurique.

Mais voyons d'abord comment pratiquer avec un pendule.

Diagnostic d'un chakra au pendule. Exercice

Pour que vous puissiez mesurer ses chakras frontaux, votre patient devra s'étendre sur le dos, et pour les postérieurs, à plat ventre.

Suspendez votre pendule à un cordon de quinze centimètres de long environ et tenez-le au-dessus du chakra. Videz votre esprit de toute idée préconçue concernant l'état de votre sujet (cet aspect, le plus difficile, requiert de la pratique). Assurez-vous que le pendule est le plus près possible du corps, sans toutefois le toucher. Votre énergie s'écoulant dans le champ du pendule le magnétise. Le champ d'énergie du pendule, combiné à votre énergie, entre en interaction avec le champ du patient et fait mouvoir le pendule (fig. 10-1). Son mouvement décrira probablement un cercle au-dessus du corps de la personne examinée. Il peut aussi osciller d'avant en arrière, décrire une ellipse, se déplacer en ligne droite ou de façon erratique. L'étendue du mouvement et son orientation indiquent la quantité d'énergie s'écoulant à travers le chakra et le sens dans lequel il tourne.

Le Dr John Pierrakos a constaté qu'un pendule tournant dans le sens des aiguilles d'une montre constitue, du point de vue psychodynamique, l'indice de son ouverture. Autrement dit, les sensations, les expériences régies par ce chakra sont équilibrées et bénéfiques pour le patient.

Si, au contraire, le pendule se déplace à contresens, le chakra, fermé à toute psychodynamique, révèle un trouble d'ordre psychologique dans la zone correspondante. Dans ce cas, les sensations, les expériences convoyées par le flux sont déséquilibrées, l'énergie bloquée étant responsable des expériences négatives vécues par le patient.

La dimension des cercles décrits par le pendule correspond à la force du chakra et à la quantité d'énergie qui s'écoule au travers. Elle dépend également de la quantité d'énergie que le guérisseur et le patient dégagent à ce moment-là. Quand le pendule trace un grand cercle, beaucoup d'énergie s'écoule ; s'il est petit, l'énergie est en baisse.

Il convient de préciser que le diamètre d'une figure circonscrite par le pendule ne correspond pas à la taille du chakra, mais l'indique seulement. La dimension de ce cercle résulte de l'interaction de trois champs : ceux du patient, du thérapeute et du pendule.

Si l'énergie de ces trois facteurs est basse, tous les chakras sembleront plus petits et vice versa. L'attention doit donc se

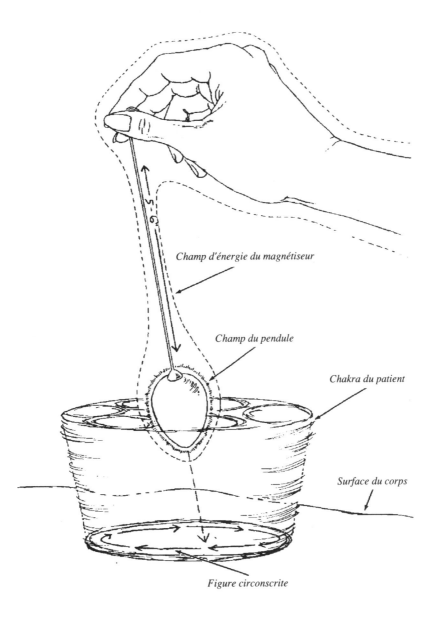

Champ d'énergie du magnétiseur

Champ du pendule

Chakra du patient

Surface du corps

Figure circonscrite

Figure 10-1 : radiesthésie du chakra avec un pendule

concentrer sur la taille relative des chakras, dont la guérison s'obtient par l'équilibrage, afin d'assurer une répartition égale d'énergie dans tous les centres. Pour rétablir la santé, tous les chakras doivent être à peu près de la même taille.

Les variations des mouvements pendulaires, allant du sens des aiguilles d'une montre au sens contraire, indiquent divers états psychologiques. La figure 10-2 dresse le tableau des différentes formes pouvant être circonscrites par un pendule. Ce tableau, à première vue un peu compliqué, est en réalité fort simple. Chaque figure correspond à une variation de taille, allant du chakra largement ouvert tournant dans le sens des aiguilles d'une montre, d'un diamètre d'environ quinze centimètres (ou S15), au chakra totalement fermé, tournant à contresens (ou CS15). J'ai rarement rencontré des chakras d'un diamètre supérieur à quinze centimètres, à moins qu'un patient ne fasse un usage abusif d'un chakra particulier, ou qu'un chakra se soit ouvert après une expérience spirituelle quand la plupart des autres l'étaient déjà. Mais j'en ai mesuré un allant jusqu'à vingt-cinq centimètres et tournant dans le sens des aiguilles d'une montre !

La seule exception échappant à la graduation S15/CS15 est le chakra complètement immobile, au-dessus duquel le pendule s'immobilise aussi. En l'occurrence, il se peut que ce chakra soit sur le point d'inverser son sens giratoire, que le patient en ait abusé, l'ait surmené et que la fonction psychologique associée soit bloquée. Dans ce cas, ce chakra qui a cessé de tourner ne peut plus métaboliser l'énergie provenant du champ universel. Si cette situation persiste assez longtemps, elle débouche sur une maladie, car le corps ne peut fonctionner sainement sans apport d'énergie extérieure. (Voir le chapitre 15 établissant le rapport entre la maladie et les chakras.)

Un mouvement elliptique du pendule indique un déséquilibre, à droite ou à gauche, du flux d'énergie traversant le corps. La mention « à droite » ou « à gauche » fait référence à la partie droite ou gauche du corps du patient. En d'autres termes, un pendule tournant en ellipse, remontant vers la gauche dans le sens des aiguilles d'une montre, est dit « SEG » ou « SED » si la pointe de l'ellipse est dirigée vers la droite du corps. Ce qui signifie aussi qu'un côté du corps est plus fort que l'autre. Le côté droit (SED, CSED) représente la nature agressive, active, « masculine » ou *yang*. Le côté gauche (SEG, CSEG) incarne la nature passive, réceptive, « féminine » ou *yin* de la personnalité. Le Dr John Pierrakos a constaté que si le pendule décrit une ellipse orientée vers la droite du corps du patient, l'aspect

Figure 10-2

DIAGNOSTIC DES CENTRES D'ÉNERGIE

SYMBOLE	NOTATION	SIGNIFICATION DU SYMBOLE	INDICATIONS PSYCHOLOGIQUES
	S15	Sens aiguilles, diamètre 15 cm	Ouvert, harmonieux, claire perception de la réalité.
	SED8	Sens aiguilles, elliptique à droite, diamètre 8 cm	Ouvert. Ambivalence active/réceptive de la personnalité à tendance active. Perception de la réalité, active, masculine ou yang.
	SEG8	Sens aiguilles, elliptique à gauche, diamètre 8 cm	Ouvert. Ambivalence active/réceptive. Personnalité à tendance réceptive, perception dualiste de la réalité réceptive, féminine ou yin.
	SEV8	Sens aiguilles, elliptique, vertical, diamètre 8 cm	Ouvert. Déplacement ascendant d'énergie vers le spirituel éludant l'interaction avec autrui.
	SEH15	Sens aiguilles, elliptique, horizontal, diamètre 15 cm	Ouvert. Compaction et refoulement d'énergie éludant l'interaction énergétique avec autrui.
	C15	Contresens des aiguilles, diamètre 15 cm	Ferme, inharmonieux, projections actives de la réalité.
	CED8	Contresens des aiguilles, elliptique, droite, diamètre 8 cm	Ferme. Ambivalent, aspect plus agressif que passif avec projection passive de la réalité à tendance yang.
	CEG5	Contresens des aiguilles, elliptique, gauche, diamètre 5 cm	Ferme. Ambivalent, aspect plus passif qu'agressif avec projection de la réalité de tendance agressive.
	CEV8	Contresens des aiguilles, elliptique, vertical, diamètre 8 cm	Fermé. Déplacement ascendant d'énergie vers le spirituel pour éviter l'interaction avec autrui.
	CEH13	Contresens des aiguilles, elliptique, horizontal, diamètre 13 cm	Fermé. Refoulement et compaction d'énergie pour éviter l'interaction énergétique avec autrui.
	V15	Vertical, oscillant 15 cm	Déplacement des sentiments et de l'énergie vers le spirituel pour éviter l'interaction personnelle.
	H10	Horizontal, oscillant 10 cm	Rétention du flux d'énergie et refoulement des sentiments pour éviter l'interaction personnelle. Indication d'un fort blocage.

SYMBOLE	NOTATION	SIGNIFICATION DU SYMBOLE	INDICATIONS PSYCHOLOGIQUES
↙	D8	Oscillant à droite, 8 cm	Grave ambivalence agressive/passive, tendance agressive.
↗	G10	Oscillant à gauche, 10 cm	Grave ambivalence agressive/passive, tendance passive.
•	B	Blocage	Chakra bloqué, immobilité conduisant à une pathologie du corps physique.
	SEAM 13	Sens aiguilles elliptique, axe mouvant, diamètre 13 cm	Énormes changements. Travail actif et profond du sujet sur les résultats impliqués, probablement ceux qui relèvent du fonctionnement du chakra mesuré. Chaos sensitif.
	CEAM 15	Contresens, elliptique, axe mouvant, diamètre 15 cm	Égal à SEAM accompagné de chaos négatif.

N.B. Les symboles sont tracés comme si vous étiez placé face au corps du patient.

masculin de sa personnalité l'emporte sur l'aspect féminin. La personne est généralement hyperactive et se montre même parfois agressive, alors qu'une attitude réceptive serait mieux adaptée. Ce comportement est en liaison directe avec le fonctionnement psychologique des zones régies par le chakra elliptique.

Tout chakra au-dessus duquel un pendule tourne orienté vers la gauche (SEG, CSEG) dénote une personnalité probablement passive, résultant des aspects psychologiques régis par ce chakra particulier. Si, par exemple, le centre de la volonté situé entre les omoplates (4B) se révèle passif (elliptique et dirigé à gauche), le patient sera incapable d'obtenir ce qu'il désire. Il restera passif alors qu'une action agressive s'impose et attendra que quelqu'un agisse à sa place. Il peut se montrer incapable de faire respecter ses droits ou son territoire. Il justifie très souvent cette passivité par une feinte humilité. En réalité, il a peur d'être agressif. Cette passivité est due à des images très profondément enfouies concernant sons sens personnel de l'agressivité.

L'image liée à l'agression remonte directement à l'expérience enfantine. Un enfant peut avoir eu un père extrêmement agressif, ayant abusé de son pouvoir pour l'humilier chaque fois qu'il tentait d'obtenir ce qu'il voulait. Cette expérience peut l'avoir convaincu qu'essayer d'obtenir ce qu'il veut n'était pas le bon moyen de l'avoir. Les enfants sont très créatifs. Il a probablement essayé plusieurs stratagèmes pour arriver à ses fins, ou pour obtenir autre chose en compensation. Le moyen qui se révélera efficace décidera du comportement qu'il adoptera par la suite dans la vie, jusqu'à ce qu'il s'aperçoive un jour que rien ne va plus. Les habitudes, malheureusement, se perdent difficilement. En changer demande des efforts, et l'agressivité, à l'origine, a été perçue comme étant négative.

La passivité comporte en général une composante très hostile et agressive de la personnalité, qui préférerait exploser sans contrainte pour obtenir ce qu'elle veut. Si ce schéma se reproduit de façon répétée dans le cadre d'une thérapie, le patient peut parvenir à intégrer une saine agressivité au reste de sa personnalité. Le travail consiste donc alors à transformer sa passivité en saine agressivité.

Plus le mouvement circulaire du pendule au-dessus d'un chakra est distordu, plus la distorsion psychologique est grave. L'écart le plus grand, à gauche ou à droite, se traduit par un mouvement de va-et-vient du pendule, à 45° de l'axe vertical du corps (D8, G10, tabl. 10-2). Plus le mouvement du pendule est large, plus la quantité d'énergie distordue est grande. Par exemple, une mensuration D15 du chakra 4B indique que la personne s'emparera purement et simplement de tout ce qu'elle désire, en toutes circonstances.

La même règle s'applique au mouvement de va-et-vient du pendule, qu'il soit vertical (c'est-à-dire, parallèle à l'axe vertical du corps « V ») ou qu'il soit horizontal (c'est-à-dire perpendiculaire à l'axe vertical du corps « H »). Le mouvement vertical indique que l'énergie est déviée vers le haut, à la verticale, afin d'esquiver toute interaction personnelle. Si ce mouvement s'effectue à l'horizontale, la compression du flux d'énergie montre que le sujet refoule son flux d'énergie et ses sentiments pour la même raison. Par exemple : une mesure V12 du chakra 3A montre qu'un individu concentre sa connexion personnelle à la verticale sur sa spiritualité et évite les relations avec autrui. Il se définit par rapport à l'univers en se fondant sur sa croyance spirituelle, élimine la relation personnelle avec un autre être humain. Une quotation H12 pour ce même chakra indique qu'il n'est connecté ni au plan spirituel, ni au plan humain, ce qui peut conduire un être à l'isolement total. Ce mouvement particulier peut aller jusqu'à l'immobilité du chakra qui demeure stable (S) en raison de son inactivité et de sa compacité. Dans un tel cas, un traitement intensif et psychodynamique du corps est nécessaire.

Lorsqu'un individu concentre son travail psychodynamique sur un aspect particulier de son être, soit parce qu'il en a décidé ainsi, soit par contrainte extérieure, les chakras sont chaotiques, assymétriques, généralement elliptiques en raison d'un déplacement de l'axe (SEAS, CSEAS) comme l'illustre la figure 10-2. Pour le débutant, ce mouvement peut prêter à confusion. Toutefois, s'il prend soin de tenir le pendule assez longtemps au-dessus du chakra, le déplacement de l'axe apparaîtra visiblement à l'observation. Le modèle circonscrit ressemblera aux derniers cas du tableau 10-2. Lorsque le thérapeute observe ce type de mouvement, il sait qu'il se passe un grand nombre de choses chez le patient, qu'il est grand temps d'entreprendre un travail en profondeur. Mais en même temps, il convient de laisser au patient beaucoup de temps et d'espace personnel pour qu'il se livre à son introspection et à sa transformation. Si à ce moment-là il peut prendre quelques jours de congé afin de ne pas être dérangé par sa routine quotidienne, il les emploiera au mieux en les consacrant à ce grand travail de métamorphose. Certaines personnes, dans ce cas, font des retraites intensives d'une ou même de plusieurs semaines.

À mesure que le thérapeute devient plus expert dans le maniement du pendule, ses mesures enregistrent davantage de « qualités ». La fréquence oscillatoire (la rapidité des mouvements du pendule) indique la quantité d'énergie métabolisée par le chakra. Avec de la pratique, le guérisseur peut aussi « repérer » d'autres caractéristiques du mouvement telles que l'étroitesse, la tension, l'exubérance, la lourdeur, la tristesse, la colère, la sérénité ou la clarté. Un mouvement rapide, de faible amplitude, indique le surmenage, la tension et une oppression de la région concernée. Mêlé à l'exubérance, il signale dans la zone observée beaucoup d'agressivité positive. En affinant son sens de perception de la qualité de l'énergie qui s'écoule dans un chakra, on peut donc acquérir une meilleure information sur l'état du patient, constater l'immobilité d'un chakra, savoir approximativement depuis combien de temps il est bloqué. Il peut s'ouvrir 20 p. cent ou 80 p. cent du temps entre deux stases. Un guérisseur expérimenté peut le détecter et, bien entendu, le vérifier par la pratique.

Lorsque des chakras, fermés depuis longtemps, s'ouvrent au cours d'une thérapie intensive, ils passent par différentes phases. Un réajustement du système de croyances modifie leurs mouvements. Un chakra continuellement fermé, au large diamètre (CS15), après un certain temps, peut rétrécir et se mettre à tourner harmonieusement pour augmenter ensuite son amplitude jusqu'à devenir un S15. Plus fréquemment encore, un chakra du cœur ou du plexus solaire CS15, en moins de cinq minutes de profonds sanglots, peut se mettre à tourner aux alentours de S15. Ce type de transformation ne persiste pas longtemps, mais si le patient poursuit son travail, le chakra tendra à demeurer « ouvert » plus longtemps chaque fois qu'il s'ouvrira. Le patient augmente ainsi son pourcentage de temps de fonctionnement harmonieux. Les périodes durant lesquelles il est heureux s'allongent et, en persévérant dans cette voie, le chakra finit par se stabiliser et par ne se refermer que rarement. Le sujet peut alors se mettre au travail sur un autre chakra dont le dérèglement influe sur son bien-être.

J'ai constaté, en observant l'ordre chronologique des chakras, que lorsqu'un chakra préalablement fermé s'ouvre pendant une séance de soins, il arrive souvent qu'un autre chakra, habituellement ouvert, se referme brièvement pour compenser. La personnalité, au début, se rebiffe contre ce nouvel état d'ouverture, et elle s'invente une protection illusoire.

Étude d'un cas de retraite intensive

Étudions à présent les configurations des chakras mesurés dans le cas d'une femme venue consulter au Phoenicia Pathwork Center, dans l'État de New York, la première fois en 1979, la seconde en 1981. Elle y fit, à deux reprises, une retraite d'une semaine pour entreprendre un travail intensif sur elle-même. La seconde fois elle était accompagnée de son mari. Tous deux accomplirent, en cette occasion, un travail en couple très assidu. Les mensurations des chakras furent effectuées au début de la semaine, avant la retraite, puis à l'achèvement de la thérapie. Toutes les mensurations furent prises quand la femme fut jugée parfaitement paisible depuis un certain temps. Elles sont relevées dans la figure 10-3. Pour interpréter ces données, vous devrez vous référer aux figures 7-3, 7-9 et 10-2, indiquant leur signification.

Ainsi que vous pourrez le constater à la lecture de ces relèvements, les centres fonctionnant le mieux sont ceux de la raison, puis de la sensation. Les moins harmonieux sont ceux de la volonté. Ce qui revient à dire que la pensée est juste, se développe bien, notamment pour ce qui concerne ses conceptions de la réalité (6A), l'intégration de sa personnalité et sa spiritualité (7).

Son centre mental de volonté exécutive accuse, la plupart du temps, une déviation droite/gauche, c'est-à-dire qu'elle a tendance à se montrer agressive, alors que dans certaines situations, une attitude réceptive conviendrait mieux et qu'il serait préférable qu'elle soit moins pressée d'imposer ses idées. Elle décide, avance pas à pas, sans se préoccuper de savoir si le moment est opportun pour agir. Lorsqu'elle est venue faire sa première retraite, ce centre était agressif. À la fin de la semaine de travail, il s'était calmé, l'agressivité avait disparu pour faire place à l'immobilité. Au fil des jours, cette configuration paisible ne s'était pas maintenue, ne s'était pas davantage transformée en harmonie, comme il arrive souvent. Quand elle est revenue deux ans plus tard, ce centre, redevenu agressif, ne s'améliora pas au cours de cette seconde retraite. Aux dernières mensurations, elle manifestait toujours une agressivité excessive dès qu'elle exposait ses idées. Seul ce chakra demeurait inchangé, alors qu'à la fin du second traitement tous les autres étaient équilibrés.

Figure 10-3

ÉTUDE D'UN CAS DE RETRAITE INTENSIVE

LECTURE DES CHAKRAS

| CHAKRA | RETRAITE 1979 | | RETRAITE 1981 | |
	avant	après	avant	après
Centre couronne (7)	S15	S15	S13	S13
Volonté exécutive (6B)	SED10	B	D10	SED15
Volonté profession-nelle (5B)	C8	SED8	C8	S10
Volonté extérieure de l'ego (4B)	S13	S13	C13	S13
Volonté envers la santé (3B)	SED8	C8	SEH10	S10
Volonté sexuelle (2B)	C10	C10	C10	S10
Conceptualisme (6A)	S10	S13	S13	S13
Réceptivité/responsabilité (5A)	G10	SED10	S13	S8
Amour (4A)	S8	S10	S10	S10
Conscience univer-selle (3A)	C10	S8	C8	S13
Réceptivité sexuelle (2A)	S10	S10	SEAM10	S13

Au départ, ses autres centres de volonté révélaient également des troubles. Au cours de ces deux retraites, tous cessèrent de fonctionner à tour de rôle, à divers moments. En 1979, à son arrivée, les chakras 5B, 3B et 2B ne fonctionnaient pas correctement, montraient son agressivité négative, son orgueil (chakra 5B), sa tendance à l'autodestruction (chakra 3B) et l'appauvrissement de sa puissance sexuelle. Elle étouffait son désir sexuel en divisant le flux d'énergie du chakra 2B en quatre (le pendule décrivit quatre cercles clairement séparés), qu'elle employait de manière négative, en se querellant, par exemple, avec son époux. À l'issue de la première retraite – seule amélioration constatée relative à sa volonté – son orgueil avait cédé le pas. Elle commença à fonctionner de manière positive dans son milieu professionnel (5B). La composante hyperactive remplaça l'orgueil qui compensait son sentiment d'incapacité dans ce domaine.

Lorsqu'elle revint faire sa seconde retraite, deux ans plus tard, elle traînait toujours avec elle les mêmes troubles de la volonté qui disparurent à l'issue du traitement intensif où tous les centres de la volonté se mirent à fonctionner normalement.

Les centres associés à la sensation montraient également quelques anomalies, moins graves toutefois que ceux de la volonté. Le centre du cœur (4A) resta ouvert sans défaillance pendant deux ans (elle était très douée sur ce plan). Le centre de la gorge (5A) acceptait difficilement d'être alimenté et déniait ses besoins de façon agressive. Il s'adoucit dès la fin de la première session. Deux ans plus tard, ce problème fut résolu en grande partie, grâce à la tendre relation qu'elle put établir avec l'homme qu'elle aimait. Son centre du plexus solaire – celui qui vous relie à votre identité dans l'Univers –, fermé lors de sa première retraite, s'ouvrit et métabolisa plus d'énergie qu'auparavant.

Vous noterez que sa puissance sexuelle se restaura quand sa relation avec l'homme qu'elle aimait se stabilisa et fut clairement définie au cours du travail accompli par le couple pendant cette semaine de retraite commune.

En 1979, elle ouvrit ses centres de sensation et commença à se sentir plus en sécurité dans le domaine des sentiments. La seconde fois, après avoir beaucoup travaillé sur ces centres, moins bloqués que ceux de la volonté, elle put être confrontée au mauvais usage qu'elle en faisait et les équilibrer. Ainsi que vous pourrez le constater en étudiant le tableau de ses mensurations, la plupart de ses chakras sont de forts diamètres. Ce qui implique

que cette personne possède un système d'énergie de forte puissance.

Détail intéressant : le chakra de la couronne, le troisième œil et le chakra du cœur sont restés ouverts pendant les deux années séparant les retraites, ce qui montre qu'elle est très connectée à sa spiritualité, à la réalité conceptuelle, et qu'elle est capable d'aimer. Le tableau général de sa personnalité indique que sa fonction la plus claire est celle de la raison et qu'elle compense son sentiment de vulnérabilité par une volonté trop agressive.

Mais, je le répète, à l'issue de cette seconde retraite, tous ces centres, à l'exception de celui du pouvoir exécutif, fonctionnait bien. S'ils persistent dans cette voie, cette personne pourra par la suite trouver un équilibre entre sa raison, ses émotions et sa volonté et mener une existence plus heureuse et stable.

Révision du chapitre 10

1. Que signifie la mesure S15 d'un pendule pour l'aspect frontal du quatrième chakra ?
2. Que signifie la mesure CS12 d'un pendule pour le troisième chakra ?
3. Que signifie la mesure V15 d'un pendule pour l'aspect frontal du deuxième chakra ?
4. Que signifie la mesure CS10 d'un pendule pour l'aspect frontal du cinquième chakra, sur le plan physique et psychologique ?
5. Que signifie la mesure H12 d'un pendule pour l'aspect postérieur du deuxième chakra ?

Sujet de réflexion

6. Lorsque vous travaillez avec une personne pour ouvrir son centre de cœur et son centre sexuel, pour quelle raison, si vous y parvenez, peut-elle fermer son plexus solaire ? Est-ce souhaitable ?

Chapitre 11

Observation d'auras au cours de séances de thérapie

L'aura est véritablement le « chaînon manquant » de la biologie, de la médecine et de la psychothérapie. Les émotions, les pensées, les souvenirs, les modèles de comportement dont nous discutons sans fin en thérapie ne planent pas dans nos imaginations. Ils sont localisés en ce « lieu », situés dans le temps et l'espace, tout comme les pensées et les émotions circulent entre les individus à travers le champ d'énergie humaine. En les étudiant, il est possible de manipuler cette activité. Commençons par observer l'énergie fluide circulant dans l'aura des êtres humains pendant leur vie quotidienne, puis en cours de séances de thérapie. Concentrons-nous sur les formes colorées et mouvantes des quatre couches inférieures de l'aura. Nous reprendrons ensuite cet exposé sur les chakras.

Perception des couleurs du champ

Un débutant s'efforçant de discerner les couleurs dans l'aura ne peut comprendre d'emblée leur signification. Mais avec la pratique, leur sens général devient plus clair, à mesure que le praticien développe ses dons et acquiert plus de sensibilité. Il peut alors déchiffrer le sens des couleurs qu'il perçoit (ces couleurs seront étudiées en détail au chapitre 23).

Une des premières « explosions » de champ énergétique qu'il m'a été donné d'observer m'a laissé un souvenir très vif. En 1972, au cours d'un séminaire intensif de bioénergie, j'ai vu Linda revivre la mort de son père, succombant à un cancer, et s'allumer comme un arbre de Noël. Des faisceaux de lumière rouge, jaune, orange, quelques rayons bleus jaillissaient de sa tête. Et ils ne se sont pas dissipés lorsque j'ai cligné des yeux ! J'ai eu beau loucher, me déplacer dans la pièce, quand je l'ai regardée à nouveau, le phénomène persistait. J'avais bien vu et je ne pouvais plus douter de ce que j'avais observé au cours de nombreuses autres séances, où je voyais apparaître des couleurs autour de la tête des gens. Je me suis donc mise à observer ce phénomène de plus près.

Lorsque, lentement, je suis devenue plus habile à voir l'aura, j'ai tenté d'établir une corrélation entre mes découvertes et l'état personnel de chaque sujet observé. J'ai constaté que lorsqu'ils étaient pris dans l'action, emportés par leurs émotions, ils émettaient des couleurs vives. Dès qu'ils étaient paisibles, le champ aurique retrouvait sa stabilité et revenait à l'état normal, particulier à chaque individu.

L'état de « normalité » ou de « repos » de l'aura ressemble à l'illustration de la figure 7-1. Elle se compose d'une couche d'un bleu clair ou foncé tirant sur le violet qui, en général, pulse par vagues à la fréquence de quinze cycles par minute environ, s'étend le long des jambes, des bras et du torse à une distance de trois à six centimètres du corps. Cette couche est recouverte d'une brume allant du bleu clair au gris, plus lumineuse près du corps, de plus en plus pâle à mesure qu'elle s'en éloigne, pour passer en général au jaune à huit ou dix centimètres de la tête. Des rayons de lumière bleue sortent du bout des doigts, des orteils et du sommet du crâne. J'ai constaté qu'au bout de quelques minutes, les néophytes, aidés de claires instructions, parviennent à voir presque tous les rayons de lumière partant à l'extrémité des doigts. La plupart les perçoivent bleus, parfois rouges et violets dans certaines zones, mais ils peuvent emprunter toutes les couleurs.

Exercices d'observation de l'aura

Vous avez fait maintenant les exercices du chapitre 7 et vu votre aura à l'extrémité de vos doigts. Nous allons passer à l'examen de l'aura des autres.

Choisissez une pièce sombre mais pas complètement obscure, baignée d'une lumière de fin d'après-midi. Vous devez pouvoir distinguer le visage du sujet observé. Demandez à votre assistant de se tenir devant un mur nu ou un écran blanc. Assurez-vous que votre regard ne peut être accroché accidentellement par une source lumineuse. Vos yeux doivent être parfaitement reposés.

Pour voir l'aura, vous devrez avoir recours à votre vision

nocturne, comme lorsque vous marchez dans l'obscurité. Vous remarquerez alors que vous distinguez mieux les objets que si vous les regardiez en pleine lumière. C'est qu'alors vous vous servez des bâtonnets de vos pupilles, plus sensibles aux faibles luminosités que les cônes, destinés à la lumière du jour et aux couleurs vives.

Fixez l'espace situé au-dessus de la tête, ou celui qui environne les épaules et le cou du sujet. Concentrez votre regard, accommodez-le à la vision d'une zone spatiale plutôt qu'à celle d'une ligne déterminée. Lorsque vous aurez délimité un espace d'environ quinze centimètres de chaque côté de la tête, laissez la lumière monter à vos yeux. Créez la sensation consistant à la laisser venir à vous. Ne vous efforcez pas de discerner une forme pour la délimiter. Accordez-vous largement le temps nécessaire. Faites cet exercice de préférence avec d'autres personnes, afin de vous communiquer vos impressions, en choisissant dans la mesure du possible des extraperceptifs.

Il se peut que vous ayez l'impression d'avoir vu quelque chose. Mais tout se sera dissipé avant que vous ayez eu le temps de vous écrier : « Je la vois ! ». Fixez aussitôt un point neutre sur le mur pour vérifier si l'image que vous venez de distinguer réapparaît. Cette image persistante est celle par laquelle votre œil retient ce qu'il voit, grâce à un effet de complémentarité de couleurs et de contraste d'intensités de brillances. Le phénomène aurique se manifeste très brièvement et disparaît aussitôt. Il pulse. Vous pouvez le voir s'écouler le long des bras. Une couleur fuse parfois jusqu'au-delà du champ. Si vous ne distinguez qu'une brume de peu d'intérêt autour du corps, ne soyez pas déçus. Le spectacle ne fait que commencer.

Procurez-vous une paire de lunettes spécialement conçues pour voir l'aura, que vous trouverez à la librairie ésotérique la plus proche, et suivez les instructions de la notice. Elles vous aideront à développer vos aptitudes car elles exercent un effet cumulatif sur la sensibilité de l'œil. Les verres bleu cobalt, les meilleurs, sont difficiles à trouver, mais les violets foncés, plus courants, conviennent très bien aussi.

Ne vous acharnez pas trop longtemps sur cet exercice. J'ai constaté dans les groupes une grande surexcitation dès que les participants commencent à distinguer l'aura pour la première fois. Mais s'ils persistent, le doute vient saper le système d'énergie de chacun et l'on se retrouve, pour finir, dans une pièce pleine de gens épuisés, agacés et doutant d'eux-mêmes. Pratiquez donc ces exercices à petites doses. Contrôlez ce que vous avez vu à l'aide des illustrations et des descriptions qui vont suivre.

Lorsqu'une personne éprouve subitement un sentiment très fort, son aura, préalablement calme, s'agite, se ride comme la surface d'un lac, diffuse des couleurs de plus en plus vives et prend une forme associée à son état émotionnel. Puis le sentiment faiblit, l'aura retrouve son aspect général d'origine au bout d'un certain temps, qui varie selon les individus et divers facteurs. Si la personne n'est pas délivrée de ce sentiment, il demeure dans l'aura où sa couleur pâlit, puis disparaît quand le sujet qui nourrit ce sentiment s'en décharge. Lorsque l'incident se produit, les couleurs et les formes peuvent scintiller rapidement et sortir du champ aurique. Parfois, elles palissent simplement et disparaissent en quelques minutes, quelques heures, parfois plusieurs jours, voire plusieurs semaines. D'autres couleurs, d'autres formes peuvent s'y superposer, les colorer ou les masquer, former une couche. Certaines formes dont nous parlerons plus tard restent dans l'aura pendant des années. Chaque pensée, chaque sentiment, chaque expérience affecte l'aura et la modifie. Certains effets persistent parfois la vie durant.

La figure 11-1A montre l'aura normale d'un homme. Lorsqu'il chante (fig. 11-1B), elle s'étend et brille. Des flashes lumineux, des étincelles d'un bleu-violet iridescent fusent quand il reprend son souffle. L'aura collective de l'auditoire grandit aussi à mesure que celui-ci se fait plus attentif. De grands arcs de lumière partent du chanteur vers son public et les deux auras sont connectées. Des formes commencent à se construire, émanant des sentiments mutuels échangés. Leurs couleurs se structurent en fonction des pensées et des sensations suscitées par la musique sur le groupe. À la fin de la chanson, ces formes, dispersées par les applaudissements qui agissent sur elles comme une gomme, se déconnectent, effacées du champ prêt à accueillir la création suivante. L'interprète et son public, magnétisés, absorbent l'énergie créée par la musique. Une partie de cette énergie est intériorisée et sert à dénouer les blocages du corps, l'autre partie est réservée à la prochaine création.

Lorsqu'une personne expose ses idées sur un de ses sujets favoris, son aura s'étend, prend une couleur jaune d'or que sillonnent des étincelles bleu-argent, parfois iridescentes, comme l'illustre la figure 11-1C. Le même phénomène « orateur-public » se produit, mais cette fois avec une emphase d'énergies mentales, se manifestant par cette couleur jaune d'or. Après son discours, quand l'orateur est exalté par sa prestation, son aura demeure expansée pendant un certain temps. Un échange mutuel d'énergie consciente s'opère. Des membres de l'auditoire vibrent à présent, mieux accordés à son niveau. La figure 11-1D représente l'aura d'un homme discutant avec passion de l'éducation. Parmi ceux qui l'écoutent, certains absorberont probablement un peu de sa couleur rose sombre. Ce phénomène résulte d'un processus d'élévation des fréquences vibratoires de l'auditoire au niveau de l'induction harmonieuse. L'amour qui s'épanche dans l'aura est d'un joli rose tendre, parfois mêlé d'or. Les sentiments spirituels disposent de leur éventail de couleurs. Le bleu va à celui qui s'exprime avec sincérité, le violet à la spiritualité et l'argent doré à la pureté.

Les êtres irradient parfois les couleurs qu'ils aiment porter. La figure 11-1E représente une femme venant d'assister à un cours de Gestalt-thérapie (portant sur un exercice physique destiné à extirper des sentiments négatifs afin de comprendre leur psychodynamique). La couleur verte de la figure correspond à celle que porte souvent cette personne. Elle est associée à la santé physique et à la guérison.

L'homme de la figure 11-1F irradie souvent une couleur lilas semblable à celle d'une de ses chemises favorites. Cette couleur semble en corrélation avec les sentiments d'amour et de douceur qu'il nourrit. La figure 11-1G représente une femme en train de méditer en vue de renforcer l'énergie de son champ où circulent plusieurs couleurs. Certaines, plus fluides, filtrent de son front. Son centre de volonté, entre les omoplates, est en partie visible.

Le champ d'une femme enceinte se dilate et devient plus brillant. La figure 11-1H montre celui d'une femme enceinte depuis six mois d'une fille. L'aura de la future mère est parsemée de jolies boules de couleur pastel, bleues, roses, jaunes et vertes, roulant les unes sur les autres le long de ses épaules.

Ce ne sont là que quelques exemples montrant comment le champ d'énergie humaine est lié et connecté à tout ce que nous voyons se produire autour de nous, tant sur le plan physique que sur le plan psychologique.

La colère et les émotions négatives

Le rouge s'associe depuis toujours à la colère. Un jour, mon fils âgé de onze ans, énergique et plein de joie, s'est mis à ressembler, alors qu'il était en train de jouer, à la figure 11-1A. Des rayons rouges et oranges irradiaient de sa tête. La qualité du rouge dénotait la colère, mais l'orangé rouge vibrait de force de vie. La réaction plus explosive de la participante au séminaire de bioénergie correspond à la figure 11-2B. Elle éprouve une multitude de sentiments à la fois, ce qui explique le foisonnement des couleurs de très hautes intensités, apparaissant dans l'aura comme des flashes lumineux, et les rayons puissants émis en lignes droites, comme s'ils provenaient de la lanterne d'un phare.

Une personne en colère dégage une couleur rouge sombre. Lorsque cette colère éclate, elle jaillit sous forme d'éclairs ou d'étincelles rondes, ainsi que le montre la figure 11-2C. Ces éclairs et ces étincelles, je les ai vus crépiter bien des fois au cours de séances de thérapie ou dans des groupes.

La figure 11-2D, en revanche, fournit l'exemple d'une personne ne libérant ni sa colère ni son chagrin. Le point d'énergie rouge émerge de la région de la gorge et se déplace lentement vers l'extérieur. Quelques instants plus tard, le leader du groupe a fait à son sujet un commentaire à mon avis blessant. Le point rouge est alors rapidement revenu vers elle, dans la région du cœur. Lorsqu'il l'a atteinte, elle s'est mise à pleurer, mais ses larmes ne furent pas du type cathartique. Elles signifiaient plutôt : « Pauvre de moi ! Je suis encore une fois la victime. » J'en déduisis qu'elle poignardait son propre cœur de sa colère rentrée.

La peur se manifeste dans l'aura par une forme hérissée d'un gris blanchâtre, semblable à celle que prend une personne « blanche de peur ». Elle est désagréable à voir et dégage une odeur repoussante. L'envie est d'un vert sombre, sale et visqueux. Ne dit-on pas de quelqu'un qu'« il est vert d'envie » ? La tristesse, d'un gris foncé lourd, ressemble aux nuages noirs des bandes dessinées, suspendus au-dessus de la tête de certains personnages. La frustration, l'irritabilité se manifesteront probablement par des teintes rouge sombre mais se remarquent surtout par leurs vibrations irrégulières. Lorsqu'elles pulsent contre le champ d'une autre personne, leur sensation se révèle fort déplaisante. L'entourage réagit généralement à ce type d'interférence en cherchant à provoquer une expression directe des sentiments négatifs, moins déplaisante à supporter. Mais si l'on demande à cette personne si elle est en colère, elle répond « non » en explosant de rage. Cette fâcheuse interférence se libère ainsi dans l'aura.

Effet des drogues sur l'aura

Les drogues comme le LSD, la marijuana, la cocaïne et l'alcool portent préjudice à la brillance et à la santé des couleurs de l'aura, y créent un mucus semblable au « mucus éthérique » d'une maladie. La figure 11-2E montre les effets d'une prise de cocaïne sur l'aura. Chaque fois que cette personne reniflait de la cocaïne le samedi soir, lorsqu'elle venait à la séance de soins le mardi après-midi suivant, une quantité de mucus éthérique gris et visqueux s'étalait à droite de son visage et de sa tête. Le côté gauche restait relativement clair. Je lui demandais si elle utilisait une narine plus que l'autre. Elle ne le pensait pas. Je pouvais lui dire quand elle avait pris de la drogue. Ces confrontations répétées, la description graphique de sa « morve » éthérique l'aidèrent à se défaire de sa dépendance.

La figure 11-2F représente l'aura d'un homme ayant pris de nombreuses doses de LSD et bu beaucoup d'alcool. Son aura est sale, d'un brun verdâtre. Le vilain point vert qui se déplace lentement vers l'avant n'a pas été évacué. Il correspond à des sentiments confus, indifférenciés, de colère, d'envie et de chagrin. Il est parvenu à les démêler, à comprendre leur origine, à les exprimer et à s'en libérer. Je suis convaincue que la tache s'est scindée en formes plus brillantes et claires, de couleurs correspondantes, rouge, verte et grise, puis se sont dissipées. Toutefois, en raison de la sombre contamination de son champ, cette personne devra procéder à un grand nettoyage énergétique de son mucus éthérique avant de pouvoir renforcer son champ d'énergie et clarifier ses sentiments pour les modifier.

Le poids « apparent » de l'aura

La figure 11-2G montre l'aura d'un homme qui s'est drogué également au LSD et à la marijuana pendant des années, ce qui lui a valu cette aura d'un vert sale. Les dégâts provoqués par ces expériences apparaissent à la partie supérieure droite et semblent avoir du poids, car le patient tient constamment sa tête inclinée de côté, comme pour équilibrer cette forme. Elle est demeurée à la même place semaine après semaine. Je la lui ai montrée dans un miroir et il est parvenu à la « voir ». Pour la déplacer, il a dû renoncer à toute drogue et nettoyer son champ. En addition au travail sur le corps, je lui ai conseillé un jeûne, puis un régime désintoxiquant. Il a pu ainsi renforcer son champ d'énergie et évacuer cette accumulation de déchets toxiques.

On relève dans la figure 11-2H une manifestation intéressante du poids « apparent » de l'aura, dû à la consistance du mucus. Cette femme, qui depuis des années se montrait « bonne pâte » s'est soudain révoltée, a cessé d'être aussi « gentille ». Sa colère a explosé au cours du traitement. Elle a renversé toutes les chaises de la pièce, puis s'est attaquée au tissu tapissant le mur de la cabine et l'a mis en pièces. Mais elle est sortie de cette séance libérée. La semaine suivante, elle s'est contractée et a régressé très profondément. Lorsqu'elle est entrée dans mon cabinet, elle souffrait d'une féroce migraine et ne remuait la tête qu'au prix d'infinies précautions. J'ai découvert au sommet de sa tête une grande accumulation de mucus, probablement libéré lors de la séance précédente. Ce phénomène de dégagement de toxine, dû au travail bioénergétique, est bien connu. Un puissant afflux d'énergie libère les toxines contenues dans les tissus. Parfois, après un travail en profondeur, certaines personnes tombent « malades », attrapent ce que l'on appelle une « grippe circonstantielle ». Ma patiente n'était pas rebelle du tout et avait même adopté un comportement assez masochiste d'autopunition. Je lui ai proposé de commencer la séance par quelques mouvements de culture physique et de pencher le buste en avant, ce qu'elle a fait. La boule de mucus a jailli de soixante à soixante-quinze centimètres de sa tête. Emportée par son poids, elle a basculé en avant (fig. 11-2H), en suspension. Puis, comme tirée par un élastique, elle a sauté au-dessus de sa tête, manquant passer de l'autre côté. Ma patiente étant trop effrayée pour recommencer ce mouvement, nous sommes passées au travail sur le corps. Nous nous sommes surtout occupées des jambes. Je l'ai fait lever, fermement campée sur ses jambes, afin qu'elle se sente connectée à la terre qui la supporte. Ce procédé s'appelle la « connexion à la masse ». À la fin de la séance, le mucus s'est dilué spontanément en fine couche répartie autour de son corps et sa migraine a cédé. Il fallut plusieurs semaines de travail corporel pour la débarrasser entièrement de cette couche de mucus.

Expérience du poids apparent du champ d'énergie

Un exercice souvent pratiqué dans les cours d'aikido vous aidera à ressentir l'effet du poids apparent de l'aura.

Placez deux personnes à vos côtés. Elles devront s'efforcer de vous soulever en vous hissant en équilibre sur vos avant-bras soutenus d'une main à l'épaule, l'autre au coude. Veillez à vous tenir droit pour éviter d'être secoué d'un côté à l'autre, au risque de briser vos racines.

Pratiquez d'abord l'exercice pour voir à quel point vous vous sentez lourd. Leur est-il facile, ou pas, de vous soulever de terre ?

Prenez ensuite le temps d'étendre votre champ d'énergie. Pensez « en haut », concentrez-vous sur le plafond. Quand votre concentration sera bonne et stable, demandez à vos partenaires de vous porter. Est-ce plus facile pour eux ?

Ménagez-vous ensuite le temps de vous concentrer sur le renforcement de votre connexion au sol. Développez des racines à l'extrémité de vos doigts, sous la plante de vos pieds. Enfoncez-les profondément dans la terre. Concentrez-vous sur cette puissante connexion. Lorsque vous serez très concentré, demandez que l'on vous soulève à nouveau. Êtes-vous plus lourd ? Est-il plus difficile de vous soulever ? C'est fort probable.

Dissociation des formes-pensées dans l'aura

Au cours de mes années de pratique de bioénergétique, j'ai observé l'existence de ce que j'appelle les « espaces de réalité mouvants ». J'ai découvert qu'ils sont semblables à ceux qui sont décrits dans une étude topographique, où un « ensemble », un « domaine », comporte une série de caractères spécifiques indiquant la possibilité d'opérations mathématiques. Dans le domaine psychodynamique, il existe des « espaces de réalité », ou « systèmes de croyance », contenant des groupes de formes-pensées associées aux conceptions justes ou fausses de la réalité. Chaque forme détient ses propres définitions de la réalité, pouvant se traduire par des formules telles que, par exemple, « tous les hommes sont cruels, l'amour affaiblit » ; « pour être sain et robuste, il convient de garder le contrôle ». D'après mes observations, les individus, au cours de leurs expériences quotidiennes, traversent, eux aussi, divers espaces ou niveaux de réalité définis par ces groupes de formes-pensées au sein desquels le monde est vécu différemment.

Ces formes-pensées sont des réalités énergétiques observables et irradient des couleurs de diverses intensités. La définition de la forme, son intensité dépendent de l'énergie ou de l'importance qu'un être leur accorde. Il les crée, les construit et les maintient en place au sein de ses pensées habituelles. Plus ses pensées sont claires et définies, mieux la forme est délimitée. La nature et la force des émotions associées à ces pensées confèrent à la forme sa couleur, son intensité et son pouvoir. Ces pensées peuvent être conscientes ou inconscientes. Elles peuvent se construire à force de penser avec crainte : « Il va me quitter. » Une personne qui crée ce type de pensée agira comme si l'événement était en train de se produire. Ce champ d'énergie affectera celui de l'être concerné de façon négative, fera office de repoussoir. Plus on accorde de pouvoir, d'énergie, consciente ou pas, à ce genre de pensée, plus elle travaille efficacement à provoquer l'issue redoutée. En général, ces formes-pensées font si naturellement partie de la personnalité de l'individu qu'il ne les remarque même pas. Elles commencent à s'élaborer dès l'enfance et, bien que fondées sur un raisonnement enfantin, elles s'intègrent à la personnalité, agissent comme un excédent de bagages qu'il transporte partout avec lui, inconscient de son effet, en réalité très grand. Ces agrégats de formes-pensées sont bien souvent à la base des fameux rapports dits « de cause à effet ».

Ces formes résident à l'orée de la conscience. Étant peu profondément enfouies dans l'inconscient, elles peuvent en être extirpées par des méthodes de travail énergétique sur le corps, des exercices d'association tels que le rêve éveillé ! La méditation profonde agit également sur elles. Quand ces formes sont mises au jour au niveau conscient et que les sentiments qui y sont associés sont libérés, exprimés oralement, il devient possible de les rectifier. Ce processus permet d'obtenir une vision plus claire des présomptions de réalité responsables de ces formes (souvenez-vous que ces suppositions périmées datent de l'enfance). Lorsqu'elles sont déballées, bien en vue, elles peuvent alors être remplacées par d'autres, plus réfléchies, adaptées à une vision plus juste de la réalité. Ces nouvelles conceptions, par voie de conséquence, conduisent à la création d'expériences positives dans l'existence.

Certaines personnalités interconnectent ces formes. La conscience est alors rarement immergée dans un seul espace sans subir l'influence de la plupart des autres, ce qui exige, dans la vie quotidienne, un haut degré d'intégration.

Et puis, certains êtres sont de véritables spécialistes du « saut de puce » : ceux-là sont experts à naviguer d'un espace à l'autre, d'un plan de conscience à un autre, sans avoir la moindre idée de leur connexité. Incapables de comprendre, d'intégrer ces courants dynamiques, ils se condamnent à vivre dans la confusion, notamment lorsqu'un courant particulier interne, cyclique, se déclenche de façon chronique. Le sujet peut se laisser emporter par un flux séquentiel automatique, passer d'une pensée à l'autre, demeurer désespérément empêtré, incapable de se libérer de ce cycle chronique avant qu'il ne soit accompli.

Une personne dans ce cas ne peut passer à un autre état de réalité que lorsque l'action cyclique d'une forme-pensée a épuisé toute l'énergie disponible. Ne sachant comment y échapper, elle sera sans doute incapable de s'en extirper seule, à la prochaine attaque de ce cycle. Il est vrai que certains états de réalité la plongent parfois dans l'euphorie. Il peut lui arriver, par exemple, de penser devenir riche et célèbre, sans prendre conscience de l'énorme somme de travail qui l'attend si elle veut réellement atteindre ce but. L'effet opposé se manifeste lorsqu'elle se voit dans un état pitoyable, plus imaginaire que réel. Dans un cas comme dans l'autre, l'idée que cette personne se fait d'elle-même et de sa situation est erronée. Elle ne perçoit qu'une partie d'elle-même, en l'exagérant. Il se peut qu'elle soit capable, potentiellement, de concrétiser ses espérances. Mais du travail, du temps, de la patience, beaucoup de diplomatie et un sens aigu des relations seront indispensables sur le difficile chemin de la réussite. Dans le cas négatif, elle fait une fixation obsessionnelle sur la partie d'elle-même à transformer, à épanouir, oubliant que cette transformation et cet épanouissement sont tout à fait possibles.

Dans son livre *How to Read the Aura*[1], William Butler signale que les formes-pensées demeurent stationnaires dans le champ juqu'au moment où un afflux d'énergie interne ou externe déclenche leur action. Elles circulent alors dans l'aura par séquences chroniques, mais ne sont pas libérées. Elles se manifestent puis redeviennent dormantes, attendant un nouvel apport d'énergie pour se remettre en mouvement. Elles puisent cette énergie dans les pensées courantes, semi-conscientes et dans les sentiments qui y sont associés. Elles attirent aussi l'énergie des pensées et des émotions d'autrui. Autrement dit, si vous portez sur vos actes et vos émotions un jugement continuel, très vite votre entourage retirera de ce jugement une image de vous qui s'y conformera, et vous renverra donc une énergie issue de formes-pensées en accord avec les vôtres. Si, par exemple, vous ne cessez de penser que vous êtes stupide, que vous ne valez rien, que vous êtes horrible ou obèse, les autres ne tarderont pas à tomber d'accord avec vous. Cette énergie vient s'ajouter à votre stock personnel immobilisé, jusqu'à ce que votre forme-pensée atteigne une « masse critique » donnée, déclenchant sa mise en circulation. Vous sombrez alors dans un état d'âme qui vous persuade que vous êtes effectivement stupide, insignifiant et obèse, en attendant que cette énergie se dissipe pour un certain laps de temps. Et, bien entendu, vous pouvez aussi attirer à vous un événement extérieur propice à cette explosion d'énergie. Dans les deux cas, le processus demeure le même. Si vous êtes soutenu par une psychothérapie, ce type de détonateur n'est pas

---

1. William E. Butler, *How to Read the Aura*, Samuel Weiser, New York, 1971.

forcément négatif ; il peut même briser le cycle chronique de votre forme-pensée de façon substantielle, vous permettre de le maîtriser s'il se représente.

Le thérapeute capable de percevoir ces états cycliques peut aider son patient à s'en libérer, à le faire passer plus vite d'un plan de réalité à un autre. S'il lui décrit chaque plan tel qu'il le vit, il lui apporte au bout du compte une vue d'ensemble. Ce recul par rapport à sa situation l'aide à se transformer en observateur intime plus objectif, à contrôler ses allées et venues dans chaque espace. Grâce à ce travail, le patient et son thérapeute parviennent alors à circonscrire plus précisément la chronicité du cycle, découvrent ensemble le moyen d'y échapper, quitte à le briser la fois suivante, dès sa première manifestation.

Si, par exemple, un patient particulièrement schizoïde est submergé par ses formes-pensées, je les dessine simplement sur un tableau noir en les nommant dès qu'elles s'expriment.
À mesure qu'il répète leur nom à voix haute, je trace une flèche allant de la pensée précédente à celle qu'il vient d'émettre. Toutes ses pensées cycliques sont représentées de la sorte sur le tableau. Leur surface, assez limitée en règle générale, signifie que le patient n'expérimente que des réalités très étriquées, par rapport auxquelles les autres sont jugées négatives ou inexistantes, de sorte que les autres individus apparaissent comme étrangers, voire dangereux. Le patient peut aussi s'être installé dans son rôle de victime. Le point de rupture du cycle est atteint lorsqu'il a la force de supporter un contenu émotionnel suffisamment fort et aux effets suffisamment prolongés pour pouvoir l'exprimer dans des exercices de bioénergie ou de Gestalt. En reliant sa colère ou son chagrin à la forme-pensée qui les a provoqués, il trouve généralement la force d'en briser le cycle et de se connecter aux racines inconscientes de son problème de fond.

La figure 11-3 en fournit l'exemple. J'ai dessiné ces formes pour les montrer à ma patiente qui a pu ainsi se faire une idée de sa structure personnelle. Cette meilleure compréhension du phénomène l'a aidée à se recentrer et à se libérer du cycle chronique. Elle a épanché sa colère, en a constaté les implications profondes. Pour l'extérieur, ces pensées servaient à masquer son refus des responsabilités, quitte à les rejeter sur les autres afin de donner l'image de quelqu'un de « parfait ». Ce qui, bien entendu, la réduisait à l'impuissance, jusqu'à ce qu'elle puisse atteindre un niveau de réalité plus profond résidant au cœur de sa forme-pensée. En raison d'un traumatisme remon-

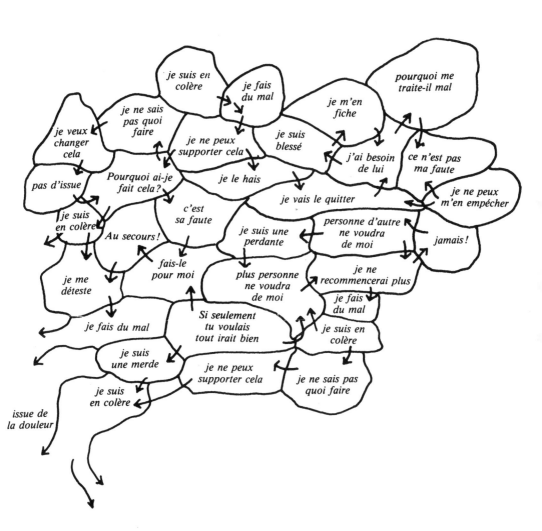

Figure 11 − 3: Forme de pensée dissociée

tant à l'enfance, elle se sentait, en son for intérieur, irrémédiablement « mauvaise » et « nulle ». Ma patiente a compris qu'à l'avenir, il lui serait plus profitable de voir et de comprendre la structure entière, d'épancher d'abord sa colère d'avoir été piégée et de supporter la douleur liée à cette forme-pensée, ce qu'elle avait l'habitude d'éviter en demeurant en surface (et de ce fait dans l'irréalité). En acceptant sa souffrance, elle est parvenue à intégrer l'enfant intérieur qui se vivait « mauvais » à l'adulte intérieur qui savait qu'elle ne l'était pas.

En règle générale, l'expression et la libération des sentiments sont les facteurs clés permettant de briser ces formes-pensées cycliques. La plupart du temps, elles commencent par se dissocier afin que le patient ne puisse éprouver les sentiments qu'elles recèlent. Dans sa vie quotidienne, il s'efforce alors de ne pas les remettre en circulation, sachant qu'il risque d'être confronté à des sentiments indésirables. Mais quand bien même évite-t-il les situations susceptibles de les provoquer, le stratagème n'est jamais vraiment efficace, car il recharge constamment ces pensées d'énergie, ce qui est évidemment contraire au processus thérapeutique. Il s'agit là d'une résistance très fréquente, qu'on arrive heureusement à dépasser en reprenant en analyse les émotions et les effets apparus pendant les exercices corporels.

À mesure que sa psychothérapie progresse, le sujet connecte mieux ses formes-pensées à l'ensemble de sa personnalité. Leurs aspects négatifs se transforment en fonctions positives qui s'intègrent à l'aura « normale » sous l'aspect de couleurs claires, brillantes et finalement sans forme.

Nettoyage de l'aura en séance de thérapie

L'action de toutes les thérapies énergétiques[2] consiste à aider les patients à dénouer les blocages de leur champ aurique au moyen d'exercices physiques localisés. La figure 11-4 illustre ce procédé libératoire. Le dos du patient repose sur un chevalet rembourré. Les muscles du torse, étirés, commencent par se détendre, ce qui provoque une décharge d'énergie qui balaye les blocages. Dans ce cas précis, le patient souffre d'un fort blocage d'énergie à l'avant de l'épine dorsale, dans les muscles situés à la charnière du diaphragme. Ce blocage est libéré par un afflux

---

2. Il en existe de très nombreuses variantes aujourd'hui, souvent assez proches les unes des autres. Ces techniques sont issues d'une part du yoga indien, d'autre part des travaux de Wilhelm Reich sur la « cuirasse caractérielle ».

soudain d'énergie pendant qu'il est au travail sur son chevalet bioénergétique[3]. Le nuage d'énergie remonte rapidement tout au long de la colonne vertébrale. Lorsqu'il est arrivé à la tête et a surgi dans la conscience du patient, j'ai vu celui-ci entrer dans un autre espace de réalité. Il s'est mis à pleurer, à exprimer un chagrin venu de son enfance. À mesure qu'il épanchait ses sentiments, il libérait de plus en plus d'énergie dans ce nuage qui a fini par sortir de son champ.

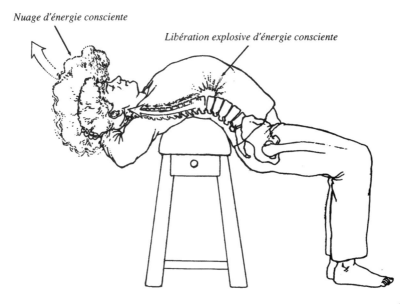

Nuage d'énergie consciente

Libération explosive d'énergie consciente

Fig. 11-4 : homme au travail sur un tabouret bioénergétique

La description qui suit est typique de ce que l'on constate la plupart du temps au cours d'une séance de thérapie reichienne. Voici tout d'abord quelques informations concernant une patiente que j'appellerai Susan, jolie blonde approchant la trentaine, thérapeute professionnelle, mariée et mère d'une fillette de deux ans. Son mari, également thérapeute, et elle forment un couple dynamique, apparemment heureux et stable. Tous deux sont considérés par leurs confrères comme des chefs de file. Ils se sont connus et mariés très jeunes. Le père de Susan perdit la vie dans un accident, deux semaines avant sa naissance, et sa mère se retrouva avec un bébé dans les bras et deux jeunes garçons à élever. Trop jeune ou peu préparée à cette tâche, elle

---

3. Le chevalet est l'une des inventions d'Alexander Lowen, le créateur de la bioénergie. Les lecteurs intéressés par cette méthode liront avec profit les trois livres du Dr Alexander Lowen parus aux éditions Sand : *La Bioénergie, La Dépression nerveuse et le corps, Pratique de la bioénergie.*

dut placer Susan en pension. L'enfant grandit entre deux foyers, l'un très propre, ordonné, strictement chrétien, et celui de sa mère, d'un désordre échevelé. Cette dernière, incapable de guérir la blessure causée par la mort de son mari à un moment aussi important de sa vie, ne s'était jamais remariée mais avait de nombreux amants. Comme elle n'avait jamais connu de père, le mariage précoce de Susan avait satisfait son besoin qu'un homme prenne soin d'elle. Mais elle portait aussi en elle la peur de ne jamais pouvoir réussir son mariage (comme sa mère) si elle ne se montrait pas parfaite (comme le voulaient les enseignantes de la pension religieuse).

Quand Susan arriva à sa séance, un matin, elle avait l'air parfaitement détendue et gaie. Elle parla de la semaine qu'elle venait de passer avec son mari et, à mesure qu'elle parlait et bougeait les bras, un nuage rose et blanc de bonheur se dégageait d'elle (fig. 11-5). Mais tout ce bonheur ne servait qu'à couvrir des émotions plus profondes que révélait son champ d'énergie. Mes observations indiquaient qu'elle était bloquée. Un point gris sombre au plexus solaire (dans la région de l'estomac) était associé à beaucoup de peur, mêlée à d'autres affects. Un second blocage, au niveau du front (d'un gris plus clair, lié à sa confusion mentale), était directement relié à la douleur ressentie dans son cœur (rouge). Elle déployait une grande activité mentale (haute énergie) visible sur les côtés de la tête (jaune). Une forte vibration d'énergie sexuelle contenue apparaissait dans la région pelvienne (rouge orange).

Tandis qu'elle continuait à faire de grands gestes et à bavarder gaiement en dégageant de légers nuages roses et blancs, l'énergie jaune irradiant de sa tête se teinta de gris dans la zone du front. Elle tentait littéralement de se convaincre qu'elle était heureuse en masquant de jaune la grisaille de son énergie mentale. Je lui décrivis ce que je voyais. Elle cessa aussitôt d'émettre ces faux nuages roses. La zone grise dans la région de la tête se réinstalla à sa place d'origine.

Dès qu'elle se rendit compte de ce qui lui arrivait, l'attitude de Susan trahit sa peur et sa douleur émotionnelle. Peu de temps avant sa séance hebdomadaire, elle avait appris que sa mère avait été hospitalisée. Elle souffrait d'une sorte de paralysie des yeux et le médecin avait fait part à Susan de son inquiétude devant la gravité de ce symptôme qui pouvait être l'indice d'une maladie provoquant de multiples scléroses. Cette situation bouleversait Susan, qui devait faire appel à toutes ses forces pour supporter les sentiments complexes qu'elle éprouvait à l'égard de sa mère. Mais en bloquant son énergie sexuelle dans son bassin, elle l'empêchait de descendre dans ses jambes et se coupait de ses racines fondamentales la rattachant à la terre. C'est pourquoi il importait avant tout de remettre cette énergie en circulation afin qu'elle se connecte à ses fondations énergétiques, à la puissance de ses jambes et de son pelvis.

Au moyen d'exercices portant sur les jambes et la région pelvienne, nous avons donc commencé par faire circuler ce tampon d'énergie le long de ses jambes, afin d'établir une base pour le travail plus difficile restant à accomplir. Le bouchon se remit rapidement en circulation et Susan se connecta à la terre. Le flux énergétique libéré fut réparti ensuite dans tout le corps pour charger le système plus équitablement. Dès que son bassin fut débloqué, Susan éprouva une forte sensation de sécurité. Puis, brusquement, elle se sentit excitée sexuellement. Son blocage était lié à celui de sa mère, qui gérait très mal son énergie sexuelle. Susan avait peur d'être « comme maman » (c'est-à-dire une femme de mœurs légères, selon les critères de l'institution religieuse), mais comme en témoignait la rapidité de la remise en circulation de son énergie et de sa connexion à la terre, elle n'était pas en danger sur ce plan, en raison de sa forte relation cœur-sexe. Elle sentit alors qu'elle pouvait s'abandonner sans peur à ses sensations de plaisir, les contrôler et en faire l'usage qu'elle voulait.

Elle put ensuite parler de la douleur éprouvée dans son cœur, liée à la maladie de sa mère, et se mit à pleurer, ce qui libéra la région thoracique de sa couleur rouge. Nous nous attaquâmes ensuite au formidable blocage de son plexus solaire, dû à des besoins insatisfaits dans son enfance. Elle éprouvait à l'égard de sa mère, à l'époque gravement malade, d'une part de l'amour et du chagrin, de l'autre une colère qui semblait dire : « Tu ne t'es jamais occupée de moi. Pourquoi devrais-je m'occuper de toi, maintenant ? » En ramenant ce conflit au niveau conscient, en le comprenant, elle commença à se libérer de la zone grise autour de son front.

Pour dissoudre le gros nœud noir du plexus solaire, il fallut de vigoureux traitements. Susan se renversa en arrière sur le tabouret bioénergétique afin d'étirer au maximum la contracture musculaire, puis à l'aide de mouvements énergiques, elle exerça des tractions sur son buste afin de régurgiter tout ce que ce nœud symbolisait : le rejet de sa mère et ses reproches pour toutes les privations subies. Susan réalisa qu'elle se maintenait « en sécurité » en intégrant son état de privation à sa vie courante. La frustation enfantine avait été remplacée par l'autoprivation. La tache noire de dix centimètres de diamètre au niveau du plexus solaire s'éclaircit et s'étala jusqu'à atteindre vingt centimètres. Mais des traces demeurèrent dans son champ d'énergie, indiquant que le problème n'était pas complètement résolu. Elle mettra longtemps à disparaître, et pour cause, puisqu'elle est liée aux besoins fondamentaux d'une fillette inquiète.

Lorsque je parle de la « sécurité » de son état de privation, je devrais plutôt préciser que ma patiente se sentait à son aise dans cet état. Il lui semblait naturel. Les êtres humains se sentent plus en sécurité dans ce qu'ils considèrent comme la norme, qu'elle soit « normale » ou pas. Cette norme s'établit tout au long de l'enfance, par influence de l'environnement.

Pour Susan, elle s'élabora au sein de l'espace dans lequel elle vivait. Lorsqu'elle était enfant, sa notion du foyer familial était confuse. Quelle était sa véritable maison ? Aucune, à vrai dire. Le problème persista. Pendant les huit premières années de son mariage, elle vécut dans une maison qu'elle ne termina jamais complètement. Elle ne parvenait pas à meubler son propre intérieur...

À mesure que la thérapie progressa, l'espace dans lequel vivait Susan devint plus harmonieux. Le pavillon fut enfin meublé, les travaux magnifiquement achevés. Dans ce cas précis, cette organisation réussie de son cadre de vie fut réellement l'indice extérieur de son état intérieur.

Compte tenu de ces observations du champ d'énergie, vous commencez probablement à voir plus clairement le rapport existant entre la maladie physique et les troubles du comportement. Lorsque nous bloquons notre flux d'énergie, nous cessons d'éprouver certaines sensations, nous créons des mares d'énergie stagnante dans notre système. Si elles demeurent longtemps en place, elles provoquent des maladies. Nous en reparlerons dans la quatrième partie de ce livre. Le lien entre la thérapie et la guérison devient évident lorsque la maladie est considérée sous cet angle. La vision d'ensemble du guérisseur embrasse la totalité de l'être humain et, dans cette pratique, il n'existe pas de séparation entre le corps et la pensée, les émotions et l'esprit. Tout doit être équilibré pour contribuer à une bonne santé. Le guérisseur se concentre sur les troubles physiques, psychologiques et spirituels, car il est impossible d'obtenir une guérison sans affecter les plans psychologiques de la personnalité. Plus le guérisseur comprend la psychodynamique de ses patients, mieux il saura les aider à se guérir eux-mêmes.

Révision du chapitre 11

1. Qu'est-ce qu'un bloc d'énergie ?
2. Comment se crée un blocage d'énergie dans le CEH ?
3. Comment s'aperçoit-on qu'un bloc est libéré dans le CEH ?
4. À quoi voit-on qu'un être se libère de ses sentiments au lieu de les refouler ?
5. Quel est le phénomène qui précède l'autre : le phénomène aurique ou physique ?
6. Quelle est la couleur des émotions suivantes lorsqu'elles apparaissent dans l'aura : la peur, la colère, l'amour, la joie, la confusion, l'envie, la haine ?
7. Quelle est la meilleure couleur de l'aura : le rouge brillant, vibrant dans la zone du bassin ou un beau vert dans la zone de la poitrine et du plexus solaire ?
8. Quel est l'effet à court terme et à long terme de la marijuana sur l'aura ?
9. Qu'est-ce qu'une forme-pensée dissociée ?

Sujets de réflexion

10. Exercez-vous à observer les auras et décrivez ce que vous voyez.
11. Faites le tracé, du début à la fin, d'une forme-pensée qui vous assaille. Quel est l'élément déclencheur et son origine ? Comment pouvez-vous en briser le cycle ? Quels sentiments profonds recouvre-t-elle et contre lesquels vous vous défendez ?

Chapitre 12

Les tampons d'énergie et les systèmes de défense dans l'aura

Après avoir observé des blocages dans le champ de nombreuses personnes, je les ai classés en six grands types de tampons d'énergie. Je me suis aperçue que le champ était utilisé comme arme défensive contre les expériences traumatisantes. Les individus, en quelque sorte, organisent leur champ, l'érigent en système de protection énergétique. Nous allons tout d'abord examiner les six principales catégories de tampons que j'ai pu observer.

Types de tampons d'énergie

Les figures 12-1 et 12-2 montrent comment m'apparaissent ces bouchons. Le blocage en boule (fig. 12-1A) résulte d'un état dépressif. Les sentiments et l'énergie finissent par stagner, provoquent une accumulation de fluides corporels dans la zone de stagnation. Le corps a tendance à « bouffir » à ces endroits. L'énergie de ces tampons-boules est de faible intensité et généralement associée au désespoir. Un bouchon grossissant continuellement peut déclencher des maladies telles que la colite ou l'angine de poitrine. Sa couleur, le plus souvent gris-bleu, sa consistance lourde et visqueuse l'apparentent à une mucosité représentant la colère d'une personne ayant abandonné la partie, réduite à l'impuissance. Par exemple, une femme malheureuse avec son mari, ayant abandonné sa carrière pour satisfaire aux exigences de sa vie conjugale, présente souvent ce type de blocage. À la cinquantaine, elle estime qu'il lui est

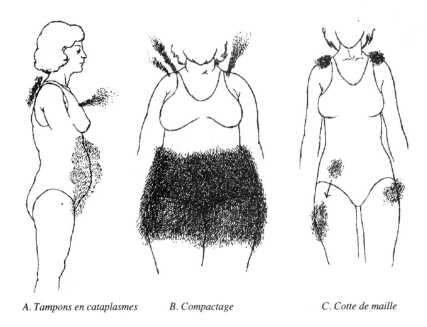

A. Tampons en cataplasmes   B. Compactage   C. Cotte de maille

Figure 12-1 : types de bouchons d'énergie

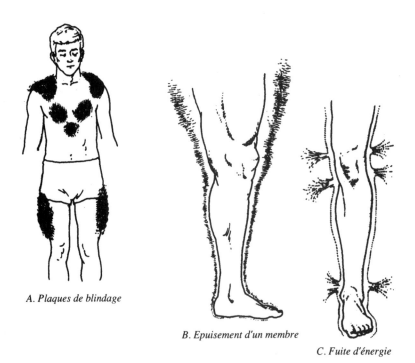

A. Plaques de blindage

B. Epuisement d'un membre

C. Fuite d'énergie

Fig. 12-2 : types de bouchons d'énergie

impossible de réintégrer le monde du travail. Elle se contente de reprocher à son mari d'avoir fait son malheur, de demander à ses filles de faire ce qu'elle n'a jamais pu accomplir, tente de vivre à travers elles et, bien sûr, n'y parvient pas.

Le tassement des bouchons d'énergie (fig. 12-1B) supprime les sensations mais n'en contient pas moins, comme un volcan, beaucoup de rage accumulée. En général, pour l'observateur, la couleur rouge foncé d'un tampon comprimé paraît très menaçante. Personne ne souhaite assister à une explosion volcanique ! Cette compression entraîne une accumulation de graisse et de muscles dans la zone concernée. Si le blocage persiste trop longtemps, des maladies inflammatoires peuvent se déclarer, particulièrement dans la région pelvienne. Un patient dans cette situation est généralement conscient de sa rage, mais se sent piégé, car la laisser exploser équivaut à une humiliation. J'ai observé une femme qui, dès l'enfance, avait conclu que la sexualité ne pouvait conduire qu'à l'humiliation. Son père l'avait humiliée à ce sujet quand elle était petite, ce qui l'avait amenée à bloquer ses puissantes pulsions sexuelles et à les comprimer étroitement dans son bassin. Après qu'elle eut souffert pendant des années de petites infections chroniques, une maladie inflammatoire du pelvis fut finalement diagnostiquée.

La cotte de maille de la figure 12-1C résulte d'un blocage affectif par lequel cette personne se protège de ses sensations, notamment de sa peur, en déplaçant rapidement ses tampons dès qu'elle se sent menacée, soit dans certaines situations de sa vie, soit en séance de thérapie. Si le thérapeute tente de la libérer d'un blocage au moyen d'un exercice ou d'un massage profond, le bouchon se déplace simplement vers une autre partie du corps. Ce type de tampon ne provoquera sans doute pas une maladie aussi vite que ceux des autres types. Dans la vie de la patiente, tout semblera aller relativement bien. Elle connaîtra une forme ou une autre de réussite sociale, fera un « parfait » mariage, aura des enfants modèles. Pourtant, elle aura toujours l'impression qu'il lui manque quelque chose. Elle ne pourra supporter les sentiments profonds que très brièvement et préférera plutôt les fuir. Il faudra probablement qu'une crise survienne dans sa vie pour qu'éclatent ses sentiments enfouis, une maladie soudaine, un accident ou une passion amoureuse, par exemple.

Le blindage en plaques de la figure 12-2A fige des sentiments de toutes sortes maintenus autour du corps dans un champ de haute tension généralisée. La personne peut alors se construire une vie assez bien structurée, du moins vue de l'extérieur. Le corps est bien bâti, les muscles ont tendance à être durs. Sur le plan intérieur, le tableau est plus sombre. Ce blindage annule efficacement toutes ses sensations et crée une énorme tension dans tout le corps. Diverses maladies peuvent en résulter : ulcères dus au surmenage, troubles cardiaques provoqués par un épuisement du corps privé d'apport nutritif, etc. Cette personne, ne pouvant sentir son corps, et par conséquent les contractures de ses muscles, se surmènera très probablement, souffrira de tendinites, de fragilité osseuse. Elle mènera, en apparence, une vie parfaite, mais dépourvue de connexion personnelle profonde. Là encore, une crise peut survenir, du même type que celle qui a été précédemment, qui l'aidera à se connecter à sa réalité profonde. Une crise cardiaque remplit fort bien ce rôle. Je connais un homme d'affaires dans ce cas. Il a très bien réussi dans la vie, possède plusieurs journaux de forts tirages. Il était tellement absorbé par son travail qu'il s'est coupé de sa famille. Après son alerte cardiaque, ses enfants ont dû lui dire : « Arrête ! sinon tu vas y rester. Apprends-nous plutôt à te seconder dans ton travail. » Ce qu'il fit. Ses enfants l'aidèrent et la famille fut enfin regroupée.

Les tampons de la figure 12-2B représentent simplement une diminution de l'énergie circulant dans les jambes. La personne, dans ce cas, coupe tout bonnement la force de ses membres inférieurs, empêche l'énergie d'y circuler. Il en résulte un affaiblissement généralisé pouvant aller jusqu'à une atrophie de ces régions du corps. Le patient évite alors de marcher pour esquiver ces sensations de faiblesses et les sentiments plus profonds qui y sont associés. Il devient peu à peu incapable de se tenir debout, s'installe dans un statut d'invalide et nourrit en lui un sentiment de faillite.

Les fuites d'énergie de la figure 12-2C surviennent lorsqu'une personne fait jaillir le flux hors de ses articulations au lieu de le laisser s'écouler dans ses membres. Elle agit ainsi, inconsciemment, pour réduire son flux vital afin de n'avoir ni la force ni l'envie de participer à certaines expériences de son environnement. Elle ne veut pas répondre à ces sollicitations. Cette attitude est fondée sur une conclusion tirée de l'enfance au sujet de ces expériences, jugées à l'époque dangereuses ou inconvenantes, comme si cette personne, lorsqu'elle tentait d'obtenir un objet désiré, s'était fait taper sur la main. Là encore, la faiblesse des parties atteintes et leur défaut de coordination proviennent du fait qu'elle esquive l'usage des membres concernés. La sensation de froid dans les bras et dans les jambes est également due à ce type de blocage. Ces fuites d'énergie aboutissent généralement à des troubles articulaires.

L'installation de ces tampons d'énergie bloquée dépend donc de nombreux facteurs liés à la personnalité, à la structure psychique, à l'environnement durant l'enfance. Nous utilisons tous des bouchons de ce genre. Quels sont vos favoris ?

Systèmes de défense énergétique

Si nous construisons tous ces tampons, c'est parce que nous considérons le monde comme un lieu d'insécurité. Nos modes de blocage impliquent notre système d'énergie entier. Nos défenses énergétiques sont destinées à nous protéger, à repousser de façon passive ou agressive les forces qui nous atteignent. Nous démontrons ainsi le pouvoir de l'agresseur, la peur qu'il nous inspire, ou encore notre désir d'attirer l'attention sur nous, de façon indirecte, sans admettre bien sûr que c'est ce que nous souhaitons...

Les systèmes de défense que j'ai observés sont illustrés par la figure 12-3. Ils sont employés très fréquemment quand une personne se sent menacée.

L'aura « porc-épic », en général d'un gris blanchâtre, est épineuse, acérée, piquante au toucher. Souvent, lorsqu'il m'arrive de poser la main sur quelqu'un à un endroit de son corps où il refuse tout contact, je sens fortement ces épines sur la paume de ma main. La plupart des gens répondent à cette défense en prenant de la distance : on n'aime guère caresser un hérisson.

L'aura « en retrait » constitue une forme de défense dans laquelle la partie consciente du sujet, en fuite éperdue devant un danger réel ou imaginaire, quitte tout bonnement son corps sur un nuage lumineux d'énergie bleue. Lorsque cela se produit pendant une séance de thérapie, le regard du patient est curieusement glacé et vague, même s'il prétend vous écouter attentivement.

Le même phénomène se produit avec une personne « à côté d'elle-même ». Ce schéma s'installe à plus long terme que la défense « en retrait », qui dure de quelques secondes à quelques heures au plus. Elle persiste généralement plusieurs jours, et peut même durer plusieurs années. J'ai rencontré des patients en partie à côté d'eux-mêmes depuis très longtemps à la suite d'un accident ou d'une intervention chirurgicale. Dans un de ces cas, une jeune femme avait subi une opération à cœur ouvert à l'âge de deux ans. Quand nous avons travaillé ensemble, elle avait

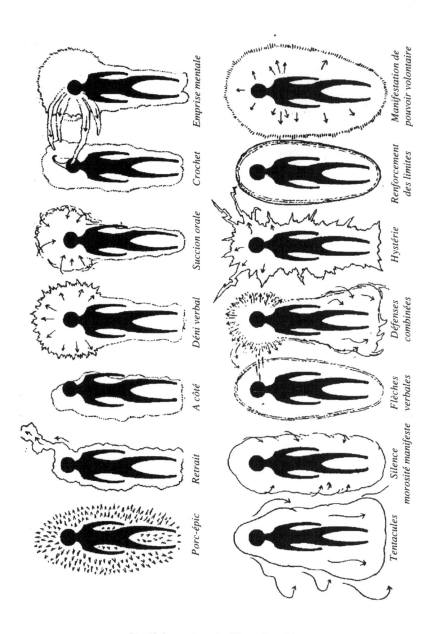

Fig. 12-3 : systèmes de défense énergétique

vingt et un ans. La partie supérieure de son aura, en partie déconnectée, flottait au-dessus d'elle, à l'arrière de son corps. Cette fuite réflétait celle de sa sensibilité, laquelle avait littéralement déconnecté.

Le « déni verbal » est associé à une forte énergie jaune, en général au niveau de la tête, à un blocage souvent très important à la hauteur du cou et à une déperdition d'énergie dans la moitié inférieure du corps, dont l'aura est pâle, délavée, immobile. Les patients de ce type compensent en parlant sans arrêt, masquant leurs inhibitions et leur timidité sous des torrents de verbiage qui leur donnent l'illusion de vivre intensément. Cette volubilité accumule de l'énergie crépitante dans la région de la tête.

La « succion orale » est étroitement apparentée au déni verbal. Dans ce cas, la personne pompe effectivement l'énergie de son entourage pour en nourrir son propre champ, car elle est généralement incapable de la puiser dans son environnement naturel. En d'autres termes, elle est inapte à métaboliser l'orgone qui lui est nécessaire en le retirant directement de l'atmosphère ; du coup, elle est contrainte à employer une énergie prédigérée par les autres. Ce pompage se trahit par son bavardage ennuyeux, épuisant pour son interlocuteur. Il se repère également dans le regard « aspirateur » de certains individus avides d'établir aux dépens des autres une sorte de rapport social. Il est vrai qu'il existe aussi des individus plus ou moins masochistes, éprouvant le besoin de décharger en permanence leur excès d'énergie. Quand un « suceur oral » rencontre quelqu'un qui ne supporte pas sa charge énergétique, ces deux partenaires sont complémentaires dans le sens qu'ils répondent assez bien à leurs besoins mutuels (voir chapitre 13).

Les « crochets » observés dans l'aura de certains patients révèlent parfaitement la pathologie de leur structure. Dans les situations où ils se sentent très menacés, où ils doivent, par exemple, affronter un groupe de personnes, ils fabriquent au-dessus de leur tête une sorte de crochet, avec lequel ils harponnent la personne estimée agressive si le terrain devient par trop « brûlant ». Ce harponnage s'accompagne souvent d'un jugement verbal. Par ailleurs, si ce type d'individu recherche la confrontation, il peut fort bien essayer de « prendre » la tête de quelqu'un au moyen de son énergie mentale et de piéger son interlocuteur dans son champ d'énergie, jusqu'à ce qu'il soit certain que son point de vue est accepté tel qu'il le souhaite. Ce type de défense offensive peut devenir très menaçant pour la personne visée, car elle est abordée de façon logique, par étapes très rationnelles, afin d'être contrainte à tirer la « juste » conclusion. Et le message non exprimé sous-entend entre les lignes qu'elle ferait mieux, pour sa sécurité personnelle, de ne pas résister. Les échanges sont, en général, chargés d'implications larvées, d'insinuations tendant à prouver que l'interlocuteur choisi est « mauvais », qu'il a tort, que l'expéditeur du message, en revanche, est « bon » et équitable.

Les « tentacules » de l'aura, suintantes, glissantes, silencieuses et lourdes, tentent d'atteindre votre plexus pour capter votre substance, l'en extirper pour que leur porteur puisse la dévorer en toute sécurité. La personne qui les élabore est pleine de sa propre substance, mais ne sait qu'en faire. Elle croit qu'en la faisant circuler, elle risque d'être humiliée. Le désespoir l'envahit. Elle peut se mettre à broyer du noir, à s'enfermer dans le mutisme pendant de longues périodes. Les tentacules se mettent alors à se développer afin d'attaquer votre essence. Ce mutisme est en réalité très bruyant sur le plan énergétique. Il peut envahir une pièce où d'autres personnes prennent plaisir à vivre. Très vite, souhaitant l'aider, elles viendront l'entourer. Fort intelligemment, le porteur de tentacules remerciera chacune d'elles avec grâce, expliquera pourquoi cette aide ne peut qu'être inefficace, et demandera d'autres solutions. Et le jeu se poursuit, car inconsciemment, ce type de malade croit que son salut ne peut venir que de l'extérieur. En réalité, il souhaite simplement remettre son sort entre les mains des autres. Il peut lancer des flèches blessantes pour provoquer la colère de son interlocuteur. Elles seront douloureuses tant sur le plan oral que sur le plan énergétique. Décochées avec adresse, elles atteindront leur but avec précision et efficacité, car elles sont destinées à susciter la colère des autres et à fournir à l'archer l'occasion de libérer la sienne sans s'exposer à l'humiliation. C'est dans cette intention inconsciente qu'il tente mentalement d'humilier quelqu'un pour refouler par la même occasion ses sensations dans la partie inférieure de son corps.

La personne usant d'une « défense hystérique » répondra allègrement à ces flèches en explosant de colère. Ce type de réplique hystérique entrera en collision avec le champ des autres avec furie, à grand renfort d'éclairs, d'explosions de couleurs menaçantes, afin d'intimider son entourage par un déploiement de violence et de chaos. L'objectif consiste à balayer le terrain de tous ceux qui s'y trouvent.

Un individu se défendant par « contention de frontière » esquivera simplement une situation estimée dangereuse en renforçant l'épaisseur des limites de son champ, de façon à se sentir hors d'atteinte. Le message sous-jacent traduit son sentiment de supériorité.

Une autre forme de déploiement de « volonté de puissance » se manifeste par des explosions de flashes et d'éclairs dans l'aura. Elle a pour but d'établir, purement et simplement, la suprématie incontestable, bien établie, de celui qui les émet sur tout son entourage, sans aucune distinction !

Exercices destinés à découvrir votre système favori de défense

Ces exercices vous invitent à essayer chaque système de défense évoqué ci-dessus. Lequel employez-vous le plus volontiers ? Tentez l'expérience avec un groupe de personnes réunies dans une pièce et usant chacune d'un de ces systèmes. Quel est celui qui vous est le plus familier, que vous avez déjà utilisé en diverses occasions ?

Il en existe probablement d'autres que ceux que j'ai cités. Vous les connaissez et les utilisez certainement vous-même, et vos amis aussi. L'important ici est de comprendre que nous en utilisons tous et que notre interaction consciente ou inconsciente s'exerce très fort dans ce domaine, alors que rien ne nous y oblige. Tous ces systèmes de défense sont volontaires. Notre personnalité, sur certains plans, y prend parfois plaisir. Il est donc inutile d'en avoir peur quand nous les rencontrons chez les autres. Nous pouvons décider d'y répondre par la tolérance plutôt que par la défensive et ne pas oublier que si quelqu'un se défend, c'est pour une raison bien précise. Une personne sur la défensive cherche à protéger une partie d'elle-même trop vulnérable, à en garder le contrôle afin de cacher cette faiblesse aux autres, et parfois à elle-même. Nous élaborons ces sytèmes très tôt dans notre vie. Comme je l'explique au chapitre 8, l'aura d'un enfant n'est pas plus développée que son corps, qui se constitue et passe par diverses étapes de croissance. À mesure qu'il grandit, ses points forts comme ses points vulnérables se définissent plus clairement.

Révision du chapitre 12

1. Citez et décrivez les six types principaux de bouchons d'énergie.
2. Énumérez les systèmes de défense majeurs. Décrivez leur fonctionnement. Lesquels employez-vous ? Quels sont les

plus efficaces pour vous ? Existe-t-il un meilleur moyen de gérer votre expérience de vie ?

Sujets de réflexion

3. Sur quel système de croyance personnel se base votre défense ?
4. Votre vie serait-elle meilleure ou pire si vous n'en utilisiez pas du tout ?
5. Dressez la liste des types de blocages que vous avez créés dans votre corps ou dans votre circuit d'énergie. À quelles expériences enfantines sont-ils associés ?

Chapitre 13

Auras et chakras des principales structures de caractère

Beaucoup de psychothérapeutes de l'école reichienne désignent les traits physiques et psychologiques de leurs patients sous le nom de « structures de caractère ». Après bien des études et des observations, Wilhelm Reich a fini par constater que la plupart des individus se classent en cinq catégories majeures. Les traits de caractère de ceux qui ont vécu leurs rapports parentaux de la même façon sont identiques, tant sur le plan physique que sur celui de la psychodynamique. Toutefois, ces dynamiques ne relèvent pas uniquement du mode de relation enfant-parent, mais aussi de l'âge auquel les expériences traumatisantes de l'enfant ont commencé à bloquer ses sensations et, par conséquent, son énergie. Car c'est à ce moment-là qu'il élabore le système de défense qui lui deviendra coutumier. Un trauma vécu par un fœtus peut bloquer son flux d'énergie. Mais il s'en défendra d'une manière très différente s'il le subit au stade oral de sa croissance, au moment de l'apprentissage de la propreté ou pendant la puberté. Cela n'a rien d'étonnant quand on sait que la structure de son champ se modifie à mesure des étapes successives de sa vie (revoir le chapitre 8).

Dans ce chapitre, vous trouverez les descriptions de ces structures de base du caractère, de leur étiologie, de la forme des corps et de leur configuration aurique. Je vous parlerai aussi de la nature du moi supérieur, de la tâche que doit accomplir chaque structure au cours d'une vie, à titre personnel, dans la mesure du possible. Le moi supérieur de chacun et la tâche qui lui est dévolue sont uniques, toutefois on peut en tirer quelques généralités.

Le moi supérieur peut être considéré comme l'étincelle divine intérieure, ou le Dieu intérieur de chacun. C'est le lieu où nous ne faisons qu'un avec Dieu. Dans toutes les cellules qui nous constituent existe une étincelle divine. Elle est le réceptacle de la conscience divine présente dans tout être humain, y compris dans ceux qui semblent s'en être le plus éloignés.

La tâche à accomplir dans la vie prend deux formes. La première, sur le plan personnel, consiste à exprimer une nouvelle facette de notre identité. Les aspects de l'âme non identifiés à Dieu participent eux aussi à l'incarnation, il ne faut jamais l'oublier. Ils sont là pour apprendre à ne faire éventuellement qu'un avec le Créateur, tout en conservant pour le moment leur individualité propre. La seconde tâche est due au monde. L'âme naît au monde physique pour lui faire ce don. Très souvent, cette forme d'offrande s'apparente au travail accompli préalablement dans la vie. L'artiste apporte son art, le médecin sa science, le musicien sa musique, la mère son amour et son dévouement, etc. Parfois il faut lutter, changer maintes fois de profession avant d'être en mesure d'atteindre cet objectif. La force, la clarté présidant à cette entreprise dépendent étroitement du travail d'apprentissage accompli individuellement par chacun.

Le corps d'un individu résulte de la cristallisation dans le monde physique des champs d'énergie qui l'environnent et le pénètrent. Ces champs sont porteurs de la tâche dévolue à l'âme. La structure du caractère peut donc être vue comme une cristallisation des problèmes fondamentaux d'un être, qu'il a choisi de résoudre en s'incarnant. Le problème (la tâche) se cristallise dans le corps, afin que l'être puisse le voir aisément et se mettre au travail. En étudiant la structure de notre caractère et sa réaction avec notre corps, nous pouvons découvrir la clé nous permettant de nous guérir nous-mêmes. Pour cela, il nous faut d'abord comprendre la nature de notre tâche personnelle et de celle que nous devons au monde.

J'ai constaté que la maladie chronique – j'ai envie de dire la maladie fondamentale – dont souffrent tous les patients dont je me suis occupée est la haine qu'ils se vouent. La haine de soi est le mal secret qui couve en chacun de nous. Cette non-acceptation des manifestations du moi apparaît très fortement dans les diverses structures de caractère. En travaillant à comprendre notre dynamique quotidienne, nous apprenons au cours de ce processus à nous accepter tels que nous sommes. Nous pouvons alors vivre au fil des ans en accord avec la volonté divine (celle de la déité intérieure) dans la vérité et l'amour, qui sont les échelons de l'épanouissement personnel. Mais la route qui mène à l'amour inconditionnel est longue. Et il faut commencer par s'aimer soi-même. Comment y parvenir en dépit de nos déficiences ? Comment nous pardonner nos gâchis ? Pouvons-nous, après avoir tout gâché, tout saccagé, nous reprendre et nous dire : « J'ai compris, cela me servira de leçon », ou « Je suis une créature de Dieu », ou « Je vais aller désormais vers la lumière, continuer coûte que coûte à rechercher ma divinité intérieure » ?

Gardons ces pensées présentes à l'esprit et revenons à ces structures, sachant que l'essentiel de notre travail porte sur leurs manifestations profondes. Et sachant surtout que ces manifestations, liées aux raisons faisant que nous appartenons à un certain type ou à une combinaison de structures caractérielles, prendra sans doute une vie entière...

Le Dr Al Lewan et le Dr John Pierrakos, travaillant ensemble, commencèrent par classer ces structures en catégories, associées au physique et à la personnalité. Puis John Pierrakos adjoignit aux éléments purement biologiques de l'espèce humaine, ainsi qu'aux maladies psychosomatiques révélées par Reich, une dimension spirituelle, énergétique. La fonction de chaque chakra s'intégra alors à la structure du caractère. J'ai poursuivi cette étude en établissant un certain nombre de modèles auriques qui en découlent. (Voir les figures 13-5 à 13-8 et les systèmes de défense du chapitre 12.)

Les tableaux 13-1, 13-2 et 13-3 montrent les caractéristiques essentielles de chaque structure. La plupart de ces tableaux figuraient déjà dans les cours de formation bioénergétique du Dr Jim Cox en 1972, et dans la classe d'initiation à l'énergétique vibratoire du Dr Pierrakos, en 1975, dont j'ai fait partie en qualité d'étudiante. L'apport d'information sur le champ d'énergie résulte de mon travail personnel.

La structure schizoïde

La première structure de caractère (en tête de liste, étant donné que la coupure d'énergie vitale survient ici au début de la vie) porte le nom de structure schizoïde. En l'occurrence, la première expérience traumatisante est vécue avant la naissance, au moment de la venue au monde ou pendant les premiers jours de la vie. Le trauma peut venir de l'hostilité directe d'un parent refusant l'enfant. Ou bien il est lié au processus même de la naissance. La mère peut s'être déconnectée émotionnellement du bébé, qui a éprouvé un sentiment d'abandon. L'éventail de ce type d'événement est vaste, ô combien !

Figure 13-1

ASPECTS MAJEURS DE CHAQUE STRUCTURE DE CARACTÈRE

CONSTITUTION DE LA PERSONNALITÉ

	SCHIZOÏDE	ORALE	PSYCHOPATHE	MASOCHISTE	RIGIDE
ARRÊT DU DÉVELOP-PEMENT	À la naissance ou avant	Alimentation du nourrisson	Bas-âge de l'enfant	Phase de l'autonomie	Puberté
TRAUMA	Mère hostile	Abandon	Séduction, trahison	Contrôle des aliments et évacuation	Déni sexuel, trahison du cœur
MODÈLE	Cohérent	Tenace	Entrave	Retenue	Refoulement
SEXUALITÉ	Quête de sensation, force de vie, fantasme	Quête d'intimité et de contact	Hostilité, fragilité, fantasme homosexuel	Impuissance, fort penchant pour la pornographie	Sexualité méprisante
DÉFAUT	Peur	Avidité	Fausseté	Haine	Orgueil
DEMANDE	Être/exister	Être nourri et repu	Aide, encouragement	Indépendance	Avoir des sensations (amour, sexe)
SE PLAINT DE	Peur/anxiété	Passivité (fatigue)	Sentiments d'échec	Tension	Insensibilité
INTENTION NÉGATIVE	« Je serai désintégré »	« Je l'obtiendrai de force » « Je n'en ai pas besoin »	« Que ma volonté s'accomplisse »	« J'adore la négativité »	« Je ne céderai pas »
STRATAGÈME DE L'INTENTION NÉGATIVE	L'unité opposée à la séparation	Le besoin opposé à l'abandon	La volonté opposée à l'abandon	Liberté opposée à la soumission	Le sexe opposé à l'amour
BESOINS	Renforcement des frontières	Définition des besoins, autonomie	Confiance	Autorité, liberté, ouverture spirituelle, connexions	Connexion du cœur aux organes génitaux

La défense de l'âme, à cette étape de la vie, consiste tout bonnement à vouloir retourner au monde spirituel originel. Une personne présentant ce type de structure perfectionne ensuite cette défense, l'utilise constamment et finit par vivre très facilement en retrait, dans un ailleurs fantasmatique (fig. 12-3) où elle se réfugie dès qu'elle se sent menacée. Pour compenser ce comportement de fuite, elle tente de préserver sa cohésion sur le plan de la personnalité. À l'origine de tout, on trouve toujours la peur – peur de n'avoir pas le droit d'exister. Le discours du patient devient impersonnel. Dans toutes ses interactions, qu'il s'agisse de ses rapports avec son thérapeute ou avec ses amis, il s'exprime dans l'absolu, tend à tout intellectualiser, ce qui ne fait qu'ajouter à son sentiment d'être coupé de la vie, de ne pas exister réellement.

Lorsqu'une telle personne se présente d'elle-même pour entreprendre une psychothérapie, sa demande s'accompagne forcément de peur et d'angoisse. Le travail consiste à lui faire sentir qu'elle existe. Il faut qu'elle ressente son unité, alors que pour survivre, elle croit devoir à tout prix se scinder. Tant qu'elle continue à se persuader que « exister signifie mourir », nous restons enfermés dans un dilemme sans issue. En thérapie, pour résoudre ce problème, le patient a besoin de renforcer les limites qui le définissent et de ressentir toute la force de son impact dans le monde physique.

Au cours de ce processus, dès qu'il renonce à se montrer gentil avec son thérapeute pour se faire bien voir, la première couche de la personnalité du patient mis à jour est le masque, le reproche latent se résumant à la formule suivante : « Je vous rejette avant que vous me rejetiez. » Après un travail de sondage en profondeur, le siège des émotions, nommé parfois aussi le moi inférieur, finit par dire : « Vous n'existez pas plus que moi. » Puis commence la phase de résolution. La partie la plus consciente de la personnalité, appelée le moi supérieur, émerge enfin et clame bien haut : « Parfaitement, je suis réel ! »

Les individus de type schizoïde peuvent facilement abandonner leur corps et le font régulièrement. Leur aspect physique fait penser à un assemblage de pièces ne tenant pas fermement ensemble, mal intégrées. Généralement grands et minces, leur corps semble parfois lourd, prisonnier d'une tension, d'un manque de coordination. Les articulations sont fragiles, les pieds et les mains froids. Ils paraissent généralement hyperactifs et mal enracinés. Une énergie d'un bleu-gris foncé gicle souvent du blocage majeur, situé au niveau du cou, à la base du crâne. Une déviation fréquente de la colonne vertébrale résulte de leur habitude d'esquiver la réalité matérielle, de l'évasion partielle de leur corps. Les poignets, les chevilles, les mollets, faibles et fins, indiquent une mauvaise connexion à la terre. Une épaule peut se développer plus que l'autre – même si le sujet ne joue pas au tennis ! La tête penche souvent d'un côté, le regard vague semble ailleurs et l'est effectivement. Beaucoup d'enfants de ce type commencent à se masturber très précocement, découvrant dans leur sexualité un moyen de se connecter à la force de vie qui les aide à se sentir « vivants », lorsqu'ils ne peuvent se connecter aux autres.

Une personne du type schizoïde déploie son système de défense pour éluder sa terreur intime de l'annihilation. Mais elle

Figure 13-2

ASPECTS MAJEURS DE CHAQUE STRUCTURE DE CARACTÈRE

SYSTÈME PHYSIQUE ET ÉNERGÉTIQUE

	SCHIZOÏDE	ORALE	PSYCHOPATHE	MASOCHISTE	RIGIDE
CONSTITUTION PHYSIQUE	Élongation, déséquilibre gauche/droite	Minceur, poitrine affaissée	Poitrine gonflée, buste massif	Tête en avant, lourd	Dos raide, pelvis basculé en arrière
TENSION DU CORPS	« Anneau » de tension	Flasque, muscles mous	Compaction du buste, partie inférieure spasmodique	Compressé	Spasmodique, plaque armure, cotte mailles
CIRCULATION	mains/pieds froids	Poitrine froide	Jambes et bassin froids	Fesses froides	Pelvis froid
NIVEAUX D'ÉNERGIE	Hyperactive sans nécessité	Hypo-active, basse énergie	Hyperactivité suivie d'effondrement	Hypo-actif (énergie intériorisée)	Hyperactif (haute énergie)
LOCALISATION DE L'ÉNERGIE	Gelée au cœur	Dans la tête, en général épuisée	Moitié supérieure du corps	Bouillonnement intérieur	En périphérie, retrait du cœur
CHAKRAS FONCTIONNANT LE MIEUX	7ᵉ 6ᵉ front 3ᵉ front 2ᵉ arrière assymétrique	7ᵉ 6ᵉ front 2ᵉ front	7ᵉ 6ᵉ 4ᵉ aspect arrière	6ᵉ front 3ᵉ front	Centres de la volonté
PSYCHODY-NAMIQUE DES CHAKRAS OUVERTS	Spirituel, mental, volonté	Spirituel, mental, amour	Mental, volonté	Mental, sensation, volonté	Volonté, mental
SYSTÈME DE DÉFENSE ÉNERGIE	Retrait « Porc-épic », à côté de lui-même	Succion orale, déni verbal, hystérie	« Crochet », « emprise » mentale	Délectation morose, « tentacules »	Manifestation, pouvoir, volonté, limites, retenue

ne peut évidemment pas réagir comme un nouveau-né à l'époque où elle dépendait totalement de ceux qui la terrifiaient, c'est-à-dire de ceux qui l'on complètement abandonné au moment où elle avait le plus besoin d'eux, au cours du difficile processus de la naissance. Elle a perçu l'hostilité d'un de ses parents, voire des deux, de ceux-là même dont dépendait sa survie. Elle ne peut trouver un soulagement à cette terreur secrète qu'à l'âge adulte et se rend alors compte qu'il s'agit plutôt d'une rage refoulée. Cette fureur vient de la contrainte à vivre dans un monde glacial, hostile, où l'isolement s'impose à ceux qui veulent survivre. Une partie de son être croit sincèrement que telle est l'essence de la réalité matérielle. Cette rage recouvre l'immense douleur de constater qu'elle a besoin de l'amour, de la chaleur, de la nourriture provenant d'autres êtres

Figure 13-3

ASPECTS MAJEURS DE CHAQUE STRUCTURE DE CARACTÈRE

RELATIONS INTER-INDIVIDUELLES

	SCHIZOÏDE	ORALE	PSYCHOPATHE	MASOCHISTE	RIGIDE
SUSCITE	Intellectualisation	Maternage	Soumission	Taquinerie	Compétition
RÉACTION AU CONTRE-TRANSFERT	Retrait dans éloignement	Passivité Dénuement	Exercice du contrôle	Culpabilité, honte, retenue	Retrait dans le refoulement
COMMUNICA-TION PAR LE LANGAGE	Absolu, dépersonnalisé	Questions Indirect	Dictatorial, direct, manipulation (vous devriez...)	Dégoûté, geignard	Réservé, distant
DOUBLE BIND	« Exiter veut dire mourir »	« Si je demande, ce n'est plus de l'amour »	« J'ai raison sinon je meurs »	« Que je me mette en colère ou pas je serai humilié »	Séducteur
LE MASQUE DIT :	« Je vous rejeterai avant que vous me rejetiez »	« J'ai pas besoin de vous » « Je ne vous demande rien »	« J'ai raison Vous avez tort ! »	« Je me tuerai [blesserai] avant que vous le fassiez »	« Oui, mais... »
LE MOI INFÉRIEUR DIT	« Vous n'existez pas non plus »	« Prenez soin de moi »	« Je veux vous contrôler »	« Je vais vous vexer, vous provoquer »	« Je ne vous aimerais pas »
LE MOI SUPÉRIEUR DIT	« Je suis réel »	« Je suis satisfait, comblé »	« J'abandonne »	« Je suis libre »	« Je m'engage » « J'aime »

humains, alors qu'en maintes occasions, elle s'est révélée incapable de les créer dans sa vie.

Elle craint que cette fureur la fasse exploser, s'éparpiller en morceaux dans l'univers. Dans ce cas, le remède consiste à l'amener à affronter sa rage, peu à peu, sans chercher à la fuir pour se protéger. Si elle parvient à « tenir la route », à s'autoriser à exprimer sa rage et sa peur, elle se libère graduellement de sa douleur intérieure, de son ardent désir de dépendance envers les autres. Elle peut alors découvrir l'amour d'elle-même. S'aimer soi-même exige de la pratique. Nous en avons tous besoin, quelle que soit notre combinaison de structures caractérielles. L'amour de soi découle d'un mode de vie qui nous permet de ne pas nous trahir, de vivre en accord avec notre vérité intérieure. On peut s'y préparer à l'aide d'exercices simples, dont il sera question dans la dernière partie de ce livre.

Le champ d'énergie d'une structure schizoïde

La structure schizoïde se reconnaît essentiellement aux discontinuités du champ d'énergie, à ses déséquilibres et à ses coupures. Une grande partie de l'énergie demeure coincée au plus profond de l'être et ne peut être libérée sans une psychothérapie. La figure 13-4 montre la ligne fine, brisée, délimitant le corps éthérique de cette structure et les fuites d'énergie aux articulations. Sa couleur est généralement d'un bleu très pâle. La couche suivante et le corps mental paraissent, par endroits, étroitement comprimés, comme gelés, à d'autres endroits mouvants mais erratiques. Le déséquilibre énergétique sévit tant à droite qu'à gauche, à l'avant comme à l'arrière du corps. Le champ est généralement plus brillant, plus chargé d'énergie d'un côté de la tête et à l'arrière du crâne. Les corps spirituels d'un schizoïde sont généralement épais et de nombreuses couleurs brillent intensément dans la sixième couche de l'aura (le corps céleste). Le contour de l'ovale (la couche du moule kéthérique), souvent très brillant, tire davantage sur l'argent que sur l'or. Cette couche, peu développée, aux frontières diffuses, se rétrécit aux pieds, comme un cône renversé. Cela indique généralement une faiblesse des membres inférieurs.

Le déséquilibre de l'aura, constaté dans les trois corps inférieurs, apparaît aussi dans les chakras d'un schizoïde n'ayant pas entrepris de travail sur lui-même. De nombreux chakras tournent à contresens et envoient plus d'énergie à l'extérieur qu'ils n'en soutirent. Les dérèglements des chakras correspondent très exactement aux structures nécessitant une transformation. Les chakras qui tournent dans le bon sens se révèlent le plus souvent asymétriques, autant dire qu'ils ne fonctionnent pas non plus de façon harmonieuse bien qu'ils soient ouverts. Le flux d'énergie se répartit inégalement d'une partie du chakra à l'autre. Ce déséquilibre, en général latéral, peut provoquer un afflux d'énergie à la droite du chakra et léser la gauche. Le patient tend alors à déployer une grande activité, à devenir plus agressif que réceptif dans le secteur de sa vie régi par ce chakra. Cette asymétrie, décrite au chapitre 10, se traduit par l'alternance entre l'activité et la réceptivité et par un mouvement elliptique ou en diagonale du pendule. Elle apparaît aux yeux d'un clairvoyant telle que le montre la figure 13-4.

Les chakras généralement ouverts sont les suivants : la partie arrière du centre sexuel (deuxième chakra), celui du plexus solaire (troisième chakra), celui du front (sixième chakra) et celui de la couronne (septième chakra). Les sixième et septième centres, associés au mental et à la spiritualité, exercent généralement une forte influence sur la vie de ce type d'homme ou de femme, qui s'appuie aussi beaucoup sur la volonté (deuxième chakra). Ces configurations variables se modifient au cours du travail de transformation personnelle. Lorsqu'un être s'ouvre à l'existence dans la troisième dimension en acceptant de vivre dans le monde physique, les chakras auparavant fermés s'ouvrent assez rapidement. En général, au début du traitement, l'arrière du centre sexuel est fermé.

Les intensités de brillance de l'énergie active dans la zone du cerveau sont indiquées au bas de la figure 13-4. La région occipitale, ou postérieure, brille davantage que celle du front. Le chakra le plus actif après celui-ci, le troisième œil et la région du troisième ventricule cérébral sont connectés par un pont lumineux. Les lobes temporaux, associés au langage, viennent ensuite. De larges régions cervicales semblent ne déployer qu'une faible activité.

La faible énergie de la zone frontale se traduit par l'air absent, vide, souvent observé chez le schizoïde. Il dirige son énergie au sommet de l'épine dorsale, la laisse échapper dans la région occipitale, à l'arrière de la tête où elle s'accumule. Par ce moyen, il évite le contact « ici et maintenant » avec le plan physique.

Les systèmes de défense favoris du schizoïde sont ceux du porc-épic, du retrait et du refuge à côté de lui-même, tels qu'ils sont décrits au chapitre 12 – (fig. 12-3). Mais quelle que soit sa structure de base, tout individu peut employer toutes sortes de moyens de défense, en fonction des circonstances.

Le moi supérieur et la tâche de vie d'un schizoïde

Le processus évolutif exige une grande honnêteté à l'égard du moi et de ses imperfections. En revanche, il est malsain de s'apesantir trop longtemps sur ses aspects négatifs. L'attention portée aux traits de caractère à transformer doit être équilibrée, l'objectif à atteindre consistant avant tout à découvrir la nature du moi supérieur, à l'encourager à se manifester et à s'affirmer.

Les individus de type schizoïde, ou ceux qui en possèdent certains traits marquants, sont généralement enclins à la spiritualité. Ils manifestent un sens aigu des desseins profonds de la vie et tentent très souvent d'opposer la réalité spirituelle à la vie mondaine de leur entourage. Capables d'avoir des idées très créatives, dotés de talents multiples, ils font penser à de belles demeures aux chambres luxueuses, décorées avec goût, s'inspi-

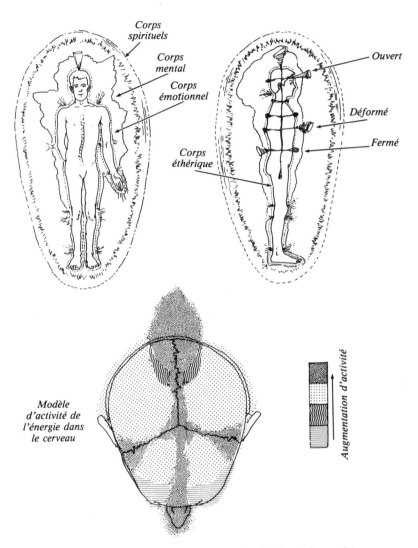

Corps
spirituels

Corps
mental

Corps
émotionnel

Corps
éthérique

Ouvert

Déformé

Fermé

Modèle
d'activité de
l'énergie dans
le cerveau

Augmentation d'activité

Fig.13 – 4: L'aura du caractère schizoïde (planche de diagnostic)

rant chacune d'un style, d'une culture ou d'une époque différente. Chaque pièce, élégante en soi, doit sa perfection aux
nombreuses existences vécues par le schizoïde, qui lui ont permis
de développer ce large éventail de talents (dont témoigne la
décoration des chambres). Mais aucune ne communique avec
l'autre. C'est le nœud même du problème... Pour aller de l'une
à l'autre, le schizoïde doit enjamber l'appui de la fenêtre,
descendre une échelle, en remonter une autre et passer par la
fenêtre de la chambre voisine. Pas très commode, n'est-ce pas ?
Pour intégrer son être, il va devoir percer des portes afin de
communiquer facilement avec tous les aspects de lui-même.

La plupart du temps, la tâche personnelle de cette structure
est de faire face à sa peur et à sa rage secrète qui bloquent son
aptitude à concrétiser sa créativité débordante. Ses sentiments
l'isolent réellement des autres facettes de sa personnalité. Il a
peur du pouvoir qui pourrait résulter de la réunion de tous ses
dons créatifs. Il devra donc manifester sa spiritualité dans le
monde de la matière, afin qu'elle se matérialise à travers sa
créativité. Il pourrait se mettre à écrire, devenir inventeur, aider
les autres, etc. Ces options individuelles ne peuvent, à l'évidence,
être généralisées.

La structure orale

La structure orale s'organise lorsque l'enfant interrompt le
cours normal de son développement au stade oral de peur d'être
abandonné. Dès son bas âge, il ressent la perte de sa mère,
peut-être morte, malade ou éloignée. Ou bien elle donne, mais
pas assez. Très souvent, elle « fait semblant », ou donne à
contre-cœur. Il compense alors cette perte en s'autonomisant, en
se voulant indépendant. Il marche et parle précocement, mais
sa réceptivité devient confuse. Il craint de demander ce dont il
a réellement besoin, tant il est certain de ne pouvoir l'obtenir.
Ces sensations de besoin, cette demande de sollicitude mater-
nelle génèrent une dépendance, une tendance à l'attachement
opiniâtre et un déclin de la combativité. Il compense en
affectant un comportement indépendant, mais succombe au
moindre stress. Sa réceptivité se transforme alors en passivité
pitoyable, en agressivité et en avidité.

Une personne dotée d'une structure orale est fondamentale-
ment affamée, se sent vide, creuse, refuse toute responsabilité. Le
corps peu développé, les muscles affaissés, fuselés et flasques
s'effondrent de faiblesse. Elle semble immature. La poitrine est

creuse, le souffle court, mais les yeux pompent votre énergie. En termes de psychodynamique, un tel être se cramponne aux autres de peur d'être abandonné ; il ne peut supporter la solitude, vit en manifestant un besoin abusif de la chaleur et du soutien de son entourage, tente de les obtenir de l'extérieur afin de compenser l'effrayante sensation de vide intérieur. Le type oral refoule ses sentiments de désir intense ainsi que son agressivité. Sa rage d'avoir été abandonné est contenue. Sa sexualité se met au service de sa quête d'intimité et de contacts chaleureux.

Il endure de nombreuses déceptions, subit beaucoup de rejets, devient amer et sent que, quoi qu'il fasse, il n'en retirera jamais assez. Il ne peut jamais obtenir satisfaction, bien évidemment, étant donné qu'il s'efforce de combler un affolant et lancinant désir intérieur qu'il dénie en le compensant par des leurres. Tout ce qu'il veut, c'est être gavé. Ses interactions s'expriment par le truchement de questions indirectes, incitant son interlocuteur à le materner. Cette nourriture, insuffisante pour un adulte, ne le comble évidemment pas, puisqu'il n'est plus un enfant.

Lorsque ce type de patient se présente en thérapie, il se plaint généralement de sa passivité, de sa fatigue et demande au traitement de lui apporter de quoi nourrir sa vie. Mais il croit risquer l'abandon, ou la simulation d'autrui, s'il demande à satisfaire ce besoin. Sa curieuse démarche négative est donc la suivante : « Je vous obligerai bien à me donner ce que je veux ! », pour enchaîner aussitôt sur : « Je n'en ai nul besoin. » Cette situation crée un double conflit : « Si je le demande, l'amour ne sera pas spontané ; mais si je ne demande rien, je n'obtiendrai rien. » Pour résoudre son problème, il doit découvrir ses besoins, en prendre possession et apprendre à vivre sa vie de manière à les satisfaire. Autrement dit, il a besoin d'apprendre à tenir tout seul.

La première couche de la personnalité se présentant en thérapie sera le masque. Celui qui dit : « Je n'ai aucun besoin de toi » ou « Je n'ai rien à te demander. » Après un travail d'investigation en profondeur, apparaît le moi inférieur qui dit : « Prends soin de moi. » Puis lorsque débute la phase de résolution du problème, le moi supérieur émerge dans la personnalité et déclare enfin : « C'est bon, je suis comblé. »

Le champ d'énergie de la structure orale

Le champ de la structure orale (fig. 13-5) est souvent tranquille, parce qu'épuisé. La majeure partie de l'énergie siège dans la tête. Le corps éthérique, d'un bleu pâle, se teint étroitement accolé à la peau. Le corps émotionnel, tout aussi rapproché et sans plus de couleur, paraît généralement de piètre qualité. Le corps mental, d'un jaune brillant, domine en couleur les niveaux supérieurs de l'aura, peu éclatants. L'ovale extérieur (la septième couche), terne, incomplètement expansé et étriqué aux pieds, se teinte d'une couleur argent-doré, tirant davantage sur l'argent que sur l'or.

La plupart des chakras d'une personne orale peu avancée dans son processus thérapeutique peuvent être fermés ou dépourvus d'énergie. Les centres frontal et coronal, très fréquemment ouverts, témoignent en faveur de sa clarté mentale et spirituelle. Si le travail personnel d'évolution est en bonne voie, l'aspect frontal du centre sexuel peut s'ouvrir aussi. La sexualité intéresse incontestablement les personnes de ce type qui ressentent assez rapidement des sensations dans cette zone.

L'activité du champ d'énergie, au niveau de la tête, représentée au bas de la figure 13-5, montre la majeure partie de l'énergie localisée dans les lobes frontaux et temporaux, alors que l'énergie plus faible se trouve à l'arrière de la tête, dans la zone occipitale. Le caractère oral se centre donc sur l'acitivté intellectuelle et verbale, au détriment de l'activité physique.

Les mécanismes de défense relèvent du déni verbal, de la succion orale, accompagnés à l'occasion de piques verbales visant à capter l'attention plutôt qu'à provoquer la colère, contrairement à celles que décocherait une personne d'une structure masochiste, comme je le démontre au chapitre 12.

La tâche de vie et le moi supérieur de la structure orale

Le caractère oral doit apprendre à se fier à l'abondance de l'univers et à inverser le processus d'avidité. Il a besoin de donner, d'abandonner son rôle de victime et de reconnaître ce dont il a réellement besoin. Il lui faut affronter sa peur de la solitude, pénétrer au plus profond de son vide intérieur et découvrir qu'il est associé à la vie. Lorsqu'il parvient à définir ses propres besoins, à se tenir debout tout seul, il peut alors dire : « Ça va, j'ai ce qu'il me faut » et ouvrir le passage au flux d'énergie du cœur. Le paysage intérieur du caractère oral peut se comparer à un excellent instrument de musique, à un stradivarius. Il a besoin d'accorder très finement son instrument pour composer sa propre mélodie. Lorsqu'il parvient à jouer cette musique unique dans la symphonie de la vie, il est comblé.

Les caractères oraux dont le moi supérieur se libère peuvent faire très bon usage de leur intelligence, la mettre au service d'un travail créatif, artistique ou scientifique. Ils deviennent des enseignants spontanés, car tout les intéresse au plus haut point. Ils connectent toujours leur savoir à l'amour en provenance directe du cœur.

La structure déplacée ou psychopathe

Une personne à la structure déplacée a expérimenté la séduction secrète d'un parent du sexe opposé ayant voulu obtenir quelque chose d'elle. Le psychopathe entretient avec ses parents une relation de triangulation. Il a eu du mal à obtenir le soutien du parent de son sexe et s'est rallié à celui du sexe opposé. Ne pouvant davantage en obtenir ce qu'il désirait, il s'est senti trahi. Il compense alors en manipulant ce parent.

Il réagit à cette situation en essayant de manipuler les autres chaque fois qu'il le peut. Pour arriver à ses fins, il doit se contenir, mentir au besoin. Il veut être soutenu et encouragé. Mais, dans son interaction avec les autres, la manipulation directe, autoritaire, du type « tu devrais... » incite à la soumission, non pas au soutien.

L'aspect négatif de cette structure se manifeste par une volonté de pouvoir immodérée et le besoin de dominer les autres. Pour les contrôler, le psychopathe dispose de deux moyens : l'intimidation et l'abus de pouvoir, ou le travail de sape par la séduction. Sa sexualité est souvent hostile et accompagnée d'une multitude de fantasmes. Il s'investit dans une image idéalisée de lui-même, hautement supérieure et méprisante, recouvrant en réalité un profond complexe d'infériorité.

Il arrive en thérapie avec un sentiment de défaite. Or, il veut gagner. Mais demander de l'aide équivaut, croit-il, à une défaite. Son dessein négatif se traduit ainsi : « Que ma volonté soit faite. » Ce qui mène au conflit suivant : « J'ai raison ou je meurs. » Pour résoudre ce problème en psychothérapie, il devra apprendre la confiance.

En début de travail, la première couche de la personnalité que l'on rencontre est le masque qui déclare : « J'ai raison, donc vous avez tort. » Après un sondage plus profond, le moi inférieur dira : « Je vais arriver à vous contrôler. » À l'heure de la résolution du problème, le moi supérieur de la personnalité émerge et déclare : « Je me soumets. Je n'ai plus envie de résister. »

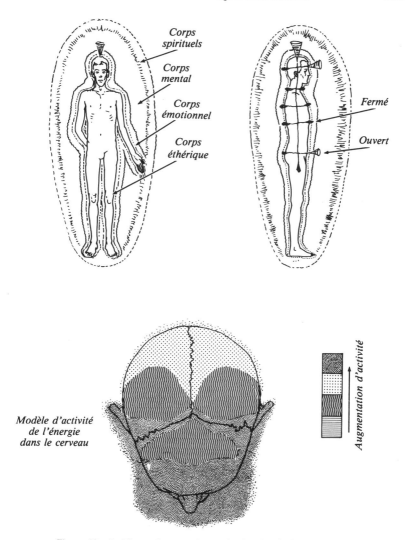

Figure 13 – 5: L'aura du caractère oral (planche de diagnostic)

La partie supérieure du corps aurique semble bouffie et le flux est interrompu entre le haut et le bas. La région pelvienne est déchargée d'énergie, froide et étroitement comprimée. Une forte tension règne dans les épaules, la base du crâne et les yeux. Les jambes sont faibles. La personne n'est pas enracinée à la terre.

La structure psychopathe se bat contre sa peur de l'échec et de la faillite. Déchirée entre sa dépendance envers les autres et son besoin de les contrôler, elle a peur d'être manipulée, utilisée, victime, ce qui serait pour elle la pire des humiliations. Sa sexualité est affaire de pouvoir. Le plaisir de la conquête est secondaire. Elle s'efforce avant tout de cacher ses besoins, préférant amener son entourage à avoir besoin d'elle.

Le champ d'énergie de la structure psychopathe

L'énergie hyperactive, localisée à la partie supérieure du corps, s'effondre à la partie inférieure à tous les niveaux auriques. La forme ovoïde d'une structure déplacée présente la même distorsion. La couche éthérique diminue d'épaisseur aux pieds où elle prend un ton bleu plus foncé que celui de la structure schizoïde ou orale. Le corps émotionnel est également plus plein vers le haut du corps. Le corps mental, plus protubérant à l'avant du corps qu'à l'arrière, paraît faire saillie au niveau du centre de la volonté, situé entre les omoplates, généralement fort développées. Les couches auriques suivantes sont aussi plus épaisses et brillantes à la moitié supérieure du corps.

Dans la configuration des chakras d'une structure psychopathe, le centre de la volonté entre les omoplates, extrêmement large, semble surmené. Le centre frontal et le centre coronal sont ouverts. La plupart des autres sont fermés, en particulier ceux de la sensation. L'aspect arrière du centre sexuel peut être partiellement ouvert. Une personne possédant ce type de structure fonctionne donc essentiellement par l'énergie du mental et de la volonté.

L'activité de l'énergie dans le cerveau se montre intense et brillante dans les lobes frontaux, puis décroît à l'arrière de la tête, où elle semble être très tranquille, d'une couleur plutôt sombre, en général, dans la zone occipitale. Ce qui implique que ce type de personne s'intéresse essentiellement aux quêtes intellectuelles et non aux activités corporelles, à moins qu'elles servent la volonté active. L'intellect se met donc au service de la volonté.

Le psychopathe se sert de ses puissants lobes frontaux pour projeter des arcs d'énergie vers la tête de son interlocuteur, afin de le maintenir sous l'emprise mentale de son type de défense. Il peut aussi s'engager dans un déni verbal, exploser d'une colère volcanique comparable à celle du système de défense hystérique. Mais son énergie contrôlée, équilibrée ne comporte pas la même sorte de chaos.

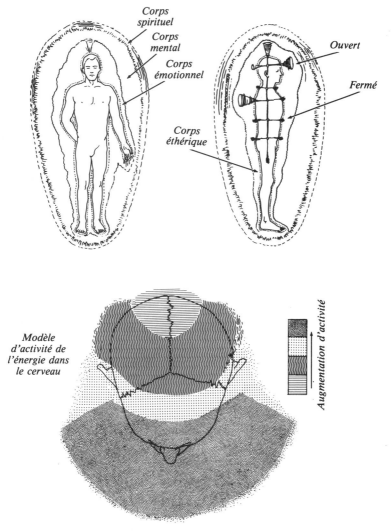

Fig.13 – 6: L'aura du caractère psychopathe (planche de diagnostic)

La tâche de vie et le moi supérieur du psychopathe

Le psychopathe doit passer par une abdication sincère afin de dégonfler la partie supérieure de son champ, renoncer à sa tendance à contrôler les autres, s'abandonner à son être plus profond et à ses sensations sexuelles. Cette tâche accomplie, il peut alors accéder à son désir de vivre dans la réalité, d'établir des contacts amicaux, de se sentir un être humain.

Le paysage intérieur du caractère psychopathe fourmille de fantasmes et d'aventures liées à l'honneur. Là, ceux qui gagnent sont les plus sincères et honnêtes. Le monde tourne autour de valeurs nobles. Tous les hommes aiment la persévérance et la vertu. S'il désire ardemment offrir ces valeurs à son environnement physique, à son monde réel, le psychopathe y parviendra un jour ou l'autre.

Lorsque les énergies de son moi supérieur se libèrent, il devient scrupuleusement honnête et d'une grande intégrité. Son intellect hautement développé peut servir à résoudre des différends, à aider les autres à trouver leur vérité. Son honnêteté les guide vers la leur. Il excelle dans l'aboutissement de projets complexes et son grand cœur est plein d'amour.

La structure masochiste

L'amour prodigué à une personnalité masochiste dans sa petite enfance est conditionnel. Sa mère dominatrice exigea d'elle des sacrifices, étendit sa domination à sa nourriture et à ses excréments. L'enfant fut culpabilisé chaque fois qu'il tenta de s'affirmer ou de se proclamer libre. Tous ses efforts de résistance à cette énorme pression furent écrasés. Piégé, vaincu, humilié, il réagit à cette situation en refoulant ses sentiments et sa créativité. La structure masochiste, en fait, tente de tout refouler, ce qui la conduit à la colère et à la haine. Elle réclame son indépendance, mais dans ses interactions, use de formules polies proférées d'un ton dégoûté et geignard afin de manipuler indirectement les autres. S'ils se moquent d'elle, leurs taquineries l'autorisent alors à se mettre en colère. Elle l'était déjà. Mais à présent on lui a donné le droit d'exprimer cette colère. Elle est prise dans un cycle qui la maintient dans la dépendance.

L'aspect négatif de cette structure fait qu'une telle personne souffre, gémit et se plaint, paraît soumise de l'extérieur, mais ne l'est jamais réellement. Elle refoule et bloque de puissants sentiments de dépit, de négativité, de supériorité et de peur, explose en violentes colères. Un individu de ce type peut être impuissant et manifester beaucoup d'intérêt pour la pornographie. La femme, en général, ne ressent pas d'orgasme et vit sa sexualité comme une activité malpropre.

Le masochiste arrive en thérapie en état de tension. Il souhaite s'en libérer, mais croit, inconsciemment, qu'en s'autorisant à admettre ce que cette tension recouvre, il sera contraint à la soumission et à l'humiliation. Son intention négative inconsciente est donc de rester bloqué et « d'adorer » cette négativité. Ce qui installe le conflit suivant : « Si je libère ma colère, c'est

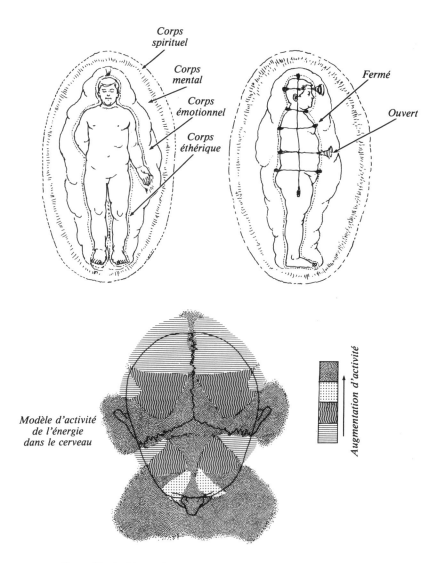

Figure 13 – 7: L'aura du caractère masochiste (planche de diagnostic)

l'humiliation assurée ; mais si je ne la libère pas, c'est humiliant aussi. » Pour résoudre ce problème en thérapie, il doit être amené à se montrer plus péremptoire, à se sentir libre et à s'ouvrir à sa connexion spirituelle.

La première couche de sa personnalité qui apparaît est le masque qui dit : « Je me tuerai [blesserai] avant que vous ayez l'occasion de me tuer [blesser]. » Après un travail d'exploration de son paysage intérieur, son moi inférieur reprend conscience et décrète : « Je vais vous vexer, vous provoquer. » Cette réaction peut éventuellement libérer le moi supérieur, qui réglera le problème en proclamant : « Je suis libre maintenant. »

D'aspect physique lourd, ramassé, ses muscles trop développés se raccourcissent encore au cou et à la taille. De fortes tensions s'exercent sur le cou, la mâchoire, la gorge et sur le bassin fortement comprimé. Ses fesses sont froides, l'énergie s'étouffe dans la région de la gorge et repousse la tête en avant. Sa psychodynamique révèle son enfermement. Enlisé dans un marécage, il se plaint, refoule ses sentiments, se livre à la provocation. Si elle opère bien, il tient son excuse pour exploser. Inconscient de sa provocation, il pense avoir tout fait pour plaire.

Le champ d'énergie d'une structure masochiste

La majeure partie de l'énergie, intériorisée, bouillonne néanmoins à l'intérieur. La structure du champ masochiste (fig. 13-7), pleinement expansée, présente un corps éthérique dense et brut, assombri de gris plus que de bleu. Le corps émotionnel, plein et multicolore se répartit très uniformément, comme le précédent. Le corps mental, étendu, brille également à la partie inférieure. L'intellect et les émotions s'intègrent mieux. Le corps céleste, lumineux autour du corps, irradie des tons mauves, bruns et bleus. L'ovale, pleinement développé, un peu surchargé vers le bas, d'une couleur d'or sombre, est plus proche de l'ellipse que de l'œuf. Son bord extérieur, fermement défini, semble à la fois épais et distendu.

Chez le masochiste, les chakras généralement ouverts avant le début de la thérapie sont les suivants : celui du front et du plexus solaire. Le centre sexuel arrière fonctionne parfois aussi partiellement. Il obéit donc aux aspects mentaux, émotionnels et volontaires de sa personnalité. Le modèle d'énergie en activité dans son cerveau montre qu'elle se concentre dans les zones frontale, pariétale et ventriculaire, s'étend à une petite région centrale de l'occiput, entourée d'un terrain moins actif. Les systèmes de défense couramment employés par le masochiste sont le silence d'une morosité manifeste, les tentacules et les flèches verbales.

La tâche de vie et le moi supérieur du masochiste

Le masochiste a besoin, pour laver son humiliation, de libérer son agressivité, de l'exprimer activement quand il en a envie, comme il lui convient.

Son paysage intérieur semble tissé de filigranes d'or et d'argent. Sa force créative s'exprime en formes délicates, harmonieusement entremêlées, dotées chacune d'un trait personnel dont chaque nuance à son importance. Lorsque cette créativité

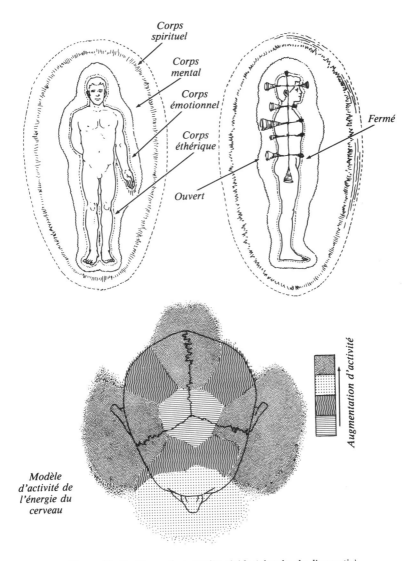

Figure 13 – 8: L'aura du caractère rigide (planche de diagnostic)

fortement développée voit le jour, elle impressionne tout le monde.

Les énergies de son moi supérieur se montrant pleines de considération pour autrui, c'est un négociateur né doté d'un grand cœur. Très coopératif, il a beaucoup d'énergie et de compréhension à donner. Bien que profondément compatissant, il demeure néanmoins ludique et apte au bonheur, à l'invention de jeux créatifs, à la fantaisie. Sa tâche consiste donc à épanouir tous ces dons et à exceller dans tout ce qu'il entreprend.

La structure rigide

Le caractère rigide a vécu le rejet du parent du sexe opposé. L'enfant l'a éprouvé comme une trahison amoureuse, car en lui le plaisir érotique, la sexualité, l'amour se confondent. Pour compenser ce rejet, il décide alors de contrôler tous les sentiments impliqués dans l'affaire, la douleur, la rage tout comme les bons sentiments. Du coup, il les refoule avec acharnement. S'y abandonner serait pour lui épouvantable, reviendrait à les réactiver. Craignant de satisfaire sa demande en direct, il manipule pour arriver à ses fins. L'orgueil s'associe à l'amour. Un rejet sexuel blesse tragiquement sa vanité à vif.

Au point de vue psychodynamique, une personne rigide refoule ses sentiments et inhibe ses actions de crainte de passer pour folle. Toutefois son vernis social lui permet souvent de donner le change. Bien introduite dans tous les milieux, ambitieuse, d'une compétitivité agressive, elle postule d'emblée : « Je suis supérieure. Je sais tout. » Intérieurement, elle éprouve la peur profonde d'une trahison et s'interdit la moindre vulnérabilité tant elle a peur de souffrir.

Un être rigide marche tête haute, le dos raide, avec morgue et dédain. À l'extérieur, il se contrôle au plus haut point, s'identifie le plus possible à la réalité physique. Cette position forte de son ego lui sert d'excuse, le préserve de tout abandon. Il redoute le moindre processus intérieur involontaire échappant au contrôle de l'ego. Le moi profond s'emmure pour se protéger contre tout déferlement de sentiments provenant du monde intérieur comme de l'environnement. Sa sexualité est condescendante, dominatrice mais dépourvue de véritable amour.

En refoulant ses sentiments, il ne fait que renforcer un peu plus son monumental orgueil. Il exige des autres de l'amour, l'épanouissement sexuel, mais dans ses interactions ne se risque pas à franchir les limites de la séduction de peur de s'engager. Ce qui le conduit à la compétition donjuanesque mais certainement pas à l'amour. Son orgueil alors blessé aiguillonne davantage encore sa compétitivité. Victime de ce cercle vicieux, il n'obtient jamais ce qu'il veut et se vit en éternel frustré.

Quand il se présente en thérapie (lorsqu'il s'y résigne), il se plaint de ne pouvoir manifester aucun sentiment. Il aimerait s'épancher, mais redoute trop un retour de bâton. Son option négative consiste donc à dire : « Je ne me laisserai jamais aller, c'est trop dangereux. » Pour lui, le sexe passe avant l'amour. Mais la satisfaction des besoins purement physiques ne le satisfait guère et il arrive rapidement à la prise de conscience suivante, qui représente déjà un important pas en avant : « Je tourne en rond dans un système sans issue. » S'abandonner aux sentiments implique la souffrance. Mais s'enfermer dans son orgueil interdit tout sentiment. En thérapie, pour résoudre ce dilemme, il va devoir établir la connexion entre son cœur et ses organes sexuels.

Au début du traitement, le masque renâclera et dira : « Tout ça est bien gentil, mais... » Par la suite, le moi inférieur émergera au niveau du conscient pour affirmer : « Non, je ne t'aimerai pas, c'est trop risqué. » Puis à l'issue d'un travail sur le corps, le moi supérieur tranche dans le vif et déclare : « Je me rends. J'ai envie d'aimer. » Le corps est harmonieux, proportionné, relativement bien intégré et chargé d'énergie. On peut y trouver deux sortes de tampons, le blindage, disposé en plaques sur le corps comme une armure, ou la cotte de mailles, recouvrant le corps d'une résille de chaînes entremêlées. Le bassin, souvent froid et contracté, est basculé vers l'arrière.

Le champ d'énergie de la structure rigide

L'énergie la plus active rayonne sur la périphérie du champ, loin du cœur. Facile à repérer, en général très belle à voir, elle se distingue par son équilibre, son intégration dans l'aura, son brillant intense, l'uniformité de sa répartition dans le corps et au-delà. Le champ éthérique d'un gris bleuté, s'étale uniformément, large, épais, parfois un peu granuleux. Le corps émotionnel, bien distribué et expansé, est le plus souvent d'un calme étale. Si la personne observée n'a encore pas travaillé à s'ouvrir à ses sensations et à ses émotions, il peut être moins coloré que les autres et plus large dans le dos, où tous les chakras sont ouverts. Le corps mental, bien développé, brille plus que le corps céleste, indiquant que cette personne s'est peu ouverte à l'amour et à la spiritualité. L'œuf du gabarit éthérique ou causal, robuste et élastique, très bien formé, brille de multiples couleurs très lumineuses à prédominance dorées plus qu'argentées.

Les chakras du type rigide, probablement ouverts avant même d'entamer le processus thérapeutique, sont celui de la volonté, à l'arrière du corps, ainsi que les chakras sexuel et mental. La couronne ou le plexus solaire peuvent être entrouverts ou franchement fermés. Sous l'action de la thérapie, une personne rigide dont les centres frontaux commencent à s'ouvrir s'ouvre en même temps à ses sentiments et à ses émotions.

Le cerveau présente une activité intense sur les côtés et dans la région centrale postérieure. Dans certains cas, les lobes frontaux sont également actifs, en fonction du secteur de sa vie sur lequel le patient décide de porter ses efforts. S'il s'agit de quêtes intellectuelles, la zone frontale sera alors extrêmement active, brillante. Si tel n'est pas le cas, elle occupera la deuxième place des zones hyperactives. J'ai observé qu'au cas où le patient cherche à se perfectionner dans le domaine des arts, que ce soit la peinture, la musique, ou tout autre forme d'activité créatrice, les lobes latéraux deviennent les plus lumineux. À mesure que la psychothérapie progresse, j'ai également constaté que le champ d'activité de mes patients s'expansait, devenait plus lumineux, mieux équilibré dans les zones latérales, frontale et occipitale. Des ponts commencent à se former dans la tête, en forme de croix, si on les observe d'en haut. Lorsque le sujet commence à développer sa spiritualité, en fait l'expérience en méditation, par exemple, une activité croissante, souvent intense, se remarque dans la zone centrale du cerveau.

Les systèmes de défense les plus employés par une personne rigide consistent en un étalement, à la limite caricatural, de volonté de puissance, le maintien à distance des autres, la retenue des sensations et des émotions, parfois accompagnée d'hystérie (fig. 13-3, p. 191).

La tâche de vie et le moi supérieur du type rigide

Un être rigide a besoin d'ouvrir ses centres sensitifs et de permettre à ses sentiments de s'épancher librement à la vue de tous. Ces sentiments, quels qu'ils soient, il doit les partager avec son entourage. Ce qui permet aux énergies de s'écouler dans le cœur et hors du cœur et libère l'unicité du moi supérieur.

Le paysage intérieur du type rigide est fait d'aventure, de passion et d'amour. C'est dans ce type que se rencontrent les champions toutes catégories de l'amour romantique. Tel Icare, l'homme ou la femme rigide a besoin de s'envoler vers le soleil. Comme Moïse conduisant son peuple vers la Terre promise, il ou elle motivera les autres par son amour et sa passion pour la vie, deviendra un meneur spontané dans presque toutes les professions qu'il choisira d'exercer. Les gens de cette structure deviennent assez vite capables d'établir un profond contact avec les autres, de tenir leur rang dans l'univers et d'apprécier pleinement la vie sous tous ses aspects.

Lorsque vous soignerez un patient, quel qu'il soit, vous devrez repérer le plus rapidement possible la structure générale de son caractère. Cette approche aide le magnétiseur à déterminer les traitements spécifiques convenant à chacun, et renforce considérablement leur efficacité. Il importe de tenir compte de la relation qu'entretient chaque individu avec ses frontières. Une structure schizoïde doit identifier et renforcer les siennes, affermir sa réalité spirituelle. Le haut sens de perception est en l'occurrence éminemment secourable. L'aura d'un schizoïde a besoin d'être rechargée, d'accord, mais cela ne suffit pas : le patient doit apprendre comment retenir une charge et colmater ses fuites d'énergie. L'aura du caractère oral doit aussi se recharger, les chakras s'ouvrir, les frontières se fortifier. Il faut expliquer au malade comment on se sent lorsqu'ils s'ouvrent, afin qu'il puisse apprendre à les garder ouverts au moyen d'exercices et de méditations appropriés. Le type oral nécessite beaucoup de contact corporel. Une structure déplacée doit être rechargée à la partie inférieure de son champ, les chakras inférieurs s'ouvrir. Le sujet doit apprendre à vivre davantage par le cœur que par la volonté car la tendresse joue un grand rôle dans les pulsions sexuelles de ce type de structure. Le second chakra doit être traité avec sollicitude, compréhension et acceptation. Le praticien doit se montrer très sensitif et prudent lorsqu'il touche à la partie inférieure du corps. Une personne au champ d'énergie masochiste a besoin de mettre en mouvement et de libérer toutes ses énergies bloquées. Mais ses frontières doivent être impérativement respectées. Ne la touchez jamais sans sa permission. Plus elle peut se soigner elle-même, mieux et plus vite elle guérira. Sa guérison dépend toujours de sa créativité cachée, refoulée, qu'elle doit mettre au jour et exprimer. L'aura d'un patient rigide doit être assouplie. Ce type de personne a besoin d'ouvrir son chakra du cœur pour se connecter à l'amour. La deuxième couche exige une réactivation, afin que le praticien puisse amener peu à peu cette activité au niveau du conscient et que le patient puisse ressentir brièvement les sentiments qui l'accompagnent. Les noyaux énergétiques les plus profonds s'atteignent par l'imposition des mains. Il importe avant tout que vous acceptiez avec amour et respect la personnalité de votre patient lorsque vous poserez vos mains sur son corps. À mon avis, il est impossible de faire du bon travail avec un homme ou une femme envers lequel on éprouve une antipathie irraisonnée. Quand je sens que « ça ne colle pas », je n'insiste jamais et aiguille ce patient vers un confrère qui me paraît mieux adapté pour traiter efficacement son cas.

Au-delà de la structure caractérielle

L'aura change d'aspect à mesure qu'une personne travaille sur elle-même, ce qui est bien compréhensible puisque sa psychodynamique physique et spirituelle se transforme en profondeur. Elle s'équilibre. Les chakras s'ouvrent de plus en plus. Les images, les concepts erronés de sa problématique intérieure, de son système de croyance négatif s'éclaircissent. Le champ acquiert alors plus de légèreté, devient moins stagnant. Des énergies plus subtiles l'assouplissent, le fluidifient. La créativité s'accroît à mesure que le métabolisme énergétique se libère des bouchons qui entravaient son bon fonctionnnement. Le champ prend une extension souvent spectaculaire. De profonds changements surviennent alors, dans le comportement, bien sûr, mais également dans l'aspect du corps.

Dans de nombreux cas, un beau point lumineux d'un ton argent doré, au centre de la tête, grossit jusqu'à devenir une boule de lumière scintillante. Ce noyau lumineux sert à développer le corps céleste qui, agissant à la manière d'un relais radiophonique, commence à capter par ses antennes une réalité située au-delà du monde physique, donc puissamment interactive. Cette lumière semble siéger à la racine du chakra coronal, dans la région de la glande pituitaire et de la glande pinéale. À mesure que le corps mental se charge en énergie, étend son champ et devient plus lumineux, les facultés extra-sensorielles se développent. Le mode d'existence, auparavant rétréci, se transforme en échange naturel de flux d'énergie avec le cosmos. Nous commençons alors à nous voir comme un aspect de l'Univers, un aspect unique bien que totalement intégré à sa totalité. Notre corps devient un convertisseur d'énergies. Il puise celle de son environnement, la décompose, la transforme, la synthétise pour la restituer ensuite à l'Univers dans un état spirituel supérieur. Nous sommes donc tous des transformateurs vivants d'énergies cosmiques. Ces énergies possédant une conscience, c'est cette conscience que nous transformons au cours du processus. Nous spiritualisons réellement la matière.

La structure caractérielle et la tâche de vie

Chaque structure de caractère représente un modèle bien précis de transformateur. Simplement, quel que soit le modèle ou la marque, ce malheureux appareil tousse, crachouille, a des ratés et tombe en panne au moment précis où on aurait le plus besoin de lui. Nous commençons par bloquer l'énergie qui stagne, se coagule, ce qui ralentit évidemment son flux naturel. Nous en arrivons là en raison de nos croyances négatives. Nous vivons forcément en dehors de la réalité, puisque nous réagissons en fonction de l'idée que nous nous faisons de l'Univers et non en fonction de ce qu'il est réellement. Un tel comportement ne peut donner de bons résultats bien longtemps. En agissant ainsi, nous nous créons une vie de souffrance et, tôt ou tard, nous captons un message, le plus souvent des séries insistantes de messages, nous confirmant que nous sommes dans l'erreur. Nous réparons alors nos sytèmes d'énergie pour soulager la douleur. Nous les « décrassons » littéralement par les exercices appropriés, soutenus par un travail analytique suivi et persévérant. En effectuant ce travail de déblayage des croyances personnelles négatives, nous affectons de surcroît notre entourage en l'irradiant de nouvelles vibrations positives. Ce qui démontre bien que nous transformons l'énergie. En nous libérant de nos blocages, de nos tampons et autres nœuds de tension, nous accomplissons notre tâche personnelle, et nous libérons en prime l'énergie nécessaire pour faire ce que nous désirons accomplir dans la vie depuis toujours. Ce désir ardent remontant à l'enfance, ce rêve secret, représente la tâche de votre vie, le but auquel vous aspirez plus qu'à tout autre. C'est pour l'atteindre que vous êtes venus en ce monde. En vous libérant de vos blocages et de vos inhibitions, vous frayez votre route menant à la réalisation de votre plus profond désir. Laissez votre désir vous guider. Suivez-le avec confiance. Il vous mènera au bonheur.

Vous avez assigné à votre corps et à vos circuits d'énergies le rôle d'outils, afin d'exécuter la tâche de votre vie. Ils sont faits d'une combinaison d'énergies conscientes convenant au mieux au travail que vous devez accomplir, c'est-à-dire celui pour lequel vous vous êtes incarné. Vous êtes le seul à posséder cette combinaison d'énergies et personne ne peut faire exactement la même chose que vous. Vous êtes unique. Comme chacun de nous est unique. Lorsque vous bloquez les flux d'énergie dans vos circuits, c'est tout l'ensemble de ce merveilleux système qui a été créé pour mener à bien votre tâche que vous bloquez, empêchant ainsi ou retardant considérablement votre accomplissement ici-bas. Or, nous l'avons vu, ces blocages ne sont jamais isolés. Ils sont au contraire remarquablement – on a envie de dire machiavéliquement – organisés en colonies, en essaims, en ruches. Ce sont ces colonies parasites que nous nommons, dans notre jargon de psychologues, « structures caractérielles », « systèmes de défense », « goulets d'étranglement énergétiques », « nœuds de tension », etc. Ce sont là tous les moyens, et ils sont nombreux, que vous avez, que nous avons tous coutume d'inventer pour nous éloigner de la tâche que nous sommes venus accomplir pour le monde. Ce sont les manifestations directes de ce que vous ignorez de la vie, et que vous êtes venus apprendre ici. La leçon se cristallise dans votre corps pour cette raison même : vous façonnez votre salle de classe selon vos besoins spécifiques. C'est vous qui vivez dedans.

Comme vous le savez, les blocages d'énergie peuvent à la longue provoquer des troubles physiques graves, et ces désordres se reflètent bien évidemment dans la structure de caractère. Montrez-moi la façon dont vous bloquez vos énergies créatives et je vous dirai qui vous êtes... C'est pourquoi votre maladie, quelle qu'elle soit, est directement associée à la tâche de votre vie, puisqu'elle est en liaison directe, d'une part avec vos circuits d'énergie, d'autre part avec votre aspiration la plus profonde. Ce qui nous ramène toujours à la même question fondamentale : qu'aimeriez-vous faire plus que tout au monde dans votre vie ? Découvrez comment vous vous entravez vous-même. Nettoyez ces blocages. Balayez vos tensions. Faites ce que vous avez envie de faire et tout ira bien.

Comment découvrir votre structure de caractère. Exercices

Observez-vous dans une glace. À quel type de corps s'apparente le vôtre ? Référez-vous aux tableaux de ce chapitre sur les structures de caractère. Répondez ensuite aux questions 7 à 10.

Révision du chapitre 13

1. Décrivez la configuration générale du CEH dans les cinq principales structures de caractère.
2. Décrivez les qualités et le potentiel de réalisation de chacune de ces structures.
3. Quelles sont, du point de vue aurique, les zones du cerveau les plus actives dans chacune de ces structures ?

Sujets de réflexion

4. Quelle est la tâche de vie de chaque structure caractérielle ?
5. Quelle relation existe-t-il entre la structure et la tâche de vie ?
6. Quelle relation existe-t-il entre la maladie et la tâche de vie d'un individu ?
7. Énumérez, en fonction de leur importance, chaque structure de caractère participant à votre personnalité et à votre constitution.
    Exemple :
    Schizoïde   50 p. cent
    Oral   20 p. cent
    Déplacé   15 p. cent
    Rigide   10 p. cent
    Masochiste   5 p. cent
8. En vous référant au tableau de la figure 13-1, découvrez les traits essentiels de votre personnalité parmi ceux de la liste.
9. En vous référant au tableau de la figure 13-2, découvrez vos principaux traits physiques et l'organisation de vos circuits énergétiques.
10. En vous référant au tableau de la figure 13-3, décrivez la nature de votre relation avec autrui en fonction de votre structure de caractère, pour chaque élément considéré.
11. En fonction de vos réponses aux trois questions précédentes, quelle pourrait être la tâche de votre vie, c'est-à-dire celle dont vous êtes redevable au monde ?
12. Si vous souffrez de maux physiques, trouvez leur relation avec votre réponse à la question 11 ci-dessus.
13. Appliquez les questions 7 à 12 au cas de chacun de vos patients.

QUATRIÈME PARTIE

LES INSTRUMENTS DE PERCEPTION DU GUÉRISSEUR

« Adonaï vous a donné un pain de détresse, des eaux d'oppression. Mais ton enseigneur ne se camoufle plus.
Et ce sont tes yeux, ils voient ton enseigneur.

Tes oreilles entendront une parole derrière toi pour dire : « Voilà la route, allez-y, soit à droite, soit à gauche. »

Isaïe XXX, 20-21

La cause de la maladie

Pour le guérisseur, la maladie résulte d'un déséquilibre. Et ce déséquilibre provient du fait que vous avez oublié qui vous êtes. Cet oubli a entraîné des pensées, des actes, conduisant à un mode de vie malsain, et éventuellement à la maladie. Cet état est toujours un signal avertisseur de votre déséquilibre dû à l'oubli de vous-même. Ce message s'adresse directement, brutalement à vous. S'il vous place en face de votre déséquilibre, il vous indique aussi les étapes à franchir pour retrouver votre moi réel et la santé. Il apporte une information bien précise, que malheureusement beaucoup de gens ne savent pas, ou ne veulent pas, comprendre.

La maladie peut donc s'interpréter comme une leçon que vous vous donnez pour vous aider à vous souvenir de qui vous êtes. Je vous vois déjà opposer toutes sortes d'exceptions à cette règle. Mais la plupart d'entre elles se limitent à une perception de la réalité relative à notre vie terrestre, c'est-à-dire une réalité limitée au monde physique. Ma vision personnelle est plus transcendentale. Les principes que j'énonce tout au long de ce livre ne peuvent être compris que si vous acceptez l'idée d'une existence humaine au-delà des dimensions physiques et spatio-temporelles. Des lois qui vous intègrent à un tout, et de ce fait vous considèrent comme un tout, ne peuvent être qu'aimantes. Elles stipulent que l'individuation équivaut à l'intégralité. Elles établissent qu'un tout étant constitué de parties individuelles, celles-ci en font non seulement partie, mais qu'à l'image de l'hologramme elles représentent en fait ce tout.

Mon processus d'évolution personnel s'est développé au cours des années où j'exerçais la profession de psychologue tout en poursuivant mes observations sur le champ d'énergie. Au fil de sa progression, deux changements majeurs ont transformé radi-calement ma méthode de travail avec mes patients.

Le premier est survenu quand j'ai réussi à capter des directives émanant de maîtres spirituels sur ce qu'il convenait de faire au cours des séances de soins. Ainsi, dès que j'ai commencé à voir les différentes couches de l'aura, j'ai demandé et obtenu des informations précieuses les concernant. Le second changement s'est produit au moment où s'est développée ce que j'appelle ma « vision interne », c'est-à-dire mon aptitude à voir à l'intérieur du corps, comme un appareil radiologique de rayons X.

Le magnétisme ne fut d'abord qu'une extension de ma pratique. Puis j'en ai fait l'axe central de ma recherche, car les guérisons obtenues de cette manière s'étendent à toutes les dimensions de l'âme et du corps et vont bien au-delà de tout ce que l'on peut espérer obtenir par les méthodes thérapeutiques traditionnelles. Ma tâche est devenue alors évidente. C'est l'âme qu'il fallait guérir. Et je deviendrais le réseau de communication de l'âme, pour l'aider à se souvenir de son identité et de sa destination première, en ces temps oubliés où l'angoisse et la maladie lui ont fait perdre peu à peu sa piste. Ce travail fut très épanouissant pour moi. J'ai connu l'extase des hautes énergies subtiles. J'ai eu des conversations passionnantes avec ces créatures angéliques venues pour guérir. Car il est indispensable que le guérisseur soit stimulé, soutenu, lorsqu'il est confronté à la souffrance aiguë, à une maladie particulièrement affreuse. Il m'a fallu constater *de visu* les énormes désordres de l'énergie, étouffant l'âme et dévastant l'existence de tant de personnes. L'humanité porte en elle une immense douleur, celle de la solitude. Elle porte aussi un ardent désir de liberté. Le travail du guérisseur est un acte d'amour, un acte qui atteint ces zones endolories des affects, réveille l'espoir en douceur et la mémoire ancienne de l'identité de l'âme. Il touche à l'étincelle divine que recèle chaque cellule du corps et lui rappelle doucement qu'elle est Dieu et, en fonction de son essence divine, ne peut que suivre inexorablement le courant s'écoulant selon la Volonté universelle dans le sens de la santé et de la globalité.

Dans les chapitres suivants, nous parlerons en détail du processus de la maladie et de la guérison, tels que les conçoivent les maîtres spirituels. Je partageai aussi avec vous quelques expériences personnelles d'orientation spirituelle, vécues auprès de certains patients. Nous parlerons aussi beaucoup du « haut sens de perception (HSP) », de son fonctionnement et des moyens de l'acquérir. Je vous transmettrai également le point de vue d'Heyoan sur la réalité. La compréhension de ces éléments est très importante pour l'assimilation des techniques de guérison exposées dans la cinquième partie de ce livre.

Chapitre 14

La réalité séparée

Comme nous l'avons vu au chapitre 4, la mécanique newtonienne, fondée sur un univers composé de blocs séparés de matière, passa de mode au début du XXe siècle. De nos jours, de nombreux scientifiques apportent la preuve que nous y sommes toujours interconnectés. Bien que nous soyons non pas des êtres séparés mais des individus, nos vieilles habitudes de pensée newtonienne nous conduisent à des concepts séparatistes parfaitement périmés et erronés. Voici un exemple d'interprétation de l'autoresponsabilité du point de vue séparatiste. Un enfant est atteint du sida à la suite d'une transfusion sanguine. La position séparatiste à l'égard de l'autoresponsabilité sera : « Pauvre petite victime ! » Et la version populaire classique : « Les hôpitaux [...], un scandale [...], une incurie [...], un personnel incompétent [...], pas de médecin pendant le week-end, etc. » Mais l'option spirituelle se formule ainsi : « Cette âme et sa famille ont choisi une bien rude leçon pour apprendre l'existence de leur réalité supérieure. Comment les aimer, les secourir le mieux possible ? Comment les aider à se souvenir, à comprendre qui ils sont ? » Tout être abordant les problèmes de l'existence de cette façon ne verra aucune contradiction entre le malheur et l'amour, mais, en revanche, il fera une énorme différence entre le malheur et la culpabilité.

Le choix de l'individuation dans la totalité engage au respect et à l'acceptation de toute expérience, de quelque nature soit-elle. Les assertions courantes du genre : « Si Dieu existait, il ne permettrait pas les guerres » ou « On ferait mieux de financer la recherche sur le cancer plutôt que d'envoyer des fusées dans la lune » sont, à l'inverse, fondées sur le séparatisme et non sur l'individuation. La séparation prédispose à la peur, au rôle de victime, crée un sentiment d'impuissance illusoire. La responsabilité et l'acceptation génèrent la force intérieure de créer sa propre réalité. Car si, inconsciemment, vous influez sur l'issue des événements, vous pouvez aussi bien faire en sorte qu'ils se conforment à vos souhaits. Examinons le processus de l'oubli plus attentivement.

Dans notre enfance, une faible proportion de nos expériences intimes sont perçues par notre entourage, ce qui crée un conflit intérieur entre la préservation du moi et sa confirmation par les autres. Or, les enfants ont besoin de confirmations. Au stade de l'apprentissage, nous nous fondons sur celles qui proviennent du monde extérieur. Il en résulte soit la création de mondes secrets, fantasmatiques, soit un rejet d'une grande partie de la réalité intérieure non confirmée, exigeant la création d'un lieu de stockage en vue d'une vérification ultérieure. En d'autres termes, nous bloquons nos expériences, qu'il s'agisse d'images, de pensées ou de sensations. Plus le blocage est fort, plus nous nous séparons, provisoirement du moins, de portions importantes d'expériences. Nous nous enfermons littéralement hors de nous-mêmes. Dans les chapitres 9 et 10, nous avons parlé des taches et des zones d'ombre dans le champ aurique. Ce sont précisément ces taches, correspondant aux tampons dans les circuits, qui brisent la force du flux d'énergie dans le champ et finissent par provoquer des maladies. On leur donne parfois le nom de « substance stagnante de l'âme ». Ces « pelotes » d'énergie refoulée, comprimée, nous isolent de nous-mêmes, des autres et du monde.

Examinons ce processus en nous référant à ce célèbre « mur » tel que le définissent les praticiens de la Geslalt-thérapie. J'aime bien cette image que je trouve extrêmement parlante et juste. Lorsque vous vous sentez mal dans votre peau, tiraillé, « gêné aux entournures », vous vous heurtez tout bonnement au mur que vous avez érigé entre deux parties de vous-même. D'un côté du mur se trouve, placé en pleine lumière, le morceau de votre personnalité qui vous plaît, qui vous flatte, et de ce fait que vous aimez montrer aux autres. C'est en quelque sorte votre « vitrine », comme pour un magasin de luxe. Pour un peu, vous la décoreriez avec des guirlandes et un arbre de Noël. Et puis, de l'autre côté – « là-bas »... –, on entrevoit vaguement des banlieues tristes, de longs boulevards rectilignes tracés à travers un *no man's land* fangeux. C'est le morceau de votre personnalité qui vous gêne, que vous n'aimez pas et ne souhaitez pas montrer à votre entourage. Le mur sert à le refouler, à le cacher. Vous ne voulez à aucun prix qu'il participe à vos expériences de vie. À force d'efforts, vous avez réussi à couper à peu près complètement le contact avec les deux zones séparées. Des années, des dizaines d'années passent. Le mur s'est épaissi, s'est renforcé au point de ressembler à un formidable ouvrage militaire. Et il fait, depuis le temps, tellement partie de votre structure que vous ne faites même plus attention à lui.

Mais il y a pire que l'oubli : vous finissez par croire que la partie reléguée appartient au monde extérieur et que le mur sert à contenir une force redoutable vous assiégeant du dehors...

Ces fortifications dressées par cliver notre monde du dedans ne datent pas d'hier. Elles témoignent d'expériences douloureuses vécues il y a très longtemps par un ou par plusieurs de nos champs énergétiques. Plus on les laisse s'incruster, plus on oublie qu'elles ne défendent l'accès qu'à des morceaux du moi expulsés, relégués en vertu de critères socioculturels parfaitement arbitraires et artificiels. Et plus le mur a un effet sécurisant, plus il consolide et entérine l'expérience de la séparation.

Exercices d'exploration des barrières internes

Pour explorer votre mur, pratiquez l'exercice suivant :
Souvenez-vous d'une situation particulièrement déplaisante, à laquelle vous vous exposez fréquemment, ou d'un problème passé mais non résolu. Commencez par rassembler les faits. Mettez-les en scène dans votre tête, entendez les paroles, les sons associés à cette expérience et découvrez la peur qu'elle recèle. La peur ne vient-elle pas d'un sentiment de séparation ? Dès que vous vous sentez capable de remonter jusqu'à cette sensation de panique, vous commencez à percevoir un pan du mur. Palpez-le, goûtez-le, observez-le, reniflez-le. Examinez sa texture, sa couleur. Est-il clair, sombre, hérissé, lisse ? De quels matériaux est-il fait ? A-t-il des miradors ? Devenez le mur. Que pense le mur ? Que dit-il, que voit-il, que ressent-il ? Quelle notion cette partie bloquée de votre conscience a-t-elle de la réalité ?

Heyoan m'a donné au sujet de ce mur l'explication suivante : « Revenons à l'idée de ce mur confectionné par tes soins pour refouler ce que tu croyais utile d'isoler à l'époque où tu façonnais ton équilibre intérieur. Il ne sert en fait qu'à contenir un déséquilibre extérieur, comme le fait une digue ou une écluse, aux endroits où un niveau de l'eau est plus haut que l'autre. Imagine que tu es derrière ce mur, et qu'une puissante pression s'exerce du dehors. *Ton mur représente la sensation de manque que tu éprouves au niveau intime.* En d'autres termes, une grande puissance avance sur toi et tu penses être moins puissant qu'elle. Tu ériges alors une muraille pour te protéger, comme on le faisait à l'époque médiévale pour fortifier un château contre les assauts. Toi qui te trouves à l'intérieur de l'enceinte, tu dois d'abord en explorer l'essence car elle est faite de la tienne. Elle est constituée de jugements, d'estimations sur la façon dont tu devais agir à l'époque pour t'en tirer saine et sauve. Le plus merveilleux de l'histoire, c'est que ce mur que tu as façonné de ta propre essence détient un pouvoir intérieur qui peut être transformé, redistribué et servir de fondation au pouvoir de ton moi intime. Tu peux le considérer aussi comme un escalier à gravir pour accéder à ton moi secret, où ce pouvoir existe déjà. Si tu préfères cette métaphore, elle s'applique aussi bien. Tu es donc là, derrière ton mur de sécurité, et dans le mur, bien sûr, puisque tu es aussi ce mur. Un pont de conscience s'élabore ensuite entre ce que tu dis quand tu es le mur, et ce que dit ton moi profond en sa qualité de personne indésirable tenue à l'écart. Vois-tu comment le dialogue s'établit ? C'est précisément ce mur que tu croyais gênant qui va servir de médiateur entre ton petit je-suis surprotégé et ton *moi profond* relégué. »

Exercice destiné à dissoudre vos barrières internes

Engagez une conversation entre le mur et la personne qui est à l'intérieur du mur. Lorsque c'est chose faite, je conseille une explication du même type entre vous et la personne qui se trouve derrière le mur, puis entre le mur et ce qui se trouve au-delà du mur. Poursuivez ces conversations jusqu'à ce qu'elles se transforment en un flux continu traversant le mur.

« Maintenant, poursuit Heyoan, tu peux voir ce mur sur le plan symbolique et examiner sa psychodynamique. Tu comprendras alors qu'il représente ce qui sépare ce que tu crois être de ce que tu es. Car tu es aussi ce pouvoir, relégué de l'autre côté du mur, quel qu'il soit. Et si tu détiens un pouvoir intérieur, pourquoi aurais-tu à craindre un pouvoir extérieur ? Le mur représente la croyance en un pouvoir supérieur mythique, celui de la séparation, une des plus grandes maladies de la planète connue à ce jour. Il représente ta volonté de pouvoir au niveau de l'ego. Si tu trouves en toi, ou à l'extérieur de toi, une résonance à cette métaphore sur le plan psychodynamique, spirituel ou mondial, elle peut te servir d'instrument d'introspection et de guérison. C'est le plus bel outil pour te souvenir de qui tu es. »

Étudions maintenant la nature de ce mur au point de vue aurique. Comme il a déjà été expliqué, il se présente comme un blocage d'énergie dans le champ. En expérimentant le processus d'identification au mur, en lui prêtant vie, vous illuminez ce tampon sombre qui se met en mouvement dans l'aura et cesse d'entraver la circulation naturelle du flux d'énergie. Ces taches peuvent exister à tous les niveaux de l'aura qu'ils affectent d'une couche à l'autre. Voyons maintenant comment un bouchon dans l'aura, se traduisant dans la réalité concrète par une pensée, une croyance ou une sensation, peut finir par provoquer une maladie physique.

Révision du chapitre 14

1. Quelle est la cause de la maladie ?

Sujets de réflexion

2. Quelle est la nature de votre mur intérieur ?
3. Engagez un dialogue avec votre mur. Que vous dit-il ? Que dit la partie de vous-même qui se trouve derrière le mur ? Contre quoi ce mur vous protège-t-il ? Quelle est la nature du pouvoir que vous avez verrouillé hors de votre mur ? Comment pouvez-vous le libérer ?

Chapitre 15

Du bouchon d'énergie à la maladie physique

Dimension de l'énergie et de la conscience

En nous envisageant dans une perspective plus large que celle qui nous est habituelle, nous constatons que nous sommes beaucoup plus que des corps physiques. Nous sommes constitués de couches superposées d'énergie et de conscience. Cet état, nous le ressentons parfois intérieurement.

Notre étincelle intérieure divine existe à un niveau plus élevé de la réalité, dans une conscience plus évoluée que la nôtre au quotidien. Mais nous sommes cette conscience supérieure, au même titre que nous sommes celle à laquelle nous sommes habitués. Avec de la pratique on peut y puiser. On la découvre sans surprise. On a même envie de dire : « C'était donc ça ! Mais je le savais depuis toujours ! » Notre étincelle divine est d'une sagesse suprême. Elle peut nous guider dans notre vie quotidienne, notre croissance et notre évolution.

L'aura tenant lieu de médium à travers lequel nos pulsions créatives issues de nos réalités supérieures se cristallisent dans la réalité physique, nous pouvons nous servir du champ aurique pour reconduire notre conscience à la réalité du moi-Dieu en traversant, sous forme de vibrations, ses couches successives. Mais pour y parvenir, nous devons savoir de quelle façon ces pulsions créatives se transmettent, d'une couche à l'autre, à notre monde physique afin de contribuer à notre expérience de vie.

Considérons donc plus attentivement la nature exacte de l'aura. Plus qu'une couche médiumnique, plus qu'un champ magnétique, c'est la vie même. Chaque couche est un corps, tout aussi vivant et réel que votre corps physique, et il fonctionne

Figure 15-1

PLANS DE RÉALITÉ DANS LESQUELS NOUS EXISTONS

(Et leur relation avec les couches de l'aura)

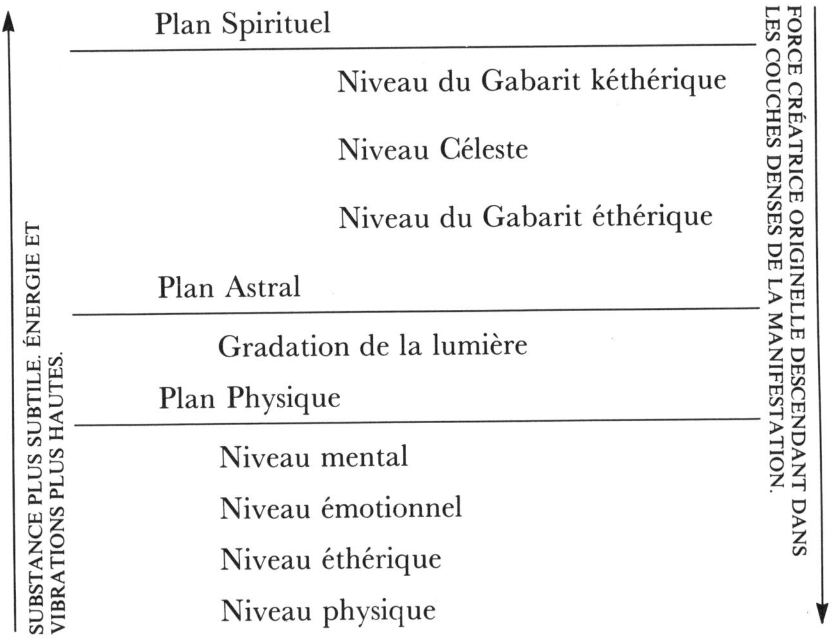

Plan Spirituel

Niveau du Gabarit kéthérique

Niveau Céleste

Niveau du Gabarit éthérique

Plan Astral

Gradation de la lumière

Plan Physique

Niveau mental

Niveau émotionnel

Niveau éthérique

Niveau physique

SUBSTANCE PLUS SUBTILE. ÉNERGIE ET VIBRATIONS PLUS HAUTES.

FORCE CRÉATRICE ORIGINELLE DESCENDANT DANS LES COUCHES DENSES DE LA MANIFESTATION.

comme lui. Chacun existe dans une réalité consciente, semblable, d'une certaine façon, à la réalité physique, bien que différente. Chaque niveau est un monde en lui-même. Et pourtant, tous sont interconnectés, en immersion dans le même espace, celui que nous occupons pour expérimenter notre réalité physique.

Le tableau de la figure 15-1 établit la liste des plans de réalité dans lesquels nous existons et leur corrélation avec chaque couche aurique. Le plan physique se compose de quatre niveaux : physique, éthérique, émotionnel et mental. Le plan astral jette un pont entre le spirituel et le physique. Le plan spirituel se tient au-dessus, à divers niveaux d'illumination intérieure. Comme il est expliqué au chapitre 7, nos corps spirituels sont composés au minimum de trois couches de niveaux différents : celle du moule éthérique, du plan céleste, puis du gabarit kéthérique.

La création, ou la manifestation, a lieu lorsqu'un concept, une croyance sont transmis, depuis leur source située dans l'espace jusqu'à des niveaux matériels plus denses, où ils se cristallisent en réalité physique. Car nous créons en fonction de nos croyances. Ce qui prend place dans les couches inférieures affecte aussi, bien entendu, les couches supérieures. Afin de comprendre le processus de création de la santé et de la maladie, revenons aux manifestations de la conscience dans chaque couche du champ

Figure 15-2

EXPRESSION DE CONSCIENCE
DANS LES NIVEAUX AURIQUES

NIVEAU	EXPRESSION DE CONSCIENCE	CONSTAT DE LA CONSCIENCE
7 Niveau kéthérique	Concepts supérieurs	Je sais Je suis
6 Niveau céleste	Sentiments élevés	J'aime l'univers
5 Niveau du gabarit éthérique	Volonté supérieure	Je veux
4 Niveau astral	Je-Tu, émotions	J'aime l'humanité
3 Niveau mental	La pensée	Je pense
2 Niveau émotionnel	Émotions personnelles	Je ressens des émotions
1 Niveau éthérique	Sensation physique	Je sens physiquement
Niveau physique	Fonctionnement physique	J'existe Je vais bien

aurique. Le tableau de la figure 15-2 montre la façon dont elle s'exprime et ses assertions dans chaque couche. Sur le plan physique, elle se manifeste par l'instinct, les réflexes, le fonctionnement automatique des organes internes et elle affirme : « J'existe. » Au niveau éthérique, elle s'exprime par des sensations physiques, comme la douleur ou le plaisir. Les sensations pénibles telles que le froid et la faim signalent la nécessité d'un équilibrage d'énergie, afin que son flux s'écoule harmonieusement. Dans le corps émotionnel, la conscience se traduit dans les émotions primitives, élémentaires : la peur, la colère, l'amour. La plupart d'entre elles s'associent au moi. Au niveau du corps mental, elle s'exprime en termes de pensée rationnelle, c'est le plan analytique linéaire. Sur le plan astral, elle s'expérimente sous la forme d'émotions fortes, s'étendant au-delà du moi et des proches pour englober l'humanité entière. Cette couche diffère totalement des autres. Là ont lieu les voyages astraux que décrivent ceux qui les ont expérimentés. Elle se distingue du plan physique pour les raisons suivantes : les objets y deviennent fluides. Ils irradient la lumière plus qu'ils ne la reflètent et pour voyager, il suffit de se concentrer sur le lieu où l'on désire se rendre et de tenir le cap. La direction change en fonction du point focal fixé par le voyageur. Dans cet avion privé, la concentration joue le rôle essentiel de force motrice !

Les différences et les similitudes existant entre le plan physique et le plan astral ne surprendront guère les physiciens car les lois qui gouvernent le plan astral sont exactement celles qui s'appliquent à un milieu de très haute énergie, aux fréquences vibratoires fantastiquement rapides. Et bien sûr, elles sont en corrélation avec celles que nous connaissons dans notre monde physique. Ce qui laisse supposer que nos lois physiques ne sont, en fait, que de simples cas particuliers de lois plus générales, cosmiques ou universelles, gouvernant l'Univers entier.

Au milieu spirituel, il existe encore un autre monde possédant sa réalité propre. De mon point de vue limité, celui-là semble infiniment plus beau, plus baigné de lumière et d'amour que le nôtre. Dans cette cinquième couche du moule éthérique, la conscience s'exprime sous forme d'une volonté supérieure qui fait exister les choses en les définissant et en les nommant. Au niveau céleste, la conscience s'exprime sous forme de sentiments supérieurs comme l'amour universel, s'étendant au-delà de celui que nous portons aux êtres humains et à nos proches, autant dire à tout ce qui vit. À la septième couche, la conscience s'exprime en concepts issus de systèmes de croyance ou de connaissance supérieurs.

De là part la pulsion créative initiale issue de notre savoir, non plus linéaire mais intégré. Cette force créatrice originelle, née des plus hautes sphères du corps spirituel, pénètre ensuite dans le corps astral. Autrement dit, les substances les plus subtiles induisent une résonance harmonique dans le plan astral, qui la transmet aux trois corps inférieurs. Et le processus se poursuit jusqu'à son arrivée aux fréquences du corps physique (le phénomène d'induction harmonique s'observe lorsque, en heurtant un diapason, un second diaposon placé dans la même pièce, vibre spontanément). Chaque corps interprète cette pulsion en termes de réalité consciente à son propre niveau. Une pulsion créative provenant du plan spirituel s'exprimera dans le plan astral par de grands sentiments, par exemple, puis en atteignant des couches de fréquences inférieures, elle se traduira d'abord par des pensées, ensuite par des sentiments spécifiques, puis des sensations physiques. Le corps répondra automatiquement par l'intermédiaire du systéme nerveux autonome. Si la pulsion est jugée positive, elle entraîne une sensation de détente ; dans le cas d'une perception négative, une contraction.

Le processus créatif de santé

La santé se maintient tant que la force créative issue des couches spirituelles se conforme à la loi universelle ou cosmique (fig. 15-3). Lorsque le corps kéthérique se centre sur une réalité spirituelle supérieure, il manifeste la divine connaissance de cette réalité et peut dire : « Je sais que je ne fais qu'un avec Dieu. » Il expérimente son identification avec le Créateur sans cesser d'être individualisé, et cette réalité induit alors un sentiment d'amour universel dans le corps céleste. Ce sentiment d'identification à Dieu crée l'alignement de la volonté individuelle sur la volonté divine, ce qui se traduit au niveau astral par l'amour pour l'humanité. Cette influence gagne ensuite la couche mentale et l'informe de ses perceptions de la réalité. La vibration du corps mental se communique au corps émotionnel en vertu des lois d'induction harmonique et de résonance sympathique et s'exprime par les sentiments. Si cette perception de la réalité est compatible avec la loi cosmique, les sentiments sont harmonieux, acceptés par le sujet, et peuvent s'épancher. Il ne les bloque pas.

Ce flux se transmet alors, en harmonie naturelle, au corps éthérique, génère des sensations agréables dans le corps, stimule le métabolisme naturel de l'énergie provenant du champ universel. Cette énergie qui alimente et maintient sa structure pourvoit au fonctionnement du corps éthérique et équilibre les énergies yin et yang. Cet équilibre de la sensibilité naturelle du corps au flux conduit à l'éveil croissant des sensations corporelles qui nous incitent à suivre un régime alimentaire convenable, à faire de l'exercice. Un corps éthérique en bonne santé protège la santé du corps physique. Les systèmes équilibrés fonctionnant norma-

Figure 15-3

PROCESSUS CRÉATIF DE SANTÉ

CORPS DU GABARIT KÉTHÉRIQUE......................Divin savoir	Je sais que je ne fais qu'un avec Dieu
CORPS CÉLESTE...Amour divin	J'aime la vie universellement
CORPS DU GABARIT ÉTHÉRIQUE....................Volonté divine	La Volonté Divine et la mienne ne font qu'un
CORPS ASTRAL...L'amour	J'aime l'humanité
CORPS MENTAL...Pensée claire	Pensée claire au service de l'amour et de la volonté
CORPS ÉMOTIONNEL...Sentiment réel	Flux de sentiments non bloqués, correspondant à la réalité divine, créant l'amour
CORPS ÉTHÉRIQUE...J'existe	Le métabolisme naturel de l'énergie maintient la structure et la fonction du corps éthérique. L'équilibre yin/yang crée le bien-être
CORPS PHYSIQUE...État d'existence	Le métabolisme naturel d'énergies chimiques et des systèmes physiques équilibrés créent la santé physique

lement perpétuent la santé physique. Dans un système sain, chaque corps équilibré contribue à soutenir l'équilibre des autres. C'est ainsi que la bonne forme se maintient. La santé attire la santé.

Dynamique du processus de la maladie

Dans un système malade (fig. 15-4), le même processus de propagation en palier vers le bas est en œuvre, mais après avoir quitté les plans spirituels, la force créative originelle se distord, dévie et va à l'encontre de la loi universelle. Cette déviation se produit lorsque la pulsion créative originelle se heurte à des bouchons d'énergie ou à des malformations internes de l'aura. Dès que cette force créative dévie de sa route naturelle en traversant les couches plus denses du champ, sa distorsion s'accentue à mesure qu'elle se transmet aux couches successives. J'ai vu des distorsions partir du plus haut niveau, dès la septième couche de l'aura, où elles apparaissent sous la forme de déchiru-

Figure 15-4

DYNAMIQUE DU PROCESSUS DE LA MALADIE

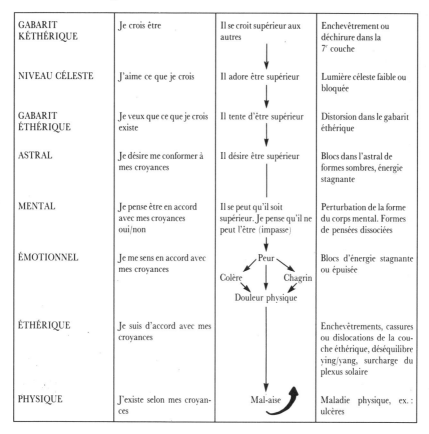

GABARIT KÉTHÉRIQUE	Je crois être	Il se croit supérieur aux autres	Enchevêtrement ou déchirure dans la 7ᵉ couche
NIVEAU CÉLESTE	J'aime ce que je crois	Il adore être supérieur	Lumière céleste faible ou bloquée
GABARIT ÉTHÉRIQUE	Je veux que ce que je crois existe	Il tente d'être supérieur	Distorsion dans le gabarit éthérique
ASTRAL	Je désire me conformer à mes croyances	Il désire être supérieur	Blocs dans l'astral de formes sombres, énergie stagnante
MENTAL	Je pense être en accord avec mes croyances oui/non	Il se peut qu'il soit supérieur. Je pense qu'il ne peut l'être (impasse)	Perturbation de la forme du corps mental. Formes de pensées dissociées
ÉMOTIONNEL	Je me sens en accord avec mes croyances	Peur / Colère / Chagrin / Douleur physique	Blocs d'énergie stagnante ou épuisée
ÉTHÉRIQUE	Je suis d'accord avec mes croyances		Enchevêtrements, cassures ou dislocations de la couche éthérique, déséquilibre ying/yang, surcharge du plexus solaire
PHYSIQUE	J'existe selon mes croyances	Mal-aise	Maladie physique, ex. : ulcères

res ou d'enchevêtrements de lignes lumineuses. Ces « distorsions spirituelles » sont toujours associées aux systèmes de croyance acquis soit dans cette existence, soit au cours de vies antérieures. Elles sont par conséquent karmiques. Pour moi, le karma n'est autre qu'une expérience de vie due à des systèmes de croyance transmis d'une vie à l'autre, jusqu'à ce qu'elle soit élucidée et réajustée à une réalité supérieure.

Une septième couche déformée doit son état à un système de croyance faussé, menant, par exemple, à des assertions du genre : « Je crois en ma supériorité. » Cette distorsion affecte, bloque, pervertit l'amour du corps céleste. Le sujet s'installe confortablement dans son sentiment de supériorité et l'éclat de la sixième aura (céleste) baisse dans des proportions considérables. Ce qui affectera la cinquième couche du champ, qui se distordra à son tour. La personne s'efforcera alors de devenir réellement supérieure. Et le plan astral obéira à sa volonté, ce qui créera des tampons stagnants et sombres dans ce corps. Le corps mental incitera une personne à penser qu'elle est supérieure, mais fort heureusement, nul ne peut se leurrer indéfiniment. Tôt ou tard, une pensée adverse lui traverse l'esprit. Elle se dit alors : « Si je ne suis pas supérieure, c'est peut-être bien que je suis inférieure. » Cette impasse mentale provoque une nouvelle distorsion dans la structure du corps mental. La force de vie se scinde en deux courants diamétralement opposés et le sujet tombe en pleine scission dualiste. Le conflit peut tenir aussi en cette formule : « Je peux y arriver, je le sais ; et pourtant je n'y arrive pas ! » Quand une idée-impasse s'installe dans le corps mental, elle se manifeste sous forme de vibrations désordonnées. Si la personne ne parvient pas à une solution du problème, celui-ci peut se transformer en pensée dissociée et retomber dans l'inconscient. Il affectera le corps émotionnel (par induction vibratoire, comme il a été expliqué précédemment), y générera la peur, puisque le sujet ne peut y porter remède. Il ne peut davantage accepter cette peur fondée sur une irréalité. Le voilà donc bloqué. Passé un certain temps, il peut ne plus en avoir conscience. Le flux des sentiments ne s'écoule plus librement dans le corps émotionnel où apparaissent des boules sombres de basses énergies stagnantes. Ces dislocations se précipitent ensuite dans le corps éthérique sous forme de lignes de force lumineuses enchevêtrées ou déviées. Ces lignes de force servant de grille de structure sur lesquelles les cellules du corps physique se développent, le problème du corps éthérique se transmet au corps physique où il se traduit par une maladie.

Dans notre exemple (fig. 15-4), cette peur peut perturber le corps éthérique au plexus solaire, provoquer dans cette zone une surcharge yin, au cas où cette personne se révélerait incapable de résoudre son dilemme. Si la situation s'éternise, elle provoquera dans le métabolisme des énergies chimiques du corps physique des désordres conduisant au déséquilibre de son système, éventuellement à la maladie. Dans l'exemple cité, une surcharge yin au niveau du plexus solaire peut augmenter le taux d'acidité de l'estomac et provoquer des ulcères.

Dans un système malade, le déséquilibre des énergies des corps supérieurs se transmet graduellement aux corps inférieurs et peut provoquer des maladies dans le corps physique. Son acuité sensorielle peut décroître jusqu'à le mener à l'insensibilité à l'égard de ses besoins. Cela se traduit souvent, en tout cas dans nos sociétés occidentales, par un régime alimentaire inadéquat, rendant les énergies sinueuses, négatives, plus déséquilibrées encore. Chaque corps perturbé perturbe son voisin à l'étage inférieur. La maladie s'ajoute à la maladie.

Mes observations m'ont montré, à l'aide du haut sens de perception, que *dans les couches paires du champ, la maladie se traduit par les bouchons que j'ai décrits précédemment, qu'ils soient chargés ou déchargés d'énergie, sombres ou coagulés. Sur les couches structurées du champ, elle se présente sous forme de détériorations, de coupures et d'enchevêtrements. Des trous peuvent même apparaître dans la grille de structure de toutes les couches impaires de l'aura.* Les médicaments affectent fortement l'aura. J'ai vu des formes d'énergie sombre dans le foie, dues à des médicaments pris pour soigner diverses maladies précédentes. L'hépatite laisse une couleur jaune-orange dans le foie, des années après la guérison présumée de la maladie. J'ai vu apparaître un produit opaque employé en radiologie, injecté dix ans auparavant dans la colonne vertébrale d'un patient pour diagnostiquer une lésion de l'épine dorsale, alors que le corps est supposé l'éliminer en un mois ou deux ! La chimiothérapie couvre le champ aurique – notamment le foie – de paquets d'énergie ressemblant à un mucus vert-brun. Les radiations font filer les mailles des couches structurées de l'aura comme celles d'un vieux bas nylon brûlé. La chirurgie marque de cicatrices la première couche du champ. Elles fusent parfois tout au long des autres, jusqu'à la septième couche. Ces cicatrices, ces lésions, ces déformations, ces boules, ces pelotes peuvent se soigner en aidant l'entité corps/esprit à se guérir elle-même. Si on les abandonne à leur sort, le corps physique aura beaucoup de mal à se récupérer. Même en cas d'ablation d'un organe, son équivalent éthérique peut, malgré tout, être reconstitué et servir à maintenir l'harmonie dans les corps auriques situés autour et au-delà du corps physique. Je pense qu'un jour, avec une meilleure connaissance des vibrations auriques, de la biochimie, et de l'astrophysique, nous parviendrons à inciter les organes amputés à se reconstituer.

Les chakras sont des points de concentration énergétique extrêmement importants. C'est pourquoi ils retiennent toute l'attention du guérisseur. On peut les comparer à des gares de triage où une multitude de locomotives (l'énergie) se croisent, se bousculent, manœuvrent pour être lancées les unes après les autres sur les innombrables voies du réseau intérieur. Quand une gare de triage est paralysée par une grève, par exemple, le réseau tout entier est sérieusement perturbé, parfois même immobilisé dans sa totalité. C'est la même chose ici. Lorsqu'un chakra bloqué ne peut plus accomplir son travail, ou lorsque son activité est réduite dans des proportions considérables, la maladie survient. Plus le chakra est perturbé, plus la maladie est grave.

Comme le montre la figure 8-2 du chapitre 8, les chakras ressemblent à des tourbillons constitués d'un certain nombre de spirales coniques, de plus petite taille. Ceux d'un adulte sont recouverts d'un écran protecteur. Dans un système sain, ces spirales coniques tournent en rythme synchrone les unes par rapport aux autres, attirent l'énergie du CEU dans leur centre au bénéfice du corps. Chaque cône est accordé à la fréquence spécifique dont a besoin le corps pour fonctionner sainement. Mais dans un système malade, ces tourbillons ne travaillent pas en harmonie. Le mouvement des spirales peut se ralentir, s'accélérer, s'emballer, devenir saccadé ou convulsif, provoquant des coupures dans les circuits d'énergie. Le cône d'une spirale peut être bouché, encrassé. Il peut aussi être affaissé ou inversé. Toutes ces anomalies son associées à un état pathologique du corps physique. Schafica Karagula relate dans son livre, *Breakthrough to Creativity*[1], un cas de troubles cérébraux où elle constata qu'un des plus petits tourbillons du chakra-couronne s'affaissait, au lieu de se tenir dressé comme il l'aurait dû normalement. La matrice interne du cerveau présentait également des failles assez profondes que le flux énergétique était obligé de contourner. Cet éclatement correspondait à la partie prélevée par la chirurgie sur le cerveau. John Pierrakos, dans son livre *The Case of the Broken Heart*[2], dit avoir observé des perturbations du chakra du cœur chez des patients souffrant d'angine de poitrine et de troubles coronariens. Les chakras malades, fort éloignés des brillants tourbillons qu'ils devraient normalement être, semblent englués de mucosités sombres, inertes. J'ai observé certains exemples spectaculaires de détérioration des chakras. La figure 15-5A montre une véritable hernie du chakra du plexus solaire. Celui-ci (le chakra 3A, régulateur de la vie émotionnelle, décrit au chapitre 9) est constitué de huit petits tourbillons coniques accolés côte à côte et assez serrés les uns contre les autres. Le dessin montre bien la hernie : l'un des tourbillons plaqués contre la gaine s'est décollé et a jailli au-dehors. Quand vous visualisez cette déformation, vous pensez aussitôt à un ressort détendu qui pend hors de l'appareil dans lequel il se trouvait comprimé. Cette détérioration se répercute tout au long du champ jusqu'à la septième couche. La figure 15-5B montre la pointe d'un petit tourbillon sortie du chakra.

1. De Vorss, Los Angeles, 1967.
2. Institute for the New Age, New York, 1975.

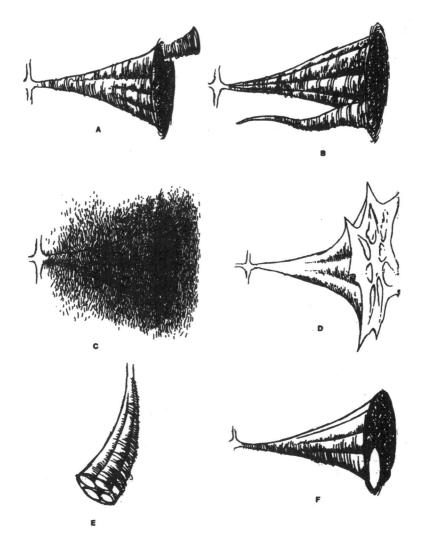

Figure 15-5 : chakras déformés

J'ai observé cette anomalie dans de nombreux cas. Elle apparaît dans le premier chakra quand le coccyx a été lésé et dans celui du plexus solaire en cas de graves perturbations psychologiques. On la rencontre très souvent à la suite d'un choc opératoire, dans le chakra situé dans la zone du corps où a eu lieu l'intervention. La figure 15-5C montre un chakra bouché. Le chakra du cœur de tous ceux qui souffrent d'angine de poitrine est obstrué par une énergie sombre. Les trois patients atteints du sida que j'ai observés avaient les premier et deuxième chakras obstrués, et parfois les sept couches du champ assombries à des degrés divers, correspondant au stade de progression de la maladie. Un chakra déchiqueté comme celui de la figure 15-5D apparaît chez tous les cancéreux que j'ai observés. Là encore, les détériorations se répercutent jusqu'à la septième couche. Un chakra peut se déchirer et le cancer ne se manifester dans le corps que deux ans plus tard ou davantage. L'écran protecteur de ce chakra a été complètement arraché. J'ai vu sur des patients atteints de cancers avancés une déchirure partir du pied de la septième couche de l'aura et remonter à travers tous les chakras inférieurs jusqu'à celui du cœur. Si la septième couche arrive à se déchirer, une énorme quantité d'énergie s'échappe hors du champ. À cette perte s'ajoutent les influences extérieures de toutes sortes s'exerçant sur le patient, tant sur le plan psychologique qu'au niveau physique. Le champ devient incapable de repousser les ondes entrantes négatives, nuisibles à l'équilibre psychosomatique. La figure 15-5E montre un chakra totalement dévié de côté. On rencontre fréquemment cette anomalie dans le premier chakra, lorsque l'énergie connectant un patient à la terre passe par une seule jambe, laissant l'autre affaiblie. Ces cas sont presque toujours associés à un écrasement du coccyx.

Sans vouloir rien affirmer, j'ai de plus en plus l'impression que chaque spirale d'un chakra alimente en énergie un organe défini. J'ai constaté à plusieurs reprises que les troubles du pancréas étaient accompagnés d'une perturbation dans un tourbillon bien précis, à la gauche du plexus solaire. En cas de troubles hépatiques, c'est un tourbillon proche du foie qui est déformé ou écrasé.

La figure 15-5F montre le cas d'anomalie apparue à la suite de ces séminaires de thérapie intensive que nous appelons des « marathons psy ». Après une semaine de travail de groupe réellement exténuant en compagnie de son fils toxicomane, cette patiente est rentrée chez elle avec un tourbillon de son chakra du plexus solaire coincé et béant, livide, tournant à peine et ayant perdu son écran protecteur. Connaissant son problème, j'ai pu réparer les dégâts dans son aura moins de quinze jours après l'expérience destructurante, avant que le mal empire. Si je ne l'avais pas fait, le foie de cette patiente aurait certainement fini par lui poser des problèmes, en raison de la faiblesse et de l'atonie du tourbillon qui lui était associé. À moins, bien sûr, qu'elle n'ait réussi à se guérir elle-même, ce qui arrive parfois, Dieu merci.

De nombreux autres schémas peuvent se présenter. Beaucoup, comme vous pouvez le constater, sont de simples structures mal alignées. J'ai vu des chakras réellement béants, distendus, comme exorbités. D'autres resserrés, comprimés, écrabouillés. Toutes ces malformations aboutissent tôt ou tard à des maladies. Et toutes ont pour origine des systèmes de croyance erronés, opposés au sens général de l'évolution, comme nous l'avons vu précédemment. Autrement dit, une maladie apparaissant dans n'importe quelle couche du champ se manifeste à travers le niveau de conscience de ce champ. C'est pourquoi la souffrance s'exprime de diverses manières. Elle peut être physique, émotionnelle, mentale ou spirituelle. La douleur est le mécanisme interne qui nous informe qu'il va falloir remédier à une situation. Elle signale à notre attention que quelque chose ne tourne pas rond et nous incite à agir. Si nous n'avons pas été à l'écoute de nous-mêmes, si nous persistons à ignorer ou à refuser notre tâche de vie, la douleur peut nous aider à l'accomplir. Elle nous apprend à demander de l'aide et des soins. C'est en cela qu'elle est une clé initiatique de l'âme.

Signification de votre maladie personnelle. Exercice

Votre initiation au processus de la santé soulève les questions suivantes : « Que vient me dire cette maladie ? Quel message m'envoie mon corps ? Quand et comment ai-je oublié qui je suis ? » La maladie est une réponse claire et précise à cette autre excellente question : « Quel enseignement dois-je tirer de ma souffrance ? »

Dans une certaine mesure et à des degrés divers, nous créons des maladies dans nos organes physiques. Si nous remontons à la cause originelle, nous nous apercevons que tous nos maux, quels qu'ils soient, sont toujours issus de l'oubli de ce que nous sommes. Aussi longtemps que nous croirons devoir nous isoler pour nous individualiser, nous continuerons à tomber malades. Ce qui nous renvoie, une fois de plus, à notre point de départ : une vision globale, holistique de l'Univers.

Révision du chapitre 15

1. Quel rapport existe-t-il entre les troubles psychosomatiques et l'aura ?
2. Quelle est la cause fondamentale de toute maladie du point de vue du CEH ?
3. Décrivez comment se crée et se développe une maladie dans le CEH.

Sujets de réflexion

4. Méditez quelques minutes sur la façon dont le processus de dérèglement organique pourrait se développer dans votre corps. Décrivez-le.
5. De quelle manière vos croyances modèlent-elles vos expériences et quel rôle joue cette création mentale dans votre CEH ?

Chapitre 16

Vue d'ensemble du processus de guérison

Le guérisseur a dans sa manche trois atouts dont peuvent bénéficier aussi bien ses patients que l'ensemble de la profession médicale : une vision beaucoup plus étendue et différente des causes de la maladie et des traitements qu'ils convient d'appliquer ; l'accès instantané, grâce à la perception extra-sensorielle, à des renseignements concernant le malade qu'il serait, sinon impossible, du moins très difficile et très long d'obtenir par d'autres moyens plus classiques ; et le travail en direct sur le corps pour activer et stimuler son aptitude à la guérison. Bien souvent, les résultats que nous obtenons paraissent « miraculeux » aux profanes. Il n'en est rien, bien évidemment. Ce mythe du thaumaturge fait partie d'un folklore qui fait sourire, ou rougir, tous les gens sérieux dans notre profession. Nos méthodes n'ont absolument rien de mystérieux ni de miraculeux. En fait que faisons-nous ? Très peu de chose. Nous aidons, nous assistons, éventuellement nous donnons un petit coup de main. C'est tout. Il existe dans tout malade, y compris dans les prétendus irrécupérables, une partie de lui-même qui veut guérir, et qui sait très bien comment s'y prendre pour retrouver la santé. C'est ce morceau de lui que nous aidons, que nous soutenons. Parallèlement, nous tentons d'affaiblir, et si possible de dissoudre, la cuirasse caractérielle reichienne. Nous ne guérissons rien du tout. Nous ne faisons qu'aider nos patients à se guérir eux-mêmes. Pour y arriver, il nous faut prendre résolument le contre-pied d'une opinion pernicieuse qui ronge par le dedans nos sociétés occidentales : les dérèglements organiques ou psychologiques sont des phénomènes naturels ; il est normal d'être malade. Réponse à l'angoisse : l'arsenal des tranquillisants. Réponse à l'insomnie : la batterie des somnifères. Réponse aux douleurs articulaires : injections de cortisone. On sort de chez le pharmacien avec des sacs presque aussi pleins que ceux de l'épicier. Ces tendances nous révulsent. Ce courant de pensée nous hérisse. Non, il n'est pas normal d'être malade. Le seul phénomène naturel que nous connaissons, c'est la santé physique et mentale. Votre organisme, vos chakras, vos circuits énergétiques sont naturellement enclins à bien se porter, à fonctionner à leur rythme, à « tourner rond ». Un guérisseur s'est donné pour tâche de porter assistance à la partie saine des hommes et des femmes qui ont recours à ses services.

Bien entendu, le travail du médecin est fondé sur les mêmes principes. Simplement, pour de multiples raisons que je n'ai pas à développer ici, la médecine moderne a choisi la voie de la spécialisation à outrance. Or, dans notre optique tout au moins, soigner un symptôme – et le guérir – n'équivaut pas nécessairement à une orientation du malade vers la santé. Pour un guérisseur, la santé ne signifie pas uniquement celle d'un organe particulier, pas même celle du corps physique pris isolément et considéré comme une entité séparée. Une telle conception est à l'opposé de nos croyances. Pour nous, la santé signifie l'équilibre, l'état de bien-être et l'harmonie dans tous les aspects de la vie.

Le processus de guérison consiste en fait à recouvrer la mémoire, celle de qui vous êtes. Or, nous l'avons vu, cette mémoire « cosmique » habite dans les différentes couches auriques. Travailler sur l'aura rétablit, en général lentement mais parfois assez vite, l'équilibre des énergies dans chacun des sept corps. Quand toutes les énergies sont bien rééquilibrées, à tous les niveaux, la santé se rétablit. Soyez sans crainte, le cerveau a beau avoir tout oublié, l'âme a très bien appris sa leçon. C'est elle qui dispose, de loin, du meilleur accès à la réalité cosmique.

Nous allons maintenant parler de deux méthodes complémentaires, la première utilisée par mes confrères et par moi-même, la seconde étant davantage dans le domaine du corps médical. Nous les appelons la guérison « interne » et la guérison « externe ».

La guérison interne s'obtient en travaillant sur les corps auriques. Son but est de rétablir l'équilibre, l'harmonie à tous les niveaux de l'être humain. Nous concentrons donc notre attention sur les structures physiques, émotionnelles, affectives, pulsionnelles, mentales et spirituelles de notre patient. Nous nous intéressons tout particulièrement à la façon dont il a fabriqué ses systèmes de croyance. Lorsque, après avoir « chélationné » l'aura[1], nous abordons directement le corps physique, notre travail porte essentiellement sur la cuirasse caractérielle reichienne, responsable du blocage des émotions et des affects. Il s'agit, comme vous le savez sans doute, de libérer le flux énergétique ralenti ou stagnant en réduisant les nœuds de tension, en affaiblissant les contractures musculaires, en essayant de dissoudre les « plaques de blindage » et les bouchons. Ce travail contribue à nettoyer les différentes couches de l'aura en réactivant les échanges énergétiques. Quand les circuits sont débouchés, la demande du corps physique augmente dans des proportions étonnantes. Les corps auriques en bénéficient en recevant des apports d'énergie neuve, puisée dans le vaste champ universel. N'allez pas vous imaginer qu'une guérisseuse, magnétiseuse et médium, plane dans les nuages et marmonne des incantations en faisant tourner son pendule. Cette image, en partie exacte, ne concerne qu'une fraction de mes activités. Le reste du temps, je retrousse mes manches, je frotte mes mains pour les échauffer et les charger, et je « pétris » mon patient comme les boulangers d'autrefois pétrissaient leur pâte. Les nombreuses techniques corporelles (massage reichiens, bio-énergie, rolfing, intégration posturale, stretching, etc.) sont extrêmement utiles. Je m'en sers tout le temps pour renforcer l'action de mon travail sur l'aura.

L'autre approche, dite guérison externe, est plus traditionnelle. Il s'agit ici, d'une part de former son esprit à des disciplines d'hygiène et de vie saine, de prendre de bonnes habitudes concernant son alimentation, la manière de se vêtir, le sommeil, l'alternance et la répartition des périodes de travail et de repos, le sport, la détente, etc., d'autre part de parer au plus pressé en cas de symptômes pathologiques graves, lorsque la maladie n'a pas pu être évitée. Il est évident qu'il faut aller vite dans certains cas, et il me paraît absurde de refuser l'assistance médicale classique sous prétexte de métaphysique ou de philosophie bouddhiste. Dans ce domaine de la guérison externe, je dirai simplement que mes goûts, mes croyances et ma façon de penser me font préférer l'homéopathie et la médecine chinoise.

À mon avis, la guérison interne (holistique) est la plus importante. Toutefois les méthodes de soins externes (cherchant à guérir une maladie déclarée) sont dans bien des cas indispensables. De toute façon, les deux approches sont complémentaires et doivent s'épauler.

---

1. Ce terme technique, inventé par la guérisseuse californienne Rosalynn Bruyere, signifie : nettoyer le champ aurique de ses zones sombres et de ses impuretés. La *chélation* et ses applications thérapeutiques seront expliquées en détail au chapitre 22.

Le processus de guérison interne

Le processus de guérison interne rétablit l'équilibre des énergies dans chaque corps, corrige les manifestations de ses désordres, les répare dans les couches correspondantes de l'aura par l'imposition des mains (fig.16-1). Le réalignement de chaque corps favorise l'équilibre des autres. C'est pourquoi nous parlons quelquefois de « traitement arc-en-ciel », puisque nous travaillons sur toutes les couches et nos outils sont les couleurs du spectre.

Figure 16-1

PROCESSUS INTERNE DE LA GUÉRISON

CORPS DU GABARIT KÉTHÉRIQUE	7ᵉ couche magnétisation	Mise en doute du système de croyance défectueux
CORPS CÉLESTE	6ᵉ couche magnétisation	Siège dans l'amour universel
CORPS DU GABARIT ÉTHÉRIQUE	5ᵉ couche chirurgie	Aligne la volonté individuelle sur la volonté divine
CORPS ASTRAL	4ᵉ couche, chélation, amour	Confère l'amour et l'acceptation
CORPS MENTAL	Chélation et remodelage de la pensée	Remêt en question des modes de pensée dualistes
CORPS ÉMOTIONNEL	Chélation et orientation du flux émotionnel	Re-expérimentation des sentiments et de la douleur bloqués pour libérer le flux des sensations
CORPS ÉTHÉRIQUE	Chélation et réparation de la structure	Libère le flux d'énergie et les vibrations dans le corps éthérique. Le restructure. Équilibre le métabolisme de l'orgone
CORPS PHYSIQUE	Massage	Revitalise et nourrit le corps physique en énergie. Équilibre les processus chimiques qui rétablissent l'équilibre des systèmes physiques. Santé

Ce traitement étant commenté en détail au chapitre 22, je m'en tiendrai ici à une brève description.

Les soins donnés au gabarit kéthérique (corps causal) font remonter le système de croyance erroné à la conscience, où il est analysé et remis en question. La guérison s'opère ici dans la septième couche du champ. Le traitement porte essentiellement sur la réparation et la restructuration de ce corps, très souvent lésé. Cette remise en état entraîne automatiquement une meilleure ouverture à l'amour céleste dans la sixième couche, juste en dessous.

Au niveau céleste, le rôle du guérisseur, qui est installé (ou devrait l'être) dans l'amour céleste ou universel, consiste simplement à le convoyer pour le transmettre à son patient.

Au niveau du moule éthérique, une chirurgie spirituelle, si l'on peut employer cette image, aligne la volonté du patient sur la volonté divine, ce qui a pour effet d'équilibrer ce cinquième corps aurique.

Au niveau astral, la guérison s'obtient par la méditation et le rayonnement de l'amour. Le guérisseur se concentre sur l'amour pour l'humanité et transmet cette énergie au patient, ce qui provoque une décontraction du niveau mental qui renonce à certaines défenses.

Au niveau mental, le patient revoit, pour les analyser et les récuser, les processus de pensée responsables du déséquilibre de ce plan. Ces processus se fondent sur la logique de l'enfant ayant vécu une expérience traumatisante. Lorsque l'adulte en prend conscience, ils les reconnaît facilement pour ce qu'ils sont et peut les remplacer par d'autres, plus matures. Le guérisseur travaille à la restructuration du champ aurique en aidant son patient à trouver de nouvelles solutions à de vieux problèmes périmés, mais toujours actifs et douloureux.

Dans le plan émotionnel, le praticien aide son malade (à l'aide d'une technique de *chélation*) à clarifier ses sentiments bloqués. Au cours des séances, le sujet revit souvent de vieux traumatismes et beaucoup de sentiments refoulés. Il arrive aussi que ses blocages disparaissent sans qu'il en prenne conscience.

La couche éthérique nécessite des réajustements et des réparations afin de se restructurer et de communiquer au corps physique une sensation de bien-être et de force.

Notre action sur le corps physique consiste en des massages, des exercices, du travail sur le chevalet de Lowen, du rolfing, du cri primal pour libérer les émotions, des techniques empruntées à la Gestalt-thérapie, au stretching, à l'analyse transactionnelle d'Éric Berne, aux thérapies par les sons ou les couleurs, etc.

Dans le processus de guérison de la totalité du spectre aurique (d'où le nom de « traitement arc-en-ciel »), tous les corps sont traités. Cette méthode se pratique en séances privées, plus rarement en groupes dirigés par le guérisseur. La santé du corps physique se rétablit à la fin du traitement, quand tous les corps ont été équilibrés. Ce qui peut aussi bien se produire en une séance que prendre un an... ou cinq !

Peut-être vous demandez-vous comment les guérisseurs arrivent à faire tout cela ? L'énorme stock d'informations à laquelle leur état de conscience expansée leur donne accès y pourvoit.

Le processus de guérison externe

Les méthodes de soins externes s'appliquent pour accélérer et consolider cette guérison de base. Dans bien des cas, elles sont plus qu'utiles, car les syptômes physiques relevant de systèmes de croyance nocifs ne peuvent attendre que le système responsable soit révisé. En cas de crise, ces soins peuvent devenir indispensables pour sauver la vie du patient. Cependant, si la guérison interne ne s'opère pas convenablement et si le système fautif n'est pas remis en cause, la maladie reviendra sous une forme ou sous une autre dans le corps physique, en dépit de l'action sur les symptômes.

Bénéficiant des progrès de la médecine globale, de nombreuses méthodes thérapeutiques ont été étudiées et se sont révélées fiables. La plupart des médecins insistent aujourd'hui sur l'importance du régime alimentaire, des vitamines et des oligo-éléments, les bienfaits de l'exercice au grand air, de la marche, et établissent des programmes astucieux visant à maintenir les gens en bonne forme physique. Tous les professionnels de la santé, qu'ils soient médecins homéopathes, acupuncteurs, chiro-practeurs, kinésithérapeutes, bioénergéticiens, etc., travaillent dans le même but. Le public prend de plus en plus conscience de l'utilité des exercices corporels. On fait établir régulièrement des bilans de santé pour déceler toute anomalie avant qu'elle s'aggrave. Aux États-Unis, l'imposition des mains est maintenant pratiquée sous de nombreuses formes, dans toutes les villes de quelque importance. Certains patients s'intéressent au chamanisme ou à d'autres formes ancestrales de médecine naturelle. Des chirurgiens « sans couteau », généralement philippins, visitent régulièrement notre pays et opèrent des centaines de personnes. Nous assistons depuis une vingtaine d'années à une véritable révolution dans le domaine de la santé. Pourquoi ?

L'avènement de la technologie moderne et la disparition du médecin de famille ont dépersonnalisé la médecine. Le médecin de famille, généraliste par excellence, endossait la responsabilité de la santé familiale dont l'histoire lui était familière et englobait parfois plusieurs générations. De nos jours, un médecin a bien du mal à se souvenir du nom de ses patients tant ils sont nombreux. Compte tenu du glissement qui s'est opéré en faveur d'une extraordinaire technologie, sauvant bien des vies, le médecin ne peut plus prendre en charge la santé de chaque patient. Et cette responsabilité retombe sur le malade lui-même, à la place exacte qui lui revient.

Nous touchons là l'élément fondamental de cette révolution concernant la santé. Aujourd'hui, de plus en plus de patients désirent s'assumer eux-mêmes. Afin que cette évolution puisse se dérouler en douceur, la meilleure option consiste à y intégrer des méthodes valables, personnalisant les soins comme cela se faisait autrefois.

Coopération du médecin et du guérisseur

Lorsque le guérisseur et le médecin collaborent, le patient peut bénéficier à la fois de la technologie moderne et de l'attention personnelle nécessaire à sa demande individuelle. Voyons comment cette coopération peut s'articuler dans la pratique.

Les guérisseurs devraient assister les médecins des trois manières mentionnées au début de ce chapitre. Ils peuvent leur apporter une vision plus vaste des facteurs impliqués dans toute maladie. Ils sont capables de leur fournir sur-le-champ une information beaucoup plus complète, et surtout plus globale, que celle que l'on obtient pour les méthodes d'investigation classiques. Enfin l'imposition des mains contribue puissamment à régulariser les circuits d'énergie du patient, ce qui favorise et accélère sa guérison. Très souvent, ce nettoyage en profondeur, non seulement du corps physique mais aussi des couches auriques, donne au malade la force et la volonté de reprendre le dessus pour un nouveau départ.

Le guérisseur peut travailler directement avec le médecin et le patient, afin d'établir un premier diagnostic permettant de cerner le problème. Ce qui apporte une vision complète du déséquilibre, et par conséquent de sa gravité. On remontera facilement jusqu'aux causes, permettant de rechercher avec le patient la signification de cette maladie dans sa vie.

Nous préciserons au prochain chapitre les méthodes de diagnostic utilisées par le guérisseur. Son HSP lui sert à capter des directives concernant les médicaments, les doses à prescrire, les soins complémentaires éventuellement souhaitables, le régime alimentaire à suivre, les vitamines à prendre, les exercices à pratiquer, etc. Il peut suivre le cas avec le médecin, et grâce à son HSP, réajuster les dosages d'une semaine à l'autre, de jour en jour, voire d'heure en heure. On arriverait alors à un degré de précision inégalé auparavant, car en observant le champ d'un malade le guérisseur voit de quelle façon les médicaments agissent sur les sept couches énergétiques qui enveloppent le corps physique.

Il m'est arrivé de travailler de cette façon très efficacement. J'ai rencontré un magnétiseur, Mietek Wirkus, pratiquant dans ces conditions depuis trois ans avec les médecins d'une clinique dépendant du centre médical « IZICS » de Varsovie. Cette clinique expérimentale a été créée spécialement pour réunir des équipes médecins/magnétiseurs/guérisseurs. Elle existe toujours à Varsovie et fonctionne avec succès. Les dossiers médicaux conservés par « IZICS » montrent que l'imposition des mains, appelée là-bas bio-énergo-thérapie (BET), s'avère des plus efficaces dans de très nombreux cas : troubles du système nerveux, migraines chroniques, maladies respiratoires, asthme, énurésie, ulcères gastriques ; certains types d'allergie, dissolution des kystes ovariens et des tumeurs bénignes, stérilité, douleurs arthritiques et rhumatismales. La BET soulage la souffrance des cancéreux, réduit les doses d'analgésiques ou de tranquillisants prescrites aux malades. Des effets positifs ont également été observés dans le traitement de la surdité chez les enfants. Dans la majorité des cas, les médecins constatent qu'après un traitement BET, les patients sont calmes, relaxés. La douleur disparaît ou s'atténue. Le processus de réhabilitation s'accélère, notamment après une intervention chirurgicale ou une infection.

Aux États-Unis, de nombreux guérisseurs commencent également à travailler avec les médecins. Au New York Medical Center, le Dr Dolores Krieger fait pratiquer l'imposition des mains par ses aides-soignantes depuis plusieurs années. Rosalyn Bruyere, directrice du Healing Light Center de Glendale, a ses entrées dans de nombreux hôpitaux, où elle pratique l'imposition des mains, et participe à divers programmes de recherches afin de déterminer le degré d'efficacité de cette méthode sur un certain nombre de maladies.

Un projet de recherche portant sur l'application du HSP aux maladies estimées incurables, comme certains cancers, aiderait les chercheurs à en trouver les causes et les traitements. Grâce à la vision interne (dont il va être question tout à l'heure), le guérisseur parvient à observer le processus de la maladie à l'intérieur même du corps. Quel merveilleux outil pour la recherche !

En se servant de son HSP, le guérisseur arrive à déterminer la méthode de soins globale convenant le mieux à chaque cas, à observer son effet sur l'aura, accélérant ainsi la guérison. J'ai souvent remarqué, au cours de mes observations, que les traitements n'ont pas du tout les mêmes effets sur l'ensemble du champ aurique. Certains remèdes n'agissent que sur les couches inférieures. D'autres affectent un corps, sont inopérants sur les deux ou trois corps suivants, puis deviennent brusquement actifs à nouveau sans que l'on sache au juste pourquoi. Dans son livre *The Pattern of Health*[2], Aubrey Weslake cite les correspondances de plusieurs médicaments très connus, produits par un grand laboratoire pharmaceutique américain (Bach Flower), avec leurs niveaux auriques. Les remèdes homéopathiques fortement dosés, d'après mes constatations, affectent les couches supérieures du champ aurique. Les hautes concentrations agissent sur les quatre couches supérieures, les faibles dosages sur les inférieures. Compte tenu du très grand pouvoir des doses élevées, il est toujours conseillé aux débutants de commencer par les doses les plus faibles, et de ne passer aux corps supérieurs que lorsque le remède adéquat est vraiment trouvé. Par l'imposition des mains, la plupart des guérisseurs peuvent déterminer le corps sur lequel il convient de travailler. Les méditations d'auto-guérison opèrent sur tous les corps. Une méthode expérimentale, dite « radionique », permet d'irradier des énergies bénéfiques du CEU à l'aide de machines génératrices de fréquences ultra-soniques. Complémentaire de la radiesthésie, la radionique peut bombarder d'ondes thérapeutiques des patients situés à des distances considérables des praticiens. Un spécimen sanguin ou un cheveu de la personne à traiter servent généralement d'« antenne ». Le radionicien peut sélectionner la couche aurique sur laquelle il convient de travailler.

La chiropraxie agit sans aucun doute sur les trois premières couches de l'aura, tout comme les plantes médicinales, les vitamines, les drogues et les interventions chirurgicales. Alors que l'imposition des mains, la méditation, les thérapies par les sons, les couleurs, la lumière, les cristaux, ont accès à tous les niveaux auriques, et plus particulièrement aux niveaux élevés. Des programmes de recherche pourraient nous en apprendre bien davantage sur la manière d'utiliser ces techniques le plus efficacement possible.

Ces méthodes « marginales » suscitent de plus en plus d'intérêt et ont fait l'objet de nombreuses études et témoignages. Je

---

2. Editions Shambhala, Berkeley, Californie, 1973.

vous conseille les lectures suivantes[3]. L'ordre dans lequel ces ouvrages sont présentés n'a évidemment rien à voir avec un quelconque ordre de valeurs ; nous nous conformons simplement à l'habitude de citer les auteurs par ordre alphabétique.

- G. Alexander, *Le Corps retrouvé par l'eutonie*, Tchou, Paris, 1977.
- T. Brosse, *La Conscience-énergie*, Éd. Présence, Saint-Vincent-sur-Jabron, 1978.
- J. Fontaine, *Médecin des trois corps*, Robert Laffont, Paris, 1980.
- J. Guesné, *Le Grand Passage*, Courrier du livre, Paris, 1978.
- G. Lemaire, *Guérisseur*, Astra, Paris, 1983.
- R. Linssen, *L'Homme transfini*, Courrier du livre, 1984.
- A. Lowen, *La Bioénergie*, Tchou, 1976.
- J.-L. Victor, *Nous sommes tous médiums*, Pygmalion, Paris, 1979.
- B. Woestelandt, *De l'homme-cancer à l'homme-dieu*, Dervy-Livres, Paris, 1986.

Aux États-Unis, la profession médicale a concentré tous ses efforts sur le corps physique. De ce fait, elle est devenue experte dans le domaine des maladies organiques. Ses méthodes reposent en majorité sur la chimiothérapie et la chirurgie, dont l'emploi généralisé présente pourtant le grave inconvénient d'effets secondaires souvent redoutables. Les prescriptions massives de médicaments visent bien, théoriquement, à régulariser le fonctionnement du corps physique. Cependant, ces drogues distillent aussi des énergies mal connues qui affectent les corps supérieurs. Ces effets n'ont pas été étudiés quand ces remèdes ont été testés en vue de leur utilisation par le public. Autant dire qu'ils ne sont constatés que lorsqu'ils ont déjà causé des ravages. J'ai pu vérifier les effets de ces drogues sur l'aura dix ans après leur absorption, notamment les séquelles d'un produit prescrit pour guérir une hépatite, responsable, cinq ans plus tard, d'une

---

3. Nous avons transposé pour le bénéfice des lecteurs français. Dans le texte original, Barbara Ann Brennan recommande les ouvrages anglais et américains suivants :
- L. Anderson, *The Medecine Woman*, Harper & Row, New York, 1982.
- R.P. Beeseley, *The Robe of Many Colours*, College of Psychotherapeutics, Kent, G.B., 1969.
- I. Bentov, *Stalking the Wild Pendulum*, Bantam Books, New York, 1977.
- D. M. Connelly, *Traditional Acupuncture : the Law of the Five Elements*, Traditional Acupuncture Foundation, Columbia, Maryland, 1987.
- J. Dintenfass, *Chiropractic, a Modern Way to Health*, Pyramide House, New York, 1970.
- L. Le Shan, *The Medium, the Mystic and the Physicist*, Ballantine Books, New York, 1966.
- D. Tansely, *Radionics Interface with the Ether-Fields*, Health Science Press, Devon, G.-B., 1966.
- G. Vithoulkas, *Homeopathy, Medecine for the New Man*, Avon Books, New York, 1971.

déficience immunitaire. J'ai vu une solution rouge, injectée dans la colonne vertébrale en vue d'une exploration, inhiber les nerfs spinaux dix ans plus tard.

Perspective d'un système global de guérison

Je pense qu'à l'avenir, une conception des soins fondée sur la totalité de l'individu ajoutera aux énormes connaissances « analysées » de la profession médicale académique le savoir « synthétisé » en rapport avec les systèmes d'énergie de plus haut niveau. Une approche holistique présidera aux diagnostics, aux prescriptions, aux soins à pratiquer sur les corps énergétiques du patient. La guérison externe s'appuiera sur la guérison interne, et vice versa. Le médecin allopathe, le chiropracteur, l'homéopathe, le chirurgien, l'acupuncteur, le magnétiseur, le guérisseur, travailleront de concert au processus de guérison. Le patient sera traité pour ce qu'il est réellement : une âme en quête de la déité de son moi des profondeurs. La maladie servira à orienter l'âme voyageuse dans la bonne direction, celle qui nous éloigne petit à petit de la matière condensée et des formes-pensées qu'elle engendre pour nous ouvrir aux vibrations de plus en plus subtiles de l'espace libre.

Pour en arriver là, il nous faudra faire appel aux méthodes analytiques des sciences exactes afin de pénétrer les mystères des corps supérieurs, acquérir une connaissance pratique de leur fonctionnement et de leur structure. Nos recherches devront être étroitement coordonnées. Nous aurons besoin de tester ensemble les méthodes de traitement applicables aux corps supérieurs. Il faudra suivre de près l'évolution de la médecine allopathique afin d'observer ses effects combinés à ceux de l'homéopathie. Nous aurons à découvrir les combinaisons heureuses qui renforcent les effets du traitement. Mais il y aura aussi, naturellement, des incompatibilités. Ces efforts conduiront peut-être bientôt à la découverte de méthodes de détection scientifique et d'observation des corps d'énergie les plus subtils, ceux qui sont situés au-delà du septième corps (kéthérique ou causal). Le corps éthérique, de texture relativement grossière, ressemble assez au corps physique. Nous nous concentrerons donc sur lui au début, car il est très facile à détecter. Si nous parvenions à produire de bonnes images de la grille structurelle éthérique, montrant ses déséquilibres en opposition à son état normal, nous disposerions déjà d'un bel outil de travail, car à l'aide d'études plus poussées, ces informations nous permettraient de découvrir des méthodes pratiques, efficaces, pour équilibrer les énergies éthériques, perturbées. À l'étape suivante, nous pourrions alors partir à la découverte de méthodes applicables aux corps de plus en plus subtils. *Nous deviendrions alors capables de guérir une maladie avant sa manifestation dans le corps physique.*

Avant d'atteindre ce but, il faudrait toutefois que l'on enseigne aux professionnels de la santé, aux médecins en particulier, la perception des champs, afin qu'ils puissent voir, eux aussi, la formation et le développement de la maladie dans les différents corps auriques. Certains acceptent aujourd'hui notre aide et dirigent leurs cas les plus difficiles vers les guérisseurs. Mais il le font généralement en secret. Quelque chose les gêne à ce niveau, comme s'ils avaient un peu honte. Il est grandement temps, à mon avis, de nous enlever cette étiquette « louche », de nous sortir de la semi-clandestinité dans laquelle trop d'entre nous se débattent, afin que, tous thérapeutes, nous puissions travailler en équipe, au grand jour.

Imaginez le bond en avant que ferait la recherche médicale en ayant dans les hôpitaux, dans les laboratoires, des personnes hautement qualifiées, de formation scientifique, capables de voir, d'un simple coup d'œil, les processus internes du corps humain ! La recherche, au lieu de supplicier des animaux[4], se concentrerait sur l'observation du patient et de ses besoins intimes. Grâce à cette lecture directe, des programmes de soins personnalisés pourraient être proposés à chaque individu, en fonction de sa structure bioénergétique et psychique.

Selon Heyoan : « Une substance adéquate, dosée avec précision, administrée au moment opportun, agit comme un catalyseur de santé. Ses effets secondaires seront minimes et sans danger. » La santé ne se limite donc pas au corps physique. Elle vise à l'équilibre total, à tous les niveaux du champ énergétique.

Nous allons étudier maintenant les diverses démarches permettant d'accéder à ce potentiel extraordinaire d'informations qu'est la lecture directe des auras cosmiques.

---

4. Écoutons ce que nous dit à ce sujet le guérisseur et psychothérapeute anglais Theo Gimbels : « Notre croyance fondamentale que tout dans l'Univers est lié, que la frontière séparant les espèces est artificielle et arbitraire, nous empêche de faire ce clivage, faux à notre avis, entre le règne animal et le genre humain. Torturer des bêtes sans défense pour améliorer la condition humaine est pour nous un non-sens. Indépendamment de toute considération sentimentale ou humanitaire, les vibrations, issues de la souffrance des animaux de laboratoire, ne se dissipent pas, mais s'accumulent en mauvaise densité pour créer des fréquences "sombres" (exactement comme les crimes, les guerres, les régimes concentrationnaires, bien que sans doute à une plus petite échelle), dont nous subissons les conséquences. Rien n'est jamais perdu dans l'Univers, ni la joie que nous donnons, ni les souffrances que nous provoquons. » Theo Gimbels, *Les Pouvoirs de la couleur*, Sand, Paris, 1987.

Révision du chapitre 16

1. Décrivez le processus de la guérison interne.
2. Décrivez le processus de la guérison externe.
3. Sur quels niveaux du CEH les médicaments agissent-ils ?
4. Sur quels niveaux du CEH s'exercent les effets des médicaments prescrits en pratique médicale courante, dans nos pays occidentaux ?
5. Quel rapport existe-t-il entre le dosage d'un remède homéopathique et l'aura ? Sur quels plans auriques les remèdes homéopathiques agissent-ils ?

Sujets de réflexion

6. Quels seraient les effets d'une compréhension en profondeur du processus de la maladie (c'est-à-dire en tenant compte du CEH) sur la pratique médicale ?
7. Quels avantages retirerait le patient, ainsi que l'équipe soignante, d'une réelle intégration des concepts exposés dans les chapitres qu'on vient de lire : découverte par le malade de son moi divin (de son « âme », si vous préférez) ; participation et responsabilité au cours du traitement ; connaissance de la psychodynamique des énergies ; découverte des formes-pensées qui sont à l'origine des systèmes de croyance erronés.
8. Comment nos pratiques – imposition des mains, diagnostic extra-perceptif, contrôle des vibrations, « chélation » des champs auriques, etc. – peuvent-elles s'intégrer à la médecine traditionnelle telle qu'elle est actuellement enseignée dans les facultés ?

Chapitre 17

L'accès direct à l'information

La possibilité d'accéder à l'information extra-sensorielle accélère évidemment la guérison, puisque nous obtenons instantanément des renseignements qui seraient relativement longs à obtenir par les moyens classiques. Cet « accès direct », dont je parle beaucoup, signifie tout bonnement ce que le terme implique : le guérisseur ou le magnétiseur est connecté en direct à l'information qu'il désire recevoir. C'est ce que nous appelons le HSP, qui est autre chose que l'état médiumnique, car nous n'avons besoin ni de transes ni de plongées plus ou moins cataleptiques. Dans les livres spécialisés que vous aurez l'occasion de lire sur ces questions, on appelle aussi ce mode de perception subtile l'audition transparente, la clairvoyance, l'extra-sensitivité, l'extra-sensorialité, la lecture psychique, à votre choix. Peu importe le nom qu'on lui donne. L'important est de comprendre ce qui se passe réellement, afin de démystifier beaucoup d'idées naïves, erronées ou farfelues, trop souvent véhiculées, hélas, par des journalistes qui ne savent absolument pas de quoi ils parlent, ou pire, par des auteurs peu scrupuleux qui, eux, savent très bien de quoi ils parlent, mais déforment ou faussent outrageusement la réalité dans le but délibéré de flatter les goûts du grand public en lui offrant du sensationnel à tout prix. Qu'est-ce que la perception extra-sensorielle ? Le guérisseur a-t-il des « pouvoirs psychiques » ? C'est ce que nous allons essayer de découvrir dans ce chapitre.

Toute information passe par le canal des cinq sens : vue, ouïe, odorat, goût, toucher. Cela se passe chez tout le monde, mais pas de la même manière. Un aveugle ne voit pas, toutefois son sens intérieur de la vision n'a pas disparu pour autant. Un sourd n'entend pas : il n'en conserve pas moins un sens de l'ouïe. Certains êtres parviennent à développer plus que d'autres cette perception extra-sensorielle. Pourquoi et comment ?

Nos processus psychiques intérieurs sont ici directement concernés. Ce sont eux, en effet, qui favorisent – ou bloquent – la libre circulation de l'information. Ce « parasitage des circuits » est remarquablement démontré par les programmateurs Richard Bandler et John Grinder dans un livre aussi passionnant que drôle : *Frogs into Princes*[1]. Notre structure psychique vient des expériences de l'enfance, soit, mais beaucoup d'autres facteurs sont aussi en jeu : l'hérédité, la sensibilité, le degré d'évolution, la mémoire cosmique, etc. Or, cette structure nous a habitués, de très longue date, à utiliser certains canaux sensoriels de préférence aux autres. Une grande inégalité existe donc au niveau de nos cinq sens. Un homme ou une femme « visuel » a un sens aigu de l'observation, adore regarder, ne rate aucun détail, se délecte des arts graphiques et va souvent au cinéma ; il peut fort bien ne goûter que modérément la musique et n'être absolument pas gourmand. Tel autre lit le Gault & Millau de la première page à la dernière, connaît tous les restaurants à la mode et appelle les prestigieux chefs par leur prénom, mais il fuit le contact corporel, déteste toucher et être touché. Toutes les combinaisons sont possibles, et interchangeables, en fonction de chaque structure psychologique. Possibles *et interchangeables*. Voilà le mot clé. Car je pense qu'en travaillant sur soi on peut, sinon transformer radicalement, du moins améliorer dans des proportions considérables sa structure. Tous les guérisseurs, tous les psychothérapeutes reichiens ont constaté des transformations spectaculaires en cours de traitement.

Ce qu'il faut avant tout, c'est savoir comment vous fonctionnez. Quel type de cuirasse caractérielle avez-vous ? Quels sont vos systèmes de défense habituels ? Quels automatismes et quels modes de comportement découlent de vos formes-pensées ? Pensez-vous de préférence en images, en sons, en odeurs ou en sensations tactiles ? Attachez-vous à le découvrir au plus vite, car vous tenez là non seulement une des clés essentielles de votre structure individuelle, mais l'outil majeur qui va servir à votre évolution. C'est par le sens que vous avez le plus développé en vous, celui dont vous vous servez de préférence pour capter et analyser les informations du monde extérieur, que je vous conseille d'apprendre à cultiver et à développer votre HSP.

Si, par exemple, on me cite un nom, je commence par l'entendre avec mon « oreille intérieure », puis je cherche une connexion kinesthésique dans toutes les directions jusqu'à ce qu'elle s'établisse avec la personne portant ce nom. À partir de

---

1. Real People Press, Maob, Utah, 1979.

là, je vois défiler des images, et l'information concernant la personne citée m'arrive assez vite. Quelques années auparavant, j'en étais incapable.

Le premier sens qui s'affina chez moi fut la kinesthésie, ce qui se comprend dans mon cas : je passais tant d'heures dans mon cabinet à faire des psychothérapies reichiennes, à toucher mes patients et leurs champs d'énergie... Puis mes sensations tactiles se convertirent en images. Je me mis à « voir » ce que je sentais. Au bout d'un certain temps, et après m'être entraînée, j'ai pu entendre l'information. Chacune de ces voies d'accès s'aiguise au moyen d'exercices et de méditations. En entrant en état de calme, de quiétude, en vous concentrant sur l'un de vos sens, vous le stimulez. Il suffit de pratiquer, de beaucoup pratiquer. Toute la difficulté consiste à parvenir à cet état de lâcher prise intérieur et à demeurer concentré sur votre objectif en éliminant les unes après les autres les pensées parasites. C'est, en fait, une forme de yoga accessible à tous. Aucun « pouvoir extraordinaire » ne vient nous visiter. Ces forces existent partout dans la nature et tout notre travail consiste à nous ouvrir à elles.

Exercices de développement de vos perceptions

Pour découvrir votre mode de fonctionnement préféré, installez-vous confortablement en posture de méditation et concentrez-vous sur vos sensations. Laissez venir..., respirez calmement et en profondeur. Si cela peut vous aider, touchez la partie du corps concernée. Si vous êtes du type visuel, vous pouvez préférer la regarder. Si vous penchez du côté de l'audition, écoutez votre respiration ou les battements de votre cœur pour favoriser votre concentration.

Procédez de même pour l'espace qui vous entoure. Asseyez-vous et fermez les yeux. Sentez l'espace dans lequel vous vous tenez. Envoyez vos énergies vers divers endroits de la pièce. Exercez-vous à les diriger, cela devient vite un jeu. Bombardez d'énergie un meuble, un bibelot, puis ouvrez les yeux et allez toucher cet objet. Retournez vous asseoir et visualisez-le, sentez-le. Les yeux bandés, demandez à quelqu'un de vous conduire dans une pièce qui ne vous est pas familière. Asseyez-vous et « sentez » l'espace environnant. « Reniflez-le » comme un animal renifle un territoire inconnu. Qu'avez-vous appris sur ce lieu ? Retirez votre bandeau et vérifiez si vos impressions sont justes. Procédez de même avec des personnes, des animaux, des plantes.

Développement du sens visuel

Installez-vous en posture de méditation, les yeux fermés, et regardez l'intérieur de votre corps. Si vous avez du mal à vous concentrer, faites appel à un de vos sens susceptible de vous y aider. Touchez, ou mettez-vous à l'écoute d'un organe jusqu'à ce que vous parveniez à en obtenir l'image. Procédez de la même façon pour la pièce où vous êtes. D'abord les yeux ouverts, examinez-la en détail. Puis les yeux fermés, recréez en pensée l'image de ce lieu. Allez ensuite dans une chambre qui ne vous est pas familière et recommencez l'exercice les yeux fermés. Que pouvez-vous en voir ?

Souvenez-vous qu'il convient de bien faire la distinction entre la perception visuelle, dans laquelle les images viennent spontanément, et le processus de visualisation, qui est un acte créatif dans lequel vous visualisez volontairement ce que vous voulez créer[2].

Développement du sens auditif

Installez-vous en posture de méditation et mettez-vous à l'écoute de votre corps. Là encore, si vous avez besoin d'aide, posez votre main sur la partie concernée, palpez-la, regardez-la. Puis, pénétrez à l'intérieur et écoutez les sons qui vous parviennent. Si vous faites cet exercice en plein air, dans un bois ou sur une plage, vous commencerez par entendre le synchronisme des bruits qui, ensemble, composent une symphonie naturelle. Écoutez-les attentivement. Qu'entendez-vous d'autre ? Des sons qui n'existent pas ? Écoutez-les mieux encore. Un jour, bientôt, vous allez les trouver chargés de sens. Dans *Stalking the Wild Pendulum*[3], Itzhak Bentov parle des sons aigus qu'entendent de nombreuses personnes en méditation. Il est parvenu à en mesurer la fréquence, hors du registre de l'audition normale.

Lorsque mes facultés de clairvoyance se sont développées, je me suis rendu compte que les images m'arrivaient sous deux

2. Les personnes familiarisées avec les séminaires de psychothérapie connaissent bien cette différence très importante entre l'*imaginal* et l'*imaginaire*. Je fais le vide en moi. Je parviens à ne penser à rien. Surgit brusquement l'image d'une temple assyrien, sans que je sache pourquoi cette image me vient. C'est de l'*imaginal*. Je pense volontairement à une rose de mon jardin. La force de ma pensée arrive à créer très rapidement (d'une fraction de seconde à quelques secondes, selon le système nerveux du sujet) l'image de cette rose. Je la « vois » avec son cœur ivoire à peine rosé, le dégradé nacré des pétales aboutissant à un ourlet plus foncé. C'est de l'*imaginaire*.

3. Bantam Books, New York, 1977.

formes, l'une que l'on peut appeler symbolique, l'autre plus objective. Je dis symbolique parce que, dans ce cas, l'image spontanée est bien, quelque part, en rapport avec la personne sur qui je travaille, mais ce rapport est loin d'être évident sur le moment. Je peux aussi bien voir une nébuleuse tournoyer dans le ciel, un caddie de supermarché, une mésange ou un gâteau au chocolat. Qu'est-ce que cela signifie ? Je ne le saurai que plus tard... ou jamais.

Les images objectives, au contraire, sont directement liées à des épisodes de la vie de mon patient. Je visualise par la perception extra-sensorielle des expériences concrètes de son vécu. Ces événements sont indépendants du temps chronologique. Ils peuvent être tout récents, remonter à son adolescence ou à sa petite enfance, au stade du fœtus ou aux vies antérieures. Les flashes déferlent. J'assiste à ces événements comme si j'étais assise dans un fauteuil de cinéma. Pendant la lecture psychique de situations réelles, le thérapeute est installé dans une position de témoin. En d'autres termes, il s'introduit dans la tranche d'espace-temps où ces événements se sont produits, et il assiste à leur déroulement tel qu'il eut effectivement lieu à l'époque concernée. La vision symbolique est plus difficile à expliquer, du moins en termes rationnels. Ici aussi nous sommes des témoins, mais sur un autre plan. Je considère les flashes symboliques comme des points de repère sur le chemin que nous parcourons ensemble, mon patient et moi. Ils peuvent, éventuellement, renvoyer à une situation concrète et ne pas véhiculer de sens caché. Par exemple, la femme qui vient me voir peut avoir eu, dans son enfance, une indigestion avec un gâteau au chocolat. Ou bien elle peut avoir été humiliée dans son rôle d'épouse et de maîtresse de maison en servant, dans une réception très importante pour la carrière de son mari, un gâteau au chocolat complètement raté. C'est possible. D'autres fois, les flashes de ce type ne sont pas à prendre au sens littéral. Nous sommes, à mon avis, des émetteurs-récepteurs. Mon conseil est : *ne jouez pas au psychanalyste*. Ce n'est pas notre travail. Pour la clarté de notre perception, il importe au contraire que nos flashes d'intuition ne soient ni interprétés, ni interrompus pendant qu'ils se déroulent. D'une part, en utilisant les circuits de la pensée consciente, vous parasitez les fréquences subtiles par lesquelles vous parvient l'information. D'autre part – et c'est là le grand danger de l'analyse « sauvage » – vous risquez fort de brouiller les cartes en vous laissant piéger par vos propres mécanismes inconscients, sous prétexte d'interpréter ceux du patient. Gardez toujours en mémoire que, dans ce type de travail, deux champs énergétiques se touchent intimement et s'interpénètrent : le vôtre et celui de la personne que vous soignez.

Supposons qu'au cours d'une séance de rolfing il vous arrive l'image d'une voiture bleue dévalant une rue en pente. Ne vous creusez surtout pas la cervelle en vous demandant : « Qu'est-ce que cette image peut bien vouloir dire ? Quelle information m'est adressée par le truchement de ce message symbolique ? » Faites exactement le contraire. Chassez les pensées parasites qui profitent de l'occasion pour vous assaillir. Lâchez prise. Débrayez... Le raisonnement, les interprétations freudiennes, jungiennes ou lacaniennes n'ont aucune place ici. Laissez les images venir naturellement. Dans notre travail, l'information s'obtient par des canaux autres que celui de l'intellect. N'obstruez pas ces canaux subtils. Laissez venir... Il se peut qu'une séquence complète se déroule devant vos yeux. La voiture bleue arrive trop vite au carrefour, au bas de la rue en pente. Le chauffeur doit donner un coup de frein brutal pour éviter un autobus. L'auto, déportée sur le pavé mouillé, heurte le trottoir et manque de renverser une dame avec un parapluie rouge. De frayeur, la dame lâche son filet à provisions. Des pommes roulent dans le caniveau. Le conducteur de bus descend de sa cabine furieux. Un attroupement se forme. Pour l'instant, vous ne savez absolument pas ce que ce « film » peut vouloir dire. Cela n'a aucune espèce d'importance. Peut-être s'agit-il d'un événement qui s'est réellement produit. Peut-être cet accident va-t-il arriver dans les jours ou dans les semaines qui viennent. Peut-être est-ce un message, pour l'instant mystérieux, destiné à vous apporter des renseignements dont l'utilité se révélera précieuse par la suite. Laissez faire. Ne vous prenez pas pour un metteur en scène. Vous n'êtes pas le maître de jeu ici.

La richesse de l'information dépend uniquement de votre faculté de lâcher prise et de votre persévérance. Une séquence bien articulée peut très bien mettre une demi-heure, trois quarts d'heure ou une heure à se construire. Il m'arrive assez souvent de me « fabriquer » des films de cette durée. Neuf fois sur dix, je ne les comprends pas. Je ne cherche pas à les comprendre.

Lorsqu'il s'agit de déceler une maladie, c'est bien évidemment la vision objective qui intervient. L'organe atteint peut m'apparaître tout à fait en dehors du corps du patient, comme sur un écran disposé contre le mur, par exemple. J'appelle ces représentations des images éclatées. D'autres fois, je visualise l'organe à la place qu'il occupe réellement dans le corps, à travers la peau et les tissus musculaires. Auquel cas ma clairvoyance agit très exactement comme des rayons X : je fais une « radiographie mentale » des parties malades et je vois immédiatement ce qui ne va pas. Il s'agit alors de vision interne.

Les diagnostics par perception extra-sensorielle sont, heureusement, de plus en plus étudiés et reconnus aux États-Unis, en dépit d'une nette réticence, pour ne pas parler d'hostilité, de toute une partie du corps médical. La plupart des médecins qui acceptent de travailler avec nous sont des homéopathes, il faut bien le dire. Or ces diagnostics présentent un intérêt évident puisque, contrairement aux rayons X, ils ne font pas que montrer une tumeur, une lésion, un ulcère ou un œdème, mais révèlent le rapport étroit qui existe entre ces anomalies et la structure psychologique et bioénergétique du malade. La radiographie donne une photo de l'organe concerné, point final. Je vois dans le corps physique à ma guise, où je le désire, à tous les niveaux. Je peux promener mon regard sur les chakras. Je vois les zones d'ombre et les bouchons dans les circuits énergétiques. Je « scanne » la zone des émotions et des affects. Un diaphragme tendu comme une peau de tambour ne m'échappe pas. Ni un ventre secoué de spasmes. Ni un gosier étranglé par les contractures. Je vois aussi bien et aussi clairement une minuscule veinule dans le cerveau qu'un poumon ou un foie. Peut-être plus intéressant encore, je visualise le champ énergétique qui vibre autour du corps physique et je retrouve la trace de toutes les maladies dans l'aura. Cela, ni rayons X, ni scanner, ni examens sophistiqués ne peuvent le faire à l'heure actuelle.

La perception à distance

Cet accès direct à l'information est possible aussi à distance. Ma lecture psychique la plus lointaine eut lieu au cours d'une conversation téléphonique entre New York et l'Italie. À cette époque de mon expérience, mes visualisations à longue distance me parurent assez précises. En revanche, mes soins se révéleront nettement moins efficaces que si le patient et moi avions été côte à côte au cours de séances ordinaires de travail.

L'accès direct et la précognition

Pour répondre aux questions concernant leur avenir que lui posent très souvent les patients, mon guide spirituel répond invariablement en termes d'une tendance probable, mais soutient qu'il est impossible de prédire l'avenir avec précision. Car nous disposons tous de notre libre arbitre pour créer ce que nous voulons. Il nous gronde gentiment, disant qu'il n'est pas là pour lire dans une boule de cristal. Ce qui ne l'empêche pas de répondre le plus souvent aux questions posées. Et la plupart des « possibles envisagés » se sont effectivement réalisés. Il dit à une femme qu'elle occuperait peut-être un poste aux Nations Unies. Par deux fois, cette personne reçut des propositions pour entrer dans cette organisation. À un autre, il apprit qu'il serait probablement chargé, au cours d'un voyage au Portugal, d'accomplir une mission diplomatique au Mexique. Ce qui se produisit quelques mois plus tard. Il conseilla à plusieurs de mes patients de mettre de l'ordre dans leurs affaires et d'être prêts à d'importants changements dans leur vie. Ces personnes furent mutées ailleurs et durent déménager, alors que rien ne le laissait supposer. Au début d'une séance de soins, il me dit que la jeune femme sur ma table de massage était atteinte d'un cancer dont elle allait mourir. Et elle en mourut, alors qu'au moment où elle vint me consulter, elle n'en soupçonnait même pas l'existence. La tumeur ne fut découverte que quatre mois plus tard, après quatre scanners. Les radiographies montrèrent que la tumeur cancéreuse avait la même forme, la même taille et la même localisation que celle dont j'avais eu la vision interne. Lorsque je fis cette découverte, j'en fus bouleversée, bien entendu. Je ne dis rien à ma patiente, mais lui conseillai de consulter immédiatement son médecin. Je n'avais malheureusement aucun contact avec lui, car il ne voulait pas entendre parler de moi. Des expériences de ce genre incitent à la réflexion sur les responsabilités incombant au guérisseur. Nous en reparlerons un peu plus loin.

La meilleure étude existant à ce jour sur la visualisation à distance par perception extra-sensorielle est probablement celle qu'ont faite Russell Targ et Harold Puthoff, du Stanford Institute. Ces deux chercheurs ont constaté qu'un voyant se tenant au sous-sol de l'institut, dans une pièce fermée, pouvait suivre à la trace les membres de l'équipe de recherche envoyés pour l'expérience dans des endroits les plus divers des bâtiments. Targ et Puthoff recommencèrent l'expérience avec plusieurs voyants renommés, puis finirent par découvrir que n'importe quel individu, même le plus sceptique et le plus réfractaire aux phénomènes parapsychologiques, pouvait en faire autant ! Belle leçon de modestie pour ceux d'entre nous (eh oui, il en existe quelques-uns) qui se croient doués de « pouvoirs supranormaux »...

En résumé, je pense que la plupart des êtres humains disposent, d'une manière ou d'une autre, d'une forme d'accès direct à l'information dans leur vie quotidienne. Souhaitez-vous des renseignements pour mieux gérer votre vie professionnelle ? Vous pouvez très vraisemblablement les obtenir à l'aide de votre HSP. Ce qui revient à dire que l'être humain est doté de nombreux instruments de perception pour s'orienter dans les meilleures conditions. Il suffit de demander cette information puis de s'ouvrir à sa réception.

Cet accès direct ouvre des portes fantastiques sur l'avenir. Si, comme des preuves de plus en plus nombreuses le laissent supposer, nous pouvions apprendre à y accéder, tout notre système éducatif en serait affecté et, du même coup, la société dans laquelle nous vivons. Nous irions à l'école non plus seulement pour apprendre à raisonner par déduction et induction, à emmagasiner des connaissances livresques, à entraîner notre mémoire, *mais aussi et surtout pour apprendre à accéder intuitivement, sur le champ, à tout ce que nous désirons savoir.* Au lieu de passer des heures à mémoriser cette information, nous puiserions dans la « mémoire » stockée dans le champ d'énergie universel, dans ce que l'on appelle, en termes ésotériques, les « archives akashiques ». Ces registres conservent au sein de l'hologramme universel l'empreinte énergétique de tous les événements passés, de toutes les connaissances, de tous les savoirs. Les hémisphères du cerveau jouent naturellement un rôle important dans cette tâche. Cependant, l'information n'est pas emmagasinée dans notre intellect, comme c'est le cas aujourd'hui chez les universitaires. Elle est tout simplement accessible. Dans ces conditions, « se souvenir » consiste à se brancher sur des fréquences de l'hologramme universel. On peut alors y lire l'information désirée sans se torturer l'esprit pour la retrouver si l'on a besoin d'elle à nouveau, puisqu'elle est éternellement disponible et accessible par une simple méditation.

Cette information échappe, en outre, aux contraintes et aux limites du temps linéaire, ainsi qu'il est expliqué au chapitre 4. Dans une certaine mesure, nous serons capables de déchiffrer l'avenir, comme Nostradamus, qui prédit pour l'Europe le règne d'un dictateur sanguinaire nommé Histler, quatre cents ans avant l'avènement d'Hitler...

Révision du chapitre 17

1. Quels sont les moyens d'accès direct à l'information ?
2. Décrivez les méthodes par lesquelles vous pouvez renforcer vos sens visuel, auditif et kinesthésique.
3. Quel type de méditation convient le mieux à la concentration psychique d'une personne kinesthésique ?
4. Quelle différence existe-t-il entre l'observation objective de l'aura et sa perception symbolique ?
5. L'accès direct à l'information est-il possible à distance ? Jusqu'à quelle distance ? Quelle est l'explication de ce phénomène en physique ?
6. Quelle différence existe-t-il entre la voyance médiumnique et l'accès à l'information par la voie extra-sensorielle ?

Sujet de réflexion

7. Êtes-vous visuel, auditif ou kinesthésique ?
8. Désirez-vous faire des exercices pour affiner le canal sensoriel qui correspond le mieux à votre structure ?

Chapitre 18

La vision interne du corps humain

Ma toute première expérience eut lieu un matin, dans mon lit. Je m'en souviens comme si elle datait d'hier. J'observais un muscle saillant, tendu, qui courait le long du cou de mon mari, dormant à mon côté. Tout à coup, j'obtins une vision totalement différente de ce muscle. Auparavant, et de l'extérieur, il faisait assez penser à une corde étirée. L'espace d'une seconde, j'avais même pensé à une couleuvre sortant du col du pyjama ! Et puis, sans transition, je me mis à l'observer avec mon regard « rayons X ». C'était extraordinaire, mais en même temps j'étais plutôt « dans mes petits souliers ». Que m'arrivait-il ? Je voyais le cou de mon époux par le dedans. Fascinée, je suivis le ligament cervical qui est relié aux apophyses épineuses de chacune des vertèbres. Je voyais l'os hyoïde avec ses deux cornes dressées de chaque côté, le grand muscle peaucier, les ganglions pris dans les filets du système nerveux cérébro-spinal. J'ai dû prendre peur, je crois. Je me suis brutalement arrachée à mon état intérieur, ce qui m'a donné une sorte de malaise très désagréable. Et qui, on s'en doute, a coupé court à mon expérience de voyance. Tout a disparu d'un seul coup. Agacée, mal dans ma peau, je me suis levée, j'ai enfilé mon peignoir et je suis allée préparer le petit déjeuner.

Après cette mémorable matinée, mes facultés de perception extra-sensorielle sont restées en sommeil pendant un certain temps. J'en arrivais même à me convaincre que j'avais rêvé tout cela. Voir l'intérieur du cou de son mari ! Pourquoi pas sonder les murs et jouer les passe-muraille, pendant que j'y étais !

Et puis, comme il fallait s'y attendre, je n'ai pas pu rester bien longtemps étrangère aux phénomènes parapsychologiques, car je me suis mise à « voir » à l'intérieur des patients installés sur ma table de massage ou sur le chevalet de bioénergie. Dans les premiers temps, je fus déconcertée, c'est le moins qu'on puisse dire. Mais comme mes visualisations persistaient, ou plus exactement s'intensifiaient, je me suis dit que cet aspect de moi avait certainement un sens, que je n'étais pas devenue « extra-lucide » sans raison. Alors, je me suis sérieusement intéressée à la question et j'ai travaillé sur mes tensions pour m'ouvrir de plus en plus à mon monde du dedans. D'autant plus que les images perçues pendant les séances de traitement venaient confirmer de façon frappante les renseignements fournis par le dossier médical de mes patients.

Plusieurs auteurs comparent la vision interne à la résonance magnétique nucléaire (RMN). Cette comparaison n'est pas fausse. Les processus naturels mis en œuvre sont aussi complexes, aussi mal connus au stade actuel de nos connaissances. Et il paraît probable que les deux phénomènes puisent leur origine aux mêmes sources universelles. Dans les deux cas, il s'agit de vibrations de particules d'énergie. La perception extra-sensorielle consiste en fait à nous échapper de la cuirasse caractérielle humaine pour nous brancher sur ces fréquences vibratoires plus rapides et plus subtiles. C'est pourquoi, de l'avis général, le prochain pas en avant dans l'étude scientifique des phénomènes encore appelés, bien improprement, « paranormaux », sera fait par les astrophysiciens et les savants engagés dans la recherche nucléaire.

Comment je m'y prends dans la pratique ? Ma méthode, fort simple, s'appelle la concentration. Si je désire visualiser un organe, je me concentre sur lui. Je fais en sorte qu'il n'existe plus que lui. Tout le reste est momentanément sans importance. Si je désire voir une fraction particulière de cet organe, c'est sur cette fraction que je me concentre. Si je cherche à découvrir un micro-organisme se propageant à l'intérieur du corps, je me concentre sur lui et fais abstraction de tout le reste. Les images reçues ne sont pas toujours parfaitement nettes, surtout au début. Je poursuis mon exercice de concentration jusqu'à leur netteté optimale, comme si je réglais un projecteur de diapositives. Ce résultat est atteint lorsque les images sont bien claires, et surtout lorsqu'elles correspondent à la réalité de la situation. Un foie en bon état, par exemple, est rouge sombre, lisse, sans taches ni marbrures. C'est donc ainsi qu'il doit m'apparaître en vision interne. Une hépatite, ou même parfois ses séquelles, rend le foie jaune caca d'oie, très vilain à voir. C'est bien sûr cette teinte pathologique qui doit me sauter aux yeux. Quand quelqu'un a subi, même il y a longtemps, une chimiothérapie intensive, son foie est en général d'un brun verdâtre. Quant aux micro-organismes, je les vois grouiller, se tortiller, se déplacer par sauts spasmodiques, exactement comme si je les observais au microscope.

Mes expériences, au départ spontanées, devinrent plus contrôlables par la suite. Je me suis rendu compte que pour voir de cette façon, je devais parvenir à un état d'ouverture particulier, dans lequel mon « troisième œil » (sixième chakra) était stimulé, tandis que mon esprit se mettait au repos. J'ai découvert un peu plus tard des techniques permettant de favoriser ces états intérieurs. J'ai pu dès lors regarder dans les corps physiques à ma guise, sous réserve d'être dans l'état mental et émotionnel requis. Dans mes moments de fatigue, il m'arrive d'en être incapable, d'abord parce qu'il est très difficile de se concentrer lorsqu'on est fatigué, ensuite et surtout parce qu'il est pratiquement impossible d'élever son taux de vibration. J'ai constaté qu'il importait peu que mes yeux soient ouverts ou fermés, sauf évidemment dans les cas où l'information requise est avant tout visuelle. Il n'y a guère de règle ici. Je peux avoir envie de regarder ce qui se passe pour me concentrer encore davantage sur l'action. Tout comme il m'arrive de fermer les yeux pour éliminer toute information parasite pouvant distraire mon attention.

Exemples de visions internes

La figure 18-1 donne un exemple de vision extra-sensorielle. L'illustration en haut et à gauche reproduit une image aurique ; il s'agit ici de vision extérieure au corps physique. Celle qui se trouve à la partie supérieure droite de la même page montre l'image équivalente, fournie cette fois par la vision interne. Celle du bas, enfin, représente la vision externe arrière, dans le premier corps éthérique de cette zone meurtrie. Ces exemples, tout récents, viennent d'une amie qui s'était blessée assez douloureusement en tombant sur le verglas. En travaillant sur elle, j'ai repéré tout de suite l'hémorragie par laquelle s'échappait l'énergie. On aurait dit un jet d'eau fusant d'une conduite crevée. Je contournai cette femme pour observer son dos et je vis, à l'endroit du traumatisme, une véritable pelote de contractures enchevêtrées. Cette pelote, d'un gris bleuté, recouvrait à peu près toute la surface du trapèze et descendait assez bas le long de la cage thoracique. J'ai commencé par stopper l'hémorragie. J'ai tenu ma main droite, recourbée en coupe, au-dessus de la fuite jusqu'à son arrêt complet. Je me suis alors attaquée à cette pelote

Vue frontale

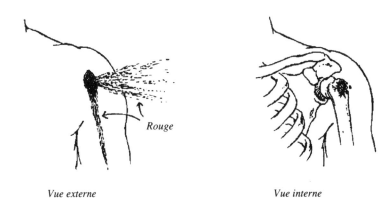

Vue externe   *Vue interne*

Vue arrière

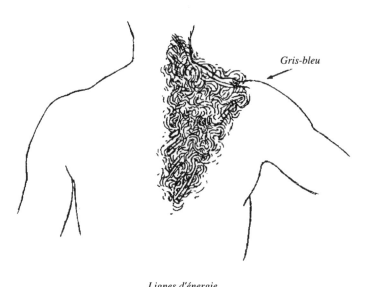

*Lignes d'énergie
enchevêtrées*

Figure 18-1 : vision interne d'une épaule blessée (planches de diagnostic)

que j'ai démêlée comme j'ai pu, en la lissant, en la massant, en la « peignant » avec mes doigts, absolument comme on démêlerait une tignasse crêpée. Pendant que j'accomplissais ce travail d'assouplissement et de décontraction musculaire, j'eus un flash de vision interne : la tête de l'humérus était partiellement écrasée, ce que les radios confirmèrent. Je ne pouvais évidemment pas fabriquer un os neuf. Mais cette séance relativement brève (une demi-heure), au cours de laquelle je pus arrêter la fuite dans le champ énergétique et démêler ce gros paquet de tensions, aida mon amie à se remettre plus vite. Aux dires mêmes de son médecin, l'humérus se consolida à une vitesse record, ce qui est bien compréhensible dans une optique reichienne. Le flux énergétique, de nouveau abondant et disponible, put se mettre entièrement au service de l'os en voie de guérison.

Le tableau 18-2 montre l'évolution d'un kyste ovarien sur une période de deux mois. Lorsque je vis ce kyste pour la première fois, il formait une boule de sept centimètres de diamètre, soit la taille d'une balle de tennis ! Il m'apparut gris ardoise. Nous étions le 3 janvier. La tumeur avait déjà été repérée par un médecin, c'est un fait. En revanche, ce n'était pas du tout le cas de la très forte inflammation pelvienne que je vis dans l'aura, sous la forme d'une large tache rouge sombre. Le 15 janvier (fig. 18-2B), le kyste avait perdu quatre centimètres et le médecin découvrit l'inflammation. Le 21 janvier (fig.18-2C), le kyste ne mesurait plus que deux centimètres, mais il avait noirci et pris une forme étrange, spiroïde. La patiente suivait un régime alimentaire intelligent qui l'aidait à se désintoxiquer. (À l'époque, je ne soignais pas encore, je ne faisais qu'observer le processus.) Le 29 janvier, le kyste avait repris un centimètre, ce qui est normal au moment du cycle menstruel. Mais le 6 février (fig. 18-2E), il ne mesurait plus qu'un centimètre en tout, et le 3 mars (fig. 18-2F), il avait complètement disparu. Une belle zone d'énergie saine, prémenstruelle, s'était installée à sa place. Toutes mes observations concernant ce kyste furent confirmées par le gynécologue. Sa couleur sombre, noirâtre, observée dans l'aura le 21 janvier, venait de ce que la patiente était sous antibiotiques. Une inflammation pelvienne installée depuis longtemps (trois ans dans le cas de cette patiente) est considérée comme précancéreuse, c'est pourquoi il fallait à tout prix juguler l'infection. Cette femme subit scrupuleusement son régime désintoxiquant pendant toute la durée du traitement. Elle aurait pu se passer des antibiotiques, mais nous n'avions pas voulu courir ce risque. À la fin, le kyste était devenu presque noir. À sa phase initiale, le cancer est gris ardoise. Plus tard, des points

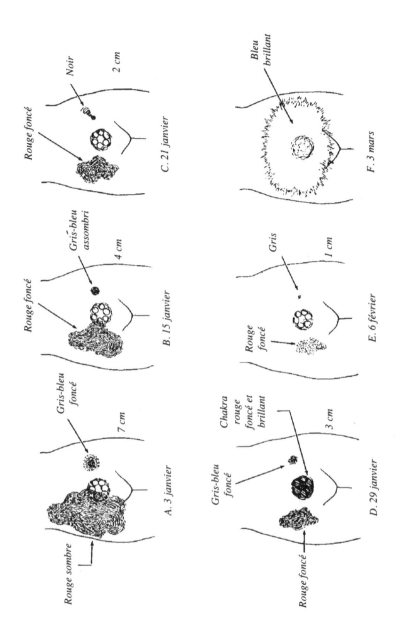

Fig. 18-2 : magnétisation d'une maladie inflammatoire du pelvis et d'un kyste ovarien (vision interne) (planche de diagnostic)

blancs apparaissent sur fond noir. Lorsque ces points blancs éclatent et se répandent comme un volcan, le cancer fabrique ses métastases. Dans ce cas, le kyste était devenu trop sombre pour escompter qu'une désintoxication seule suffirait.

Précognition et vision interne

Voici un exemple de précognition (ou d'avertissement émanant de maîtres spirituels, si vous préférez). Je devais déjeuner avec une amie. Arrivée à trois rues de distance de son bureau, je sus qu'elle ne serait pas au rendez-vous, et que souffrant d'une crise cardiaque, elle aurait besoin de mes soins. J'ai effectivement trouvé son bureau fermé. Je me suis vite rendue à son domicile, où je l'ai trouvée en proie à de terribles souffrances, le bras gauche serré contre sa poitrine. Elle avait passé la matinée au service des urgences où des électrocardiogrammes avaient été faits. La figure 18-3 montre ce que me révéla ma vision interne : un énorme paquet d'angoisse au niveau de la gorge et du plexus solaire, beaucoup d'énergie stagnante dans la région du cœur, traversant le corps pour s'échapper par l'arrière du chakra de l'amour. La cinquième vertèbre thoracique (T5) était déviée vers la gauche. Cette vertèbre n'est pas reliée au réseau de nerfs qui entoure le cœur, mais elle est bel et bien située à la base de ce chakra. Je constatai également une faiblesse de l'aorte. Je me suis mise aussitôt au travail pour dissiper ce paquet d'énergie stagnante. Mon amie put alors libérer sa gorge et son plexus solaire de l'étau émotionnel qui les comprimait. Elle fondit en larmes et réussit à partager sa douleur avec moi. Une fois le tampon noir expulsé, la cinquième vertèbre reprit sa place et mon amie se sentit beaucoup mieux. La faiblesse de l'aorte existait toujours quand je la quittai, toutefois elle a diminué considérablement avec le temps.

La vision interne microscopique

Les figures 18-4A et B fournissent deux exemples de vision microscopique interne. Sur 18-4A, on voit les micro-organismes en forme d'échardes infiltrés dans l'épaule et le bras d'un patient souffrant d'une infection comparable à la lèpre. J'ai vu ces échardes grouiller par milliers dans les muscles et les os de la partie malade. Au cours de la thérapie, une forte luminosité, d'abord de couleur lavande, puis de plus en plus argentée, se

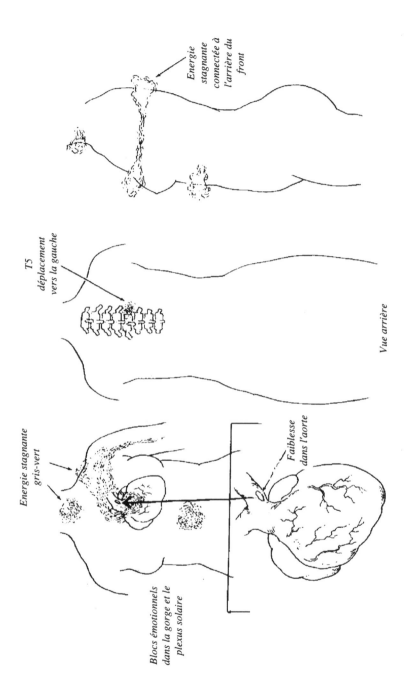

Fig. 18-3 : vision interne de troubles cardiaques (planches de diagnostic)

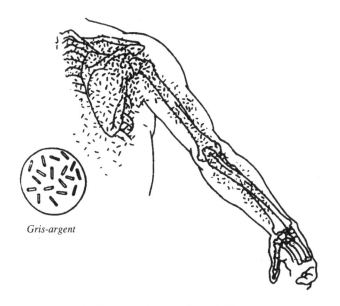

Gris-argent

A. Micro-organismes en forme de bâtonnets

rouge

blanc

B. Sang d'un patient leucémique

Fig. 18-4 : vision interne microscopique

propagea dans le corps et baigna la partie atteinte. Cette lumière fit vibrer les micro-organismes à une fréquence très élevée qui les désintégra. Puis le flux d'énergie rétabli parut les aspirer.

Dans ce cas de leucémie pour lequel la patiente, que j'appellerai Rose, avait subi une chimiothérapie, j'ai vu des corps ressemblant à d'étranges graines blanches et plates se mélanger aux globules rouges, devenir plus nombreux qu'eux et les dévorer. Plusieurs médecins avaient confirmé, un an avant qu'elle vienne me consulter, qu'elle succomberait probablement à sa maladie en moins d'un mois. Elle fut admise à cette époque dans une unité de soins intensifs et soumise à une chimiothérapie massive. Elle me raconta que lorsque les médecins lui avaient appris qu'il ne lui restait plus que quelques semaines à vivre, elle avait vu une lumière blanche et dorée dans la pièce. Alors elle avait su qu'elle ne mourrait pas. Sur l'étiquette de toutes les bouteilles, boîtes et flacons contenant des médicaments, elle inscrivit *pur amour* durant toute la durée de son séjour à l'hôpital. Elle ne souffrit d'aucun effet secondaire consécutif à la chimiothérapie et connut une extraordinaire période de rémission.

Lorsqu'elle quitta l'hôpital, sans cesser les médicaments, elle fut soignée par une de mes amies médium, Pat Rodegast, en contact permanent avec un guide spirituel nommé Emmanuel. Emmanuel demanda à Rose d'interrompre tout de suite la chimiothérapie qui l'intoxiquait. Les médecins réitérèrent leur mise en garde. Si elle l'arrêtait, elle mourrait très rapidement, car ses analyses de sang montraient qu'elle n'était qu'en sursis et nullement guérie. Bien que cette décision fût difficile à prendre, elle renonça aux drogues. C'est alors qu'elle vint me consulter et que je vis ces bizarres petites graines dans son sang. Dès la première séance, ces corps furent dispersés par un déferlement de lumière, d'abord bleutée, puis argent étincelant. Les analyses de sang montrèrent qu'il était redevenu totalement clair et normal, pour la première fois depuis que la leucémie avait été décelée.

Je ne prétends certes pas avoir guéri Rose. Mon rôle se borna à purifier et fortifier son sang. En revanche, ma vision interne m'a permis de lui assurer qu'il n'existait plus aucune graine blanche dévorant ses globules, ainsi que le confirmèrent tous les examens ultérieurs. Nous décidâmes alors, d'un commun accord, qu'elle pourrait désormais se passer de mon aide, devenue superflue. Mois après mois, des analyses à répétition donnaient toujours des résultats normaux. Il ne fut pas facile pour Rose d'affronter la vérité. Elle avait besoin d'être soutenue, car les médecins redoutaient constamment une issue fatale en l'absence de toute chimiothérapie et ne cessaient de la mettre en garde. Je ne les critique pas. Ils faisaient tout ce qui était en leur pouvoir pour sauver sa vie. Mais dans ce cas, d'autres facteurs, dont ils n'avaient pas conscience, entraient en jeu. En ma qualité de guérisseuse, j'avais accès à l'information qui leur manquait. Ce qui démontre une fois de plus qu'une sincère et honnête collaboration entre les guérisseurs spirituels et les médecins ne peut être que bénéfique pour les patients. Nous avons beaucoup à nous apporter mutuellement. Et davantage encore au processus de guérison.

Mécanismes de la vision interne

D'après mes observations, je crois pouvoir dire que la lumière cosmique nous arrive de face, sur le visage, et pénètre à l'intérieur de la tête par trois points : le chakra frontal et les deux yeux. De là, cette lumière dorée suit les nerfs optiques, comme le montre le croquis 18-5. D'une fréquence vibratoire beaucoup plus élevée que celle de la lumière visible, ces rayons peuvent traverser la peau et les tissus musculaires sans problème. Parvenus à ce croisement en forme d'X, que l'on appelle le chiasma optique, ils contournent l'hypophyse (nichée dans la fosse pituitaire, juste derrière le chiasma) et partent alors dans deux directions. L'une conduit les rayons aux lobes occipitaux servant à la vision ordinaire. L'autre va irradier la région thalamique, qui est le siège des fonctions oculomotrices.

J'ai constaté que certaines techniques de méditation et de respiration profonde augmentent et accélèrent les vibrations de l'hypophyse. Cette glande se met alors à irradier une belle lumière dorée (ou rose, si la personne est amoureuse). Ces vibrations d'un très haut niveau, alliées au rayonnement doré, augmentent encore considérablement la quantité de lumière qui pénètre dans la région thalamique. Il me semble qu'à ce moment, le flux lumineux décrit une courbe vers le bas autour du corps calleux et s'oriente vers l'épiphyse, c'est-à-dire vers cette « glande pinéale » si importante dans la tradition ésotérique, aussi bien occidentale qu'orientale. Les hindous l'appellent la « couronne ». C'est la porte de l'Univers, le chakra de l'illumination. Lorsqu'on contrôle sa respiration d'une certaine manière, en aspirant violemment l'air le long du palais jusqu'à l'arrière-gorge, on stimule l'hypophyse. Or, stimuler cette glande équivaut à l'accorder aux rythmes vibratoires extrêmement élevés des rayons cosmiques. C'est pourquoi cette respiration yogique apaise le mental et favorise la concentration. Elle

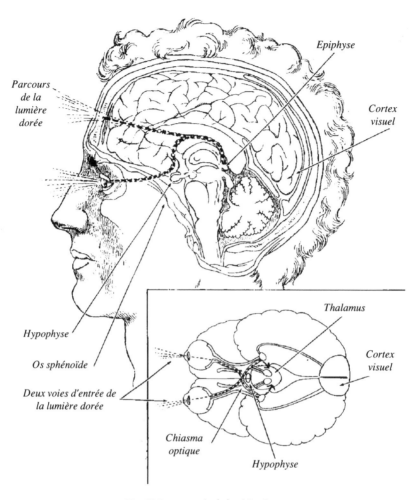

Fig. 18-5 : anatomie de la vision interne

fait également monter les énergies du sacrum le long de l'épine dorsale, jusqu'au sommet du crâne. Ces deux grands courants, celui du bas et celui du haut, se rencontrent dans la région thalamique. C'est cet énorme apport énergétique qui provoque l'ouverture du « troisième œil », ce qui se comprend fort bien quand on sait que l'information n'est pas autre chose que de l'énergie vibrant sur certaines fréquences élevées. Tel est, à mon avis, l'explication de la vision radiographique des guérisseurs. C'est cet intense et vibrant éveil de l'hypophyse et de l'épiphyse qui nous permet de visualiser le corps humain à tous ses niveaux, dans ses moindres replis. Je vois alors absolument tout ce que je désire voir, des organes importants jusqu'aux plus petits et encore au-delà, jusqu'aux cellules, aux virus, aux amibes. En résumé, j'ai l'impression subjective d'avoir un appareil de radiographie logé dans la région pituitaire (thalamique) du cerveau, à six centimètres environ en retrait du chakra frontal. À partir de ce « pupitre de commandes », je peux voir dans toutes les directions sans bouger la tête, y compris derrière mon dos. Dans la pratique, toutefois, je trouve plus commode de diriger mon regard directement sur les zones qui m'intéressent.

Lorsqu'un nouveau patient vient me voir, je commence par « scanner » son corps en vision interne, afin d'en repérer les zones douloureuses ou bloquées. Quand je les ai trouvées, je concentre toute mon attention sur elles. Afin d'en obtenir une image encore plus nette, je pose souvent les mains dessus.

Accès à la vision interne. Exercices

1. Voyage à l'intérieur du corps

La vision interne peut se développer dans des proportions considérables en pratiquant des exercices de relaxation et de concentration mentale. L'un de ces exercices, peut-être l'un des plus connus (ce qui ne signifie pas l'un des plus pratiqués...), consiste à voyager par la pensée à l'intérieur de son corps.

Le mieux est de porter un bon survêtement molletonné. Je ne conseille de se mettre nu que si la pièce eut vraiment très chauffée, car il ne faut surtout pas avoir froid pendant ces exercices. Allongez-vous sur un tapis ou sur une natte. Déboutonnez ou enlevez tous les vêtements comprimant le corps. Respirez profondément, décontractez-vous. Recommencez. Puis, respirez profondément et tendez le corps entier, aussi fort que vous le pouvez. Retenez votre souffle, expirez ensuite et laissez toute votre tension s'en aller. Répétez plusieurs fois cet exercice d'extension-respiration profonde, mais étirez-vous moins fort à chaque fois, en essayant de répartir également la tension dans tout le corps. Expirez. Détendez-vous. Devenez mou, flasque.

Inspirez profondément à nouveau, puis relaxez-vous en expirant au maximum de vos capacités. Recommencez trois fois de suite, sans étirements ni contractions. Laissez-vous aller. Visualisez les tensions suintant hors de vous comme un sirop épais visqueux. Sentez votre cœur battre au ralenti, de plus en plus au ralenti. Les battements deviennent alors étonnamment sonores. J'ai parfois l'impression qu'un gong résonne dans ma poitrine.

Imaginez maintenant que vous deveniez minuscule, de la taille d'un point lumineux. Sous cette forme, entrez dans la partie de votre corps de votre choix. Votre moi miniature se coule dans votre épaule gauche, par exemple, la débarrasse au passage de toutes ses tensions avant de passer dans le bras gauche, jusqu'à la main qui est libérée à son tour. Cette promenade énergétique procure une sensation de picotements, de chaleur. Votre bras doit devenir lourd et chaud.

Votre point de lumière part ensuite dans la jambe gauche où il accomplit le même travail, puis il passe à la droite. De là il remonte vers la main, le bras et l'épaule. Tout votre corps est lourd et chaud à présent. Vous voilà prêt pour l'exploration approfondie de votre corps.

Le point lumineux entre dans votre cœur pour en suivre le flux sanguin dans ses circuits à travers le corps. Ce système fonctionne-t-il bien ? A-t-il l'air sain ? Promenez-vous dans vos poumons pour en inspecter les tissus. Puis entrez dans l'appareil digestif. Suivez le trajet des aliments, de la bouche à l'œsophage, jusqu'à l'estomac. Dans quel état est cet organe ? Reçoit-il assez d'énergie ? Les enzymes digestifs sont-ils équilibrés par rapport à ses besoins ? Suivez les aliments à la partie inférieure de l'estomac, dans l'intestin grêle et le gros intestin. Est-ce que tout se passe bien à ce niveau ? Remontez vers votre foie, votre pancréas, votre rate. Fonctionnent-ils correctement ? Inspectez votre appareil génital. Le sentez-vous « dans son assiette » ? Lui portez-vous tout l'amour qu'il doit recevoir ?

Si un lieu de votre corps vous cause des soucis, envoyez votre moi lumineux lui porter de l'amour et de l'énergie. Visitez attentivement cette zone. S'il lui manque quelque chose, laissez votre « explorateur » s'en occuper. S'il faut la nettoyer ou l'alimenter en énergie, qu'il le fasse.

Lorsque cette exploration est terminée, laissez votre petit moi reprendre sa taille normale et fusionner avec votre moi réel.

Vous pouvez recommencer cette auto-exploration autant de fois que vous le désirez.

Lorsque vous revenez à votre état de conscience normal, restez relaxé, éveillé et conscient. Vous venez de faire un voyage dans ce que vous avez de plus précieux : votre organisme.

2. Exploration du corps d'un ami

Installez votre ami sur une chaise et asseyez-vous en face de lui. Faites une méditation pour apaiser vos pensées. Concentrez-vous peu à peu, les yeux fermés, sur sa personne. Souvenez-vous des voyages dans votre propre corps et visualisez celui-ci de la même manière. Vous le ressentirez un peu différemment, ce qui est bien naturel.

Commencez par une vue d'ensemble pour découvrir une zone qui vous attire plus particulièrement. Vous pouvez vous servir de vos mains pour vous diriger, sans toutefois toucher votre partenaire. Si votre intuition vous guide vers un endroit précis, focalisez votre attention sur les organes de cette zone. Croyez fermement à ce que vous voyez, que ce soit une couleur, une texture, une sensation ou seulement une impression vague. Laissez les images monter. Suivez-les à mesure qu'elles acquièrent de plus en plus de clarté et de précision.

Si vous êtes satisfait de votre examen, répétez l'exercice ailleurs. Si rien ne retient votre regard, contentez-vous de visiter l'intérieur du corps en passant d'un endroit à l'autre.

Si vous connaissez l'anatomie (que vous devrez apprendre si vous voulez réellement devenir guérisseur), attardez-vous sur les différents organes et leur fonctionnement. Gardez bien en mémoire toutes vos remarques, toutes vos constatations. Je ne vous conseille pas de prendre des notes, encore moins d'enregistrer vos réflexions au magnétophone. Rien n'est plus fugitif et subtil que la perception extra-sensorielle. Le plus sûr moyen de la voir s'évanouir, c'est de réintroduire la pensée consciente dans un circuit où elle n'a pas sa place, où elle est même gênante et indésirable.

Quand votre exploration vous paraît terminée, revenez progressivement en vous et ouvrez les yeux.

Discutez avec votre ami de ce que vous avez pu voir. Vos observations coïncident-elles avec ce qu'il sait de lui-même ? Quels sont les éléments non concordants ? Pouvez-vous en expliquer la raison ? La réponse se trouve peut-être dans vos projections. Les problèmes que vous avez cru déceler ne se trouvent-ils pas en fait dans votre propre corps ? Il se peut aussi que vous ayez vu juste et que votre partenaire ne sache rien encore d'une maladie que vous venez de repérer. Intervertissez les rôles. Laissez-vous observer à votre tour. Restez passif afin de lui faciliter la tâche.

3. Méditation favorisant l'ouverture du troisième œil

Cet exercice me fut recommandé par un de mes professeurs, le Révérend C.B. Allongez-vous sur le dos, ou asseyez-vous, le dos bien droit. Ce qui compte c'est que vous soyez dans une position confortable, propice à la détente. Inspirez profondément en remplissant d'abord l'abdomen, puis le bas du thorax, enfin le haut des poumons et les bronches. Ouvrez la bouche toute grande en repoussant la langue vers la gorge, sans vous étrangler, bien sûr. Laissez l'air s'échapper en le dirigeant de l'arrière-gorge vers le voile du palais et expirez le plus lentement possible. Cette expiration doit être régulière et ne pas ressembler à un gargarisme. Ne renversez à aucun moment la tête en arrière. Tenez-la au contraire bien droite, dans le prolongement de la colonne vertébrale. L'air doit se vider très lentement, commençant par celui de l'abdomen, puis de la poitrine, enfin des bronches. Videz-vous complètement. Reprenez votre souffle et détendez-vous. Lorsque vous aurez bien assimilé cet exercice, ajoutez-y la visualisation suivante :

Au moment de l'expiration, visualisez un rayon doré partant du sacrum et remontant le long de la colonne vertébrale jusqu'au sommet du crâne. Recommencez trois fois. Concentrez-vous sur le chakra frontal, où le rayon lumineux peut devenir rose. Recommencez aussi trois fois. Notez que les deux rayons, celui venant du sacrum et celui de la région frontale, opèrent leur jonction dans une zone étroite comprise entre la fosse pituitaire et le thalamus.

N'effectuez pas plus de trois ou quatre respirations profondes pour chaque côté du corps. Vous risqueriez d'être pris d'étourdissements. Je vous recommande de pratiquer ces exercices avec prudence. Ils sont très puissants. Procédez lentement, toujours à l'écoute de vos rythmes intérieurs. N'essayez pas de vous surpasser. Nous ne sommes plus sur un stade ici. Ces ouvertures de conscience prennent du temps. Quelle que soit notre impatience, nous ne pouvons en précipiter le cours.

Durant une séance de soins, je fais quelques exercices rapides de respiration pour élever mes vibrations. Cela m'aide à mieux discerner les couches supérieures de l'aura. Je respire par le nez à petits coups rapides, l'air raclant la partie supérieure de mon arrière-gorge. À force de les pratiquer, ces exercices me sont devenus faciles. Je respire aussi longuement, profondément, sans faire de pause entre l'inspiration et l'expiration, à un rythme égal et régulier. Ces respirations m'aident à concentrer mon attention, éclaircissent mon esprit et équilibrent mon champ d'énergie. J'appelle cette technique le « raclement nasal ».

La machine à remonter le temps : un voyage aux sources

Pour remonter à l'origine des troubles pschychosomatiques dont se plaignent mes patients, j'utilise essentiellement deux techniques très classiques, que j'associe d'ailleurs l'une à l'autre. La première est celle que nous employons couramment, en séance individuelle comme en travail de groupe, pour effectuer des plongées dans le passé. Revoyez un moment de votre enfance. Concentrez-vous sur un âge précis ou sur un lieu où vous avez vécu autrefois. Visualisez le plus de détails possible sur cet endroit. Revoyez-vous, petit, entrant et sortant de cette maison, marchant dans les rues, allant à l'école ou bien chez les commerçants. Si vous alliez chercher le pain, je suis prête à parier que, sur le chemin du retour, vous en grignotiez des morceaux, surtout s'il était chaud et croustillant... Passiez-vous devant un cinéma ? Vous vous êtes certainement attardé à regarder les photos du film exposées dehors. Revoyez quelques-unes de ces photos. Revoyez les visages des acteurs et des actrices qui vous frappaient le plus lorsque vous étiez enfant. Préfériez-vous être dehors ou dedans ? Étiez-vous un enfant sportif, voire « casse-cou », ou bien votre plus grand plaisir était-il de vous enfermer dans votre chambre pour écouter des disques ou pour vous plonger avec ravissement dans un thriller « à ne pas lire la nuit » ?

Lorsque vous évoquez de tels souvenirs, soyez à l'écoute de votre monde du dedans. Que ressentez-vous et à quels niveaux ? Quel est le canal sensoriel le plus fortement sollicité ? Quand je revis des tranches de mon passé, mon corps fonctionne d'une façon bien particulière. Je sais ce que je ressens à l'intérieur de moi. Les souvenirs me viennent sous la forme de sensations, d'émotions, d'images, plus rarement de sons. Remonter dans le temps, c'est tout simple. Vraiment rien de « sorcier » là-dedans. Nous le faisons tous à un moment ou à un autre. Simplement la plupart des gens croient ne pouvoir le faire que pour ce qui les concerne personnellement, et pas pour les autres. C'est totalement faux. Cette idée, comme bien d'autres, vient d'une croyance erronée en notre existence en tant qu'entités séparées.

Remonter jusqu'aux causes d'une maladie n'est pas plus difficile. Ici aussi, il s'agit d'un voyage dans le temps, à la recherche de souvenirs. La démarche psychologique est la même. Les mécanismes sensoriels, affectifs et émotionnels mis en œuvre sont identiques.

La seconde technique est celle qui est décrite au début de ce chapitre : j'impose les mains, je regarde l'endroit du corps sur lequel je désire obtenir des renseignements. Au bout de quelques minutes, l'information me parvient, ainsi que je l'ai expliqué précédemment. C'est toutefois une image actuelle qui m'arrive, autrement dit je « vois » tel ou tel organe malade au présent, dans l'état où il est quand le patient vient s'allonger sur ma table de soins. Pour retrouver les causes, parfois lointaines, du mal, je « pars en voyage », exactement comme si j'étais à la recherche de souvenirs d'enfance. Je garde le contact avec l'organe, ou avec la zone du corps, sur lequel je travaille et je remonte la filière pour lire le passé et assister au déroulement du vécu de cette partie du corps. Tôt ou tard, je finis par découvrir la cause, c'est-à-dire la racine du dérèglement pathologique. Je vois, par exemple, un traumatisme affectant l'équilibre psychosomatique du patient quand il avait seize ans. Fort bien. Je ne peux pas m'en tenir là, toutefois, puisque rien ne me dit que je suis bien arrivée au point de départ. Comment était donc l'organe concerné quand mon patient avait quatorze ou quinze ans ? Je repars sur cette piste et je m'aperçois que, justement, l'organe que je veux soigner n'était pas du tout en bon état à cette époque-là...

Je poursuis mes investigations plus avant, c'est-à-dire en remontant dans l'adolescence et dans l'enfance, jusqu'à la découverte d'un autre traumatisme, survenu à l'âge de douze ans, celui-là, et ainsi de suite. Les maladies graves se déclarent bien rarement du jour au lendemain. Elles résultent presque toujours d'une longue série de traumatismes passés, se répercutent en chaîne. Je continue donc ma remontée dans le temps jusqu'à ce que j'arrive à une époque où aucun traumatisme n'affectait encore cette partie du corps. Le premier à se produire, au départ de la chaîne, m'apprend la cause initiale du problème actuel.

Révision du chapitre 18

1. Que permet de voir la vision interne ? Quels sont les endroits du corps que l'on peut visualiser ? À quelle profondeur ?
2. Est-on limité à la vision d'organes relativement gros ? Quelle est la grosseur minimale des objets ou des organismes vivants qui peuvent être perçus par un guérisseur entraîné ?
3. La vision interne fonctionne-t-elle à distance ?
4. Citez trois exercices de base permettant de développer la vision interne.

5. Quelle est la glande endocrine qui commande le « troisième œil » ?

Sujet de réflexion

6. Quelle différence existe-t-il entre la visualisation et la perception ?

Chapitre 19

La haute perception auditive et la communication avec les maîtres spirituels

Mon information auditive fut d'abord assez vague, puis, avec la pratique, elle s'affina et devint de plus en plus précise. Je parvins d'abord à capter des paroles aimantes et rassurantes adressées à la personne en train de se faire soigner. Plus tard, les renseignements me donnèrent jusqu'au nom du patient, le mal dont il souffrait, et dans certains cas ils s'étendirent à la prescription de régimes alimentaires, de vitamines, de médicaments appropriés à son cas. De nombreuses personnes qui choisirent de suivre ces instructions verbales se rétablirent.

Pour aiguiser votre perception auditive, le meilleur moyen consiste à attendre les directives en posture de méditation confortable, avec un papier et un crayon, afin de vous centrer et d'expanser votre état de conscience. Formulez aussi clairement que possible une question dans votre esprit. Inscrivez-la sur le papier, et déposez-le, ainsi que le crayon, à portée de votre main. Concentrez-vous et imposez silence à votre esprit pour attendre que la réponse vous parvienne. Après un moment de silence, vous commencerez à la capter. Elle vous parviendra sous forme d'images, de sensations, de concepts généraux, de mots et même d'odeurs. Inscrivez tout, sans distinction, sur le papier, même si ces perceptions vous paraissent sans rapport avec la question. Contentez-vous de suivre et d'écrire, car l'écriture peut orienter l'information sur le son. Concentrez-vous bien pour être apte à entendre en direct les mots qui vous parviennent. Notez tout ce qui se présente à vous. Ne négligez rien. Lorsque vous aurez fini d'écrire, mettez le papier de côté et n'y revenez plus pendant au moins quatre heures. Retournez voir ensuite ce que vous y avez inscrit. Vous trouverez ces notes pleines d'intérêt. Réservez un bloc-notes à cet usage.

Après avoir pratiqué cet exercice tous les matins pendant trois mois, l'information verbale m'arriva à un rythme si précipité que je n'arrivais pas à écrire assez vite pour tout noter. La voix me conseilla l'achat d'une machine à écrire. Mais là encore, je ne parvins bientôt plus à taper assez rapidement. La voix me recommanda alors d'acquérir un magnétophone, ce que je fis aussitôt. Au début, il me fut pénible de passer de l'écriture à la dictée à voix haute. Le son de ma propre voix troublait ma méditation. Puis, avec de la pratique, tout redevint clair. L'étape suivante m'amena à poser des questions concernant une autre personne. Après quoi, je me mis à « entendre des voix » au milieu d'un groupe. Expérience fort embarrassante, car dans ces conditions, le médium ne peut entendre que le début des phrases. Il faut beaucoup de foi pour sauter sur ces quelques bribes de paroles et laisser le reste se perdre dans l'inconnu...

L'information orale directe conduit à se poser les questions suivantes : qui parle ? J'entendais une voix, incontestablement. Mais était-elle de ma fabrication ou venait-elle d'une autre source ? En tout état de cause, vous serez les mieux placés pour le savoir. Demandez-le à la voix. C'est ce que j'ai fait, et elle m'a répondu.

« Je suis Heyoan, ton guide.
– Que signife ce nom ?
– Le vent qui souffle la vérité à travers les siècles.
– D'où vient ce vent ?
– Du Kenya. »

Il est vrai que des esprits et des anges m'étaient déjà apparus à plusieurs reprises. S'ils se mettaient maintenant à parler !... Mieux encore : je sentis bientôt leur contact, je les vis même parfois en entrant dans une pièce, je humai leurs délicieuses fragrances. Projection ou réalité ? Je perçois ma réalité personnelle totalement par mes sens, à présent expansés. Une réalité plus vaste s'offre donc à moi. D'autres, dans les mêmes conditions, vivent la même expérience. Pour moi, elle est réelle. Mais vous ne pouvez en décider qu'en fonction de votre perception du réel.

L'information transmise par un guide a ceci de particulier qu'elle tient de la métaphore, étant donné que vous vous adressez à une entité plus évoluée et plus sage que vous. Elle peut échapper à votre compréhension. Mais avec de la persévérance, vous la comprendrez de mieux en mieux. Cette transmission médiumnique de l'information par l'intermédiaire d'un guide se situe au-delà de la pensée linéaire. Elle concerne les aspects les plus profonds de l'être, va jusqu'à l'âme, au-delà des limites humaines. Lorsque Heyoan me parle au début d'une lecture d'aura, cela signifie généralement que mon accès direct sera passif. Parvenu à un certain point, Heyoan demande au patient de poser des questions. Pour moi c'est un moment passionnant, car les guides connaissent mieux que nous la vraie nature des problèmes. Ils percent les réseaux de défense du patient immédiatement et vont droit au but. Quand Heyoan prend la parole au début d'une lecture, nous ne perdons pas notre temps à rechercher en profondeur l'information nécessaire.

Je pose, moi aussi, des questions à Heyoan, généralement en silence. Je peux lui demander une image du cas, celle d'une partie spécifique du corps, ou de me faire une description du traumatisme. En général, ses réponses sont précises. Mais ce n'est pas toujours facile, surtout si j'appréhende sa réponse (dans le cas d'un cancer, par exemple), ce qui peut bloquer la réception de l'information. Si cela se produit, je suis obligée de me recentrer pour pouvoir continuer. À vous d'essayer maintenant...

Exercices pour explorer les différents niveaux de l'aura

Installez-vous en posture de méditation, le dos droit, sans creuser les reins. Vous pouvez vous asseoir sur une chaise et vous appuyer au dossier, ou adopter une posture de yoga, en vous asseyant les jambes repliées, sur un oreiller posé au sol. Veillez au confort de votre position.

1. Si vous êtes du type kinesthésique, fermez les yeux et concentrez-vous simplement sur votre respiration. Suivez l'air entrant dans votre corps et en sortant. Vous pouvez au besoin vous rappeler à l'ordre : « Suis ton souffle, centre-toi. » Suivez mentalement le parcours de votre souffle à l'intérieur de vous. Vos sens en seront probablement stimulés. Vous commencerez alors à sentir le flux d'énergie montant du bassin pour irradier tout votre corps.

2. Si vous êtes plutôt du type visuel, imaginez un tube doré tout au long de votre colonne vertébrale, où circule le courant de force principal de l'aura. Visualisez une balle d'un blanc doré au-dessus de votre tête. Faites descendre cette balle lentement à travers le tube jusqu'au milieu de votre corps, au niveau du

plexus solaire. Puis observez la balle grossir comme un soleil dans votre plexus solaire.

Si vous désirez qu'elle continue à augmenter de taille, commencez par emplir votre corps de lumière dorée. Étendez son expansion à la pièce dans laquelle vous vous tenez. Si vous méditez en groupe, voyez la balle dorée des autres personnes grossir, former un cercle doré baignant les lieux. Laissez-le s'étaler au-delà de la pièce, gagner l'immeuble entier que vous habitez, s'étendre à la ville, au département, au pays, au continent, à la Terre entière et au-delà de la planète. Prenez tout votre temps. Élevez votre niveau de conscience pour expanser la lumière dorée jusqu'à la Lune, jusqu'aux étoiles. Remplissez l'Univers de lumière dorée étincelante. Intégrez-vous au Cosmos, regardez-vous ne faire qu'un avec lui, et par conséquent avec Dieu.

Maintenez l'intensité de la lumière et ramenez-là à vous, peu à peu, comme vous l'avez envoyée. Remplissez votre être de cette lumière et de cette connaissance de l'Univers. Procédez lentement, étape par étape. Sentez l'énorme charge que contient maintenant votre champ aurique. Vous avez rapporté dans votre champ la Connaissance, celle de ne faire qu'un avec le Créateur.

3.   Si vous êtes du type auditif, vous préferez sans doute utiliser un mantra : Om, Sat-Nam, Jésus, ou la formule : « Sois calme et sache que je suis Dieu » ou encore écouter résonner une note. Les jours où j'ai de la difficulté à me recentrer, j'ai remarqué qu'une combinaison de ces types de méditation, libère mon esprit de son bavardage, alors qu'un autre jour, un simple mantra suffit.

Pour accéder à cet état de tranquille acceptation de vous-même, accroître votre sensibilité, améliorer vos méditations et vos voyages hors de la densité, je vous recommande vivement les exercices décrits dans le livre de Jack Schwartz, *Volontary Control*[1]. Schwartz connaît à fond les techniques orientales de méditation, de relaxation et il est l'un de ceux qui a su le mieux les adapter à la pensée occidentale.

À présent, vous êtes centré, votre esprit est au repos, le mental ouvert et disponible. Vous êtes prêt à recevoir la visite de vos guides spirituels.

1. Dutton, New York, 1978.

Contact avec des guides spirituels

Chaque homme, chaque femme dispose de plusieurs maîtres qui le guident au cours de ses multiples existences. De plus, ces enseignants spirituels demeurent à ses côtés durant les périodes d'apprentissage et sont choisis en fonction de l'enseignement que l'on désire recevoir. Si, par exemple, vous avez choisi la création artistique, un ou plusieurs conseillers spécialisés vous sont envoyés pour orienter votre inspiration. Quelle que soit la nature du travail envisagé, je peux vous assurer que ces guides avec lesquels vous êtes entré en contact vous apporteront une aide précieuse. Ils résident dans un monde spirituel où les formes sont plus belles et plus parfaites que celles que vous êtes capable de manifester sur le plan terrestre.

Pour prendre contact avec votre guide, il suffit d'avoir la certitude de ne faire qu'un avec l'étincelle divine existant en chaque fibre de votre être. Par cette attitude, vous accédez à la paix intérieure. Vous pouvez alors entendre votre guide.

Lorsque je parviens à cet état de réceptivité en vue de rencontrer Heyoan, je vis l'expérience intérieure suivante : j'éprouve d'abord une sorte d'exaltation. Je sens sa présence, sa luminosité, son amour. Une lumière blanche, au-dessus de moi, semble m'attirer, vers laquelle je m'élève en esprit. Cette exaltation s'apaise, fait place à un sentiment de plénitude et de sécurité. Je me sens élevée à un niveau de conscience supérieur. À cette étape, je rectifie parfois la position de mon corps. Je bascule davantage mon bassin vers l'avant pour redresser ma colonne vertébrale. Il m'arrive de bâiller, ce qui favorise l'ouverture du chakra de la gorge (par lequel nous entendons nos guides).

Mon attente sereine, sacrée, commence. C'est à ce moment que, le plus souvent, j'entends et je vois mes guides, sans interrompre mon voyage mental. J'ai l'impression de n'avoir plus aucune densité. Je m'élève vers la lumière, je flotte dans un monde de brillance et de couleurs. Quand je suis en séance de travail, plusieurs enseignants viennent souvent me conseiller, puisque le patient étendu devant moi est généralement accompagné par un ou par plusieurs de ses guides habituels. Je suis fréquemment le témoin émerveillé de dialogues passionnants entre Heyoan et les guides spirituels de la personne que je suis en train de soigner.

Votre conseiller s'exprimera toujours de la façon la plus recevable pour vous, soit par un concept, soit par des mots ou des images symboliques liés à des événements relatifs à vos vies antérieures. Si une forme d'expression vous échappe, si vous avez peur de ce qu'elle peut impliquer, votre guide choisira alors une approche différente. En fait, il vous dira la même chose, mais présentée autrement.

Lorsque quelqu'un me pose une question sujette à controverse, ou s'il m'arrive de redouter le sens de l'information qu'on m'apporte, je suis brusquement expulsée de ce lieu de sérénité et d'harmonie. Je n'entends plus rien. Il me faut un temps assez long, et beaucoup de concentration, pour y retourner. Si le sens du message m'échappe, les guides m'en délivrent un autre sous forme de concept d'ordre général que je tente de traduire ensuite dans mon langage. Ainsi je rétablis peu à peu la communication. Si j'échoue, je reçois des séries d'images que je décris telles quelles au patient, lui laissant le soin d'en découvrir la signification symbolique.

Quand j'ai besoin de parler à Heyoan, je m'installe en lotus, la paume des mains en l'air. Je me centre. Il est essentiel pour moi d'avoir un solide ancrage énergétique avec la terre. Je commence par me faire lourde, très lourde. Mes fesses, mon bassin pèsent une tonne. Puis j'élève visuellement cette assise vers la lumière. Je me sens propulsée vers le haut. Mon contact avec le guide est kinesthésique. Je le vois derrière mon épaule droite. C'est toujours là que j'entends sa voix. Lorsque nous sommes prêts à commencer, je porte mes mains jointes à la hauteur du plexus solaire, ce qui équilibre mon champ. Ma respiration nasale maintient mon élévation. Je passe alors à la transmission verbale du message. Mieux je suis connectée, plus le guide semble se rapprocher de moi. Le décalage entre l'émission et la réception se réduit peu à peu. Les mots que j'entendais vers mon épaule droite passent alors au-dessus de ma tête, pour entrer dans mon front. Sur le plan visuel, le guide semble alors me coller à la peau comme un gant. Il fait bouger mes bras, mes mains, au gré de la conversation. Il me montre comment mieux équilibrer mon champ, comment faire circuler davantage d'énergie dans mes chakras. J'ai l'impression de planer, de tout entendre, de tout voir. Ma personnalité se confond à celle de mon guide. Je suis le guide. Dans cette position difficile mais merveilleuse, je sens ma conscience formidablement expansée. Ma personnalité est beaucoup plus forte, beaucoup plus rayonnante que celle, si limitée, de la petite psychothérapeute connue socialement sous le nom de Barbara Ann Brennan.

Notre entretien achevé, mon guide se déconnecte et s'éloigne progressivement. Ma conscience réintégre mon corps, ma personnalité revient sur terre. Et réduite à cet état, elle est plutôt modeste...

La sensitivité des chakras

Nous avons donc vu que nous pouvons entrer en rapport avec nos guides par nos sens de perception : la vue, l'ouïe, l'odorat, le toucher. Je ne vous ai pas parlé du goût car il est rare que l'on puisse canaliser l'information par ce sens, mais on doit probablement pouvoir y parvenir aussi.

Nous avons vu également que chaque mode de perception est associé à un chakra. Ce qui revient à dire que nous obtenons cette information par l'entremise du mécanisme sensitif des chakras. La figure 19-1 dresse la liste des sept chakras et le sens correspondant. En observant une personne qui recueille une information, je peux reconnaître le chakra auquel elle fait appel à son intense activité. L'énergie y circule beaucoup plus vite. En général, nous ne faisons guère de différence entre notre sens kinesthésique, nos émotions et nos intuitions. Cette différence existe pourtant, comme le montre la figure 19-1. Nous n'avons pas non plus l'habitude de dire d'un sens qu'il est aimant, alors qu'à mon avis il l'est. Observez ce qui se passe quand vous êtes amoureux, quand vous « vibrez d'amour » pour quelqu'un. À l'évidence, l'amour n'entre pas dans la même catégorie que les autres sentiments. C'est une façon d'être bien particulière. Un amoureux cesse de se sentir séparé. Il fusionne non seulement avec l'être aimé, mais aussi et surtout avec l'ensemble de l'humanité.

Chaque chakra recueille une information particulière. Le premier apporte l'information kinesthésique des sensations éprouvées par le corps, l'équilibre, le déséquilibre, les frissons dans le dos, la douleur physique, celle de la maladie ou de la santé, la sécurité ou le danger. Cette information permet au guérisseur de ressentir dans sa propre jambe la douleur éprouvée par un patient dans la sienne, en posant simplement sa main dessus. Il sait qu'il s'agit d'une souffrance qui n'est pas la sienne, dont il se fait l'écho. Cette information lui parvient par le canal du premier chakra et peut le servir très efficacement, à condition de parvenir à l'état de vacuité nécessaire et de ne pas souffrir lui-même, au préalable, d'une douleur similaire... ou de la douleur du patient précédent qu'il aurait prise en charge ! Cette méthode d'accès direct à l'information présente évidemment des

Figure 19-1

SENS DES SEPT CHAKRAS

Chakra	Perception du chakra	Nature de l'information	Pratique de méditation
7	Compréhension totale d'un concept	Réception d'un concept allant au-delà des sens énumérés ci-dessous	Sois calme, sache que je suis Dieu
6	Vision, visualisation	Vision d'une image claire, soit symbolique, soit littérale	Conscience lumineuse, messianique
5	Audition, parole	Audition de sons, de paroles ou musique et perception de saveurs et d'odeurs	Écoute, son
4	Amour	Sens de l'amour de l'autre	Lumière rose de l'amour, l'amour pour une fleur
3	Intuition	Vague sens du savoir non spécifique, mais sensuel de la taille, la forme et l'intention d'un être	Acuité de l'esprit, concentration sur une forme-pensée
2	Émotion	Émotionnelle : joie, peur, colère	Méditation sur une sensation de paisible bien-être
1	Toucher, mouvement et présence kinesthésique	Sensation kinesthésique dans votre corps, comme l'équilibre, les frissons, les cheveux hérissés, le passage du courant d'énergie, le plaisir ou la douleur physique	Marche, méditation, toucher, relaxation profonde

inconvénients. À ressentir la douleur physique des autres, on s'épuise très vite.

Le deuxième chakra véhicule l'information concernant les états émotionnels, tant du guérisseur que du patient. Là encore, le guérisseur doit user de son propre champ d'énergie pour faire la distinction entre ses propres sentiments et ceux du patient. La pratique y pourvoit, ainsi qu'une bonne connaissance des effets rétroactifs. Il peut, par exemple, ressentir ce qu'éprouve son patient sur le plan émotionnel au sujet de cette douleur dans sa jambe. Il peut être furieux contre sa maladie, en avoir une peur terrible, craindre qu'elle soit le symptôme d'un mal très grave. Cette information doit absolument être prise en compte. Chaque maladie s'accompagne d'états émotionnels qu'il convient d'éclaircir.

Le troisième chakra, s'il est ouvert, véhicule des messages du genre : « Je pensais justement à vous quand vous m'avez appelé », ou bien : « Mon intuition me dit que je ne devrais pas prendre cet avion. Il pourrait arriver un accident. » C'est le centre de la précognition. Une personne qui se sert de son troisième chakra peut percevoir des êtres existant sur un autre plan. Elle commence par avoir la vague sensation d'une présence dans une pièce. Petit à petit elle arrive à la localiser. Elle distingue sa forme, sa stature, ses intentions amicales ou hostiles. Le premier chakra délivrera l'information kinesthésique concernant cette présence. Le deuxième déclenchera un bombardement d'émotions. Dans notre exemple de jambe douloureuse, le troisième chakra donnera des renseignements sur la signification profonde que revêt cette douleur dans la vie du patient, ainsi qu'une piste intuitive permettant de retrouver les causes du mal.

Le quatrième chakra exprime l'amour s'étendant au-delà de soi et de la famille, incluant l'humanité entière et l'Univers. Avec ce chakra, vous pouvez ressentir de l'amour pour les autres et la force de leur propre amour, qu'il s'agisse d'êtres physiques ou immatériels. La douleur ressentie par votre patient vous amène à l'aimer davantage. Elle vous indique également le degré d'amour qu'il se porte à lui-même. Dans notre exemple d'une douleur à la jambe, le lien intime ne s'établit pas seulement entre le guérisseur et la personne soignée, mais avec tous ceux dans le monde qui ont mal à cette jambe...

Le cinquième chakra transmet le sens des sons, de la musique, des mots. Également des odeurs et des saveurs. L'information venant par ce canal peut être extrêmement précise et détaillée, suivant la couche aurique d'ou elle provient (voir le sous-chapitre suivant). Dans notre exemple, le guérisseur peut obtenir une description purement physiologique de la douleur à la jambe : « C'est une phlébite » ou bien : « Ton patient s'est froissé un muscle », sans ajouter de précisions. Le plus souvent, toutefois, j'obtiens un diagnostic plus détaillé : « Il s'est froissé le péroné en descendant d'un autobus avant l'arrêt complet », ou bien : « Ce n'est qu'une contracture passagère provoquée par des souliers neufs légèrement trop étroits. » Le cinquième chakra peut également me communiquer un son, généralement très efficace pour guérir la douleur en question.

Le sixième chakra fait apparaître des images directement liées à la vie du patient. Ces images évoquent des événements passés, présents ou à venir. Dans notre exemple, ce chakra peut apporter l'image d'un caillot de sang évoquant une phlébite ou celle du muscle froissé. L'image se présente parfois à l'esprit en dehors du patient. Il m'arrive de la voir sur le mur, comme projetée sur un écran. D'autres fois, elle se dégage directement de la jambe malade. Ce sixième chakra peut aussi fournir une image symbolique très chargée de signification pour le patient, mais dénuée de sens pour le guérisseur. Je vois fréquemment des séquences de ce genre. On dirait un film représentant une expérience passée, liée à la douleur pour laquelle mon patient vient me voir. Un enfant tombant de son tricycle, par exemple, et se faisant mal à la jambe, à l'endroit précis où une douleur vient se manifester vingt ans plus tard. L'information a beau ressembler ici au déroulement d'un film ou d'une vidéo, le processus n'a rien à voir avec celui de la visualisation active et créatrice. Dans le domaine de l'imaginaire, vous créez une image dans votre esprit, et vous la nourrissez d'énergie. Dans la perception par le champ énergétique – celle dont nous parlons ici – c'est le contraire. L'image existe indépendamment de vous. Et c'est le flux d'énergie lié à la situation qu'elle représente qui la fait se matérialiser dans le champ du guérisseur.

L'information fournie par le septième chakra se présente sous la forme d'un concept global, dépassant tous les sens humains et leurs réseaux de transmission. Après avoir capté le message, encore faut-il l'interpréter et le comprendre. Or, nous nous heurtons ici aux limites du langage humain. Très souvent, lorsque je me lance dans ce type d'explication à l'aide de mon vocabulaire, Heyoan est obligé d'intervenir par l'entremise du cinquième chakra pour me souffler des mots plus clairs que les miens. La compréhension en profondeur du problème ouvre alors les portes de la connaissance totale. Vous avez l'impression de ne faire qu'un avec elle. Dans le cas de la douleur à la jambe, le septième chakra dévoilera tous les aspects de la vie du patient liés à sa douleur.

Les chakras et les divers niveaux de la réalité

Nous venons de voir quel type d'information est relayé par chacun des sept chakras. Nous allons maintenant étudier la relation de ces mêmes chakras avec les différents plans de réalité dont il a été question aux chapitres 7 et 15. Dans ces deux chapitres, je vous ai parlé des plans de réalité physique, astral, de celui du moule éthérique, céleste et du gabarit kéthérique, ainsi que des êtres existant à chacun de ces plans, et encore au-delà du septième. Le chakra par lequel vous désirez percevoir doit évidemment être ouvert à son plan correspondant, quel qu'en soit le niveau. Si vous voulez voir un plan aurique particulier, vous devez ouvrir votre sixième chakra à ce plan. Les débutants commencent d'abord par voir la première couche. À mesure qu'ils progressent, ils passent aux couches suivantes, de moins en moins denses, donc de plus en plus difficiles à percevoir.

L'ouverture de vos chakras au-delà de la quatrième couche entraîne la perception d'êtres existant dans d'autres niveaux de réalité, ce qui exige une réelle accoutumance et peut perturber quelque peu votre vie personnelle, du moins au début. Très souvent, il m'arrive d'interrompre une conversation pour entendre le guide qui me parle en même temps. J'ai passé pas mal de temps à mener cette double vie. Une personne qui perçoit la présence de ces entités semble très perturbée, pour ne pas dire « dérangée », aux yeux de ceux qui ne les voient pas.

Afin d'entendre ce que dit un être existant dans le plan astral, vous devrez ouvrir votre cinquième chakra à ce plan. Si vous voulez entendre un guide existant dans le cinquième plan, vous devez donc ouvrir votre cinquième chakra au cinquième niveau de votre champ aurique. Mais si vous désirez le voir, vous devrez ouvrir votre sixième chakra au quatrième niveau. De même que pour voir un guide du cinquième plan, il vous faudra ouvrir votre sixième chakra au cinquième niveau aurique, et ainsi de suite.

Comme il est expliqué au chapitre 7, des portes et même parfois des portes blindées ferment les chakras et doivent être ouvertes pour passer d'un niveau à l'autre. On les ouvre en élevant la fréquence vibratoire des circuits énergétiques. Pour développer et maintenir ces hautes vibrations dans le champ aurique, un travail de purification intérieure est nécessaire. Ce nettoyage comporte diverses mesures d'hygiène personnelle, un régime alimentaire des exercices de pratique spirituelle dont il sera question dans la sixième partie de cet ouvrage.

Chaque couche de l'aura vibre mieux et plus vite que le niveau qu'elle recouvre. Éveiller sa conscience à un niveau supérieur équivaut à accroître la fréquence vibratoire de ses circuits. Cela paraît simple en théorie. (Respirons ! Méditons ! Lâchons prise ! Détendons-nous ! Libérons-nous de nos blocages !) Mais l'est nettement moins dans la pratique car, comme nous l'avons vu dans le chapitre traitant de la psychodynamique, chaque apport d'énergie supplémentaire doit pouvoir circuler librement, faute de quoi il fait plus de mal que de bien. Vous savez maintenant pourquoi. Plus le flux énergétique circule mal, plus le corps se sclérose et s'encrasse. Ce sont justement ces mécanismes d'obstruction et de stagnation qui conduisent tôt ou tard à la maladie.

Écoutons ce que nous dit à ce sujet William Schutz, l'un des pionniers du centre d'Esalen : « Le point de départ de nos émotions, leur foyer, c'est bel et bien le ventre, les tripes ; puis elles se dégagent assez vite de ce noyau originel pour se répandre à travers le corps, empruntant les voies qui leur paraissent les plus praticables pour se libérer vers l'extérieur, où elles libèrent leur charge détonante. Cependant, quand de forts blocages et des nœuds de tension viennent barrer ces itinéraires de sortie, ces énergies suractivées stagnent et leur charge non libérée s'accumule, ajoutant de nouveaux parpaings au mur intérieur. Adoptez ces mécanismes pendant un certain temps et vous transformerez votre ventre en une forteresse d'où rien ne peut plus s'échapper. [2] »

Dissoudre ces tampons, ces nœuds, ces bouchons fait évidemment partie de notre travail de thérapeute. Simplement il faut comprendre que, à ce niveau, une psychothérapie en profondeur est extrêmement utile, pour ne pas dire nécessaire. La bioénergie seule ne suffit pas. Ni le cri primal, ni la Gestalt, ni le rolfing, ni la récitation de mantras, ni la méditation zen. Se rebrancher aux énergies universelles du champ aurique est une merveilleuse chose. À condition que ces énergies puissent servir à l'ouverture de la conscience et ne soient pas récupérées par des mécanismes inconscients de refoulement et de repli sur soi.

Méditations pour mieux connaître nos corps auriques

Mes confrères et moi-même avons constaté que certaines méditations nous aident à mieux connaître nos corps auriques. Vous les trouverez résumées sur le tableau 19-1.

Pour explorer la première couche (corps éthérique, tout proche du corps physique), marchez lentement autour d'une pièce, les yeux ouverts, et touchez plusieurs objets en vous attardant sur leur forme, leur texture, la sensation de froid ou de chaud qu'ils vous communiquent. Puis étendez-vous et faites une relaxation profonde en vous représentant en train de marcher autour de la pièce. Sentez le plus intensément possible, au bout de vos doigts et dans la paume de vos mains, tous ces objets avec lesquels vous avez été en contact tactile.

Pour travailler sur la seconde couche aurique (corps émotionnel), méditez sur une sensation intérieure de bien-être paisible.

---

2. William Schutz, *Elements of Encounter*, Joy Press, Big Sur, Californie, 1973

Quand vous avez atteint cet état, visualisez un bel arc-en-ciel aux couleurs somptueuses.

La troisième couche (corps mental) est celle où naissent, se développent et « font leur plein d'énergie », pour prendre leur départ, les formes-pensées. La méditation sera donc ici une concentration aussi intense que possible sur une pensée bien précise. Suivez cette pensée et voyez-là se mouler peu à peu dans une forme. Lorsque cette forme est suffisamment nette, baignez-la dans une lumière dorée.

Pour la quatrième couche (corps astral), visualisez une fleur que vous aimez tout particulièrement. Baignez-la dans une lumière rose et méditez sur l'amour universel.

Des méditations accompagnées de sons et de musiques conviennent parfaitement à la cinquième couche (gabarit ou moule éthérique).

La sixième couche (corps céleste) baigne dans une merveilleuse lumière opalescente, irisée, tantôt dorée, tantôt argentée, tantôt nacrée ou légèrement rosée. Essayez de visualiser cette magnifique lumière. Laissez-la irradier votre corps. Méditez sur l'amour divin. Devenez cet amour.

Si vous voulez élargir l'expérience de votre septième couche (gabarit ou moule kéthérique), asseyez-vous en lotus, les paumes des mains tournées vers le plafond, et répétez ce mantra : *Sois calme, sache que je suis Dieu.*

Révision du chapitre 19

1. Quel est le meilleur moyen de parvenir à une « Haute Perception Auditive » ?
2. Quelle posture adopterez-vous pour demander des directives spirituelles ? Prenez cette position trois fois par semaine au minimum.
3. Sous quelle forme vos guides tenteront-ils de communiquer avec vous ? Décrivez ce processus.
4. Décrivez le sens associé à chaque chakra.
5. Si vous souhaitez « voir » un guide du gabarit kéthérique, quel chakra devez-vous ouvrir ? Sur quel niveau du champ aurique ?
6. Si vous désirez « entendre » un guide du plan astral, quel chakra devez-vous ouvrir ? À quel niveau du champ aurique ?
7. Si je vous dis : « Je sens une présence peu amicale dans cette

pièce », par quel chakra l'aurai-je ressenti ? À partir de quel niveau du champ aurique cet être peut-il exister ?

8. Comment procédez-vous pour ouvrir un chakra à son niveau particulier de votre champ aurique ?

9. Quelle est la différence essentielle entre la vision interne et l'information transmise par un guide ?

Sujets de réflexion

10. En quoi votre vie différerait-elle si vous recherchiez et suiviez les conseils de votre guide plus souvent ?

11. Quelle est votre résistance majeure à la recherche active d'une orientation de votre vie.

12. Demandez des directives pour apprendre à utiliser cette orientation au mieux dans votre vie. Quelle est la réponse ?

13. Pourquoi pensez-vous que des ennuis vous guettent si vous suivez les conseils de ce guide ? De quelle façon cette croyance est-elle reliée à votre expérience enfantine de l'autorité ? À votre relation avec Dieu ou avec l'image que vous en avez ?

14. Comment fonctionne la précognition si nous avons notre libre arbitre ?

15. Comment, en usant de ce type de perception, pourriez-vous changer votre vie ?

16. En quoi consiste la différence entre la visualisation et la perception ?

Chapitre 20

Métaphores d'Heyoan
sur la réalité

Le cône de perception

Au chapitre précédent, je vous ai parlé de l'ouverture de vos perceptions aux niveaux supérieurs de la réalité par accélération de la fréquence des vibrations de votre champ aurique. Cette hypothèse repose sur le concept d'un univers pluridimensionnel, constitué de fréquences diverses, coexistantes dans le même espace à divers niveaux. Plus ceux-ci sont évolués, plus le cycle des vibrations s'élève. Nous allons parler maintenant de cet univers pluridimensionnel et de ses niveaux de perception.

Selon Heyoan, chacun de nous dispose d'un cône de perception délimitant sa réalité personnelle. Autrement dit, chacun de nous perçoit la réalité dans la limite de ses fréquences individuelles.

Les humains définissent la réalité en fonction de ce qu'ils sont capables d'en percevoir. Et lorsque les limites de nos perceptions sont atteintes, nous avons alors recours à ses extensions : les instruments que nous avons fabriqués à cet usage, comme le microscope et le télescope. Nous tenons donc pour réel tout ce qui se trouve à l'intérieur de notre cône de perception. Ce qui est à l'intérieur est réel. Ce qui est à l'extérieur irréel. Si nous ne percevons rien, rien n'existe.

Chaque fois que nous construisons un nouvel instrument, notre cône de perception s'étend. Ce que nous voyons en plus devient réel. C'est ce qui se produit lorsque nous développons notre HSP. Mais, dans ce cas, l'instrument est notre propre corps et ses circuits énergétiques. En conséquence, plus nous percevons, plus notre champ de réalité s'élargit.

J'ai tenté de décrire ce phénomène au moyen d'un graphique

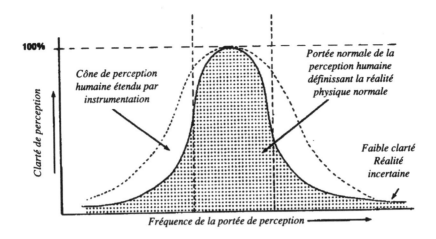

A. Description graphique de notre cône de perception

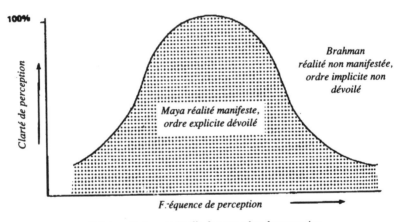

B. Interprétation spirituelle de notre cône de perception

Fig. 20-1 : notre cône de perception

et d'une courbe (fig. 20-1A). L'axe vertical représente la clarté de perception et l'axe horizontal la fréquence. La courbe, au milieu du dessin, délimite le champ de perception normal d'un être humain. Nos perceptions nettes sont indiquées par les pointillés. Au-delà de cette limite, notre perception devient si faible que nous avons tendance à sous-estimer ce que nous percevons. Mais, dès que nous commençons à accepter tout ce que nous discernons, la courbe s'étale et définit alors ce que nous appelons l'univers réel. Les pointillés montrent l'augmentation du champ lorsqu'on se sert d'instruments d'observation.

Voyons maintenant ce que signifient les mots *Brahman* et *Maya* dans la tradition bouddhique. Maya incarne le monde manifesté. Pour les bouddhistes, c'est celui de l'illusion. Brahman représente la réalité fondamentale, sur laquelle se fonde Maya et le monde manifesté. (Il ne faut pas confondre Brahman et brahmane, qui désigne un membre de la caste sacerdotale hindoue.) Dans la tradition bouddhique, la méditation permet de dépasser l'illusion de Maya, avec son cortège de souffrances, pour accéder à l'illumination de Brahman. La figure 20-1B montre le cône de perception de Brahman et de Maya. Le monde manifesté de Maya, très similaire au nôtre, est à l'intérieur du cône, celui de Brahman à l'extérieur. Il en va de même pour l'« ordre expliqué » dont parle le physicien David Bohm (chap. 4), situé à l'intérieur de notre cône, tandis que son « ordre impliqué », non manifesté, s'étend à l'extérieur. La figure 20-2A montre les effets du HSP. Nous entrons ici dans le domaine des réalités spirituelles, inconnues ou très mal connues dans notre monde de la matière dense. Plus nous élevons notre champ de perception aux vibrations supérieures, plus le monde spirituel (non physique) devient réel pour nous. Plus nous nous servons de notre HSP, mieux nous sommes capables de percevoir le monde spirituel (ce qui nous le rend plus accessible encore) et plus nous sortons de l'illusion de Maya pour nous rapprocher de Brahman ou de l'illumination. La courbe du dessin devient alors le voile séparant le monde spirituel du monde matériel. Pour Heyoan, la guérison n'est rien d'autre que l'ultime dissipation du voile entre ces deux mondes.

Un autre point très important reste à souligner : nous nous définissons nous-mêmes par rapport à ce que nous estimons être réellement. De sorte qu'à mesure que notre réalité s'enrichit, nous nous enrichissons aussi. La figure 20-2B montre la courbe représentant notre définition du moi. À l'intérieur de la courbe, nous avons de nous-mêmes une définition amoindrie, celle de ce que nous croyons être, de notre point de vue limité de la réalité. Mais à l'extérieur, notre autodéfinition est illimitée, son expression ultime étant Dieu. La ligne courbe devient le voile tendu entre ce que nous pensons être et ce que nous sommes réellement. Heyoan ne cesse de répéter que le voile qui sépare le monde spirituel du monde matériel et celui qui nous sépare de ce que nous sommes réellement est le même, identique aussi à celui qui sépare la vie de la mort. Nous sachant esprit, nous ne pouvons cesser de vivre après la mort. Nous quittons simplement

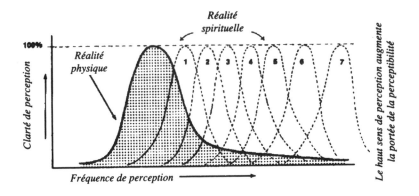

A. Cône de perception augmenté par le haut sens de perception

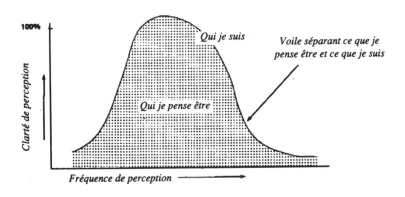

B. Cône de perception limité par la définition personnelle de la réalité

Fig. 20-2 : définition des limites de notre cône de perception

notre corps physique, le véhicule construit par l'esprit afin de s'incarner, sans plus. Mon HSP m'a permis de voir l'esprit d'une personne quitter son corps au moment de sa mort, pour aller rejoindre d'autres esprits qui se trouvaient dans la pièce. Quand nous mourons, le voile se résorbe, et nous redevenons ce que nous sommes réellement.

Le monde manifesté

Au cours d'une lecture d'aura remontant à quelques années, Heyoan fit un véritable cours magistral pour m'expliquer la nature de la manifestation. Voici la transcription de l'enregistrement :

Heyoan : « La manifestation dépend de tes capacités à percevoir ce qui est manifesté. Cette aptitude dépend de l'unicité, de l'individuation de chacun. Et aussi de l'ouverture de sa fenêtre sensorielle. Ce qui est perçu dans le cadre de ta fenêtre personnelle correspond à ta définition du monde manifesté. Lorsque cette étroite lucarne par laquelle tu l'aperçois s'agrandit, le monde manifesté s'étend aussi. Quand, par exemple, tu commences à entendre nos voix, c'est que ton territoire manifesté s'est déjà beaucoup étendu. Ces nouvelles zones que tu découvres te semblent d'une consistance plus subtile, mais elles n'en font pas moins partie du monde manifesté. Leur ténuité apparente varie en fonction de ton aptitude à percevoir les hautes fréquences, ta limitation sensorielle fait que les réalités supérieures te paraissent plus diluées, moins en rapport avec le monde qui t'est familier. Tu as un peu l'impression que ces fréquences supérieures se perdent dans l'immensité de l'Univers. Pourtant, il n'en est rien. »

Barbara : « Ce que je ressens ne représente donc qu'une gamme de sensations dites manifestées, susceptibles de s'élargir et de gagner du terrain dans le domaine que tu appelles non manifesté, à mesure que mes perceptions s'affinent. Mais est-ce valable dans les deux sens ? Mon HSP peut-il aussi s'étendre aux basses vibrations ? »

Heyoan : « L'humanité a choisi, pour un certain nombre de raisons, d'associer les basses vibrations à la négativité, aux ténèbres, aux formes d'expression déplaisantes, néfastes ou effrayantes. Cette opinion généralisée n'est fondée que sur la nature dualiste de l'être humain. Retiens bien ce concept du *dualisme*, il est extrêmement important pour ce que nous sommes en train de voir. Plus tes croyances personnelles sont dualistes, plus ta compréhension de l'Univers et, par conséquent de la vie, est limitée. Nous retrouvons notre petite fenêtre ouverte, ou plus exactement entrouverte, sur le monde. La fenêtre d'un homme ou d'une femme foncièrement dualiste se réduit à une minuscule lucarne, je devrais plutôt dire une meurtrière. Comprends-tu pourquoi elle s'est rétrécie à ce point ? C'est tout simplement ton appareil à percevoir qui a besoin d'un bon nettoyage. Il n'est pas détérioré. Mais il est terriblement parasité, encrassé par des croyances dualistes erronées qu'on t'a inculquées année après année, depuis ta petite enfance et même avant. Du coup, tu continues à avoir peur des basses vibrations, parce que tu les crois "mauvaises". »

Barbara : « Est-ce cela, l'évolution : cesser de penser en termes dualistes ? Comment envisages-tu ce long cheminement de l'humanité vers son devenir ? »

Heyoan : « Ne commets pas l'erreur – fréquente – de te cacher ce qui est devant ton nez en voulant regarder plus loin que l'horizon. Contente-toi pour le moment d'agrandir et de décrasser ta fenêtre. La tienne. C'est ta seule tâche vraiment importante sur le chemin de l'évolution. »

Barbara : « Pourquoi est-ce si difficile ? Nous devrions être transportés de joie en découvrant qu'il nous est possible d'accéder à des plans de réalité plus vastes ! »

Heyoan : « La réponse est dans ton schéma. Tu as dessiné ces courbes qui me font penser à un bicorne. Pour l'immense majorité des humains, la réalité est enfermée dans la partie renflée de ta courbe, celle que tu as teintée de gris. Le chapeau du bicorne, si tu préfères. Au-delà d'une assez petite marge de manœuvre, qu'ils s'autorisent plus ou moins en fonction de la rigidité de leur censure intérieure, les gens ont tendance à se méfier de leurs perceptions dès qu'elles débordent hors de la courbe. C'est-à-dire, tu l'as compris, dès qu'elles risqueraient de remettre en question leurs petites croyances sécurisantes. Mais à mesure que l'humanité progresse sur la voie de l'évolution, la base de ta courbe s'étale, s'élargit (fig. 20-IB). Cet élargissement correspond au degré d'ouverture et à l'état de transparence de ta fenêtre. Nous pouvons appeler cette courbe une ligne de démarcation de la pensée humaine, à un moment donné de son évolution. Plus tu agrandis la zone grisée à l'intérieur du chapeau, plus tu repousses cette ligne au loin. Ce qui se traduit au niveau de ta vie quotidienne par une expansion de plus en plus grande de tes états de conscience. C'est sur le sommet de ta courbe – la bosse du chapeau – que tu dois le plus travailler. Cette bosse s'aplatit à mesure et, éventuellement, elle finira par disparaître complètement, remplacée par une ligne droite. Ce n'est qu'au moment où ce but est atteint que les mondes manifesté et non manifesté se confondent. »

Barbara : « Plus j'ouvre mon cône de perception, plus je m'éloigne des systèmes dualistes pour me rapprocher de l'Unité. »

Heyoan : « Absolument ! Plus tu t'élèves dans le sens de l'expansion, plus les sphères subtiles qui s'étendent au-delà du monde de la matière condensée te deviennent accessibles. Ces plans de réalité sont les nôtres. C'est là que j'habite, en compagnie de mes semblables. À mesure que tu ouvres ta courbe de perception, notre monde cesse d'être mystérieux, inquiétant, inaccessible. Au contraire, il te devient familier et tu finis par l'intégrer au tien. L'Univers se manifestant davantage à ta conscience, tu te rapproches de l'Un. On pourrait dire que tu rentres chez toi. »

Parvenus à ce point de notre discussion, j'eus l'impression de décoller du sol et de m'élever très lentement dans les airs. Je visitai des mondes subtils, certains diaphanes et comme phosphorescents, d'autres striés, zébrés de mille couleurs somptueuses. Je me sentis monter, monter toujours plus haut. Je traversai des galaxies onctueuses et calmes comme un bain d'huile. Je nageai sur le dos à travers des mondes sans consistance, d'une élasticité et d'une fluidité extraordinaires. De-ci de-là j'apercevais des formes, j'en frôlai même plusieurs, mais elles me parurent floues. Et d'ailleurs elles disparaissaient aussitôt, laissant dans leur sillage une queue de poussière lumineuse.

Guidée par Heyoan, je m'élevai autant que je pus. Il me dit soudain :

Heyoan : « Nous sommes arrivés à la porte du Saint des Saints que tout être humain aspire à franchir. »

Je vis défiler sous moi mes vies antérieures, montant comme senteurs de jasmin dans l'air nocturne. Chacune m'attirait vers un niveau de réalité, provoquait en moi une sensation de chute. Je tentais de m'accrocher à mon existence au-delà de Barbara, du temps, de mes vies passées... Je voulus essayer de franchir le seuil du Saint des Saints.

Heyoan : « Là n'est pas le problème. Il ne s'agit pas d'y accéder, mais de s'autoriser à exister là où l'on existe déjà. Inutile de te précipiter. Il y a toujours de la place disponible, puisque c'est celle de l'aspiration de l'âme. »

Je me vis alors franchir une porte ménagée entre les pattes d'un grand sphinx. Je me trouvais face à Heyoan, assis sur un trône.

Heyoan : « Vois-tu, ma très chère, quand tu parles de guérison, sache qu'elle équivaut à l'ouverture des portes de la perception, celles qui donnent accès au Saint de Saints. Ni plus ni moins. Car le seul processus en cours est celui de l'illumination. La guérison n'en est qu'un sous-produit. Alors qu'ici où nous sommes, on ne fait plus qu'un avec Dieu. Si bien que lorsqu'une âme vient vers toi pour te demander des soins, ne perd jamais de vue que c'est l'élévation vers la spiritualité qu'elle désire au plus profond d'elle-même. Lorsqu'un patient arrive dans ton cabinet, n'oublie pas que ses paroles passent par le filtre de son seuil de perception. Or ce filtre peut être étroit ou large, à mailles lâches ou serrées. Qu'il soit question d'un orteil douloureux, d'une maladie incurable ou d'une quête de vérité, tout passe toujours par ce seuil de perception. Mais le besoin à satisfaire reste le même : tu reçois en fait tous ces patients pour répondre à la puissante aspiration de leur âme. Tout ce qu'elles demandent, ces âmes, c'est qu'on les aide à trouver leur route pour rentrer chez elles. Et tout ce qu'elles essaient de te dire à travers le langage de la maladie et de la souffrance, c'est : « Aidez-moi à retrouver le chemin qui mène au Saint des Saints, à la paix des âges, dans le vent qui souffle la vérité à travers les siècles des siècles... »

À cette étape de ma méditation, je frissonnai et me sentis baignée d'allégresse. Heyoan m'avait souvent dit que son nom signifiait « le vent qui souffle la vérité à travers les siècles ». Je compris tout. Au cours de la méditation, mon guide m'avait amenée à saisir enfin que lui et moi ne faisions qu'un. Je le sentis dans toutes les fibres de mon corps. J'étais réellement *la vérité soufflant à travers les siècles*. Heyoan poursuivit : « Je siège donc là, couronné de joyaux dont chacun est une vérité. Là j'existe depuis toujours et existerai au-delà de l'espace et du temps, au-delà de l'ordre et du chaos, à la fois manifesté et non manifesté. Au grand jour et incognito. Vous autres, les humains, vous habitez aussi ici à côté de moi. Tous autant que vous êtes. Vous n'aspirez qu'à l'apprendre, quelles que soient les limites de vos perceptions. »

Révision du chapitre 20

1. Expliquez le concept de la « fenêtre de perception senso-
    rielle ».

Sujets de réflexion

2. En vous fondant sur la description de la réalité d'Heyoan,
    décrivez votre relation avec le mur intérieur de peur, décrit
    au chapitre 14, que vous avez dressé entre ce que vous
    pensez être et ce que vous êtes réellement.
3. Qu'est-ce que la mort ?
4. En vous référant à ce dernier exposé d'Heyoan, quelle
    relation entretenez-vous avec votre guide ? En quoi diffère-
    t-elle de celle que vous entretenez avec votre moi supérieur
    et avec votre étincelle divine ?

CINQUIÈME PARTIE

La guérison spirituelle

« Vous pourrez accomplir, vous aussi, des miracles encore plus grands. »

Jésus

Introduction

Votre champ d'énergie est votre outil de base

Maintenant que nous nous sommes fait une idée plus juste de ce qu'est la guérison, nous allons explorer les diverses techniques que j'ai apprises au cours de mes années de pratique.

Comme toujours, les premiers soins commencent à la maison, en pyjama sur le tapis de la chambre, car la condition préalable et impérative pour tous les guérisseurs est d'abord l'autoguérison. Si vous soignez les autres sans prendre soin de vous-mêmes, vous tomberez malades beaucoup plus facilement que dans n'importe quelle autre profession, car le magnétisme met votre champ d'énergie à l'épreuve, sans parler de son importance dans votre propre vie. Car, non content de servir à vous maintenir en bonne santé et en équilibre, il canalise les énergies curatives nécessaires aux autres. Votre champ n'a pas nécessairement besoin des fréquences qui lui sont transmises, et que quoi qu'il en soit, il transmet à son tour. Pour canaliser une fréquence requise pour une guérison, votre champ doit obligatoirement vibrer à cette même fréquence. Vous traînez votre champ sur des montagnes russes, vous changez constamment de fréquence, vous transmettez des intensités lumineuses fluctuantes. Et cela vous affecte. Ce qui, en un sens, est un bien accélère votre propre processus évolutif. Car ces variations de fréquences et d'intensité cassent les comportements coutumiers, balaient les tampons et les zones d'ombre de votre champ. Mais si vous n'êtes pas au mieux de votre forme, cela peut vous épuiser. Bien qu'en magnétisant vous ne génériez pas l'énergie que vous transmettez, vous devez au préalable élever votre fréquence, l'élever jusqu'à celle que requiert le patient. Cette induction harmonique exige beaucoup d'énergie et de puissance de concentration. Si le voltage de votre énergie est supérieur à celui du patient, vous transmettez sans problème. Mais, en cas de grande fatigue, votre voltage peut devenir inférieur au sien, le flux circulera du plus puissant au plus faible, et c'est vous qui capterez les énergies négatives de sa maladie. Si vous êtes en excellente santé, votre système se borne à les épurer en les magnétisant, ou à les repousser. Quand on est harassé, en revanche, on est incapable de clarifier les basses énergies que l'on capte. Ceux qui sont sujets à une maladie particulière peuvent voir leur cas s'aggraver. Mais si vous prenez bien soin de vous, il arrive aussi qu'en soignant quelqu'un qui est sujet à la même maladie, cela vous aide à générer la fréquence nécessaire à votre propre guérison.

Nous devons à Hiroshi Motoyama un travail très intéressant sur les lignes de force des points d'acupuncture, tant du guérisseur que du patient[1]. Très souvent, celles du guérisseur, associées à un certain organe, étaient plus faibles après la séance, mais récupéraient leur force d'origine en quelques heures. Motoyama a noté aussi qu'en général le méridien du cœur du guérisseur se renforçait, ce qui confirme que le chakra du cœur participe toujours à la guérison, comme nous le verrons aux chapitres suivants.

Nous parlerons aussi des méthodes de soins applicables aux diverses couches de l'aura, accompagnées de divers exemples de techniques destinées à préserver et maintenir la santé du guérisseur.

---

1. Hiroshi Motoyama, *The Fonctional Relationship Between Yoga Asanas and Acupuncture Meridians*, I.A.R.P., Tokyo, 1979.

Chapitre 21

Préparation aux soins

Préparation du guérisseur

Pour être en mesure de prodiguer des soins aux autres, le guérisseur doit s'ouvrir au maximum – « ouverture » étant pris ici dans son sens ésotérique. Il s'agit, en un premier temps, d'être disponible, réceptif, en état de lâcher prise intérieurement pour accueillir avec un minimum de crainte et d'appréhension le flux et le reflux des forces cosmiques. Mais, contrairement à ce que l'on croit trop souvent, cet état d'ouverture n'est pas suffisant. En un second temps, il faut apprendre à « s'accorder » (exactement comme un instrument de musique) sur ces ondes, sur ces vagues, sur ces flux et ces reflux. Les forces dont nous parlons sont essentiellement dynamiques. Nous travaillons en fait avec de l'énergie. Les champs énergétiques subissent des cycles, tout à fait semblables à ceux des océans : il y a des « marées », il y a des « équinoxes » ; à des périodes de calme plat succèdent des tempêtes déchaînées. Le guérisseur doit faire avec ces zones de turbulence. Il lui faut apprendre à naviguer.

Regardez les oiseaux : ils vivent en symbiose permanente avec les forces naturelles, tous leurs mouvements sont réglés sur elles. Leur manière de voler est étroitement liée aux conditions atmosphériques.

Nous devons essayer de les imiter. Et ne croyez pas que les principes énoncés ci-dessus concernent uniquement notre vie professionnelle. Ce n'est pas du tout le cas. Nous ne connaissons pas ce clivage, classique dans les entreprises et les administrations entre les heures de travail et la vie privée. Le guérisseur qui prétendrait (ce qui serait ridicule) s'accorder aux vibrations des champs énergétiques dans son cabinet, lorsqu'il soigne ses clients, et ne plus s'en préoccuper en dehors de ses consultations serait un bien piètre thérapeute...

Contrairement à nous, les forces cosmiques ne portent pas de montre. L'activité d'un guérisseur déborde de beaucoup le cadre professionnel. Sa vie tout entière est obligatoirement concernée. Sa vocation étant au service de la vérité, il doit avant tout être d'une honnêteté scrupuleuse vis-à-vis de lui-même. Il a besoin d'être soutenu par son entourage. Il doit s'astreindre à une stricte discipline spirituelle, se purifier, avoir recours à des maîtres spirituels. Pour se maintenir en bonne santé, il doit faire de l'exercice, méditer, se nourrir sainement, équilibrer son régime alimentaire par un apport de vitamines et de sels minéraux dont son corps fait une plus grande consommation lorsqu'il canalise les énergies subtiles des champs les plus éloignés. Il doit aussi prendre le temps de se reposer et de se distraire. Ces précautions sont indispensables pour maintenir son propre véhicule physique en bon état.

Avant de commencer sa journée de travail, il doit pratiquer quelques exercices physiques matinaux et méditer afin de se centrer et d'ouvrir ses chakras, sans y consacrer toutefois trop de temps. De trente à quarante-cinq minutes suffisent. Les exercices qui suivent m'ont paru les plus efficaces. Je les alterne périodiquement afin de suivre les besoins constamment changeants de mon système d'énergie.

Exercices quotidiens d'ouverture des points d'acupuncture

1.   Allongez-vous sur le dos, les bras le long du corps, paumes en l'air. Écartez légèrement les jambes pour trouver une position confortable et fermez les yeux. Relaxez votre corps en vous concentrant sur chaque partie, l'une après l'autre. Respirez naturellement en suivant le parcours intérieur de votre souffle. Comptez ses allées et venues, à l'inspiration et à l'expiration pendant cinq minutes. Si votre esprit se met à vagabonder, ramenez-le à ses comptes. Si vous oubliez où vous en êtes, recommencez l'opération.

Lorsque votre attention se fixe pendant quelques minutes sur le calcul de vos respirations, votre corps et votre esprit se relaxent progressivement.

2.   Pour commencer la journée, le meilleur exercice peut s'effectuer sans quitter votre lit (dans le cas, peu probable, où il ne dérange pas la personne avec laquelle vous le partagez). Écartez les bras à la perpendiculaire de votre corps et pliez les genoux en gardant les pieds à plat dans le lit sans décoller les

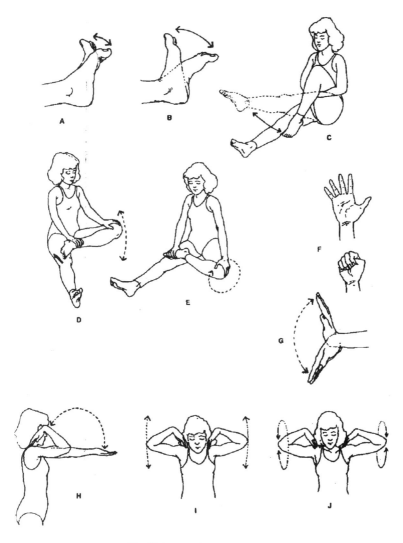

Fig. 21-1 : èxercices articulaires

épaules. Laissez retomber les genoux sur la droite en tournant la tête pour regarder à gauche. Puis relevez vos genoux pour les laisser retomber à gauche en roulant la tête vers la droite. Répétez le mouvement jusqu'à ce que vous sentiez votre dos bien étiré.

Les exercices faisant travailler les articulations sont particulièrement propices à la répartition d'un flux égal d'énergie dans les méridiens. Comme ils passent tous par les articulations, ces mouvements les activent. Les exercices articulaires qui suivent ont été mis au point à cet effet par Hiroshi Motoyama dans sa brochure[1].

3.   Asseyez-vous sur le sol, le dos droit, jambes tendues. Posez les mains à terre à la hauteur de vos hanches et penchez le corps en arrière en prenant appui sur vos mains. Fixez toute votre attention sur vos orteils, repliez-les lentement. Ne remuez qu'eux, fléchissez-les, puis étirez-les sans bouger les jambes et les chevilles. Répétez cet exercice dix fois. Fig. 21-1A.

4.   En conservant la même position, fléchissez puis étirez les articulations de vos chevilles autant que possible. Recommencez dix fois. Fig. 21-1B.

5.   Toujours dans la même position que celle de l'exercice 3, écartez légèrement les jambes. En tenant les talons au contact du sol, pivotez vos chevilles dix fois dans les deux sens.

6.   En position assise, le dos droit, repliez le genou droit le plus haut possible pour rapprocher le talon droit de la fesse droite. Tendez ensuite cette jambe sans toucher le sol du talon ou des orteils. Répétez l'exercice dix fois et recommencez le même exercice avec la jambe gauche. Fig. 21-1C.

7.   Dans la même position assise, rapprochez la cuissse droite du tronc, une main à la cheville, l'autre au genou, et effectuez dix rotations du genou dans le sens des aiguilles d'une montre, puis dix autres dans le sens contraire. Recommencez le même exercice avec la jambe gauche.

8.   Pliez la jambe gauche et posez le pied gauche sur la jambe droite. Tenez le genou gauche avec la main gauche, posez la main droite sur la cheville gauche. Bougez doucement la jambe

---

1. *The Fonctional Relationship*..., op. cit.

pliée vers le haut, puis vers le bas en vous aidant de la main gauche. Décontractez le plus possible les muscles de la jambe gauche. Répétez l'exercice avec le genou droit. Fig. 21-1D.

9. Dans la même position que celle de la figure 8, effectuez un mouvement de rotation du genou droit en partant de l'articulation de la hanche droite, dix fois dans le sens des aiguilles d'une montre et dix fois dans le sens contraire. Répétez le même exercice avec le genou gauche. Fig. 21-1E.

10. Dans la position assise du départ, jambes tendues, levez les bras à la hauteur des épaules et tendez-les devant vous en tendant les doigts, puis repliez-les sur vos pouces et serrez les poings. Répétez l'exercice dix fois. Fig. 1F.

11. Dans la même position que celle de l'exercice 10, fléchissez les poignets, les mains tendues alternativement vers le haut, puis vers le bas, dix fois. Fig. 21-1G.

12. Dans la même position que celle de l'exercice 10, effectuez une rotation des poignets, dix fois dans le sens des aiguilles d'une montre, dix fois en sens inverse.

13. Toujours dans la même position, tendez les bras devant vous paumes en l'air et pliez les coudes pour aller toucher vos épaules du bout des doigts, puis tendez les bras à nouveau. Répétez l'exercice dix fois, mais cette fois en tendant les bras latéralement.

14. Conservez la même position et le bout des doigts toujours en contact avec les épaules, levez les coudes aussi haut que possible, puis abaissez-les. Répétez l'exercice dix fois, puis recommencez en pointant les coudes en avant. Fig. 21-1I.

15. Dans la même position que celle de l'exercice 14, ci-dessus, coudes fléchis, effectuez des rotations à partir des articulations des épaules, dix fois dans le sens des aiguilles d'une montre, dix fois en sens inverse. Le mouvement circulaire doit être le plus large possible et réunir les coudes au milieu de la poitrine. Fig. 21-1J.

Lorsque vous aurez bien assimilé ces exercices, vous pourrez faire travailler en même temps vos doigts et vos orteils, vos chevilles et vos poignets.

16.   Asseyez-vous et relevez-vous plusieurs fois en expirant lorsque vous vous relevez, dix fois pour commencer, pour arriver progressivement à vingt fois.

17.   Penchez-vous en avant et touchez vos orteils sans plier les jambes. Tenez-les jointes, tendues devant vous. Dix fois. Puis, dans cette position, saisissez vos orteils sans plier les genoux. Tenez cette position pendant trois minutes sans vous relever.

18.   Écartez les jambes aussi largement que possible et répétez l'exercice ci-dessus. Allez toucher vos orteils gauches, puis tournez-vous à droite pour toucher les orteils droits. Répétez cet exercice en vous étirant droit devant vous et tenez cette position sans vous relever pendant trois minutes.

19.   Décrivez quelques circonvolutions de la tête et du cou en rejetant d'abord la tête pour regarder en l'air, puis penchez votre visage vers le sol, dix fois, puis penchez la tête de chaque côté du corps, dix fois. Puis faites rouler votre tête dans le sens des aiguilles d'une montre, puis en sens inverse, plusieurs fois, jusqu'à ce que vous sentiez votre cou devenir plus flexible.

20.   Relevez-vous et, le corps droit, les jambes écartées à soixante centimètres l'une de l'autre, penchez le buste à gauche en faisant passer votre bras droit par-dessus votre tête. Répétez l'exercice plusieurs fois, puis fléchissez le buste à droite, le bras gauche replié vers la droite au-dessus de votre tête.

Exercices quotidiens pour ouvrir et charger les chakras

Afin d'ouvrir et de charger mes chakras, je pratique trois séries d'exercices. La première s'applique efficacement aux trois niveaux inférieurs de l'aura. La seconde série ouvre les chakras du plan astral et la troisième consiste en une combinaison de respirations et de postures favorisant l'ouverture des chakras des niveaux supérieurs du champ aurique.

Exercices physiques favorisant l'ouverture et la charge des chakras (niveaux 1 à 3 du champ aurique)

Ces exercices sont expliqués par la figure 21-2.
CHAKRA 1   Debout, les pieds largement écartés, les genoux

et les orteils tournés vers l'extérieur à un angle supportable, pliez les genoux et descendez, si vous le pouvez, les fesses à la hauteur des genoux. Relevez-vous et recommencez l'exercice plusieurs fois. Ajoutez-y ensuite un mouvement du pelvis. Basculez-le en avant, puis en arrière, en insistant sur le mouvement avant, aussi étendu que possible. Basculez ainsi le bassin trois fois de suite le corps droit, puis trois fois les genoux fléchis, et trois fois en vous redressant. Le mouvement est plus efficace lorsqu'il est exécuté les genoux fléchis au maximum. Répétez le tout au moins trois fois.

CHAKRA 2 Debout, les pieds écartés dans l'alignement des épaules, basculez le bassin d'avant en arrière en pliant légèrement les genoux. Répétez le mouvement plusieurs fois. Imaginez ensuite que vous êtes à l'intérieur d'un cyclindre dont vous devez polir la paroi avec votre bassin. Posez vos mains sur vos hanches pour les aider à polir uniformément cette surface cylindrique.

CHAKRA 3 Sautez ! Il vous faut un partenaire pour vous tenir fermement les mains quand vous sauterez en levant les genoux aussi haut que possible contre la poitrine, sans vous arrêter pendant quelques minutes. Reposez-vous ensuite sans vous affaisser. Intervertissez les rôles et soutenez votre partenaire.

CHAKRA 4 Passons ensuite à une posture isométrique. Agenouillez-vous et étirez le buste en avant en prenant appui sur vos poings, comme il est indiqué dans la figure 21-2. Vos coudes ne doivent pas toucher le sol. Variez l'angle de vos jambes et de vos fesses afin de sentir une pression s'exercer entre vos omoplates. (Les hommes aux épaules très musclées ressentiront cette pression dans les épaules. Il convient donc de procéder avec prudence.) Lorsque vous sentirez cette pression isométrique entre vos omoplates, maintenez-la quelques instants en poussant votre corps en avant. Le mouvement peut partir des jambes et des hanches. Cet exercice agit sur l'aspect arrière du chakra du cœur, qui est le centre de la volonté. Pour ouvrir l'aspect frontal du chakra du cœur, procurez-vous un objet cylindrique de large diamètre, par exemple un pouf ou un tabouret bioénergétique et courbez votre dos en arrière dessus, les pieds fermement campés au sol. Détendez-vous et laissez les muscles de la poitrine s'étirer.

CHAKRA 5 Effectuez des mouvements circulaires de la tête et du cou en portant la tête en avant face au sol, puis en arrière en regardant en l'air, puis, la tête droite, tournez-la en l'air vers la gauche, et vers le bas à droite. Inversez le mouvement et relevez la tête à fond vers la droite et baissez-la à gauche.

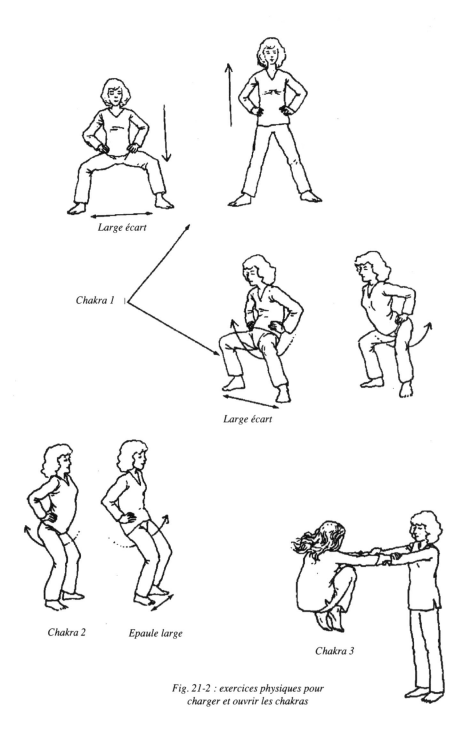

Large écart

Chakra 1

Large écart

Chakra 2   *Epaule large*

Chakra 3

Fig. 21-2 : exercices physiques pour
charger et ouvrir les chakras

Aspect arrière du chakra 4

Aspect frontal du chakra 4

Chakra 5

Chakra 6. *Répétez les mouvements du chakra 5 avec les yeux plutôt qu'avec la tête.*

Chakra 7. *Poursuivez avec la tête.*

Fig. 21-2 : *exercices physiques pour charger et ouvrir les chakras (suite)*

Effectuez ensuite plusieurs circonvolutions complètes de la tête, dans les deux sens. Le chakra de la gorge est aussi très sensible au son. Chantez ! Si vous ne pouvez pas chanter, émettez n'importe quel son qui vous plaira.

CHAKRA 6   Répétez les mouvements circulaires du chakra 5 mais cette fois, avec les yeux.

CHAKRA 7   Frottez votre chakra-couronne sur le dessus de votre tête avec votre main droite, dans le sens des aiguilles d'une montre.

Visualisation favorisant l'ouverture des chakras (niveau 4 du champ aurique)

Pour cet exercice, installez-vous confortablement sur une chaise ou dans la posture du lotus sur un oreiller posé au sol en tenant votre dos bien droit. Après avoir apaisé votre esprit à l'aide d'un de vos exercices de méditation, concentrez-le sur votre premier chakra et visualisez un tourbillon de lumière rouge tournant dans le sens des aiguilles d'une montre (comme si vous regardiez votre chakra de l'extérieur de votre corps), sous vous, la partie évasée ouverte vers la terre, et la pointe fichée au bas de votre épine dorsale. Regardez-le tourner, respirez et expirez la lumière rouge. Visualisez le rouge de votre souffle à l'inspiration. Ne visualisez pas l'expiration, contentez-vous d'en observer la couleur. Persistez jusqu'à ce que vous puissiez voir clairement l'inspiration et l'expiration du même rouge. Si la couleur est plus pâle ou boueuse à l'expiration, c'est que vous avez besoin d'équilibrer vos énergies rouges. Si elle est plus pâle, votre champ manque de rouge. Si elle est boueuse, vous devrez nettoyer votre premier chakra. Vous y parviendrez en répétant l'exercice jusqu'à ce que le rouge soit de la même valeur à l'expiration et à l'inspiration. Cette règle s'applique à tous les chakras.

Maintenez l'image du premier chakra et passez au deuxième situé à cinq centimètres environ de l'os du pubis. Visualisez deux tourbillons, l'un sur le devant de votre corps, l'autre au dos. Regardez tourner leur rouge-orangé intense. Inhalez-le, expirez-le. Poursuivez ces respirations en veillant à ce que les allées et venues de votre souffle soient de couleur identique avant de passer au chakra suivant.

Conservez la visualisation des deux premiers chakras et remontez au troisième chakras du plexus solaire. Visualisez deux tourbillons de lumière jaune. Respirez ce jaune, expirez-le et continuez jusqu'à ce que le jaune soit aussi lumineux à l'inspiration qu'à l'expiration.

Passez au chakra du cœur. Observez les tourbillons verts tourner dans le sens des aiguilles d'une montre. Respirez ce vert jusqu'à ce que la couleur des deux tourbillons s'équilibre. Veillez à ce que les chakras inférieurs que vous venez de charger continuent à tourner avant de monter au chakra de la gorge.

Là, inspirez et expirez l'air bleu des tourbillons tournant dans le sens des aiguilles d'une montre.

Pour le chakra du troisième œil, visualisez des tourbillons violets tournant dans le sens des aiguilles d'une montre, devant et derrière la tête, et répétez les exercices respiratoires expliqués précédemment avant de passer au tourbillon du chakra-couronne, d'un blanc opalescent, situé au sommet de la tête. Observez-le tourner dans le sens des aiguilles d'une montre. Inhalez en blanc, expirez de même. Puis, regardez tous les chakras tournant dans le bon sens, voyez le courant de force vertical circuler le long de votre colonne vertébrale, pulser au même rythme que votre respiration. Lorsque vous inhalez de l'air, il pulse plus fortement qu'à l'expiration. Observez les chakras connectés à la racine à ce courant de force. Le chakra-couronne à l'arrivée supérieure et à la sortie du courant d'énergie, et le chakra de base formant l'entrée et l'issue de l'énergie circulant dans votre champ. Voyez les pulsations d'énergie traverser tous les chakras à chaque inspiration. Tout votre champ est maintenant chargé d'une grande quantité d'énergie lumineuse. Cet excellent exercice ouvre et recharge tous vos chakras avant une séance de soins.

Exercices respiratoires et postures pour ouvrir et charger les chakras (niveaux 5 à 7 du champ aurique)

Les exercices les plus efficaces pour recharger, illuminer, nettoyer et fortifier le champ aurique sont ceux que pratiquent les adeptes du yoga de la kundalini portant sur la posture, la flexibilité de l'épine dorsale et la respiration. Si vous en avez la possibilité, je vous conseille d'aller vous y initier dans un ashram. Dans le cas contraire, vous trouverez ici, en résumé, quelques exercices qui y sont enseignés, illustrés dans la fig. 21-3.

CHAKRA 1 Agenouillez-vous au sol, les fesses sur les talons, les mains posées à plat sur les cuisses. Creusez votre épine dorsale vers l'avant en inhalant, arrondissez-la vers l'arrière en expirant.

Fig. 21-3 : postures et exercices de respiration pour charger et ouvrir les chakras

*Fig. 21-3 :Postures et exercices de respiration
pour charger et ouvrir les chakras (suite)*

Vous pouvez, si vous le souhaitez, accompagner chaque respiration d'un mantra. Répétez l'exercice plusieurs fois.

CHAKRA 2   Asseyez-vous au sol les jambes repliées vers le buste. Tenez vos chevilles à deux mains. Inhalez profondément, le buste fléchi en avant, le torse bombé, la partie supérieure du pubis basculée en arrière. À l'expiration, arrondissez l'épine dorsale vers l'arrière et basculez le pubis en avant, à l'aplomb des os sur lesquels vous êtes assis. Répétez l'exercice plusieurs fois, accompagné d'un mantra si vous le désirez.

CHAKRA 2   Autre posture : allongez-vous sur le dos en prenant appui sur vos coudes et soulevez les jambes à trente centimètres du sol et écartez-les pour inhaler. Croisez les jambes tendues en ciseau à la hauteur des genoux pour expirer. Recommencez l'exercice plusieurs fois, puis haussez les jambes à quarante-cinq centimètres du sol. Continuez les battements et abaissez les jambes en suivant la même procédure, puis reposez-vous. Répétez l'exercice plusieurs fois.

CHAKRA 3   Asseyez-vous au sol les jambes repliées. Posez les mains sur vos épaules, les doigts devant, le pouce derrière. Tournez le buste à gauche en inhalant, puis à droite en expirant. Les respirations doivent être longues et profondes, le dos bien droit. Recommencez plusieurs fois et inversez le sens. Reposez-vous une minute. Répétez l'exercice en vous agenouillant.

CHAKRA 3   Autre posture : allongez-vous les jambes jointes puis soulevez les talons, la tête et les épaules à quinze centimètres du sol. Regardez vos orteils et pointez vers eux le bout de vos doigts, les bras bien tendus. Dans cette position, comptez jusqu'à trente en respirant à petits coups par le nez. Reposez-vous. Décontractez-vous en comptant jusqu'à trente. Répétez l'exercice plusieurs fois.

CHAKRA 4   Revenez à la position assise, jambes repliées et accrochez fermement vos doigts à la hauteur du chakra du cœur, les coudes pointés à l'horizontale de chaque côté du corps. En tenant les avant-bras dans le prolongement l'un de l'autre, levez et abaissez alternativement les coudes en respirant longuement et profondément, plusieurs fois, inspirez, expirez, puis relâchez votre prise et détendez-vous une minute.

Recommencez le même mouvement en vous asseyant sur vos talons pour élever votre niveau d'energie. Veillez à rentrer le ventre.

CHAKRA 5   Asseyez-vous, jambes repliées et bras tendus, tenez fermement vos genoux. Commencez par fléchir le haut de votre épine dorsale en inspirant et expirez en vous redressant. Recommencez plusieurs fois, puis reposez-vous.

Fléchissez ensuite l'épine dorsale, haussez les épaules en inhalant, abaissez-les en expirant. Répétez le mouvement plusieurs fois. Respirez et retenez votre souffle pendant quinze secondes, les épaules levées.

Recommencez ces exercices assis sur vos talons.

CHAKRA 6 En position assise, jambes croisées, cramponnez fermement vos mains l'une à l'autre à la hauteur de la gorge, inhalez et retenez votre souffle, puis comprimez votre abdomen et vos sphincters et repoussez l'énergie vers le haut comme si vous pressiez un tube de dentifrice. Exhalez l'énergie vers le haut en tendant les bras au-dessus de la tête, sans relâcher la prise de vos mains. Recommencez plusieurs fois.

Répétez cet exercice, assis sur vos talons.

CHAKRA 7 Dans la même position assise, tendez les bras au-dessus de la tête en croisant vos doigts, à l'exception des deux index pointés en l'air. Inhalez en rentrant le nombril et dites « SAT », puis « NAM » en libérant l'air et en relâchant le nombril. Respirez ensuite rapidement pendant quelques minutes, puis inhalez et poussez l'énergie de la base de l'épine dorsale au sommet de la tête en contractant d'abord les muscles du sphincter, puis ceux de l'estomac. Retenez d'abord votre souffle, puis laissez-le s'échapper en maintenant la contraction de vos muscles. Relaxez-vous, reposez-vous. Si le mantra « SAT-NAM » ne vous convient pas, utilisez-en un autre.

Recommencez l'exercice en vous asseyant sur vos talons, puis reposez-vous avant de répéter le même, sans mantra, que vous remplacerez par de courtes et rapides respirations par le nez.

CHAKRA 7 Autre posture : assis, les jambes croisées, levez les bras à un angle de soixante degrés, les poignets dans le prolongement des épaules, les paumes tournées en l'air et respirez à petits coups rapides pendant une minute environ par le nez et l'arrière-gorge. Inhalez, retenez votre souffle, seize fois. Expirez. Détendez-vous. Répétez l'exercice deux ou trois fois. Reposez-vous.

Méditation : respirations sur des thèmes de couleurs pour charger l'aura

Les pieds parallèles, les épaules largement écartées, fléchissez lentement les genoux et redressez-vous. Expirez chaque fois que vous pliez les genoux pour descendre. Inspirez en vous relevant. Décontractez vos bras et gardez le dos droit sans vous pencher en avant. Laissez le bas de votre bassin avancer légèrement.

Tendez maintenant les bras devant vous, paumes en bas.

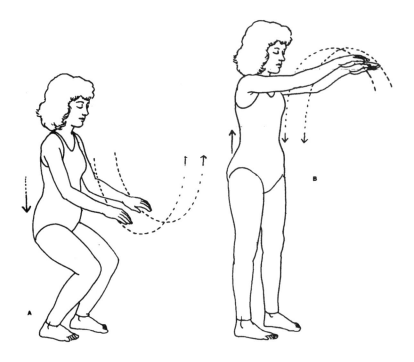

Fig. 21-4 : position de méditation sur la couleur

Ajoutez un mouvement circulaire de vos mains à celui décrit plus haut. Lorsque vous êtes revenu à la position debout, rapprochez vos bras de votre corps (paumes en bas). Au bas du mouvement, tendez à nouveau les bras. Fig. 21-4.

Ajoutez une visualisation à ce mouvement. Respirez en couleurs, à partir de la terre, en remontant par vos mains, vos pieds et dans l'air environnant. Expirez ces couleurs, plusieurs fois chacune.

Commencez par le rouge, au bas du mouvement. Voyez la bulle de votre aura se remplir de rouge. En haut, avant de commencer le mouvement descendant, expirez la couleur. Essayez encore. Parvenez-vous à voir clairement le rouge avec l'œil de votre esprit ? Si ce n'est pas le cas, répétez l'exercice jusqu'à ce que vous y arriviez. Les couleurs que vous avez du mal à visualiser sont probablement celles dont vous aurez besoin dans votre champ d'énergie. Là encore, comme dans l'exercice 22, contentez-vous d'observer la couleur à l'expiration. Ne la contrôlez pas. Lorsque vous la voyez claire et brillante, passez à la couleur suivante.

Respirez maintenant en orange en vous redressant. Laissez la couleur monter de la terre et passer dans vos pieds, dans vos mains et dans l'air qui vous entoure. Si votre esprit a du mal à visualiser ces couleurs, munissez-vous de quelques échantillons de couleurs et contemplez-les. Ou bien fermez les yeux, cela vous facilitera peut-être la tâche. Répétez l'exercice avec la couleur orange.

Poursuivez avec les couleurs suivantes : jaune, vert, bleu, violet et blanc. Remplissez bien l'œuf de votre aura d'une couleur avant de passer à la suivante. Toutes sont bénéfiques pour votre aura. Si vous voulez adjoindre à votre champ des vibrations plus hautes encore, continuez avec les tons suivants : argent, or, platine et cristallin, puis repassez au blanc. Les couleurs de ce second groupe doivent être d'une qualité opalescente.

Vibrations favorisant la connexion à la terre

Pour faire vibrer votre corps, il convient de le maintenir en état de tension, dans une position déclenchant des vibrations physiques involontaires qui renforcent votre flux d'énergie et le libèrent de ses blocs. Ces exercices sont pratiqués couramment en thérapie bioénergétique.

Debout, les pieds parallèles, les épaules largement écartées et après avoir effectué les exercices ci-dessus pour recharger votre aura, pliez les genoux autant que possible, jusqu'à ce que vous ressentiez la fatigue de vos jambes. Expirez en descendant, inspirez en remontant. Si vous tenez la position assez longtemps, vos jambes se mettront à vibrer spontanément. Dans le cas contraire, déclenchez la vibration en rebondissant rapidement sur vos talons de haut en bas. Laissez la vibration gagner le haut de vos jambes, puis votre bassin. Avec de la pratique, ces vibrations se communiqueront à tout votre corps. C'est un excellent moyen de générer un puissant afflux d'énergie. Une fois que vous en aurez éprouvé la sensation, vous saurez inventer les exercices adéquats pour la provoquer dans n'importe quelle partie de votre corps pour en renforcer le flux d'énergie. On y parvient généralement en faisant vibrer la région pelvienne pour renforcer les énergies terrestres circulant à travers le premier et le second chakra. Plus tard, lorsque vous serez en mesure de prodiguer des soins, vous pourrez faire basculer lentement le bassin d'avant en arrière (en position assise) pour induire une petite vibration rapide au mouvement, ce qui aidera le pelvis à vibrer. Vous sentirez alors votre flux d'énergie se renforcer dans tout votre corps.

Méditations assises favorables au centrage

Adoptez une posture confortable pour méditer pendant dix ou quinze minutes en veillant à tenir votre dos bien droit.

La répétition du mantra « Sois calme, sache que je suis Dieu » est un bon moyen d'apaiser l'esprit. Concentrez-vous simplement sur ce mantra s'il se met à vagabonder. Vous pouvez également compter jusqu'à dix. À un, vous inspirez, à deux vous expirez, à trois, vous inspirez, à quatre, vous expirez, ainsi de suite jusqu'à dix. Mais chaque fois que votre esprit se mettra à penser à autre chose qu'à ses comptes, vous serez obligé de tout recommencer. Là réside la difficulté ! Ce type de méditation démontre fort bien à quel point notre esprit peut être indiscipliné. Au premier essai, très peu de personnes parviennent à compter jusqu'à dix !

Maintenant, vous êtes en état de commencer votre journée de soins (après avoir bu un grand verre d'eau).

Le lieu de travail

Il convient avant tout de travailler dans un lieu propre, dépourvu de basses énergies, de mauvaises vibrations ou, selon l'appellation de Wilhelm Reich de DOR (*dead orgone energy*) c'est-à-dire d'orgone mort. Choisissez, si possible, une pièce ensoleillée, ayant accès à l'air libre. Vous pouvez aussi l'assainir comme les Indiens d'Amérique, l'enfumer en brûlant un mélange de graminées et de cèdre ou de sauge et de cèdre. Pour enfumer une pièce, disposez des branches sèches de cèdre et de sauge dans un récipient et faites-les se consumer. Les Indiens se servent d'un coquillage en guise de récipient, afin que les quatre éléments, le feu, la terre, l'air et l'eau, soient représentés. À défaut de coquillage, vous pouvez employer une poêle à frire. Lorsqu'une bonne quantité de cèdre et de sauge est enflammée, étouffez le feu. Un couvercle fait très bien l'affaire. Une épaisse fumée se répand dans la pièce. Dispersez-la dans tous les recoins. La coutume exige également que la fumée envahisse d'abord la partie est du lieu et se répande dans le sens de la course du Soleil (le sens des aiguilles d'une montre). Veillez à ce qu'une porte reste ouverte avant de commencer l'opération. La fumée attire l'énergie DOR et la transporte hors de la pièce en passant par cette porte.

Pour compléter la fumigation, vous pouvez faire une petite offrande au feu en y jetant quelques grains de maïs en guise de remerciement. Pour en savoir davantage sur ces traditions des Indiens d'Amérique, référez-vous à Oh-Shinnah, à la Four Corners Foundation, 632 Oak Street, San Francisco, California 94117. Oh-Shinnah, en fait, enfume chaque patient avant de se mettre au travail, ce qui, au départ, nettoie les lieux d'une grande quantité de DOR. Vous pouvez vous enfumer vous-même si vous vous sentez mal en point. Certaines personnes brûlent des sels d'Epsom (sulfate de magnésie) en versant un peu d'alcool dans un poëlon et en l'enflammant. Le poëlon à la main, tournez autour de la pièce, du patient, ou sur vous-même.

Des cristaux déposés dans la pièce aident également à collecter l'orgone mort. On les nettoie ensuite en les faisant tremper toute une nuit dans un saladier rempli d'un demi-litre d'eau salée (un quart de cuillère à café de sel). Les générateurs d'ions négatifs contribuent aussi à purifier la pièce. Ne travaillez jamais dans un lieu sans aération ou sous des lampes fluorescentes. Ces éclairages génèrent une interférence avec la pulsation normale de l'aura, provoquent un temps de battement entre les fréquences devant être établies dans le champ. Les couleurs de leur spectre sont tout aussi malsaines.

Si vous travaillez dans une pièce sans ventilation ou sous un mélange fluorescent, les DOR s'accumuleront dans votre corps et vous tomberez très probablement malade. Vos vibrations faibliront, se débiliteront peu à peu. Vous pourriez même devoir cesser de travailler pendant plusieurs mois, le temps que votre système parvienne à se purifier de lui-même. Il est possible que vous ne vous aperceviez pas que votre fréquence d'énergie décroît car votre sensibilité faiblira avec elle.

Précautions à observer par le guérisseur

Si vous constatez que vous avez accumulé de l'orgone mort dans votre corps, **nettoyez votre aura.** À cet effet, versez une livre de sel marin et une livre de levure de boulanger dans votre bain. Il se peut que ce bain vous affaiblisse beaucoup, car il drainera une grande quantité d'énergie hors de votre corps. Soyez donc prêt à vous reposer après pour récupérer. Une exposition au soleil aidera à recharger votre système. Pour ce qui concerne la durée de ce bain de soleil, suivez votre intuition. Soyez à l'écoute de votre corps. Il vous dira quand il en aura assez. Prenez ces bains plusieurs fois par semaine, en cas de besoin, pour vous purifier.

Buvez toujours un grand verre d'eau après chaque séance de

soins et conseillez à votre patient d'en faire autant. L'eau qui circule dans votre système aide à éliminer les DOR, prévient les œdèmes car, paradoxalement, la rétention d'eau a pour cause initiale une consommation d'eau insuffisante. Votre corps retient l'eau pour s'efforcer d'y emprisonner les DOR et éviter qu'ils pénètrent profondément dans les tissus.

Les cristaux aident également le magnétiseur à protéger son système d'énergie. Un cristal de quartz ou d'améthyste porté sur le plexus solaire renforce votre champ et le rend moins perméable. Le quartz rose porté sur le chakra du cœur le protège. Il y aurait beaucoup à dire sur la guérison par les cristaux. Pour soigner mes patients, j'en emploie généralement quatre, en addition de ceux que je porte sur moi, une améthyste et un quartz rose. Je pose un grand quartz rose dans la main gauche du patient (le méridien du cœur) et un grand quartz blanc dans sa main droite. Ils absorbent les DOR libérés par les soins. J'emploie une grande améthyste contenant des inclusions de fer pour le premier ou le second chakra, afin de renforcer la pulsation du champ. Le fer aide mon patient à se connecter à la terre. Les cristaux contribuent à maintenir le patient dans son corps. Un quartz fumé sur le plexus solaire est excellent à cet effet.

Si vous portez un cristal de quartz, assurez-vous qu'il convient bien à votre corps. Trop puissant, il augmentera les vibrations de votre champ, ce qui peut finir par l'épuiser car votre métabolisme de base ne sera pas assez fort pour supporter celui qu'induira le cristal dans votre corps. En d'autres termes, vous ne seriez pas capable de fournir suffisamment d'énergie dans votre champ pour l'aligner à de hautes vibrations, ce qui peut entraîner une perte d'énergie. Mais si vous choisissez un cristal légèrement plus puissant que votre champ, vous le fortifierez.

Dans le cas où le cristal que vous portez vibre plus lentement que votre champ, il drainera ses vibrations dont les fréquences ralentiront peu à peu. Il convient donc d'observer simplement la manière dont chaque cristal vous affecte. Plus vous êtes en bonne condition, plus puissants seront les cristaux que vous pourrez supporter. Sachez aussi que vous aurez besoin de cristaux de diverses natures, adaptés aux périodes et aux circonstances spécifiques de votre vie.

Les bijoux anciens comportant des cristaux, offerts en souvenir, sont imbibés de l'énergie de leurs possesseurs antérieurs. Il faut donc les nettoyer soigneusement en les faisant tremper pendant une semaine dans un quart de litre d'eau de source salée (un quart de cuillère à café de sel) ou dans de l'eau de mer. De nombreux groupes d'études portant sur les cristaux existent de nos jours. Si vous voulez employer des cristaux, je vous conseille de vous tenir au courant de leurs travaux pour apprendre à les utiliser à bon escient.

Pour prodiguer mes soins, j'utilise une table de massage et une chaise de bureau, afin de ne pas être obligée de me tenir debout toute la journée. Mon dos est ainsi parfaitement soutenu et les roues mobiles de mon siège m'autorisent une grande liberté de mouvements. Je peux me lever ou m'asseoir selon les nécessités du traitement. J'emploie également une huile pour m'en oindre les pieds, ce qui favorise la pénétration de l'énergie dans mon corps.

Les facteurs les plus importants pour la santé du magnétiseur sont le temps et les loisirs personnels, peu faciles à réunir, car la plupart des guérisseurs sont très sollicités par leurs patients. Il faut savoir dire « non, maintenant j'ai besoin de mon temps », même si la demande devient pressante. Vous devez impérativement vous allouer ce temps, quelles que soient les circonstances. De toute façon, si vous négligez ce besoin, vos forces s'épuiseront et vous serez dans l'obligation de vous arrêter de travailler. N'attendez pas le moment où vous n'aurez plus rien à donner, reposez-vous avant d'en arriver là. Laissez-vous le temps de vous livrer à vos occupations et à vos loisirs. Il importe essentiellement que le magnétiseur puisse mener une vie personnelle bien remplie, répondant à ses besoins propres. S'il se contente de satisfaire ceux de ses patients, il peut développer une dépendance à leur égard qui nuira au processus de leur guérison. La règle d'or dans ce domaine tient donc dans cette formule : *En premier lieu le Soi et ce qui le nourrit. Puis un temps de réflexion. Et enfin, nourrir les autres.* Le magnétiseur qui n'observe pas cette règle s'expose à une déperdition d'énergie pouvant aboutir à un dépérissement grave.

Révision du chapitre 21

1. Décrivez les exercices à effectuer pour ouvrir les méridiens d'acupuncture. Pourquoi sont-ils efficaces ?
2. Décrivez les exercices destinés à nettoyer le champ aurique du magnétiseur.
3. Quelles sont les deux choses à accomplir par le guérisseur avant de commencer à soigner ?
4. Pourquoi le guérisseur doit-il boire beaucoup d'eau ?

5. Comment purifier une pièce de son orgone mort (DOR) ? Citez au moins trois moyens.

6. Pourquoi le magnétiseur doit-il prendre grand soin de l'espace dans lequel il pratique ? De son propre système d'énergie ? Que peut-il arriver s'il ne le fait pas ?

7. Comment pouvez-vous vous protéger des DOR au cours d'une séance de soins ? Dans la vie courante ?

8. Quelles sont les trois précautions à observer concernant l'espace dans lequel vous pratiquerez ?

9. Pourquoi est-il généralement plus facile de soigner un patient dans un cabinet de consultation que chez lui ?

10. Si vous avez accumulé des DOR dans votre champ en soignant, comment pouvez-vous le nettoyer ?

11. Décrivez au moins trois façons de soigner avec les cristaux.

12. Pourquoi le port d'un cristal peut-il vous faire tomber malade ? Quels en sont les effets ?

Chapitre 22

Magnétisation de tout l'ensemble du spectre (thérapie « Arc-en-Ciel »)

Au cours d'une séance de soins vous devrez travailler sur différentes couches de l'aura. Chacune requiert un traitement particulier. C'est parce que nous passons constamment d'une couche colorée à la suivante que nous avons baptisé ce type de travail thérapie « arc-en-ciel ». À mesure que j'avancerai dans la description détaillée de ce qui se produit au cours de ce processus, vous le comprendrez mieux. Autre point important : les énergies curatives passent toujours par le chakra du cœur. Là, l'esprit se transforme en matière, la matière en esprit, comme nous l'avons vu au chapitre 16.

Concentration de l'énergie avant une journée de travail

Avant de commencer une séance, vous devrez vous aligner sur les plus hautes énergies possibles en pratiquant les exercices indiqués au chapitre précédent, afin de nettoyer et charger tous vos chakras. L'énergie viendra ainsi saturer votre champ. Ces méditations et ces exercices de concentration devront être pratiqués pendant plusieurs mois. Ils doivent faire partie intégrante de votre vie quotidienne, car il est primordial que vous soyez en mesure de rassembler suffisamment d'énergie pour vous concentrer sur vos objectifs. Méditez la veille ou le matin précédant une journée de soins, cinq minutes environ par patient. Concentrez votre esprit, vide de toute autre pensée, sur chacun d'eux en leur envoyant de l'énergie. Sentez-la, voyez-la s'écoulant en vous. Entourez-vous de personnes compétentes en la matière, car vous aurez besoin de faire beaucoup d'expériences pour acquérir le discernement nécessaire. Le discernement et le soutien, loin d'être facultatifs, sont des conditions préalables indispensables pour tous ceux qui désirent canaliser de l'énergie afin de la communiquer aux autres. Ce travail très profond ne doit jamais être pris à la légère. La parapsychologie n'est pas un divertissement de salon. Un mauvais usage des techniques enseignées dans ce livre peut avoir des conséquences très déplaisantes et même dangereuses pour tout individu s'essayant au magnétisme sans la discipline spirituelle appropriée dont cette pratique est indissociable.

Ces conditions préalables étant remplies à l'aide des exercices indiqués dans ce chapitre, les guides spirituels pourront se manifester dans votre champ. Mais pour le moment, astreignez-vous aux exercices du chapitre 21, avant toute séance de magnétisation.

S'il s'agit d'une première entrevue, exposez brièvement à votre patient ce que vous avez l'intention de faire. Communiquez avec lui dans son propre vocabulaire, aussi simplement que possible. S'il s'avère que la personne venue vous consulter possède des connaissances concernant l'aura, les champs énergétiques, le magnétisme, des échanges fructueux pourront s'établir à son niveau de compréhension. Il convient donc de le déterminer rapidement afin de trouver un terrain commun de communication. Votre malade se sentira alors à son aise et vous pourrez commencer le traitement dans de bonnes conditions.

Je commence généralement par travailler sur les trois corps inférieurs de l'aura. Je passe ensuite aux corps supérieurs. Vous trouverez le schéma succinct d'une séquence de magnétisme dans le tableau de la fig. 22-1. Cette présentation simplifiée peut vous être utile en soulignant les étapes fondamentales du traitement et leur ordre chronologique. Je vous conseille de vous y référer.

Figure 22-1

DÉROULEMENT CHRONOLOGIQUE D'UNE SÉANCE DE MAGNÉTISATION

1. Préparation et charge énergétique du guérisseur par une méditation et quelques exercices conçus pour ouvrir ses chakras.

2. Analyse générale (assez rapide) des circuits énergétiques du patient.

3.   Examen de ses chakras. Mesurez-les et notez vos remarques.

4.   Visualisez le plus rapidement possible le « triangle » à l'intérieur duquel vous allez être amené à travailler : ses trois côtés sont formés par le niveau vibratoire de votre patient, celui dans lequel vous vous êtes installé pour commencer la séance et celui des guides spirituels qui se seront certainement manifestés. L'essentiel de la séance va consister à rééquilibrer constamment le flux magnétique en fonction des trois côtés de ce triangle.

5.   Magnétisation des quatre corps inférieurs (1re, 2e, 3e et 4e couches de l'aura).
   a) Chélation   : charge et éclaircissement de l'aura.
   b) Nettoyage de l'épine dorsale.
   c) Nettoyage approfondi de l'aura en se concentrant sur les tampons de la cuirasse caractérielle et sur les plages encombrées d'énergie stagnante.

6.   Magnétisation du gabarit éthérique (chirurgie spirituelle sur la 5e couche de l'aura).

7.   Magnétisation et restructuration du gabarit kéthérique (7e couche de l'aura).

8.   Magnétisation au niveau céleste (6e couche de l'aura).

9.   Magnétisation au niveau cosmique (8e et 9e couches de l'aura, uniquement si le guérisseur a accès à ces régions, ce qui n'est pas évident).

Déroulement d'une séance de soins

1. Analyse des circuits énergétiques du patient

Lorsque je reçois un patient pour la première fois, je commence par examiner son champ : comment fonctionnent ses circuits énergétiques et de quelle manière les utilise-t-il dans sa vie quotidienne. Je note ses particularités physiques pour déterminer sa structure caractérielle. Après quoi, je sais que je vais devoir travailler beaucoup sur ces chakras, presque toujours bloqués ou déformés. Je lui demande de se tenir debout, les pieds parallèles, les épaules relâchées, puis de se pencher en avant en décontractant les genoux et de respirer en harmonie avec le mouvement, ce qui m'en apprend beaucoup sur la façon dont cette personne dévie son énergie et sur l'origine des troubles dont elle souffre. Le flux d'énergie remontant dans les jambes se révèle le plus souvent inégal, circule plus puissamment d'un côté du corps que de l'autre. Certaines zones sont donc mieux alimentées que d'autres. Ces déséquilibres sont liés aux décharges émotionnelles et mentales auxquelles le sujet doit faire face et sur lesquelles il devra travailler. S'il s'agit, par exemple, d'une personne qui a peur d'aimer, l'énergie de la région du cœur est déviée à l'arrière du corps (le centre de la volonté) au détriment du centre aimant du cœur.

À mes débuts, après m'être fait une bonne idée générale de la façon dont mon patient gère sa structure psychosomatique, je procédais à une analyse radiesthésique de ses chakras à l'aide d'un pendule. À présent, une lecture extra-sensorielle par simple vision interne me convient mieux.

Je conseille au débutant de bien observer la morphologie du patient et de la comparer à ce qu'il a appris au sujet des structures caractérielles, afin de déterminer les traits prédominants du sujet, sa psychodynamique, ses principaux nœuds de tension, les chakras susceptibles de mal fonctionner, etc. (réviser les tableaux du chapitre 13) Cette information en apprend beaucoup sur l'équilibre, ou plus souvent le déséquilibre, existant entre le monde de l'intellect, le monde des affects et le monde des sensations. Ces observations peuvent servir à orienter le malade sur une compréhension de son moi profond et de son mode de comportement dans la vie courante.

Après l'avoir fait se tenir debout, je demande à mon patient de retirer ses souliers et ses bijoux (qui peuvent interférer avec les vibrations du champ), et de s'allonger sur ma table de massage, à plat dos. Si vous le désirez, vous pouvez alors procéder à une lecture au pendule de ses chakras, comme je l'explique au chapitre 10. Si j'estime que leur emploi convient au cas que je m'apprête à traiter, je sors généralement mes cristaux et, comme je l'ai indiqué au chapitre précédent, je place un grand cristal de quartz rose dans la main gauche du patient, un quartz blanc dans la droite, une améthyste contenant des paillettes de fer sur son premier ou son deuxième chakra, afin de fortifier les pulsations de son champ. Un quatrième quartz blanc de trois centimètres de large et dix centimètres de long environ me sert de curette. Plus large, il serait trop lourd à manipuler. Plus petit, il n'aurait pas la force d'extraire suffisamment d'énergie polluée. Le puissant rayon de lumière blanche émis à la pointe de ce cristal agit comme un laser et peut tailler dans les déchets accumulés dans l'aura. Je l'utilise pour la phase de « nettoyage » du traitement.

2. Alignement du système d'énergie du magnétiseur du patient et des guides spirituels

Avant son premier contact avec un patient, le magnétiseur doit s'aligner sur les plus hautes énergies possibles. Pour cette étape d'une très grande importance, je fais rapidement monter l'énergie à travers mes chakras (exercice 22). Je réaffirme mon alignement sur le Christ, sur les forces universelles de la lumière, et je leur adresse la prière suivante : « Je prie pour pouvoir canaliser l'amour, la vérité et la guérison au nom du Christ et des forces universelles de la lumière. » Si vous ne vous sentez pas connecté au Christ, priez pour l'être à l'Univers, à Dieu, à la Lumière, au Saint des Saints... J'impose ensuite silence à mon esprit en fermant les yeux, en respirant lentement, profondément par le nez, en aspirant l'air le long du palais jusqu'à l'arrière-gorge. Je m'assieds aux pieds du malade et je pose mes pouces sur la plante de ses pieds au « point-réflexe [1] » de son plexus solaire (fig. 22-2). Je me concentre ensuite sur mon patient afin d'ajuster les trois systèmes d'énergie impliqués : le sien, le mien et celui des forces lumineuses universelles, représentées par les guides spirituels qui sont en quelque sorte leurs ambassadeurs. Cette opération peut s'effectuer par un balayage passant par la couronne du magnétiseur, suivi d'un transfert à la couronne du patient. On peut ensuite procéder à une rapide exploration des principaux organes et de l'épine dorsale en palpant les points-réflexes des pieds afin de sentir l'état énergétique de chacun d'eux.

Les points déséquilibrés ou douloureux de la plante des pieds paraîtront soit tétanisés, soit trop mous. La peau peut demeurer enfoncée après qu'on l'aura repoussée du bout du doigt ; elle peut manquer de résistance, ou bien se montrer trop tendue et ne pas s'enfoncer du tout. On peut sentir au toucher une sorte de spasme musculaire. On peut aussi comparer ces points déséquilibrés à des petites fontaines jaillissantes ou à des tourbillons d'énergie pénétrant dans la peau. La même comparaison s'applique aux points d'acupuncture mal équilibrés, ce qui peut

---

1. Ce terme appatient à la *réflexologie*, technique qui permet le diagnostic, et dans une certaine mesure le traitement, par la lecture de la plante des pieds. Nous allons en reparler à la fin de ce chapitre.

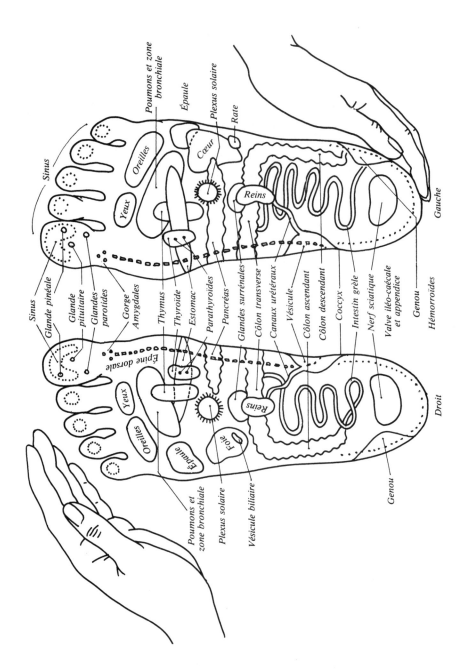

Figure 22–2: *Principaux points-reflexes du pied*

vous inciter à magnétiser ces points nécessitant un apport d'énergie.

A. *Canalisation de l'énergie curative*

À mesure que vous progresserez, vous pourrez adjoindre une dimension supplémentaire à votre manière de recevoir l'information. Votre concentration sur la libération des zones bloquées ou embourbées permet à vos guides d'utiliser votre champ d'énergie de deux façons. La première consiste simplement à laisser pénétrer dans votre champ plusieurs niveaux de vibrations lumineuses, car, en général, ces « bandes passantes » (couleurs et fréquences) sont choisies par les guides, et la personne qui les canalise ne fait que s'aligner sur la divine lumière du Christ. La seconde façon de procéder consiste à laisser les guides entrer dans une partie de votre champ pour travailler sur celui du patient par manipulation directe. Dans les deux cas, vous devez laisser aller vos mains là où votre maître spirituel les guide. Dans la première éventualité, l'orientation du mouvement des mains peut commencer dès que vous les posez sur les pieds du patient. Dans la seconde, les directives et les gestes, très complexes mais précis, agissent aux niveaux les plus élevés du champ (5 et 7). Le guide emprunte très souvent les mains du magnétiseur pour pénétrer dans le corps du patient, ce qui exige du praticien une attention très soutenue pour comprendre les intentions des guides et éviter toute interférence. Si, par exemple, quand vous travaillez au cinquième niveau du champ aurique, vous ressentez de la fatigue à tenir vos mains ou à accomplir certains mouvements et que vous désirez vous reposer, vous devrez le manifester très clairement à votre guide afin de lui laisser le temps de s'ajuster à cette rupture énergétique. En retirant une main prématurément, vous provoqueriez chez le patient un choc qui le ferait sursauter. Vous devriez alors réparer les dégâts que cette interruption intempestive aurait provoqués. L'expérience aidant, vous vous familiariserez avec les séquences permettant une pause en cas de besoin.

3. Magnétisation des quatres couches auriques inférieures

A. *La « chélation » : charge et nettoyage de l'aura du patient*

Le terme « chélation » dérive du grec *chele* qui signifie « serre »

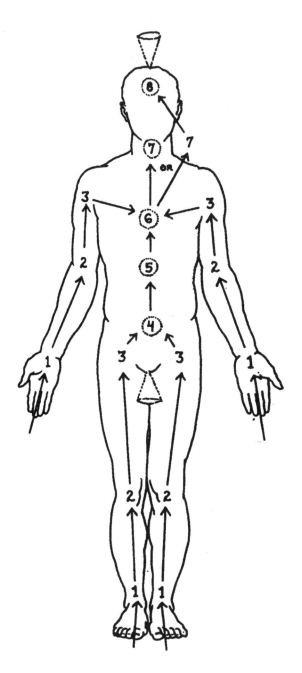

Fig. 22-3 : diagramme de la chélation

ou « griffe ». La Révérende Rosalyn Bruyère découvrit et développa cette technique. C'est elle qui utilisa pour la première fois le mot *chélation*, l'appliquant à la purification du champ du patient par l'élimination des débris auriques accumulés ou stagnants. La chélation remplit aussi l'aura d'énergie, comme un ballon dans lequel on soufflerait, ce qui l'équilibre également. Ce procédé consiste à faire circuler l'énergie dans le corps par étapes, en partant des pieds, de la façon la plus naturelle qui soit, en vue d'équilibrer et d'assainir tout le système, car l'énergie tirée de la terre passe non seulement par le premier chakra, mais aussi par deux petits centres situés au milieu de la plante des pieds. Ces énergies terrestres, aux vibrations plus basses, sont toujours nécessaires à la magnétisation du corps du patient. De sorte qu'en commençant par les pieds, vous alimentez le système déchargé par la voie normale. Le corps l'absorbe et transporte l'énergie ou il convient, alors que si vous commenciez par la zone déficiente, le corps pourrait fort bien l'entraîner ailleurs, au détriment de l'organe par lequel elle a pénétré. Cet afflux n'étant pas naturel, il manquerait d'efficacité. Pour éviter ce risque, il convient donc d'étudier le parcours normal de la chélation (fig. 22-3). Les illustrations suivantes de ce chapitre montrent les changements qui s'opèrent dans l'aura au cours d'un traitement complet.

Lorsque Mary vint me consulter la première fois, son champ aurique m'apparut encrassé, épais, déséquilibré (fig. 22-4). Des bouchons d'énergie rouge foncé et bruns s'amassaient aux genoux, dans la région pelvienne, au plexus solaire et aux épaules. Du chakra du plexus solaire déformé s'échappait à la partie supérieure gauche un petit tourbillon jaillissant comme une source. Cette malformation se répercutait sur les cinquième et septième couches de son champ. En raison de cette véritable hernie du chakra, Mary se plaignait d'une douleur à ce niveau. Elle éprouvait par ailleurs des difficultés à nouer des relations profondes avec autrui. La magnétisation de son champ demanda six semaines. Il fallut l'équilibrer, le restructurer et aussi lui apprendre à mieux se connecter aux autres. Je pus y parvenir grâce à l'information canalisée relative à ses expériences enfantines, au cours desquelles elle s'était accoutumée à bloquer son champ d'énergie. Cette habitude était à la base de ses troubles psychologiques et physiques.

Procédons maintenant à chaque étape de la magnétisation comme si vous étiez à l'œuvre et Mary votre patiente.

Assis aux pieds de la patiente, vous posez vos mains sur la plante de ses pieds jusqu'à ce que l'aspect général de son champ

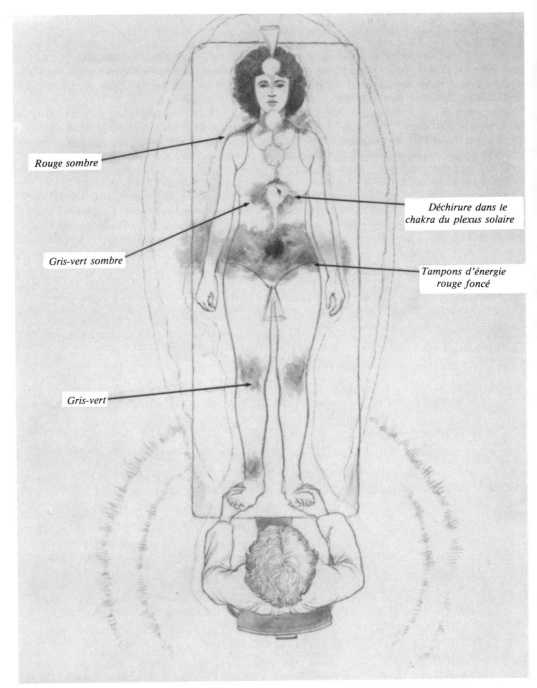

Rouge sombre

Déchirure dans le chakra du plexus solaire

Gris-vert sombre

Tampons d'énergie rouge foncé

Gris-vert

Figure 22 – 5 : Equilibrage des côtés gauche et droit du corps et début de la circulation de l'énergie dans les pieds

s'éclaircisse et s'équilibre (fig. 22-5). L'énergie manipulée dans cette position active tout le champ. N'essayez pas de contrôler la couleur que vous canalisez. Laissez-la s'écouler automatiquement. Si vous vous concentrez sur la couleur, vous ne ferez qu'interférer sans aider, car les champs sont plus intelligents que votre esprit linéaire.

Aussi longtemps que vous éclaircirez votre propre champ afin que vos chakras puissent métaboliser toutes les couleurs du « champ d'énergie universelle » (CEU), celui de votre patiente absorbera simplement celles dont il a besoin. Si l'un de vos chakras est bloqué, vous aurez du mal à canaliser la couleur ou la fréquence lumineuse devant être transmise par ce chakra. En l'occurrence, vous devrez effectuer les exercices d'ouverture des chakras jusqu'à ce qu'ils s'ouvrent tous. La figure 22-6 montre le parcours du flux d'énergie dans les chakras du magnétiseur, passant par le courant de force vertical et le chakra du cœur, puis dans ses bras et ses mains pour pénétrer dans le champ aurique du patient.

À mesure que l'énergie s'écoule, purifie, charge et, en général, équilibre le champ d'énergie du malade, vous la sentez couler de vos mains comme d'une fontaine. Elle peut vous sembler chaude. Vous pouvez ressentir une sorte de picotement ou de lentes pulsations rythmiques. Si vous êtes sensitif, vous sentez les changements de fréquence de ce flux, plus puissant parfois d'un côté du corps que de l'autre, ses variations de pulsations, de direction dans les zones d'alimentation du champ du patient, puis son extension générale à tous ses corps auriques.

Après quelques minutes de travail, l'intensité du flux diminue et se répartit également dans les deux côtés du corps, ce qui indique l'équilibrage de la totalité du champ. Vous vous préparez alors à passer à la position suivante. Notez que l'aura de Mary, telle qu'elle apparaît à la figure 22-5, comparée à celle de la figure 22-4, s'est considérablement éclaircie.

Déplacez-vous à présent à la droite de la patiente en gardant toujours une main sur son corps pour maintenir le contact. Posez votre main droite sur la plante de son pied gauche et votre main gauche sur sa cheville gauche en vous penchant par-dessus son corps (fig. 22-7). Faites circuler l'énergie de votre main droite à la gauche à travers le pied de Mary. Le flux peut vous paraître faible au début, mais des ruisselets d'énergie viendront vite le renforcer. Lorsque le pied sera bien chargé, le courant passant par vos mains faiblira à nouveau. Vous pouvez alors poser vos mains sur le pied et la cheville droits pour répéter la même procédure. Le pied droit bien chargé à son tour, déplacez votre main droite, posez-la sur la cheville gauche de Mary tandis que votre main gauche se place sur son genou gauche pour faire

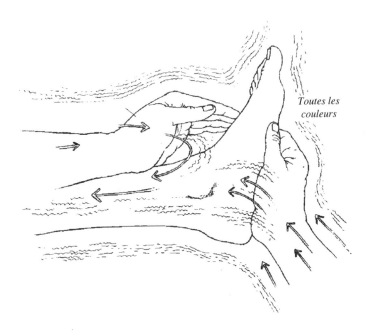

Fig. 22-7 : flux d'énergie durant la chélation du champ aurique

passer l'énergie de votre main droite à la main gauche à travers sa jambe. Là encore, le flux vous semblera peut-être faible, et sans doute plus puissant d'un côté de la jambe que de l'autre. La charge énergétique de cette jambe achevée, passez à la position cheville-genou droits (fig. 22-8). À mesure que la chélation agit entre la cheville et le genou, les zones sombres sur la cuisse et la hanche droite s'éclaircissent, le champ s'illumine, ainsi que la partie gauche du plexus solaire. Continuez votre travail au long des jambes, d'une articulation à l'autre, du genou à la hanche, d'abord du côté gauche, puis à droite (fig. 22-9). À mesure que vous remontez vers la région génitale, l'aura s'éclaircit de plus en plus. Quand vous passez de la hanche au deuxième chakra, la patiente entre en état de conscience altérée. Son champ s'éclaircit alors dans la région pelvienne, en particulier dans la zone située entre vos mains. À cette étape de la magnétisation, votre main droite se place sur la hanche et la gauche au centre du second chakra, juste au-dessus de l'os pubien. Répétez l'opération de l'autre côté du corps. Les variations et les éclair-cissements survenant dans l'aura sont signalés par les fluctua-tions de puissance du flux d'énergie quand vous passez d'un point du corps à l'autre. Lorsque vous posez vos mains sur un nouvel emplacement, l'énergie commence d'abord par pulser

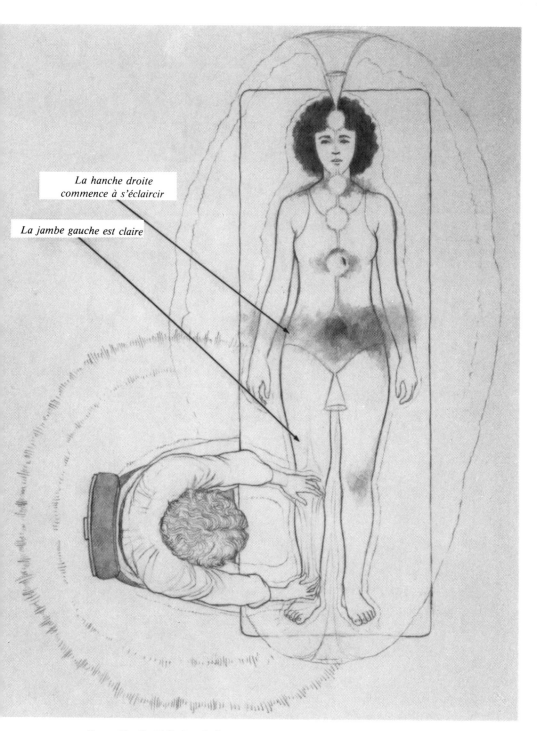

La hanche droite commence à s'éclaircir

La jambe gauche est claire

Figure 22 – 8: Chélation de l'aura entre la cheville et l'articulation du genou

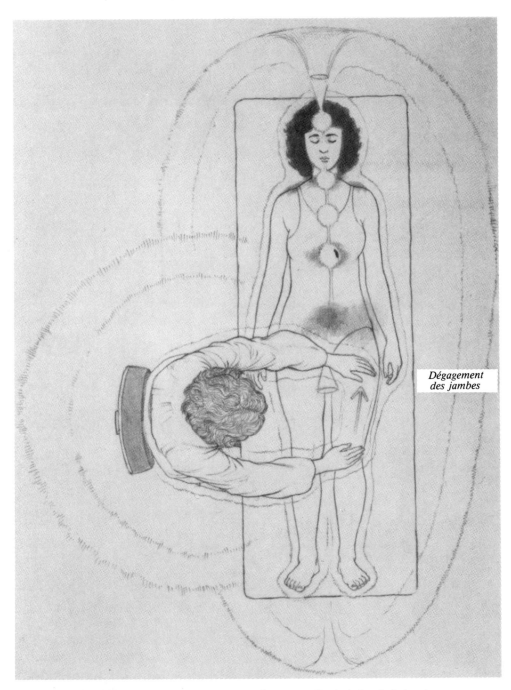

Dégagement des jambes

Figure 22 – 9: Chélation de l'aura entre le genou et l'articulation de la hanche.

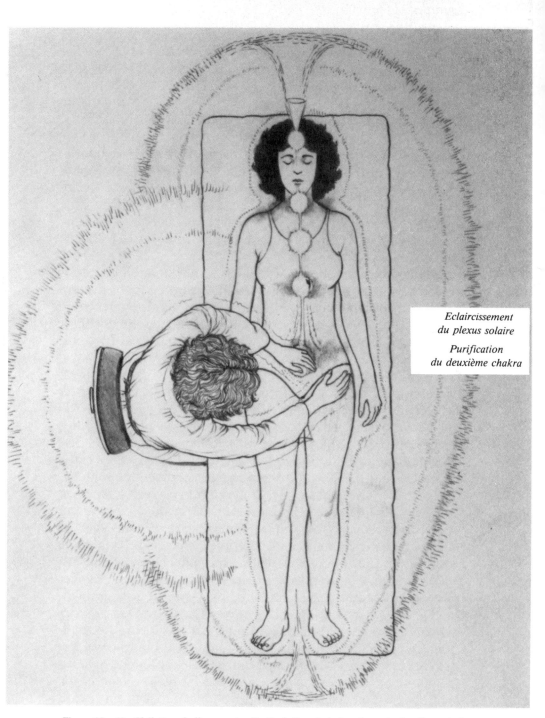

*Eclaircissement
du plexus solaire*

*Purification
du deuxième chakra*

Figure 22 – 10: Chélation de l'aura entre l'articulation de la hanche et le deuxième chakra

lentement afin que la connexion entre votre champ et celui de votre patiente s'établisse. Puis la puissance du flux augmente, culmine et diminue progressivement de force pour continuer à pulser à un rythme très lent. Il peut même s'interrompre, ce qui vous signale qu'il est temps de déplacer vos mains. Vous sentez l'énergie s'écouler sous forme de picotements ou d'ondes de chaleur. Assurez-vous que l'intensité du flux est égale des deux côtés du corps avant de déplacer vos mains ailleurs, qu'il s'agisse des jambes ou de toute autre partie du corps.

Dès que le deuxième chakra est clarifié, chargé et équilibré, maintenez votre main droite en place tandis que votre main gauche passe au troisième chakra (fig. 22-11). Dans le cas de Mary, j'ai dû travailler un certain temps sur le deuxième et le troisième chakra qui étaient les plus bloqués. Dès que cette zone sera assainie, en maintenant votre main droite sur le troisième chakra, vous pourrez remonter au quatrième.

Quand vous arrivez à la phase de chélation directe des chakras, vous entrez en communication profonde avec votre patiente. Vous pouvez vous surprendre à respirer au même rythme qu'elle. Vous la « reflétez » réellement et pouvez apaiser sa respiration en contrôlant la vôtre. À cette étape des soins, cette action peut se révéler très utile, car en ouvrant les chakras, vous libérez un matériel émotionnel important. Dès qu'il est libéré, le patient tente de retenir son souffle pour contrôler ses sentiments. C'est précisément ce que Mary essaya de faire dès que son deuxième chakra fut mieux connecté au troisième. Vous devez donc l'inciter à respirer. Elle le fit et se mit à pleurer, ressentant sa solitude. Ressentez-la vous aussi. Voyez les expériences enfantines de Mary associées à ce sentiment de solitude. Partagez-les avec elle. À présent, elle comprend cette connexion et pleure abondamment. L'expression de sa douleur ouvre et éclaircit son deuxième et son troisième chakra. Si vous avez du mal à supporter les sentiments exprimés, changez le rythme de votre respiration pour interrompre cet épanchement et élevez votre conscience à un niveau supérieur sans cesser de convoyer de l'énergie. Mary s'apaise à mesure que ses chakras se purifient. La fig. 22-12 montre que la chélation a nettoyé les quatre niveaux inférieurs de son champ mais n'a pas réparé la déchirure. Le troisième chakra nécessitera donc des soins particuliers dans la cinquième et la septième couche où cette lésion apparaît. Afin de procéder à la chélation des chakras quatre, cinq et six, continuez simplement à remonter le long du corps en posant votre main gauche sur le chakra supérieur et la droite sur celui qui se trouve en dessous. Lorsque vous atteignez le cinquième

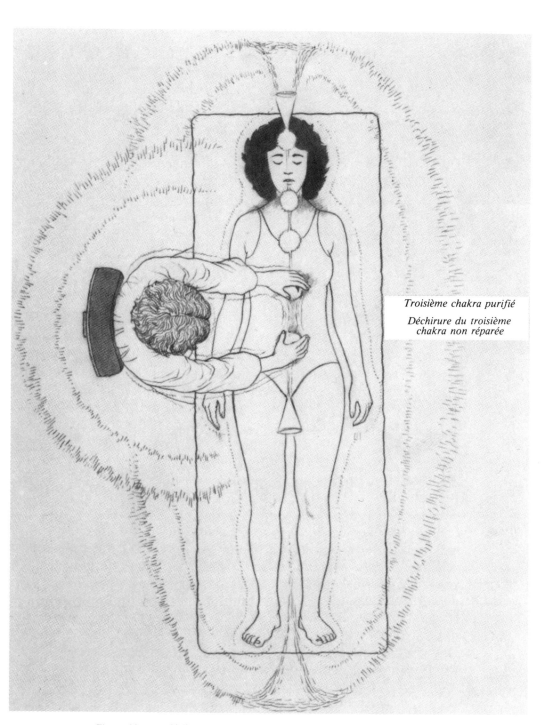

Troisième chakra purifié

Déchirure du troisième chakra non réparée

Figure 22 – 11: Chélation de l'aura entre le deuxième et le troisième chakra

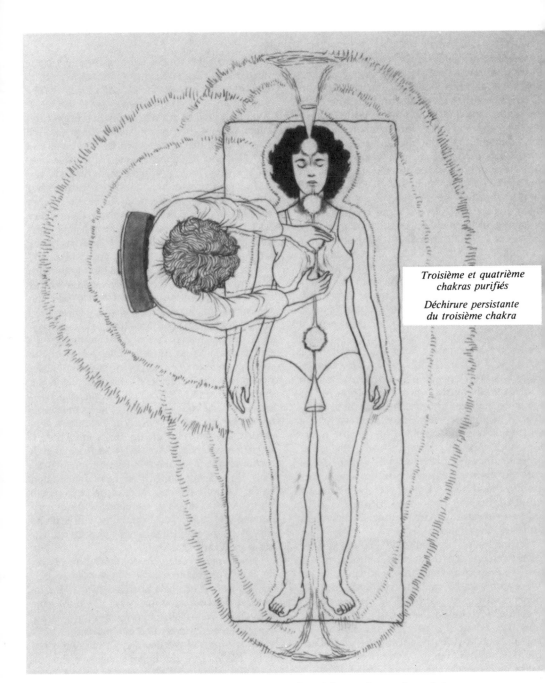

Troisième et quatrième chakras purifiés

Déchirure persistante du troisième chakra

Figure 22-12: Chélation de l'aura entre le troisième et le quatrième chakra.

chakra, la plupart des patients sont plus à l'aise quand vous glissez votre main gauche sous leur cou au lieu de la poser par dessus. Après le traitement du cinquième chakra, déplacez vos mains de part et d'autre des épaules et glissez votre corps au-dessus de la tête de votre patiente pour équilibrer la partie gauche et droite du champ.

Remontez vos mains de part et d'autre de son cou jusqu'à ses tempes sans cesser de faire circuler l'énergie. Si vous êtes au stade de l'apprentissage, sachez que vous atteignez à présent le sixième niveau de la magnétisation, telle qu'elle est décrite dans le paragraphe 6. Procédez à la magnétisation de la sixième couche et terminez par la clôture de la septième, conformément à la rubrique de ce chapitre nommée « Scellement du gabarit kéthérique ». N'espérez pas en faire davantage au début avant d'avoir acquis plus d'expérience. Vous mettrez probablement une bonne heure pour achever le tout. Après de nombreuses séances de pratique, vous commencerez à percevoir les couches supérieures du champ aurique sur lesquelles vous pourrez alors travailler comme il est expliqué dans les paragraphes 4 et 5. Plus tard encore, vous développerez vos perceptions pour commencer à travailler au-delà de la septième couche, aux huitième et neuvième niveaux de l'aura, comme il est expliqué au paragraphe 7 qui va suivre.

Je conseille à mes élèves débutants de faire une chélation complète afin de ne rien oublier ; mieux vaut en faire trop que pas assez. Mais, quand vous serez plus aptes à canaliser l'énergie et à percevoir les divers champs, vous n'aurez plus besoin de travailler sur tous les chakras. Vous repérerez très vite ceux qu'il est nécessaire de traiter en priorité. Pour soigner le cœur des patients il convient d'inverser le processus de la chélation. Vous devez dans ce cas drainer en premier lieu le chakra du cœur, généralement encrassé d'énergie sombre et stagnante. L'habitude vous viendra avec la pratique.

Maintenant, quelques conseils concernant la chélation. Sachez que vous canalisez de l'énergie mais n'en irradiez pas. Vous élevez vos vibrations à la fréquence de celles qui sont nécessaires à votre patient, mais pas davantage. Votre rôle se borne à vous connecter au CEU afin que son flux s'écoule en vous (de la même façon que lorsque vous branchez une prise électrique dans une douille murale). Si vous ne pratiquez pas le magnétisme de cette façon, vous serez très vite épuisé. Vous ne pourrez ni capter ni détourner suffisamment d'énergie de votre propre champ pour guérir les autres. Votre travail consiste donc uniquement à élever votre fréquence vibratoire afin de vous mettre en phase avec celles du CEU. Les exercices d'ouverture des chakras expliqués précédemment vous préparent efficacement à aborder cette phase initiale des soins. En vous préparant ainsi avant d'attaquer une séance, vous vous branchez d'emblée sur la fréquence vibratoire choisie par vos guides spirituels. Celle-ci s'élèvera peu à peu à mesure que votre état de conscience s'étendra, et vous verrez alors par vous-même la couleur et l'intensité lumineuse qui conviennent dans ce cas précis. Il est probable que plus vous vous y maintiendrez, mieux vous parviendrez à augmenter ces vibrations en vous concentrant sur une respiration régulière et profonde. En ce qui me concerne, j'aspire violemment l'air le long du palais jusqu'à l'arrière-gorge afin de ventiler la région pituitaire (où loge l'hypophyse) comme je l'ai expliqué au chapitre 18. Mais vous pouvez aussi vous concentrer sur l'expansion de votre champ aurique, ou sur l'un des « corps » subtils. Il n'y a pas de recette immuable dans ce domaine. Expérimentez et vous trouverez la méthode qui convient le mieux à votre structure personnelle. La seule chose importante, c'est d'éveiller votre perception extra-sensorielle et de « l'élever » par des techniques énergétiques appropriées (comme on monte une mayonnaise) afin qu'elle soit synchrone avec les champs d'énergie environnants. Une stase du flux énergétique peut signaler l'approche d'une fréquence plus élevée. Attendez un moment. Si elle ne survient pas, reconnectez-vous à la précédente. Avec un peu de pratique, vous sentirez de mieux en mieux les changements de fréquence de l'énergie ambiante. Par la suite, vous apprendrez à vous ajuster aux divers cycles de turbulences en y adaptant votre respiration et en vous concentrant.

Maintenez vos mains en tension légère mais ferme sur le corps. Dirigez l'énergie reçue par vos chakras vers votre patient à travers vos mains. Plus vous vibrez vous-même (exercice 25 du chapitre 21), plus vos chakras puiseront d'énergie. Mais ne cherchez pas obligatoirement à déverser toute cette énergie sur la personne que vous soignez. La faire vibrer trop fort, trop vite et trop tôt lui ferait plus de mal que de bien.

Pour cette étape de la magnétisation, vous canaliserez vraisemblablement l'énergie issue de vos chakras inférieurs, émanant de la terre et passant par la plante des pieds. Veillez donc à ce que vos pieds soient bien plantés au sol. Visualisez des racines plongeant au centre de la terre, soutirant l'énergie par le canal de ces racines. Ce procédé nourrit et charge les corps inférieurs. Installez-vous confortablement afin que le flux circule sans entraves.

Le patient absorbera cette énergie et la répartira spontanément dans les parties de son corps à alimenter. Bien que vos mains soient posées sur ses pieds, l'énergie peut circuler le long de son épine dorsale pour atteindre l'arrière de la tête. Au cours de la chélation, le magnétiseur profite de ce temps très important pour faire une lecture psychique de son patient, pour communiquer avec lui en vue de le préparer à un travail en profondeur. C'est le moment où il s'ouvre et commence à consentir à partager son histoire personnelle. Dès que le praticien pose ses mains sur la personne qu'il soigne, une grande confiance mutuelle s'établit. Il peut alors scruter l'intérieur du corps beaucoup plus facilement et repérer les zones malades.

Dans le cas de Mary, comme le montre la figure 22-12, son aura, assainie, est devenue plus lumineuse. La chélation des deuxième, troisième et quatrième chakras a provoqué une décharge émotionnelle qui l'a mise en état de relaxation profonde. Les quatre premiers niveaux de son champ, suffisamment clairs, sont maintenant en mesure de supporter le travail qui va suivre sur les cinquième et septième couches de l'aura, ce qui n'est pas nécessairement le cas pour tous les patients, même après une chélation complète allant jusqu'au sixième chakra. Certains exigent une purification plus totale encore, en insistant sur les endroits profondément atteints. Deux méthodes principales s'appliquent à ce type de travail : la première vise au nettoyage de l'épine dorsale. La seconde consiste à repousser les déchets auriques hors des zones bouchées, pour arriver à les en extraire petit à petit.

B. *Nettoyage de l'épine dorsale*

À cette phase du traitement, le patient peut avoir besoin d'un bon décrassage de l'épine dorsale (fig. 22-13). En règle générale, cet excellent procédé permet de purifier le courant de force vertical du champ aurique. Mais, à moins qu'un trouble spinal particulier l'exige impérativement, je m'en abstiens, car, au cours d'une séance de soins d'une heure, d'autres aspects se montrent souvent plus pressants et une épine dorsale normale se purifie spontanément au cours de la chélation.

Pour appliquer cette technique, qui m'a été enseignée par mon maître C.B., je demande au patient de s'allonger sur le ventre. À cet effet, procurez-vous une table permettant de libérer le nez ou équipée d'un plateau afin que le visage soit face au sol et non tourné de côté.

Servez-vous de vos pouces pour masser en profondeur les *foramina* du sacrum. (Les foramina sont les petits orifices des os

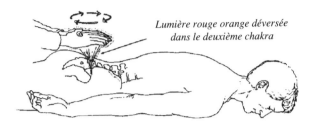

*Lumière rouge orange déversée
dans le deuxième chakra*

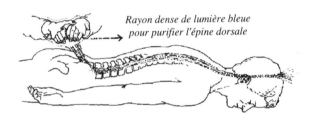

*Rayon dense de lumière bleue
pour purifier l'épine dorsale*

Fig. 22-13 : nettoyage de l'épine dorsale

dans lesquels passent les nerfs. Le sacrum se trouve au-dessus des muscles du grand fessier, à l'endroit des fossettes.) Localisez le sacrum dans un livre d'anatomie si vous ignorez sa morphologie. Cet ensemble d'os soudés les uns aux autres, de forme triangulaire, à la pointe dirigée vers le bas, comportant cinq orifices de part et d'autre, se prolonge par les vertèbres lombaires et par l'« os de la queue », c'est-à-dire le coccyx. Massez en effectuant des petits cercles avec vos pouces autour des foramina et envoyez de l'énergie rouge-orange. Remontez la colonne vertébrale en vous tenant à droite du patient, les pouces placés de part et d'autre de chaque vertèbre, le droit tournant dans le sens des aiguilles d'une montre, le gauche en sens inverse, pour obtenir un meilleur résultat.

Tenez ensuite vos mains réunies en coupe au-dessus du second chakra et chargez-le d'énergie rouge-orange en décrivant un lent mouvement rotatif dans le sens des aiguilles d'une montre. Pour que l'opération soit efficace, vous devez maintenir votre flux d'énergie à la fréquence de la couleur rouge-orange. Cette technique sera décrite en détail dans le chapitre 23 traitant de la guérison par la couleur. Après avoir chargé ce chakra, remontez vos mains le long de la colonne vertébrale en laissant la couleur virer au bleu, comme celle d'un rayon laser, dès que vous quittez le deuxième chakra. Veillez à ne pas interrompre la connexion énergétique lorsque vos mains se meuvent. Adoptez une position vous permettant de vous déplacer aisément à mesure du trajet de vos mains.

Avec votre lumière bleu-laser, nettoyez l'épine dorsale et repoussez l'énergie encrassée au sommet de la tête afin de l'évacuer par le chakra-couronne. Répétez toute cette séquence au moins trois fois pour purifier le courant de force principal, en tapotant légèrement le quatrième et le cinquième chakra pour les aider à s'ouvrir.

C. *Nettoyage de zones spécifiques de l'aura*

Durant une séance de chélation, votre HSP vous fera sentir les zones sur lesquelles vous devrez travailler. Lorsque vous serez plus avancé dans vos connaissances, vous n'aurez probablement plus besoin de procéder à la chélation de tous les chakras avant de vous mettre directement à l'œuvre sur une plage d'énergie polluée et croupissante. L'expérience aidant, vous effectuerez uniquement la chélation du cœur avant de vous concentrer ailleurs, en vous laissant guider par votre intuition. La magnéti-sation directe – la plus efficace – consiste à travailler sur le bouchon énergétique qui vous saute aux yeux, sans réfléchir ni rationaliser. Il s'agit de mettre en mouvement cette énergie stagnante, de la faire circuler, ou d'extraire ce mucus aurique directement avec vos mains, ce qui est tout à fait possible.

Pour alimenter une zone déterminée en énergie vierge, vous pouvez vous servir de vos mains séparément ou réunies. En les plaçant de part et d'autre du bouchon (partez au bas du dos pour remonter jusqu'à la nuque), vous dirigez l'énergie que vous déplacez d'un endroit à l'autre en la poussant avec votre main droite et en l'attirant avec la gauche, ou vice versa (voir au chapitre 7 les techniques de poussée, d'attraction ou d'arrêt). Dans certains cas, vous sentirez que vos deux mains réunies sont plus efficaces, mais dans les deux éventualités, l'énergie envoyée directement à l'intérieur d'un bouchon pénètre profondément dans l'aura. Les deux méthodes nettoient le champ, débouchent les secteurs engorgés et chargent les chakras. Les deux positions des mains sont expliquées dans la fig. 22-14. Pour l'imposition à mains jointes, réunissez-les en coupe l'une contre l'autre, pouces croisés, les paumes faisant face à la zone à magnétiser. Joignez-les étroitement sans laisser d'espace entre elles, ou vos doigts légèrement incurvés et faites-les vibrer pour renforcer le flux.

Vous constaterez qu'en procédant ainsi vous pouvez diriger l'énergie comme un rayon lumineux, capable de pénétrer

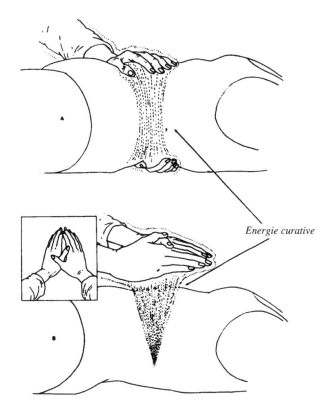

Fig. 22-14 : circulation profonde d'énergie dans le champ aurique

profondément dans le corps. Laissez les guides spirituels conduire vos mains. Ce sont eux qui font circuler l'énergie adéquate. S'ils décident de dissoudre un tampon, le courant s'inversera et l'aspirera, du dedans vers l'extérieur cette fois. Laissez simplement vos mains s'accommoder de cette impulsion venue d'en haut. Si vous ressentez le besoin d'extraire cet orgone mort à la main, les guides vous en débarrasseront très facilement. Laissez-les agir.

Vous pouvez aussi vous servir de vos mains éthériques pour extraire un tampon d'énergie croupissante et nettoyer le champ de votre patient. La méthode n'est pas difficile, simplement elle demande beaucoup de concentration mentale. Il faut donc un certain entraînement. Imaginez que vos doigts s'allongent, s'allongent... Ce prolongement « imaginaire » n'est en aucune façon une illusion : c'est la partie éthérique de vos doigts que vous visualisez ainsi, et elle est parfaitement réelle. Ces doigts, longs comme des tentacules, percent les couches auriques du patient, pénètrent sans difficulté à l'intérieur des corps subtils, plongent droit sur la partie obstruée et se mettent à nettoyer le mucus. Pensez à un râteau ratissant des feuilles mortes sur une pelouse, ou plus exactement ratissant du goémon noirâtre, de la vase, des algues visqueuses, des détritus en décomposition sur une plage. Vous draguez littéralement l'aura. C'est bien d'un travail de curage qu'il s'agit. Vos doigts éthériques saisissent des paquets de mucus et les rejettent hors du champ, un tas après l'autre, jusqu'à clarification du secteur pollué. Tenez dans vos deux mains chaque poignée de « vase » pour que les guides spirituels l'illuminent, l'énergétisent, la revitalisent. Cette forme d'exorcisme élimine le risque de remplir votre lieu de travail d'énergie morte. Continuez l'offrande jusqu'à ce que ces paquets emmêlés d'énergie sombre, boueuse, se transforme en lumière blanche. À ce moment, libérez-les aussitôt. Jetez-les en l'air en invoquant vos guides spirituels. Si vos croyances vous portent vers une religion particulière, dites une prière. Ou bien récitez un mantra. Certains de mes confrères répètent à voix haute le mot *Amour* ! Personnellement, j'aime beaucoup l'incantation : « Je prie pour pouvoir canaliser l'amour, la vérité et la guérison au nom du Christ et des forces universelles de la lumière. » Retournez ensuite à votre tâche de curage. Plongez à nouveau vos doigts éthériques dans la « vase » et recommencez l'opération autant de fois que c'est nécessaire.

Lorsque le cas s'y prête, vous pouvez également extraire l'énergie décomposée à l'aide d'un cristal faisant office de curette (référez-vous au chapitre 24). Pour ce type d'opération, un cristal agit comme un instrument aussi puissant qu'un laser, capable de découper, de morceler les dépôts que vous pouvez ensuite extraire, afin que les guides transforment le mucus pollué en lumière nacrée très légèrement teintée d'ultraviolet.

L'emploi des cristaux exige quelques précautions. Certaines personnes trop sensitives ne supportent pas ce type de « chirurgie ». Ne les utilisez jamais après un travail sur le gabarit kéthérique, (cette opération d'un niveau supérieur sera expliquée plus loin). Vous risqueriez de réduire à néant tout votre travail préalable. Par ailleurs, après un travail sur le plan kéthérique l'emploi d'un cristal est inutile. Dans le cas de Mary, aucun cristal n'est intervenu.

En accomplissant son travail, le magnétiseur peut scruter les couches auriques pour voir si des chakras ou des organes nécessitent une restructuration au niveau des moules. Les guides célestes choisiront d'agir soit sur le moule éthérique (cinquième couche), soit sur le gabarit kéthérique (septième couche). Ce qui ne peut se faire qu'après un sérieux nettoyage des quatre premières couches auriques, car lorsqu'une aura est très encrassée, voire même bouchée, le moule éthérique est parfois difficile à discerner.

Si les guides estiment qu'un travail sur le gabarit kéthérique s'impose (septième couche), vous devrez supprimer absolument les cristaux car ils contribuent à maintenir le patient dans son corps. Or, pour soigner à ce niveau, il faut que le sujet le quitte partiellement pour ne pas souffrir. J'ai tenté, au cours d'une séance, de suturer une petite déchirure de la septième couche sans retirer les cristaux placés sur le corps de mon patient. Au bout de quelques secondes, il s'est mis à crier de douleur, alors que mes mains ne le touchaient pas. Je les ai retirées immédiatement et j'ai recousu la déchirure, mais j'ai dû soigner ensuite la grande zone rouge enflammée que j'avais provoquée sur les niveaux un, deux, trois et quatre de l'aura au moyen des techniques de dégagement décrites ci-dessus.

Lorsque les guides décident de travailler sur le moule éthérique (cinquième couche), il n'est pas nécessaire, à cette étape de la magnétisation, de retirer les cristaux, probablement parce que cette opération se déroule dans un espace négatif non connecté au corps par les sensations.

D. *Exercice permettant aux guides de pénétrer dans votre champ*

Si vous éprouvez des difficultés à attirer les guides spirituels dans votre champ, je vous conseille l'exercice suivant (qui peut s'effectuer si vous le désirez avant une séance de soins). Il ne peut se pratiquer que lorsque votre champ est rechargé (exercice 22 de visualisation ; chapitre 21).

Votre champ chargé et équilibré, vous allez répéter cet exercice en prenant soin de retirer vos mains très doucement si elles sont posées sur votre patient.

Pour faciliter la venue de vos guides, concentrez-vous sur votre premier chakra. Voyez-le virer au rouge et tourner de plus en plus vite comme une toupie. Respirez sa couleur à deux reprises. Après la seconde inspiration, élevez votre conscience au deuxième chakra en laissant cette fois le rouge virer au rouge orangé. Expirez cette couleur en vous concentrant sur le deuxième chakra, respirez, expirez, puis passez au jaune en vous élevant au niveau du troisième chakra. Respirez profondément sa couleur jaune intense, expirez-la et transformez-la en vert à l'inspiration suivante pour monter au chakra du cœur. Respirez ce vert, expirez. Inspirez l'air vert mêlé de bleu, expirez-le, puis en respirant cette couleur, élevez-la jusqu'au « troisième œil » à mesure que le bleu vire à l'indigo. Inspirez cet air teinté de violet, expirez. À l'inspiration violette suivante, remontez au chakra-couronne, au sommet de la tête, regardez le violet devenir blanc nacré en traversant ce chakra et laissez les guides spirituels pénétrer dans votre champ par l'arrière du chakra de la gorge. Sentez leur présence sur vos épaules et dans vos bras. Ils sont là, serrés et attentifs autour de vous. Leur rayonnement vous enveloppe comme un châle. Vous sentirez vraisemblablement votre champ s'amplifier. À cette étape de votre concentration, vous pouvez aussi voir les mains d'un guide saisir les vôtres et entrelacer ses doigts aux vôtres en irradiant beaucoup de lumière. Si vous ressentez le besoin de les poser sur votre corps, n'hésitez pas à le faire. Plus tard, vous pourrez venir en aide à des amis en laissant vos mains se poser sur un endroit de leur corps nécessitant des soins (ce ne sera peut-être pas celui que vous supposiez). Laissez cette bonne énergie curative, aimante, ruisseler de vos mains. Ne craignez jamais de les poser sur autrui avec amour.

4. Magnétisation du moule éthérique (cinquième couche du champ aurique)

Lorsque les guides décident de travailler sur le moule éthérique, ils orientent généralement vos mains au-dessus de deux chakras où vous devez les maintenir en imposition. De cette position, ils peuvent contrôler toutes les opérations, le magnétiseur demeurant pratiquement passif.

Durant ce travail sur le moule, mon rôle devient celui d'un témoin assistant au déroulement des événements. Au début, j'eus peine à le croire, car tout se passe comme s'il s'agissait d'une intervention chirurgicale dans le bloc opératoire d'un hôpital. Craignant l'influence de mes propres projections, j'ai prié des amis très clairvoyants de venir assister à quelques séances pour voir si nos expériences concordaient, ce qu'ils confirmèrent point par point.

Voici à quoi j'assiste habituellement : lorsque je pratique passivement l'imposition des mains au-dessus du corps de mon patient, mes mains éthériques se détachent spontanément de mes mains physiques et plongent profondément dans son corps. Puis celles de mes guides (que j'appelle mes chirurgiens célestes) s'étendent pour venir rejoindre mes mains éthériques – dont la longueur augmente considérablement pour pratiquer une véritable intervention chirurgicale.

Pour exécuter cette opération, les guides empruntent le canal de mes bras, descendent jusqu'à mes mains et pénètrent dans le corps du patient. Ils semblent utiliser les mêmes instruments que ceux dont se servent les chirurgiens : scalpels, ciseaux, aiguilles, seringues, etc. Ils incisent, curent, procèdent à des ablations, à des transplantations puis suturent. J'ai vu, un jour, une grande seringue apparaître dans ma main et pénétrer profondément dans le corps de mon patient dont les nerfs spinaux se sont régénérés et ligaturés. J'ai regardé l'amie qui m'assistait et lui ai demandé : « Dis-moi ce que tu vois. » Elle décrivit exactement la scène dont j'étais témoin. Nous avons depuis procédé ensemble à de nombreuses séances de chirurgie à mains nues et ce que nous voyons est toujours concordant.

Ce travail s'effectue au cinquième plan du champ aurique. Cette couche semble exister dans l'espace négatif décrit au chapitre 7. Mon HSP me permet de comparer cet espace négatif à celui d'une photographie, où les zones obscures correspondent aux parties claires d'un tirage positif et vice-versa. Dans l'espace négatif, toutes les régions paraissant vides sont consistantes et celles qui semblent être pleines et d'un bleu cobalt foncé sont vides. Les lignes auriques, à l'intérieur de ce champ bleu, ont l'air évidées. Mais lorsqu'on entre dans ce plan de réalité, sa représentation semble parfaitement normale.

Le cinquième niveau aurique sert de gabarit pour toutes les formes existant sur le plan physique. De sorte qu'une forme détériorée dans le champ nécessite une rectification sur la cinquième couche pour retrouver une configuration saine au niveau physique. C'est pourquoi la chirurgie aurique a lieu dans la cinquième couche, dans le but de créer un nouvel espace négatif afin que le corps éthérique du patient puisse s'y développer convenablement.

Au cours de ce type d'intervention que j'appelle « chirurgie spirituelle », le magnétiseur ne peut bouger ses mains sous aucun prétexte. La plupart du temps, elles sont d'ailleurs tellement paralysées qu'il serait bien en peine de les mouvoir. Chaque fois que j'ai tenté de le faire, j'ai dû fournir un effort énorme. Il faut beaucoup de persévérance pour demeurer assis immobile, pendant parfois quarante-cinq minutes, à attendre que les guides terminent leur travail.

À la fin de l'intervention, ils stérilisent le champ et referment lentement l'incision, tandis que les mains éthériques du magnétiseur refont progressivement surface pour se confondre avec ses mains physiques, ce qui exige, là encore, une infinie patience (je me morfonds parfois). Quand, finalement, ma main posée sur la

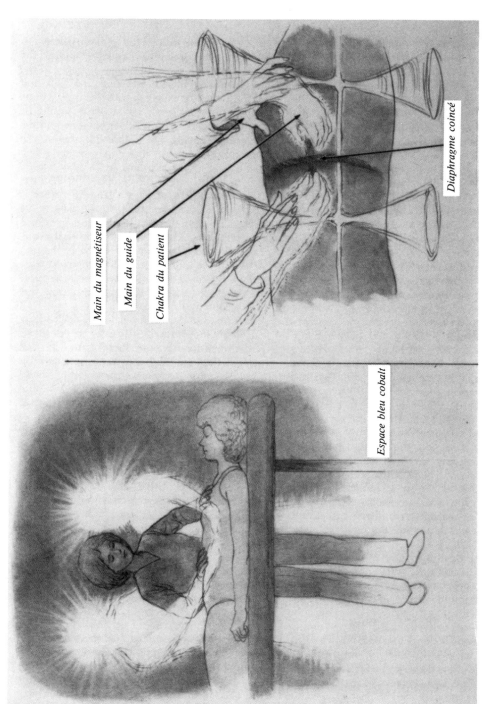

Main du magnétiseur

Main du guide

Chakra du patient

Diaphragme coincé

Espace bleu cobalt

Figure 22 – 15 : Magnétisation du gabarit éthérique. Chirurgie spirituelle

partie inférieure du corps du patient (généralement la droite) se libère, les guides l'orientent, au-dessus du corps, vers la main gauche, ce qui me permet de retirer cette gauche avec précaution. À l'aide de mouvements délicats de la main et des doigts, je connecte à nouveau la nouvelle zone restructurée à l'ensemble du gabarit éthérique environnant, en passant peu à peu cette main sur tous les chakras. Les mains du magnétiseur ne peuvent quitter le corps du patient avant que l'incision soit refermée, les champs neufs et anciens reconnectés.

Revenons maintenant à Mary. Vers la fin de la chélation, notre patiente, étendue sur la table de soins, sereine et relaxée, flotte un peu hors de son corps et se repose. Son champ aurique continue à employer l'énergie reçue pour se guérir de lui-même. Elle est préparée au travail sur le gabarit éthérique, en vue de revitaliser ses chakras et les amener à tourner dans le bon sens. L'un des tourbillons côniques est également à remettre en place, car il ressort en affectant la forme d'une hernie étranglée. Quand vous placez vos mains sur le troisième et le quatrième chakra (fig. 22-15), vos mains éthériques se mettent à flotter vers le bas, vous prenez conscience de l'intérieur du corps et du meilleur moyen d'y accéder. Vous sentez, entendez, voyez dans l'espace négatif et tout cela vous semble parfaitement normal. Autour de votre corps, votre champ d'énergie s'étend à mesure que la fréquence de vos vibrations augmente. Vous sentez une présence derrière vous, peut-être même plusieurs. Doucement et toujours avec une délicatesse infinie, les guides se glissent dans votre champ aurique. Leur présence vous paraît très familière, très agréable et merveilleuse au-delà de toute expression. Vous accédez à une sérénité angélique. Vous êtes en paix avec l'Univers entier et vous vous abandonnez à votre propre pouvoir créatif supérieur et observez les mains des guides se faufilant dans le corps de votre patient par le canal de vos mains éthériques pour résorber et recoudre cette hernie dans le chakra du plexus solaire. Au début, l'incrédulité domine, puis l'opération vous semble si naturelle que vous l'acceptez sans vous poser de questions. Tout ce qui vous importe, c'est que votre patiente guérisse. Vous accordez votre confiance à un savoir supérieur à vos autodéfinitions courantes, restreintes, et laissez la guérison s'opérer, les guides réparer la déchirure et connecter le nouveau moule restructuré au reste du gabarit de la cinquième couche. Puis vous sentez que leur énergie commence à se retirer et constatez avec surprise que vos mains éthériques sont profondément enfouies dans le champ de votre patiente. Vous ne vous rendiez pas compte que vous étiez allé aussi loin. Mais à présent le champ commence à se restreindre. Vous le sentez se déplacer vers l'extérieur et, à cette étape, il est possible que votre patiente le ressente aussi. Vous retrouvez le contrôle de votre main droite, dont la connexion avec le champ de Mary se relâche. Vous pouvez alors la retirer lentement, fléchir un peu vos doigts pour les décontracter avant de porter votre main sur le quatrième chakra et libérer la gauche avec précaution pour entamer le travail sur la septième couche. Mais, auparavant, quelques informations supplémentaires concernant la magnétisation du moule éthérique s'imposent.

Au cours de la chirurgie pratiquée à ce niveau, les guides vont contrôler la fréquence des couleurs, l'orientation du flux d'énergie et la localisation des soins. Faites-leur confiance. Suivez leurs directives. Ils n'en travailleront que mieux. Car ils ne se contentent pas d'assumer la procédure chirurgicale, ils orientent aussi le magnétiseur, l'incitent au calme lorsqu'il pratique l'imposition des mains, l'aident à élever sa conscience aux vibrations très élevées d'une force lumineuse de couleur lavande très pâle, parfois argentée. Quand cela se produit, vous devez demeurer rigoureusement immobile, car toute interférence dans ce flux extrêmement puissant risquerait de perturber non seulement le champ de votre patient mais aussi le vôtre. Lorsque la quantité d'énergie déversée est suffisante pour désagréger une configuration défectueuse, les guides en inversent le flux et aspirent l'énergie ainsi libérée hors du champ. Ce degré supérieur de magnétisation fait sans doute appel aux énergies du sixième plan, capables d'extraire des formes spécifiques telles que des virus, des bactéries ou, dans un cas particulier, des objets semblables à des graines blanches existant dans le sang d'un malade leucémique, afin d'éviter leur propagation spontanée dans le corps physique.

Certains d'entre nous, parmi ceux qui sont parvenus à développer leur HSP, se rencontrent de temps à autre. Nous nous aidons mutuellement à affronter les incidences de notre perception extra-sensorielle sur nos vies personnelles. Nous nous prodiguons aussi mutuellement des soins (chacun de nous devient le patient). Ce travail très enrichissant nous permet de savoir ce que ressent un sujet traité. Il m'a aidée à contrôler de nombreuses perceptions et m'a permis d'élaborer un système permettant de les définir clairement. Nous apprenons ensemble comment il convient d'observer chaque couche de l'aura, nous comparons nos expériences, découvrons de nouvelles techniques de magnétisation inspirées de l'information que nous recevons.

5. Magnétisation du gabarit kéthérique ou restructuration de la grille dorée de l'aura (septième couche du champ aurique)

Lorsque le champ est déformé dans la cinquième couche, il l'est généralement aussi au septième niveau aurique. Une restructuration du gabarit kéthérique doit donc être entreprise ; elle se fait avant que le magnétiseur se concentre sur la magnétisation du sixième plan, dont par ailleurs, à cette phase des soins, certaines fréquences sont déjà induites automatiquement. Au septième niveau aurique, le travail diffère énormément de celui qui s'effectue au cinquième, où le rôle du magnétiseur se borne à s'abandonner à l'orientation de ses guides. Là, en revanche, son rôle devient très actif, tant sur le plan de la respiration que sur celui des mouvements des mains et des doigts. Il faut qu'il soit, en même temps, extrêmement sensitif et concentré sur une haute fréquence, ce qui exige une concentration d'esprit et un contrôle respiratoire soutenus. De minuscules filaments d'or extrêmement intenses fusent de la lumière vive et brillante du septième plan.

Les guides du patient viennent toujours assister aux magnétisations du gabarit kéthérique. Si vous êtes vigilant, vous les verrez déambuler dans votre cabinet de consultation et, en début de séance, attirer le malade hors de son corps, veiller à ce qu'il soit en état de relaxation profonde afin que vous puissiez effectuer votre travail dans les meilleures conditions possibles.

Cette restructuration de la septième couche se divise en deux parties. Primo : le nettoyage et la rectification de la grille de structure des organes. Secundo : la purification et la restructuration des chakras. Les mains du guide travaillent en direct, par l'entremise de celles du magnétiseur qu'elles recouvrent. Les guides empruntent la voie de ses épaules, de ses bras, de ses mains d'où fusent des filaments de lumière d'or. Les doigts guidés travaillent avec dextérité et les fils de lumière semblent encore plus mobiles et rapides que les doigts. Pour restructurer la grille kéthérique d'un organe, les guides procèdent, en général, à l'extraction de cette structure hors du corps du patient, ce qui ne peut se faire que si son état de conscience le permet. Je parle, en l'occurrence, de sa conscience profonde et non de celle qu'il possède à l'état d'éveil. Un patient en état de conscience altérée, en communication avec ses guides, peut ne pas s'en souvenir lorsqu'il réintègre son corps.

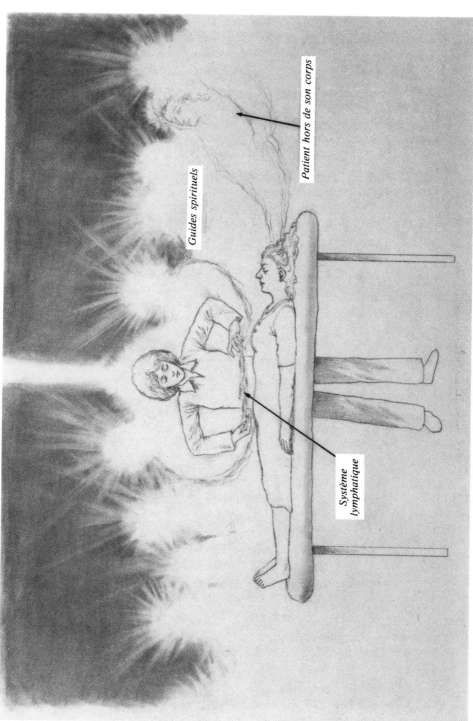

Patient hors de son corps

Guides spirituels

Système lymphatique

Figure 22 – 16: Magnétisation du système lymphatique au niveau du gabarit kéthérique

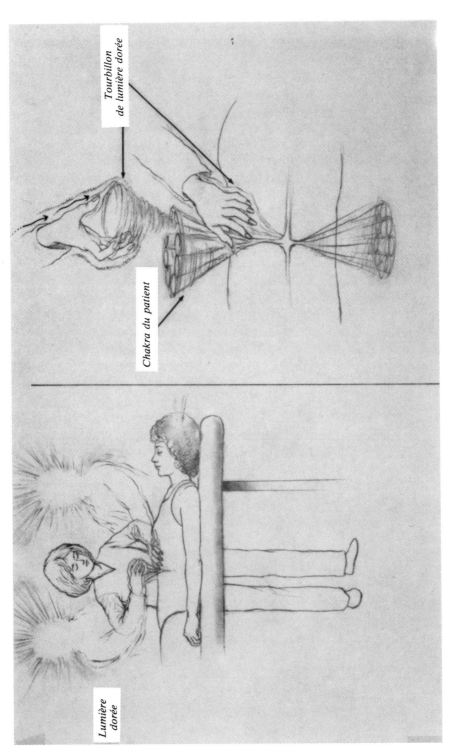

Tourbillon de lumière dorée

Chakra du patient

Lumière dorée

Figure 22 – 17 : Magnétisation du gabarit kéthérique. Chirurgie spirituelle

A. *Restructuration d'un organe dans le gabarit kéthérique*

Pour extraire le champ kéthérique d'un organe, les mains du magnétiseur sont mues par une énorme force lumineuse et un puissant afflux d'énergie. L'organe flotte ensuite au-dessus du corps, est nettoyé et restructuré par des doigts encore plus véloces qui en retissent la grille éthérique bleue à l'aide de fils d'un blanc doré. L'espace vacant, à l'intérieur du corps, est nettoyé et stérilisé par la lumière avant que l'organe soit remis en place. Cette restructuration et cette stérilisation achevées, l'organe rénové est simplement glissé dans le corps qui semble l'aspirer. Il est alors recousu en place et rempli d'énergie bleue revitalisante. Le champ opératoire est ensuite inondé de lumière blanche cotonneuse, calmante, agissant comme une anesthésie interne, et cette zone est recouverte d'un pansement protecteur d'énergie dorée. Vous trouverez des exemples de ce type de magnétisation dans les fig. 22-16 et 22-17.

Je reçus, un jour, un appel téléphonique d'une patiente qui me parla d'une boule qu'elle avait au sein. Les médecins ne savaient s'il s'agissait d'une inflammation ou d'une tumeur. Ils avaient tenté en vain de la ponctionner et prévoyaient une intervention chirurgicale. Tandis que je conversais avec elle, une image s'imposa à mon esprit, celle d'une grosseur d'un rouge sombre dans son sein gauche. Des taches d'un gris sombre m'apparurent sous son aisselle, à l'emplacement des glandes lymphatiques. Afin de contrôler ma « voyance », je lui demandai si cette boule était logée dans le sein gauche, à la partie inférieure gauche du mamelon, ce qu'elle confirma. Je lui dis ensuite que j'étais certaine qu'il ne s'agissait pas d'une tumeur cancéreuse mais d'une infection, d'une sorte de mammite. Je fus catégorique, car la couleur rouge sombre de cette grosseur indiquait sans équivoque une infection, et j'entendis les guides confirmer mon diagnostic. Mais j'avais vu aussi des nodosités axillaires inquiétantes, d'un gris sale et moucheté. J'ajoutai donc que son problème essentiel n'était pas sa grosseur au sein mais ces nodosités lymphatiques malsaines indiquant que tout son corps, en particulier son système lymphatique, avait besoin d'être purifié. L'intervention chirurgicale eut lieu quelques jours plus tard. Les médecins retirèrent la glande mammaire infectée et diagnostiquèrent une mammite infectieuse, due à des ganglions lymphatiques engorgés.

Lorsqu'elle vint me voir, trois jours après l'opération, son système lymphatique me parut très obstrué dans tout son corps où des zones vert foncé apparaissaient de part et d'autre du sternum et à gauche de l'abdomen. L'aspect général de son champ était gris terne. Dans la zone malade de son sein gauche, à présent pratiquement claire, il ne restait que la cicatrice : un trait rouge vif, auréolé d'une teinte plus claire (rose chair) autour de l'incision. Après une chélation classique et un travail de nettoyage des corps inférieurs, les guides ont extrait la totalité de son système lymphatique et l'ont purifié avant de le remettre en place comme il a été expliqué précédemment (fig. 22-16). Son torse fut d'abord rechargé et protégé par de la lumière bleue, puis par de la lumière dorée, ce qui laissa son système lymphatique (sur la septième couche) clair et tout doré. La cicatrice rouge disparut. Observez la figure 22-16. Elle montre les guides travaillant par l'intermédiaire du magnétiseur au nettoyage du système lymphatique. Ils sont entourés par les guides de la patiente qui se tiennent à sa tête, afin de l'extraire de son corps pendant que l'opération s'effectue sur le gabarit.

B. *Restructuration d'un chakra sur le gabarit kéthérique*

Une séance similaire a lieu pour la restructuration des chakras, à la différence près qu'ils ne sont jamais extraits. Les détériorations des chakras affectent diverses formes. Ils peuvent se déchirer, leur écran protecteur se déliter, un tourbillon s'obstruer, ralentir sa rotation, faire saillie, s'affaler, se transformer en source jaillissante, la pointe peut être mal plantée dans le cœur ou dans la racine du chakra. Un chakra peut s'atrophier ou se détériorer partiellement. Dans le cas de Mary et de sa « hernie », un des petits tourbillons du plexus solaire jaillissait comme un geyser. Pour la guérir, il a fallu le repousser et le suturer pour le maintenir en place, restructurer un écran protecteur pour le recouvrir et lui permettre de cicatriser avec le temps. Tout ce travail s'effectue avec les guides qui dirigent et dispensent la lumière guérisseuse à travers vos mains se mouvant automatiquement.

Revenons à Mary, à présent hors de son corps, en état de conscience altérée, veillée par ses guides spirituels. La cinquième couche a été traitée. Vous distinguez à présent la déchirure de la septième couche. Il est temps d'élever votre conscience à ce niveau afin d'y travailler. Vous accentuez le rythme de votre respiration et vous vous concentrez aussi fort que possible à mesure qu'il s'amplifie sans vous préoccuper d'une éventuelle hyperventilation. L'énergie que vous en retirez servira à la magnétisation. Dès que vous accédez au septième niveau, vous vous connectez à la Pensée divine où tout se conçoit dans la perfection. Une lumière dorée commence à ruisseler de vos mains lorsque les guides pénètrent dans votre septième plan (fig.

22-17). Presque involontairement, vous les posez sur le troisième chakra de Mary et observez les fils de lumière d'or recousant le petit geyser en place. Vos doigts s'activent, rapides, et les fils d'or, infiniment plus véloces, contraignent le tourbillon fugitif à reprendre sa position normale. Il s'écoule de vous une quantité d'énergie à peine croyable. À mesure que l'écran protecteur se restructure, vous vous demandez comment votre corps peut supporter un tel déferlement. Et Mary ? Est-elle consciente de ce qui se passe ? Mais vous êtes incapable de parler car tout votre être doit se maintenir en état de concentration totale. À votre grande satisfaction, le chakra ayant repris sa configuration normale, le rythme de votre respiration se ralentit. En dépit de vos mains peut-être un peu endolories, vous vous sentez merveilleusement bien.

Vous procédez à une chélation très rapide des chakras supérieurs. Vous vous installez ensuite à la tête de Mary, placez vos mains de chaque côté de sa tête, et canalisez doucement l'énergie dans ses tempes afin de rectifier tout déséquilibre énergétique pouvant subsister entre la partie droite et la partie gauche de son corps. La cinquième et la septième couche de son champ à présent convenablement structurées pour maintenir en place la force aurique, vous vous préparez enfin à recharger d'Amour céleste la sixième couche du champ.

6. Magnétisation du plan céleste (sixième couche du champ aurique)

La phase de magnétisation de la sixième couche du champ aurique s'opère essentiellement par l'entremise de votre chakra du cœur, de celui de votre troisième œil et de celui de la couronne. Procédez à l'imposition des mains réunies en coupe, les doigts serrés, pouces croisés, au-dessus du troisième œil de Mary. Élevez la fréquence de vos vibrations à celle de la lumière, canalisez-les vers le bas au centre de son cerveau (fig. 22-18). Il s'agit maintenant d'atteindre psychiquement la plus haute réalité spirituelle à votre portée. Connectez-vous par le cœur à l'Amour universel avant de remonter à la couronne, à défaut de quoi le processus de guérison pourrait demeurer exagérément mental. Il doit s'accompagner d'un amour profond pour chaque parcelle de l'être de Mary, connecté à la conscience messianique, à l'Amour universel, celui qui impose une acceptation sans réserve et une volonté positive à l'égard de son bien-être et de la pérennité de son existence, une célébration de l'amour que l'on porte à la vie de cette personne. J'insiste sur le fait que vous devez ressentir au plus profond de vous-même cette expérience mystique et non l'imaginer. C'est seulement en l'éprouvant que vous accédez à la lumière, à la réalité la plus élevée et vaste que vous puissiez expérimenter.

Deux principes, l'un actif, l'autre réceptif, vous aideront à y parvenir. Commencez par vous efforcer d'élever la fréquence de vos vibrations en respirant par le nez, l'air aspiré violemment vers le fond de la gorge, et méditez en concentration profonde sur l'élévation subjective de votre esprit vers la lumière. Levez les yeux, cherchez physiquement à l'atteindre. Vous allez ressentir une sorte d'allégement, moins d'attachement à votre corps à mesure que vous vous élevez, comme si une partie de votre conscience franchissait littéralement le sommet de votre colonne vertébrale, s'étirait hors de votre corps pour entrer dans les ultraviolets, puis dans une lumière nacrée, pas du tout aveuglante. À mesure que vous progressez dans cette lumière, vos sensations deviennent de plus en plus agréables. Un sentiment grandissant de sécurité et d'amour vous envahit et vous baigne. Votre esprit prend de l'extension, s'ouvre à la compréhension de grands concepts que vous seriez incapable d'assimiler dans votre état normal et accepte une réalité infiniment plus vaste. Les guides peuvent vous communiquer facilement de tels concepts, car vos préjugés sur la nature du monde se dissipent. Autrement dit, vous nettoyez votre cerveau d'un certain nombre de blocages. À chaque pas dans la lumière, vous vous en libérez davantage et, au fil des ans, vous parviendrez à canalisez des énergies et des concepts spirituels de plus en plus subtils.

À présent, vous êtes au maximum de votre élévation et vous interrompez votre ascension pour laisser la lumière nacrée s'infiltrer dans votre champ aurique, dont les vibrations s'élèvent en conséquence. Cette lumière va alors se communiquer, à travers votre champ, à celui de votre patiente, si ses guides et les vôtres estiment qu'elle est en état de supporter une telle charge.

Dès que cette clarté est convoyée dans le cerveau de Mary, les vibrations de la région pituitaire/thalamique s'élèvent à la même fréquence. Montez alors au degré supérieur. Lorsque votre patiente atteint ce niveau, vous passez au suivant. En procédant de la sorte, par étapes, la zone centrale de son cerveau s'illumine et son aura se remplit de lumière argentée et dorée, infusée de couleurs opalescentes. Au cours de cette phase de la magnétisation, la patiente est visitée par des images spirituelles ou « s'endort ». (Ce qui me signifie qu'elle n'a pas encore la capacité de mémoriser cette expérience lorsqu'elle reviendra à sa perception

Figure 22 – 18: Magnétisation du plan céleste (sixième couche)

normale de la réalité. Mais elle y parviendra un jour et ce processus y contribue.)

Cette façon de canaliser l'énergie est si puissante que vous devrez secouer légèrement vos mains avant de passer à l'étape suivante, pour vous déconnecter du sixième chakra. Après l'illumination du cerveau dans la région pituitaire/thalamique et le remplissage de l'aura de lumière opalescente, si j'en ai le temps, je passe directement aux niveaux extérieurs de l'aura. Les paumes en l'air, je trace des pistes avec mes doigts et je « peigne » les rayons lumineux du corps céleste. Ce geste ressemble à celui que vous faites quand vous passez les mains dans vos cheveux pour dégager votre front. Vous commencez près du corps et tirez vers le haut, à la perpendiculaire, comme pour soulever l'aura, ce qui procure à la patiente une sensation de légèreté, étend et dynamise le corps céleste, ajoute à sa luminosité. S'il vous reste un peu de temps, essayez. Mary appréciera beaucoup !

7. Scellement du gabarit kéthérique

Après l'extension et l'illumination du corps céleste, je passe au corps kéthérique : la « coquille d'œuf » qui semble protéger l'aura. Je lisse et renforce ce moule en plaçant mes mains sur sa surface externe. Il se peut qu'il soit trop étroit aux pieds, trop large par endroits, bosselé ou crevassé. Il peut aussi être strié de bandes rétractées dont certaines sont liées aux vies antérieures (nous en reparlerons au chapitre 24). Dans les zones trop minces apparaissent parfois des brèches ou même des trous. Il faut réparer ces accidents afin que la forme générale de l'aura ressemble à celle d'un œuf protégé par une belle coquille bien ferme. Je procède par simples manipulations. Quand je rencontre une bosse, je l'aplanis. Si l'ovale a besoin d'être éclairci, je fais circuler de l'énergie jusqu'à ce qu'il s'illumine. Lorsque la coquille doit être renforcée, je la nourris d'énergie fortifiante. Les couches extérieures de l'aura sont mouvantes et se modèlent très facilement. Cette phase de magnétisation prend donc peu de temps.

Pour compléter le traitement du septième plan aurique, je procède à l'imposition des mains (réunies à soixante-dix centimètres environ au-dessus de la tête de la patiente) sur la coquille protectrice de l'aura, que je fais suivre d'un large mouvement de balayage autour du corps entier, la main gauche sur le côté gauche, la main droite sur le côté droit. Des arcs d'énergie s'en

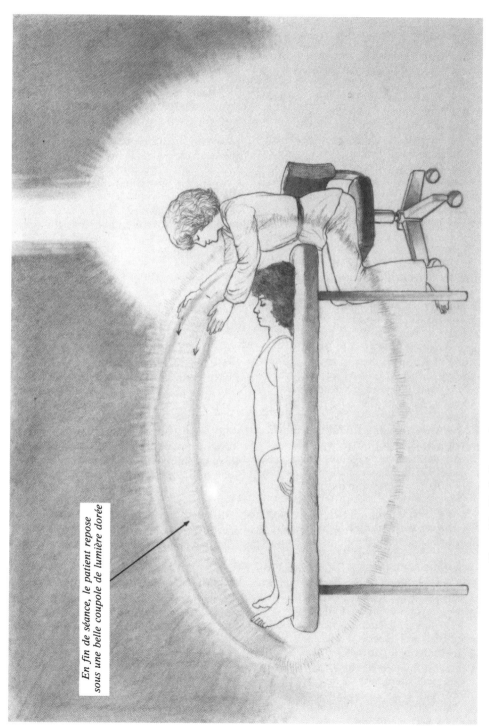

En fin de séance, le patient repose sous une belle coupole de lumière dorée

Figure 22–19: Scellement du gabarit kéthérique pour clôturer la magnétisation

écoulent, de la tête aux pieds. Je rehausse ainsi l'éclat général du septième plan. Je termine en circonscrivant de mes mains un cercle de lumière dorée autour de la poitrine pour renforcer la coquille.

Afin de renforcer la septième couche de l'aura de Mary, de la placer dans un écran protecteur où la magnétisation de son champ pourra se poursuivre, élevez vos mains au-dessus de son corps. Vous vous tenez à sa tête comme le montre la figure 22-19. La hauteur de la septième couche varie de quarante-cinq à quatre-vingt-dix centimètres. Si vous ne pouvez la voir, palpez-la dans l'espace, au-dessus du corps étendu. Vous sentirez une pression très subtile quand vous la toucherez. Tenez vos mains jointes, pouces croisés, les paumes tournées vers l'extérieur du champ aurique. Aidez-vous de vos respirations amples et profondes pour élever votre conscience au niveau de la septième couche, puis faites circuler la lumière dorée de vos mains en décrivant un arc sur cette couche, de la tête aux pieds de Mary. Maintenez d'abord la stabilité de cet arc, puis élargissez-le lentement en déplaçant vos mains de part et d'autre de son corps, comme pour l'encercler, votre main droite allant sur sa droite, votre main gauche sur sa gauche. Égalisez le cercle pour peaufiner la forme générale ovoïde autour de Mary.

Quand mon travail s'achève, je romps la connexion entre mon champ et celui du patient en secouant doucement mes mains. Je me déplace sur la droite pour me connecter de l'extérieur à la septième couche. Quand je magnétise Mary, je suis connectée à son système. Mais lorsque le contact est rompu, je me dissocie le plus rapidement possible de ce flux. Je pose doucement mes mains à l'extérieur de l'ovale et, silencieusement, je rends grâce à ma patiente et lui dédie ce soin. Je rends hommage à sa personne, à son pouvoir de créer la santé et l'équilibre dans son existence, ma petite participation se bornant à lui rappeler qui elle est. Puis je me déconnecte complètement de son champ, je vais m'asseoir plus loin et je reviens à l'état d'éveil normal de ma conscience (car lorsque j'entreprends la magnétisation de la septième couche, je suis moi-même dans un état de conscience fortement altérée). Je m'enfile dans mon corps comme dans un gant. Je me concentre sur mon existence, dans chaque partie de mon corps. Je rends hommage à mon incarnation, à ce que je suis et à la raison pour laquelle je me suis incarnée et laisse toute l'énergie curative dont je pourrais avoir besoin à ce moment-là pénétrer dans mon corps.

Cette procédure aide le guérisseur à se détacher du patient, à ne pas avoir à le « porter » toute la semaine, Honorer le moi de cette façon lui permet également d'intégrer le magnétisme à sa vie personnelle, ce qui ne se produit pas toujours automatiquement lorsqu'on passe beaucoup de temps en état de conscience altérée à magnétiser les autres. Il semble en effet que quelqu'un se substitue à vous, qu'une personne étrangère, bonne et généreuse, accomplit tout ce beau travail. J'ai découvert que la plupart des magnétiseurs de mon entourage ont connu des conditions de vie difficiles et que, pour cette raison, ils ont besoin de se rendre hommage, et non de se sous-estimer en raison de leurs expériences malheureuses. J'estime que l'apprentissage de l'amour et de la compassion à son propre égard fait partie de la formation du magnétiseur.

Vous avez tout intérêt à suivre les indications que je viens de donner. En fin de séance, passez à la droite de votre patiente pour prendre contact de l'extérieur avec sa septième couche. Honorez Mary et dédiez-lui cette guérison. Puis allez vous asseoir un peu à l'écart, revenez dans votre corps pour vous rendre hommage, ainsi qu'au but que vous poursuivez.

En général, après une séance de soins, le patient, quelque peu vacillant, a besoin de prendre un peu de repos. C'est le moment propice pour établir un rapport succinct de la séance, qui servira de référence pour la prochaine. Si le travail sur le plan kéthérique a pu être accompli dans de bonnes conditions, profitez de ces instants pour donner au patient des instructions précises concernant les exercices physiques qu'il devra pratiquer, le repos et le régime alimentaire à observer au minimum pendant les trois jours qui suivent.

Après ce bref moment de repos, demandez à Mary de s'asseoir au bord de la table de massage pendant quelques minutes avant de se mettre debout. Elle manifeste sa curiosité, veut savoir ce que vous avez fait. Il est déconseillé en ce moment de vous lancer dans une explication par trop linéaire pouvant la tirer brutalement de son état de conscience encore altéré. Expliquez-lui brièvement ce que vous avez accompli pour satisfaire à son désir, sans trop vous étendre pour ne pas perturber sa relaxation.

Au cours de la magnétisation, vous vous êtes probablement rendu compte du travail ultérieur à faire sur Mary. Discutez-en avec elle, faites-lui vos recommandations, fixez-lui un rendez-vous en cas de besoin pour la semaine suivante.

Vous venez de procéder à un traitement complet. Vous vous sentez merveilleusement bien. Offrez à Mary un grand verre d'eau et buvez-en un également. La figure 22-10 montre l'état de son aura après la séance. Comparez avec la figure 22-4, celle de son aura avant les soins.

Tel est le profil de base d'une magnétisation « arc-en-ciel ». Pendant la première partie de la séance (la chélation et le nettoyage préalables permettant d'accomplir le travail sur le gabarit), il m'arrive de canaliser une information verbale fournie par les guides d'un patient venus assister à la thérapie. Le patient peut aussi poser des questions et les guides y répondre. Mais dès que j'entreprends un travail sur le gabarit, je suis incapable de me disperser. Cette tâche énergétique exige une telle concentration qu'elle semble mobiliser toute ma « capacité cérébrale ». Le patient bénéficie de ce silence induisant une relaxation profonde qu'une conversation dissiperait.

Les guides m'assurent une formation continue. Dès que j'atteins un niveau, ils m'entraînent vers le suivant où de nouvelles équipes de « chirurgiens célestes » travaillent à travers moi...

8. Magnétisation des plans cosmiques de l'aura (huitième et neuvième couches du champ aurique)

Je commence à voir depuis peu deux niveaux du champ aurique situés au-dessus du gabarit doré. Ils semblent être d'une substance cristalline, leurs vibrations sont très rapides et subtiles. En quelque sorte, le champ s'étendant sous la septième couche nous sert de véhicule, nous guide et nous soutient dans cette existence. Il comporte dans le plan kéthérique des bandes retraçant des séquences de nos vies antérieures, représentant les leçons karmiques que nous sommes venus apprendre dans cette vie présente.

Toutefois, la huitième et la neuvième couche du plan cosmique s'étendent encore au-delà. Elles sont liées à notre identité, à ce que nous sommes au-delà de cette existence, c'est-à-dire des âmes qui se réincarnent d'une vie à l'autre et progressent lentement sur la route de leur évolution et de leur approche de Dieu.

Les sept couches inférieures de notre champ d'énergie recèlent toutes les expériences vécues dans cette vie et les calques des expériences possibles que nous avons programmées en planifiant cette existence. Nous en créons aussi constamment de nouvelles, mais étant donné que nous disposons de notre libre arbitre, nous ne décidons pas toujours de vivre la totalité de ces expériences. Nos semblables jouissant également de leur libre arbitre, la probabilité d'une expérience devient une affaire complexe. Autrement dit, le nombre des expériences possibles dépasse largement le nombre de celles que nous vivons réellement. Toutes ces possibilités de réalité sont entassées dans notre champ d'énergie. Toutes ont pour vocation d'enseigner à notre âme un certain nombre de leçons que nous avons choisi d'apprendre.

Parfois, certaines possibilités d'expériences devenues super-flues pour la croissance de l'âme doivent être retirées de l'aura. Cette opération a lieu au huitième niveau aurique. Tout se passe comme si le magnétiseur se projetait au-delà des limites de son existence, traversait les sept couches inférieures et faisait tout bonnement disparaître la possibilité d'expérience obsolète à l'aide d'un cache, celui que j'intitule l'« écran du huitième plan ».

A. L'écran du huitième plan

L'écran du huitième plan s'emploie pour éliminer un trauma de cette existence, parce qu'il bloque dangereusement le déve-loppement d'une personne ou que sa présence a perdu son utilité. C'est-à-dire qu'il n'a plus rien à apprendre à l'âme de l'individu qui a choisi d'assimiler ce type de leçon.

C'est la conscience supérieure du patient – et non le plan de sa personnalité – qui décide du moment qui convient à l'applica-tion d'un écran du huitième plan. La plupart du temps, l'inté-ressé n'en a aucunement conscience, mais parfois, ceux qui ont entendu parler de l'efficacité de ce cache le réclament. En règle générale, cela ne marche pas, car cet écran est fourni au magnétiseur par ses guides, uniquement lorsqu'ils l'estiment nécessaire. Retirer un traumatisme à long terme du champ d'une personne peut lui infliger un choc psychosomatique violent. Parfois un bouclier est nécessaire pour protéger un individu d'un sentiment de liberté débridée résultant de la disparition de ce vieux trauma. Le travail du magnétiseur consiste essentiellement à introduire cet écran dans l'aura du patient, à attirer un vieux traumatisme hors du champ en faisant appel au pouvoir de persuasion de ses guides pour l'inciter à s'en aller. Le trou qu'il laisse en partant est ensuite rempli de la lumière rose de l'Amour inconditionnel, puis scellé. Le patient a ainsi le temps de guérir et de s'habituer à fonctionner déchargé du fardeau qu'il transportait avec lui depuis des années. (Ce n'est pas aussi facile que vous pouvez le croire ; la liberté fait peur !) L'écran se dissipe ensuite à mesure que le sujet développe l'expérience positive qui s'installe à sa place.

La mise en place de ce bouclier est assez complexe. Cette opération, heureusement peu fréquente, commence par un nettoyage général suivi d'un travail d'apaisement et de « lissage » sur le gabarit, selon les techniques que nous venons de décrire. Le guérisseur n'en prend jamais la décision. Elle lui est toujours suggérée – je devrais plutôt dire imposée – par ses guides spirituels. Il est d'ailleurs probable qu'une décision de ce genre n'est prise qu'à l'issue d'une « table ronde » au cours de laquelle les guides spirituels du guérisseur se sont longuement entretenus avec ceux du patient. Je sais que, lorsqu'il m'arrive d'avoir à installer un écran du huitième plan, je vois à mes côtés ou devant moi, attentifs autour de la table d'opération, de nombreux être lumineux, parfois sept ou huit. Je connais plusieurs d'entre eux. Mais les autres sont, de toute évidence, les guides du patient venus pour l'aider et le conseiller pendant la phase délicate d'expulsion.

L'écran proprement dit n'a rien d'impressionnant. C'est un panneau de lumière bleue, plat, lisse, brillant, faisant penser à une plaque de plexiglas ou de plastique. Il vient coiffer la partie inférieure du chakra, au-dessus du trauma, et se fixe dans la racine. Ma main gauche pratique une ouverture afin d'installer le panneau. Son champ d'énergie pénètre profondément dans le corps, jusqu'à la racine du chakra, tandis que ma main droite avance lentement dans la place. Cett manœuvre délicate est toujours supervisée par les guides. Le bouclier bleu déborde à l'extérieur de la partie basse du chakra, étend sa forme légèrement oblique au-dessus de la zone traumatisée. La partie inférieure du chakra, tenue ouverte, sert de voie d'issue au trauma qui s'échappe par là.

Ma main gauche fixe l'écran mais ne peut passer au travers, ni intervenir durant le processus d'expulsion du trauma, car elle sépare la partie supérieure du champ aurique du travail qui s'opère dessous et ménage une entrée pour les guides qui écartent cette partie du champ de la zone traumatisée. Pendant ce temps, les guides personnels du patient l'entraînent généralement hors de son corps afin de le protéger et de lui prodiguer leur enseignement.

Dès que l'écran est en place, le magnétiseur passe la main droite dessous et commence à communiquer avec l'énergie consciente du trauma pour la convaincre de céder le terrain et lui rappeler sa connexion avec Dieu. La méthode de soins appliquée à un niveau aussi élevé est bien différente de celle que l'on emploie pour retirer les blocages des plans inférieurs. La connexion directe à l'énergie consciente du trauma disposé à partir permet au praticien de lui ménager une voie de sortie de son propre gré. Toute manœuvre coercitive ne fait qu'interrompre le processus et oblige le magnétiseur à tout recommencer, alors que cette méthode persuasive évacue totalement le trauma. La magnétisation des couches auriques inférieures agit sur les zones bouchées du champ qui ne représentent que les signatures énergétiques du trauma et non la totalité de son énergie. Au niveau supérieur de la magnétisation, le trauma est en quelque sorte traité comme s'il avait son existence propre, car il fait intégralement partie de l'énergie de la conscience. Lorsqu'un trauma s'en va, tous ses effets partent avec lui et le patient en est vraiment débarrassé. L'écran permet une intégration en douceur de ce changement d'existence, protège le sujet des bouleversements perturbants qui ne manqueraient pas de survenir si ce bouclier ne l'en sauvegardait. À mesure que le trauma s'en va, les guides le recueillent avec amour et le remplissent de lumière. Lorsqu'il a totalement vidé les lieux, cautérisés ensuite avec de la lumière nacrée ou dorée, la cavité est remplie de lumière rose, celle de l'Amour inconditionnel. Le champ rose tout neuf est alors reconnecté au champ environnant sans quitter l'abri de l'écran. La porte de sortie ouverte à la base du champ est enfin recouverte d'un sceau d'or qui est laissé en place. Le magnétiseur, pour déconnecter sa main gauche de l'écran, plonge doucement l'énergie de la droite dans celle que déverse la gauche afin de libérer cette main qui va s'occuper de l'intégration de la région nouvellement restructurée et de son écran au reste du champ du patient. Il passe lentement cette main gauche à travers la couche supérieure de l'aura.

Après l'installation de l'écran, on renforce la brillance de l'aura en y envoyant des pulsations de lumière dorée. Puis le patient réintègre lentement son corps. C'est à peu près tout ce qui peut être fait au cours d'une séance de soins. Le magnétiseur peut descendre au sixième plan pour renforcer la sérénité du patient, ou clore la séance au septième.

Pour moi, le défi le plus difficile à relever dans ce type de travail consiste à apprendre à rester assise tandis que je m'évertue à convaincre le trauma de vider les lieux. Il diffère beaucoup de celui que j'accomplis lorsque je scrute, retire ou désagrège les bouchons classiques au moyen des vibrations canalisées. Il est difficile de s'élever au-dessus de la sixième couche en état de paix et d'alignement total sur la volonté de Dieu en contrôlant le rythme de sa respiration lente, profonde, régulière, sans pause entre l'inspiration et l'expiration, l'esprit néanmoins concentré sur l'acceptation de la volonté divine ! L'étincelle divine existe dans chaque cellule de l'être et obéit inexorablement à la volonté du Très-Haut. Le magnétiseur doit siéger dans cette étincelle, autrement dit dans le trauma. En d'autres termes, je dois m'installer dans ce trauma, prendre contact avec cette énergie consciente pendant que je suis en état d'alignement sur la volonté de Dieu et rappeler simplement à chacune de ses cellules qu'elle porte en elle une étincelle de Dieu. Je lui rappelle que Dieu est lumière et sagesse et que, par conséquent, elle doit inexorablement s'abandonner à ce courant pour ne plus faire qu'un avec la volonté universelle. La tâche n'est pas facile. Au début, j'avais plutôt envie de l'expulser *manu militari*. Y céder aurait signifié que ma volonté entrait en jeu et m'aurait fait descendre à un niveau inférieur. Mes guides se seraient alors éloignés de mon corps, soudain pris de frissons, pour me signaler, soit leur départ, soit leur intolérance aux basses vibrations de ma volonté... et nous aurions dû tout recommencer.

La pose d'un écran du huitième plan concerne les patients incapables de supporter la liberté résultant de la disparition d'un traumatisme au cours d'une séance de thérapie. Ils ont tendance à combler cet espace par une autre expérience négative, comme j'eus la surprise un jour d'en être témoin.

À la fin d'un traitement, alors que le patient était en train de remettre ses souliers, tout le champ doré que je venais de restructurer se désintégra sous mes yeux. Stupéfaite, je me demandai : « Seigneur ! comment s'y est-il pris pour rechuter si vite ? » Je voulu le faire remonter sur la table illico, mais je pris conscience de mon erreur. Un facteur inconnu avait dû intervenir. Par la suite, « Emmanuel », un guide spirituel canalisé par mon amie Pat Rodegast[2], m'apprit que le patient s'était rendu compte qu'il était incapable d'accepter ce qu'il prétendait tant désirer. Il n'était pas prêt à faire face à certains aspects de sa vie impliqués dans cette guérison. Ce qui revenait à dire qu'il n'avait pas la force d'en affronter certaines conséquences trop douloureuses pour lui et qu'il s'y refusait totalement.

Peu de temps après cette expérience, il me fut enseigné la manière correcte d'installer un bouclier de protection. Je compris aussi que je ne pouvais proposer à cette personne une autre séance de soins qui ne ferait que renforcer sa décision négative et pouvait même le détourner définitivement du travail thérapeutique. Je ne pouvais qu'attendre qu'il décide lui-même du moment où il se sentirait apte à faire face à ses peurs et à ses inhibitions inconscientes. Il pourrait alors décider de venir se faire soigner et nous pourrions mettre l'écran en place pour le protéger des conséquences inhérentes à l'allégement soudain de

---

2. Elle a consigné ses expériences de guérison spirituelle dans un livre très intéressant : Pat Rodegast & Judith Stanton, *Emmanuel's Book*, Friends of Emmanuel, New York, 1985.

son fardeau ; il fallait lui laisser le temps de procéder à sa guérison interne. Cet écran se désintégrerait ensuite, à mesure qu'il s'accoutumerait progressivement à vivre cette expansion de liberté.

La fig. 22-21 montre un exemple intéressant de l'efficacité de l'écran. La patiente, que nous appellerons Betty, est une femme d'affaires. Sa mère mourut quand elle avait trois ans. Au moment où elle entreprit une thérapie avec moi, elle ne conservait en mémoire aucun trait du visage de sa mère, ne se souvenait pas même en avoir vu une photographie. Au cours du traitement, elle parvint à percevoir certaines images de la défunte, à se reconnecter et à entrer en relation avec elle, ce qui l'aida à développer de la considération pour elle-même, étant donné que sa mère redevenait pour elle une réalité. Elle n'avait jamais pu accepter sa belle-mère. La thérapie contribua à améliorer leurs rapports. Elle traînait dans sa poitrine la souffrance infligée par une perte tragique, survenue beaucoup trop tôt.

Après plusieurs années de thérapie, elle me demanda pourquoi je la « mettais à la porte ». Je lui répondis qu'à présent, elle se portait à merveille. À cet instant précis, plusieurs guides spirituels – au moins six, j'en suis certaine – me rappelèrent avec insistance l'existence de ce nouvel écran bleu que je venais tout juste d'apprendre à poser. Une séance de magnétisation fut aussitôt décidée. Après avoir procédé à la chélation, au nettoyage faisant partie du traitement habituel, et contrôlé l'état du gabarit, les guides, groupés et parlant entre eux à voix basse, installèrent l'écran, évacuèrent le trauma de la perte de sa mère alors qu'elle n'était encore qu'un bébé. Elle fut bouleversée lorsqu'elle vit sa mère apparaître sous forme d'esprit, soutenue par ses propres guides lumineux. Se substituant à l'équipe de guides chargés d'accueillir l'énergie consciente du trauma et de l'illuminer, je vis sa mère le recevoir avec amour (fig. 22-21). Les guides de ma patiente la tirèrent pendant ce temps hors de son corps pour la protéger et lui prodiguer leur enseignement. À l'étape suivante de la mise en place de l'écran, les guides remplirent la cavité laissée par l'éviction du trauma de lumière rose d'amour. La magnétisation se poursuivit par le scellement de la base de l'écran avec la lumière d'or de la figure 22-22. Puis nous reconnectâmes la zone protégée à la partie supérieure et inférieure du champ aurique. Le courant majeur vertical fut ensuite renforcé dans le corps. Le trauma, recueilli par sa mère, se transforma entre-temps en lumière nacrée très légèrement teintée d'ultraviolets.

B. *Magnétisation du neuvième niveau de l'aura*

Je sais fort peu de choses concernant ce travail mal connu. Quand j'observe l'ouvrage des guides à ce niveau, il me semble qu'ils font simplement disparaître tout un aspect des corps énergétiques du patient (et les champs allant avec) pour y substituer un autre. Tout se présente à mes yeux sous forme de lumière cristalline. Un tel traitement a pour effet de guérir le patient très rapidement. Je suppose qu'il s'agit en fait d'une réincarnation dans le même corps, sans passer par la naissance et les expériences enfantines, afin de s'attaquer aux tâches de la vie sans plus tarder. J'en ai quelquefois été témoin, rarement il est vrai.

Les équipes de guides

J'ai souvent l'impression que plusieurs équipes de guides travaillent à chaque niveau ; d'autres fois, que ce sont les mêmes qui changent simplement de couche. Les équipes opérant sur plusieurs plans semblent dotées de traits caractéristiques différents. Ceux qui agissent sur le plan astral s'occupent essentiellement des affaires de cœur et d'amour. Ils sont très réconfortants, aimants, s'expriment de façon poétique, nous apprennent à nous aimer nous-mêmes avec tous nos défauts. Ceux qui travaillent sur les moules éthérique et kéthérique ont l'air très sérieux, actifs, efficaces, assidus à la tâche, préoccupés simplement par la perfection du moule et par le résultat du traitement. Ils ne semblent pas éprouver beaucoup de sentiment mais se montrent cependant très coopératifs et compréhensifs. Les guides de l'écran du huitième plan manifestent une grande faculté d'acceptation, une infinie patience et de l'amour. J'ai du mal à percevoir ceux du neuvième plan, encore très impersonnels pour mon degré de perception actuel.

Résumé d'une séance de magnétisation

Pour faciliter la tâche des débutants − qui ont presque toujours, et bien à tort, une peur bleue − je vais résumer très schématiquement la démarche du guérisseur lorsqu'il prodigue ses soins. Vous trouverez ensuite l'analyse d'une séance qui vous aidera à élaborer votre propre méthode : où pratiquer ? Où se reposer pour « recharger ses accus » ? Où et quand poursuivre votre travail d'évolution personnel ?

1.   Quelques minutes avant d'introduire dans votre cabinet celui ou celle qui vient se faire soigner, mettez-vous en état de relaxation et « parcourez l'arc-en-ciel » en commençant par les couleurs « lourdes » (les rouges) et en montant graduellement jusqu'aux teintes « légères » (les bleus-indigo). Visualisez aussi intensément que possible le rouge. Baignez dans la lumière rouge. Alignez vos rythmes intérieurs sur sa fréquence vibratoire. Faites le saut et passez sur la bande des orangés. Même chose : visualisez intensément l'orangé. Baignez, flottez, plongez dans une intense lumière orange. Alignez vos rythmes intérieurs sur la fréquence vibratoire de la bande orangée. Montez ainsi, bande après bande – jaune, vert, bleu, indigo, violet, violet de plus en plus pâle, argenté, nacré – jusqu'au blanc, si vous pouvez y arriver. Laissez-vous porter par le blanc. Essayez de vibrer à son diapason. Dès que vous vous sentez en accord avec la lumière blanche (elle sera probablement argentée ou opalescente), ouvrez vos chakras et chargez-les en énergie vierge à l'aide des méthodes décrites au chapitre 21 (Exercices physiques favorisant l'ouverture et la charge des chakras).

2.   Écoutez votre patient. Les premières phrases qu'il vous dit la première fois qu'il vient vous voir sont extrêmement importantes. Soyez particulièrement attentif aux raisons pour lesquelles cet homme ou cette femme vient vous voir. Pourquoi vous plutôt qu'un autre thérapeute ? Qu'espère-t-il en venant chez vous ? Ses espoirs sont-ils sains et fondés ? Combien sont purement fantasmatiques et illusoires ? Que pensez-vous avoir à lui donner ? N'intellectualisez pas la situation. Ne mettez pas d'étiquettes (maniaco-dépressif, obsessionnel, paranoïaque, etc.). Vous n'êtes pas psychiatre – heureusement !

3.   Expliquez-lui le travail que vous allez entreprendre ensemble. Soyez clair, précis. Employez un langage simple. Il vous faut choisir : ou faire reluire votre ego en vous faisant passer pour un « sorcier » ; ou être réellement guérisseur, branché sur les couches vibratoires du champ énergétique universel. Le premier est incompatible avec le second. Absolument.

4.   Repérez et étudiez le plus rapidement possible le fonctionnement de ses circuits d'énergie. Dans quel état sont les canaux ? Où sont situés les principaux blocages ? Quelle est leur structure : petits bouchons coagulés, tampons plus importants, larges zones d'énergie croupissante, vaseuse ? Analysez sa cuirasse caractérielle reichienne. Quelles sont les régions de son corps les

plus privées d'énergie ? Cette privation va-t-elle jusqu'à paralyser ou étouffer certains organes ? Où sont les nœuds de tension, les contractures ? Quelles maladies menacent cette personne à plus ou moins long terme si ses circuits énergétiques ne sont pas nettoyés ? Comment envisage-t-elle le processus de guérison ? Quels sont ses systèmes de défense ? Comment négocie-t-elle avec ses peurs profondes ? Avec ses hontes ? Avec l'image qu'elle voudrait donner d'elle-même ?

5.   Mesurez ses chakras. Dans la mesure du possible, habituez-vous à visualiser les chakras par votre seule perception extra-sensorielle. Mais, si un pendule vous aide, servez-vous en, surtout au début. Notez soigneusement ces mesures. Elle vous serviront comme d'élément de comparaison tout au long du traitement.

6.   Accordez-vous aux rythmes intérieurs et aux vibrations énergétiques de votre patient ; autrement dit, alignez votre champ sur le sien. Supposons que vous soyez une personne épanouie, ouverte à des niveaux de conscience déjà élevés et vibrant relativement bien. Votre malade, à l'inverse, étouffe à petit feu sous le carcan d'une formidable cuirasse reichienne. Son aura est terne, délavée, piquetée de taches grisâtres révélant un affaiblissement général alarmant. Pour contrebalancer cet état de faiblesse dû à l'envahissement interne de véritables marécages d'énergie pourrissante, peut-être croyez-vous bien faire en vous élevant, vous, au plus haut niveau énergétique possible, celui de la lumière blanche, afin de l'en inonder en vertu du principe : qui peut le plus peut le moins. Cette erreur, courante chez les débutants, doit être évitée. En agissant ainsi, vous tombez dans le travers de la médecine occidentale moderne qui « écrase » un rhume de cerveau sous une chimiothérapie massive. Un guérisseur fait l'inverse. Il ne croit pas à la tactique simpliste du « bombardement stratégique ». Une cuirasse caractérielle a mis plusieurs dizaines d'années à se bâtir et à se renforcer. Il serait aussi puéril qu'illusoire de vouloir la démanteler en quelques séances de magnétisation. Prenez votre temps. Laissez-vous guider par votre intuition. N'essayez jamais d'enfoncer des portes fermées. *Une bonne tactique*, qui a fait ses preuves, *consiste à vous installer dans la couleur complémentaire de celle de son aura.*

7.   Prenez de plus en plus conscience de la présence de vos guides spirituels. Quelques-uns (ceux des premières couches) vous sont probablement déjà familiers. Apprenez à connaître les

autres, ceux qui viennent de plus loin, ceux qui semblent se tenir à l'écart de la thérapie, comme des observateurs muets. Le guérisseur n'est pas seulement un générateur d'énergie cosmique, prêt à en distribuer à ceux qui en manquent. Au cours d'une séance, vous aurez constamment besoin de vous rééquilibrer. Pour cela vous disposez de trois pôles : le niveau vibratoire de la couche du champ énergétique dans laquelle vous avez choisi de travailler ; le niveau vibratoire des guides spirituels venus vous assister pendant l'opération ; le niveau vibratoire du patient. La séance entière se déroule à l'intérieur de ce triangle, le magnétiseur s'appuyant tantôt sur l'un de ses côtés, tantôt sur un autre.

8.   Le meilleur moment pour examiner les chakras est celui où, par la chélation ou par une autre technique, vous avez remis en circulation l'énergie stagnante. Les circuits énergétiques ne sont pas débouchés pour autant, nous en sommes bien conscients. Mais au moins « ça bouge », alors qu'auparavant c'était l'envasement complet. Si vous ne voyez pas encore bien les chakras en visualisation interne, il existe une excellente méthode appelée la *réflexologie*. Je ne saurais trop conseiller aux débutants de s'y initier. Elle m'a rendu, et me rend toujours d'immenses services. Il s'agit du diagnostic par l'examen de la plante des pieds. L'idée de base est que le pied – cet ensemble complexe et miniaturisé – est un excellent révélateur de l'état général de l'organisme tout entier [3]. Chaque organe, chaque muscle important, chaque chakra a son correspondant dans le pied, sous une forme miniaturisée que l'on nomme un *point-réflexe*. Si le chakra auquel on s'intéresse est sain, s'il fonctionne bien, il en est de même pour son « image réfléchie » quelque part dans le pied. Le chakra sur lequel on désire obtenir des renseignements est-il bouché, déformé ou étranglé par une hernie ? La zone correspondante du pied sera alors déformée, congestionnée ou tétanisée, en tout cas toujours douloureuse au toucher (la fig. 22-2 présente un tableau des points-réflexes). Prenez donc un moment pour apprendre les bases de la réflexologie, vous ne le regretterez pas. Quand vous êtes en possession de l'information désirée, servez-vous des chakras qui fonctionnent le mieux pour déboucher ou restructurer ceux qui sont en mauvais état.

3. Les lecteurs intéressés par cette méthode thérapeutique peuvent consulter avec profit les ouvrages suivants : Eunice Ingham, *Stories the Feet Can Tell* et *Stories the Feet Have Told*, Eunice D. Ingham, Rochester, New York, 1959 et 1963. Également de Mildred Carter, *Helping Yourself with Foot Reflexology*, Panker Publishing Co., West Nyack, New York, 1969.

9.   Demandez à vos guides spirituels quelles sont les qualités du moi supérieur auxquelles vous devez faire appel pour aider le patient à se guérir lui-même (voir les chapitres 9, 10 et 12).

10.   Procédez à la chélation des corps auriques inférieurs pendant que vous observez attentivement la circulation du flux énergétique dans les circuits remis en mouvement. Si vous débutez, sautez la rubrique 16. Avec plus de pratique, vous pourrez ajouter l'étape numéro 9 et, au besoin, 10 et 12. Quand vous percevrez la cinquième, sixième et septième couche du champ, vous pourrez aborder les phases 12, 13, 14 et 15.

11.   Nettoyez l'épine dorsale.

12.   Travaillez sans hésiter sur les endroits qui vous attirent d'instinct. Choisissez entre les diverses méthodes que vous connaissez et, tout en travaillant, observez l'état émotionnel de votre patient. Absorbe-t-il l'énergie que vous lui communiquez, ou ses émotions la bloquent-elle ? Soyez présent à ses côtés. Traversez ces blocages ensemble et laissez vos guides vous orienter vers les zones les plus malades.

13.   Nettoyez les corps inférieurs des plages sombres et des tampons d'énergie stagnante.

14.   Si vous connaissez la méthode, c'est maintenant que commence le travail sur le gabarit éthérique ou kéthérique.

15.   Passez au plan céleste (le sixième). Envoyez des ultraviolets dans la zone centrale du cerveau. Élevez vos vibrations en faisant vibrer votre hypophyse. Si les vibrations du patient s'alignent sur les vôtres, montez au niveau suivant (lumière blanc nacré) et recommencez jusqu'à ce que la région pituitaire/thalamique s'illumine.

16.   À ce moment, si vous ne l'avez déjà fait, vous verrez certainement les guides spirituels de votre patient, généralement des anges. Ils vous remettront des messages qui lui sont adressés. Dégagez-vous doucement de cette connexion et rentrez progressivement en vous-même.

17.   Vous tenant debout à la tête de la table, essayez de déclencher un fort courant de vibrations partant du troisième

ventricule. Poussez-le avec vos deux mains pour lui faire traverser l'épine dorsale.

18. À cette étape, vous pourrez juger utile de peigner vers l'extérieur le corps céleste et le corps astral, notamment si la personne est déprimée ou stressée.

19. Lissez avec beaucoup d'amour la coquille d'œuf du moule kéthérique.

20. Placez-vous à la droite du patient. Recontactez la septième couche. Honorez votre malade et son pouvoir d'autoguérison.

21. Disjonctez doucement la connexion, fermez toutes les ouvertures et éloignez-vous du patient. Accordez-vous quelques minutes pour retourner pleinement dans votre corps et sur le plan terrestre. Laissez le trop-plein d'énergie s'écouler, retrouvez vos vibrations et vos rythmes habituels. Rendez-vous hommage, affirmez qui vous êtes et la nature de votre travail.

22. Si le patient a perdu son corps et a besoin d'aide pour y retourner, ramenez-le à lui en le tirant doucement par les pieds et aspirez l'énergie vers vous.

23. Après chaque séance, rappelez à votre patient qu'il doit boire un grand verre d'eau. Et faites de même...

Analyse d'une séance de magnétisation

1. Que s'est-il passé chronologiquement ? Comment s'est déroulée chaque phase de travail ? Quelles furent les étapes faciles à franchir ? Celles qui vous ont donné le plus de mal ?

2. Reportez-vous au résumé précédent et répondez aux questions posées dans le paragraphe 4 (concernant les zones de blocage et la structure de la cuirasse caractérielle reichienne).

3. Donnez votre avis sur les problèmes posés dans le paragraphe 7. Êtes-vous déjà entré en contact avec des guides spirituels ? En connaissez-vous quelques-uns par leur nom ? Souhaitez-vous sincèrement leur assistance pendant les séances de soins ? Avez-vous compris l'importance du « triangle énergétique » guides/guérisseur/patient ? Voyez-vous comment vous pouvez

prendre appui sur ce triangle pour rééquilibrer votre champ énergétique en cours de séance ? Et que signifie au juste cette expression qui revient constamment dans nos propos : rééquilibrer le champ ?

4. Quelle relation psychosomatique avez-vous entretenue avec votre patient durant cette première séance ? Le courant est-il passé ou non ? Vous êtes-vous senti plein d'amour du commencement jusqu'à la fin ou avez-vous ressenti des impulsions négatives ? Dans ce dernier cas, à quel moment se sont-elles produites ? Sur quelle partie de son corps ? Que pensez-vous de cette personne que vous venez de soigner ? Êtes-vous optimiste ou pessimiste à son égard ? Et vous-même, quelles ont été vos réactions intérieures ? Vous êtes-vous senti tout au long de la séance bien dans votre assise, solidement enraciné, « centré », ou avez-vous dérapé à un moment ou à un autre ? Si cela s'est produit, voyez-vous ce qui a pu vous déstabiliser ? Avez-vous perdu bêtement du flux énergétique sur des endroits où il n'était pas nécessaire de se concentrer ? Si vous répondez oui, pourquoi ? Qu'est-ce qui vous a égaré sur des fausses pistes au lieu d'aller droit à l'essentiel ? Comparez votre structure psychologique avec celle de cet homme ou de cette femme qui sort de chez vous. Voyez-vous des points communs ou vous sentez-vous très éloignés l'un de l'autre ?

5. Le bilan de cette première séance vous paraît-il plutôt positif, ou non ? La lumière que vous avez envoyée à votre patient a-t-elle été reçue, a-t-elle servi à accélérer ses vibrations, ou a-t-elle été repoussée par des « ouvrages fortifiés » de sa cuirasse caractérielle ? Quel rapport entretient-il avec son moi des profondeurs ? Vous fait-il l'effet de quelqu'un d'authentique, installé dans l'Être, ou d'une personne déconnectée de sa réalité intérieure, ne cherchant à exister que dans le paraître et l'avoir ? Quels sont ses systèmes de représentation ? Quels sont ses héros et ses mythes ? De quel levier s'est-il servi pour essayer de vous manipuler ?

6. Qu'avez-vous fait pendant cette séance pour aider son moi des profondeurs à émerger et à se manifester ? Si vous vous mettez en cause, estimant ne pas vous être engagé à fond, analysez cette fois votre problème personnel. Où est le blocage ou l'inhibition ? Qu'est-ce qui vous a freiné dans votre élan ? Où vous situez-vous sur le plan de l'évolution et des ouvertures de conscience ? Quel serait éventuellement le type de travail qui

conviendrait le mieux à votre structure pour vous faire franchir un pas de plus sur la voie de l'ouverture totale et de l'amour inconditionnel ? Il n'y a pas, dans le monde, que des malades à soigner. Les guérisseurs ont besoin de dépasser leurs peurs, eux aussi !

7. Prenez un papier et un crayon. Dessinez le flux énergétique de votre patient, avant et après la séance. Essayez de reproduire avec le plus de précision possible les plages sombres d'énergie stagnante, les bouchons, les nœuds de tension, les chakras engorgés, obstrués ou déformés. Quels endroits avez-vous réussi à libérer, totalement ou en partie, et quels endroits sont restés réfractaires au traitement ? Demandez-vous pourquoi.

8. Pouvez-vous remonter jusqu'à la cause initiale des maux dont il se plaint ? Ne s'intéresse-t-il superficiellement qu'au symptôme, ou est-il conscient que sa souffrance est le résultat d'une longue chaîne de causes à effets ? S'ils n'a aucune notion de la psychologie des profondeurs, comment pouvez-vous l'y amener en douceur, sans l'épouvanter ?

9. Relisez vos réponses depuis la première question et, en vous penchant sur elles, imaginez votre prochaine séance avec ce même patient. Comment la conduirez-vous ? Travaillerez-vous de la même manière ou changerez-vous de technique ? Plus vraisemblablement : à quels moments, et sur quels endroits du corps, travaillerez-vous comme vous l'avez fait la fois précédente, et à quels moments, sur quels endroits du corps ou de l'aura utiliserez-vous des méthodes différentes ? Expliquez pourquoi en donnant des détails.

Révision du chapitre 22

1. Que fait un magnétiseur avant de commencer une séance de thérapie ?
2. Que signifie l'expression « faire circuler de l'énergie » ? Que chélationne-t-on, le corps physique ou l'aura ?
3. Comment la chélation agit-elle ?
4. Le magnétiseur doit-il contrôler soigneusement la couleur de la lumière dans laquelle il s'installe lorsqu'il fait circuler l'énergie de son patient ? Dites pourquoi il parvient, ou, dans le cas contraire, il ne parvient pas à le faire ?
5. Si le premier chakra d'un magnétiseur est fermé sur les

plans inférieurs du champ, sera-t-il capable d'employer la couleur rouge efficacement en magnétisant ? Décrivez le processus.

6. Dans quel cas convient-il de chélationner le cœur d'un patient.

7. Décrivez le nettoyage de l'épine dorsale.

8. Quelle différence existe-t-il entre l'action de faire circuler l'énergie d'une seule main, des deux mains séparées ou jointes ?

9. À la phase de magnétisation du cinquième plan, que se passe-t-il si vous ne suivez pas l'orientation de vos guides et bougez vos mains avant qu'ils aient fini leur travail ?

10. Citez trois manières de déchirer la septième couche. (Profitez-en pour réviser le chapitre 15.)

11. S'il existe une déchirure dans l'aura tout au long du champ, quelles couches devront être recousues ?

12. La fuite d'énergie se réparera-t-elle si vous êtes incapable de vous élever jusqu'à la septième couche ?

13. La chélation réparera-t-elle un champ aurique déchiré ?

14. Pourquoi le patient doit-il quitter son corps pour que s'effectue le travail sur la septième couche ?

15. Pourquoi ne faut-il pas bombarder un malade très affaibli de lumière blanche ?

16. Décrivez la magnétisation de chaque plan aurique.

17. Qu'est un écran du huitième plan ? À quoi sert-il ? Qui prend l'initiative d'en employer un ?

18. Décrivez le processus de clôture d'une magnétisation vous permettant de vous détacher physiquement et psychiquement de votre patient jusqu'à ce que vous souhaitiez reprendre contact avec lui.

19. Qu'est-ce que la réflexologie ? À quoi sert cette technique ?

20. Quel est l'intérêt de magnétiser un patient avec la couleur complémentaire de celle de son aura ?

Sujet de réflexion

21. Qui guérit quoi ?

Chapitre 23

Magnétisation par la couleur et par le son

Magnétisation par la lumière colorée, modulation de la couleur

Le magnétiseur doit être capable de canaliser une couleur et de s'y maintenir. Ce qui signifie évidemment qu'il devra maintenir son champ à une certaine fréquence : vous serez amené à le faire dans de nombreuses séances de magnétisation. Pour y parvenir, il importe que votre perception extra-sensorielle soit suffisamment développée pour vous permettre de rester pendant trois quarts d'heure ou une heure sur la fréquence vibratoire nécessaire au patient à un moment donné. Certains exemples cités aux chapitres précédents soulignent le rôle joué par les radiations colorées dans la magnétisation des gabarits éthérique et kéthérique (vous canalisez de l'or...). La magnétisation du sixième plan fait appel aux fréquences célestes. Pour purifier l'épine dorsale ou charger un chakra, vous devez lui fournir sa couleur spécifique jusqu'à ce qu'il soit convenablement rechargé... ce qui peut demander un certain temps ! Les guides vous demanderont parfois de diriger sur votre patient une lumière colorée et de la convoyer à l'endroit où elle fait défaut. Je vous conseille vivement d'apprendre à canaliser les couleurs, même si certains guérisseurs n'utilisent pas ces techniques, ou plutôt prétendent ne pas les utiliser. En fait, ils s'en servent constamment. Mais ils aiment se persuader qu'ils manient au bout des doigts je ne sais quel « fluide », ce qui est parfaitement faux.

Comme je l'ai expliqué au premier chapitre, produire une couleur de son choix et s'en servir pour magnétiser requiert pas mal de pratique. Un débutant doit impérativement faire beaucoup d'exercices de modulation de couleur avant de tenter de contrôler celle qu'il veut canaliser. Plus tard, les guides spirituels lui demanderont certainement de maintenir la stabilité de la couleur qu'ils souhaitent employer. Autrement dit, si vous n'apprenez pas à contrôler la bande du spectre et changez de champ sans en avoir conscience, vous pouvez très rapidement brouiller ou altérer la couleur que vous convoyez. Vous devez donc apprendre à maintenir la stabilité de votre champ dans la bande de spectre que vous avez déterminée à l'avance.

Dans son livre *Therapeutic Touch*[1], Dolores Krieger conseille d'excellents exercices de modulation de couleur. Vous devez essentiellement savoir ce que veut dire « être installé dans une couleur ». Il ne s'agit pas de penser à une couleur comme dans la visualisation. Si vous pensez rouge, vous obtiendrez le jaune. Si vous pensez vert, encore le jaune. Si vous pensez bleu, toujours le jaune. Vous « broyez du jaune », comme disent les magnétiseurs. Presque tous les débutants en passent par là. Pour faire du bleu, vous devez « être bleu », quel que soit le sens que vous conférez à cet état d'être. Il s'agit donc d'expérimenter à titre personnel ce que signifie pour vous *l'état bleu*. Expérimenter est le mot clé dans ce domaine.

Exercices de contrôle de la couleur émise

Comment vous sentez-vous quand vous portez des vêtements bleus ou lorsque vous vous tenez dans la lumière bleue, irradiant par exemple du vitrail d'une cathédrale ? Qu'évoque pour vous la lumière bleue ? Là encore, vous devez faire appel au sens dont vous vous servez le plus couramment. Accédez-vous mieux à l'information par la vue, l'ouïe ou le toucher ? Comment voyez-vous le bleu, l'entendez-vous, le sentez-vous ? Procurez-vous un prisme en cristal et suspendez-le devant la fenêtre. Posez les doigts sur chaque couleur de l'arc-en-ciel qui s'en dégage. Munissez-vous de plaques de verre coloré, ou de feuilles de plastique teinté, et tenez-les devant la lumière solaire. Explorez votre relation avec chaque couleur. Prenez des morceaux de papier de couleur (ou des jetons, des cartons, etc.), mêlez-les en tas et, les yeux fermés, prenez-en deux au hasard. Gardez les yeux clos et définissez votre relation avec cette couleur. Que vous fait-elle éprouver ? L'aimez-vous ou vous déplaît-elle, éveille-t-elle en vous des sensations ? Avez-vous l'impression qu'elle vous donne de l'énergie ou qu'elle vous en prend ? Vous

1. Englewood Cliff, Prentice Hall, New Jersey, 1979.

apaise-t-elle ou vous met-elle mal à l'aise ? Placez-la sur diverses parties de votre corps. Aimeriez-vous porter cette couleur ? Puis, les yeux toujours fermés, décidez de la couleur que vous préférez, sinon, devinez-la et ouvrez les yeux. Vous serez surpris par la quantité d'informations que vous aurez recueillies sur chaque couleur. Vous découvrirez vos préjugés erronés concernant l'action de chaque couleur.

Trouvez un partenaire. Tenez-vous les mains et transmettez-vous à tour de rôle l'énergie d'une certaine couleur. Vérifiez si votre partenaire peut dire de quelle couleur il s'agit. Pratiquez ! Pratiquez ! Pratiquez ! Souvenez-vous que pour faire circuler le rouge, vous devez nettoyer votre premier chakra. Pour faire circuler de l'orange, purifiez le deuxième, etc. Vous devez décrasser vos chakras avant de faire ces tests. Reportez-vous aux exercices de nettoyage et d'ouverture recommandés au chapitre 21.

Signification des couleurs dans l'aura

Beaucoup de patients viennent me voir et me demandent : « De quelle couleur est mon aura ? » Puis ils ajoutent en prenant un air mystérieux : « Que signifient les couleurs dans un champ énergétique ? » Une femme, fort intelligente et possédant plusieurs diplômes universitaires, m'a demandé de lire l'aura de son amant pour voir si elle s'accordait avec la sienne. Car de plus en plus de gens, aux États-Unis en tout cas, se font faire des « lectures d'aura » qu'ils prennent très au sérieux. La voyante leur dit : « Elle est de telle ou telle couleur, brillante à tel endroit, délavée à tel autre, ce qui veut dire ceci ou cela et cette moucheture sombre qui se déplace et sautille dans la quatrième couche de votre champ indique qu'une personne brune pense très fort à vous. » Si cela peut faire plaisir à certains, ma foi, de quel droit viendrais-je perturber leurs croyances ? Vous avez pu constater dans ce livre que je ne conçois pas du tout mon travail de cette façon. Les magnétiseurs, radiesthésistes et guérisseurs avec qui je suis en relations professionnelles non plus. Lorsque quelqu'un me demande : « Quelle est la couleur de mon aura ? », je réponds : « Dans quelle couche ? » Il y en a qui insistent, bien sûr. Ils ont lu des dizaines de livres sur ce sujet et les corps subtils n'ont aucun secret pour eux. Dans ce cas, je noie le poisson en répondant par des généralités. Je lis simplement la

Figure 23-1

SIGNIFICATION DES COULEURS
POUR LA TÂCHE DE L'ÂME

Couleur	sert :
Rouge	Passion, sentiments forts. L'amour quand il est mêlé de rose
Orange	Ambition
Jaune	Intellect
Vert	Magnétisation, magnétiseur. Nourricier
Bleu	Enseignant, sensitivité
Violet	Connexion plus profonde avec l'esprit
Indigo	Mouvance vers une plus profonde connexion avec l'esprit
Lavande	Esprit
Blanc	Vérité
Or	Connexion avec Dieu. Au service de l'espèce humaine, comme l'amour de Dieu
Argent	Communication
Noir	Absence de lumière, ou oubli profond, ambition contrariée (cancer)
Velours noir	Comme les trous noirs de l'espace, portes d'accès à d'autres réalités
Marron	Avance dans la tâche

couleur prédominante sur les plans non structurés et je dis, sans m'étendre : « Le bleu domine, avec un peu de jaune et de violet. »

Ma collègue Pat Rodegast, qui canalise un guide nommé Emmanuel, lit les couleurs au niveau de l'« âme ». Emmanuel lui montre simplement l'aura d'une personne sur le plan de l'âme, connecté à la tâche de sa vie. Pour Pat, ces couleurs ont une signification bien précise et nous allons voir comment elle interprète ce qu'elle voit. Son tableau de correspondance des couleurs est reproduit dans la figure 23-1. Mais souvenez-vous que pour utiliser ce tableau et interpréter ce que vous voyez, vous devez regarder au même niveau que celui de Pat[2].

2. Ce « détail » est essentiel. Certains lecteurs, intéressés par les utilisations thérapeutiques de la couleur et des sons, ne manqueront pas de remarquer que les interprétations de mon amie Pat Rodegast sont sur certains points différentes de celles que l'on trouve dans les études spécialisées. Il s'agit tout simplement de la notion de plans. La visualisation de Pat n'est valable que pour la couche subtile dans laquelle l'introduit Emmanuel. Dans d'autres couches, les interprétations peuvent être totalement différentes. Il faut toujours garder en mémoire cette structure stratifiée du champ aurique. Les thérapeutes qui parlent en gros des « couleurs d'aura » sans pénétrer ses multiples niveaux se trompent, et induisent leurs lecteurs en erreur.

Pour déchiffrer et interpréter les couleurs sur le plan de l'âme, éclaircissez-vous l'esprit par une méditation profonde. Puis demandez que vous soient données les couleurs de ce plan. La pratique aidant, ces couleurs apparaîtront intuitivement sur l'écran de votre esprit. Vous pouvez également voir des formes ou des figures s'y mêler, que vous pourrez éventuellement décrire à vos patients pour les aider à comprendre la signification de ces teintes. Si vous voyez rouge, il s'agit de passion, de sentiments violents. Le rouge clair correspond à de la colère libérée ou exprimée, le rouge sombre à de la colère refoulée. Le rouge orangé implique la passion sexuelle, l'orange l'ambition. Le jaune s'associe à l'intellect. Quand le vert prédomine dans l'aura d'une personne, c'est qu'elle a beaucoup de magnétisme et d'énergie nourricière. Le bleu est la couleur de l'enseignant et de la sensitivité. Le violet apparaissant sur le plan de l'âme indique une personne profondément connectée au spirituel, alors que l'indigo signale qu'elle commence à s'orienter dans cette direction. La couleur lavande émane de l'esprit, le blanc de la vérité. L'or est la connexion avec Dieu, l'altruisme au service de l'espèce humaine et de l'amour de Dieu. L'argent au niveau de l'âme montre qu'une personne est connectée à la communication ou qu'elle est douée dans ce domaine. Un noir velouté ressemble à un trou noir dans l'espace, à une porte d'accès à une autre réalité. Le marron équivaut à une déviation de la tâche, le noir à l'absence de lumière, à l'oubli profond menant au cancer. Il apparaît sur le plan de l'âme comme une ambition contrariée.

La couleur dans une séance de magnétisation

Dans une séance de magnétisation, toutes les couleurs de l'arc-en-ciel sont mises à contribution et chacune d'elles produit son propre effet dans le champ. Chacune, bien entendu, peut servir à charger le chakra qui la métabolise. On utilise le rouge pour charger le champ, brûler le cancer et réchauffer les zones froides. L'orange charge le champ, augmente la puissance sexuelle et l'immunité. Le jaune s'emploie pour éclaircir une tête embrumée et améliore le fonctionnement de l'esprit linéaire. Le vert contribue à l'équilibre général et guérit des maladies de toutes sortes. Le bleu rafraîchit, apaise et sert également à restructurer le champ éthérique et à poser un écran. Le violet aide le patient à se connecter à l'esprit, l'indigo ouvre le troisième œil, favorise la visualisation et éclaircit la tête. Le blanc charge le champ, apporte la paix et le bien-être et emporte la douleur. L'or s'emploie pour restructurer la septième couche, fortifier et charger le champ. Le noir velouté met en état de grâce, de silence et de paix avec Dieu. Il excelle dans la restructuration des os désagrégés par le cancer ou divers traumatismes. Le bleu-violet élimine la douleur du travail en profondeur dans les tissus et les cellules osseuses. Il contribue aussi à l'expansion du champ du patient pour le connecter à sa tâche.

Figure 23-2

COULEURS SERVANT EN MAGNÉTISATION

Couleur	sert à
Rouge	Charge du champ, consummation du cancer, réchauffement des zones froides
Orange	Charge du champ, accroissement de la puissance sexuelle, renforcement de l'immunité
Jaune	Charge du deuxième chakra, éclaircissement d'une tête embrumée
Vert	Charge du quatrième chakra, équilibrage, magnétisation et charge générale du champ
Bleu	Rafraîchir, calmer, restructurer le niveau éthérique, pose d'un écran
Violet	Connexion à l'esprit
Indigo	Ouverture du troisième œil, éclaircissement de la tête
Lavande	Purification du champ
Blanc	Charge du champ, apport de paix et de bien-être, soulagement de la douleur
Or	Restructuration de la septième couche, renforcement et charge du champ
Argent	Forte purification du champ (l'argent opalescent sert à charger le sixième niveau)
Noir velours	Positionnement du patient en état de grâce, de silence et de paix avec Dieu
Bleu violet	Anesthésie de la douleur pour un travail en profondeur sur les tissus ou cellules osseuses. Expansion du champ, connexion à la tâche.

En règle générale, je ne contrôle pas la couleur que je canalise en magnétisant, mais je suis capable de la retenir lorsqu'elle me traverse. Ce sont les guides célestes qui me disent où et quand je dois envoyer une couleur particulière à dessein. Le tableau 23-2 donne les couleurs le plus souvent employées au cours d'une séance et ce que je vois lorsqu'elles sont télécommandées par les guides. La charge d'un chakra s'opère en déversant sa couleur dans le champ quel que soit le niveau sur lequel on travaille. En général, la couleur jaune sert très peu en cours de magnétisation. Notre société, suffisamment mentale, analytique et intellectuelle, y pourvoit largement...

Pour les couleurs lavande et argent, la technique de mes guides diffère un peu de celles que j'ai mentionnées dans ce livre. Lorsque j'ai observé des micro-organismes devant être retirés du champ, les guides ont d'abord appliqué la couleur lavande, puis argent pour les anéantir, et commencé par les noyer dans la couleur lavande. Les micro-organismes se mirent à vibrer à une fréquence si élevée qu'elle sembla les désintégrer. Quelques rescapés de la lumière lavande ayant échappé au massacre, les guides augmentèrent l'intensité et la fréquence et passèrent à l'argent. La puissance de ce courant parut déconnecter ces micro-organismes de leur espace. Les guides inversèrent ensuite le courant du flux d'énergie et pompèrent la lumière lavande et argent tranportant avec elle les micro-organismes à l'extérieur du champ comme s'ils étaient équipés d'un aspirateur de lumière. Dans un autre cas, j'ai pu purifier le sang d'une patiente leucémique. Le lendemain, ses analyses montrèrent pour la première fois que son sang était redevenu parfaitement normal. Ce fut aussi la seule fois où les résultats cliniques de cette procédure purent être vérifiés.

J'ai expérimenté un jour les effets de la lumière bleu-violet avec un collègue. Nous avions conclu un marché. Daniel Blacke, du Structural Bodywork Institute de Santa Barbara, Californie, se livra, en échange de mes cours évidemment « éclairés », à un travail en profondeur sur mon corps (outre sa formation de bioénergéticien, Daniel est l'un des meilleurs « rolfers » que je connaisse). Lorsqu'il parvint à émettre au bout de ses doigts une forte flamme bleu-violet, il put pénétrer très profondément dans mon muscle sans me faire souffrir. À la moindre distraction ou « chute » de couleur, j'aurais eu très mal. La canalisation de la couleur, bien contrôlée, renforça l'efficacité de son travail, lui permit d'aller beaucoup plus en profondeur, modifia davantage le muscle et son alignement structural. À un moment, il arriva jusqu'à l'os, mêla de la lumière nacrée opalescente à la flamme bleu-violet et redressa une légère déviation de mon fémur. En l'observant avec mon HSP tandis qu'il opérait, je vis les cellules de mon fémur se réaligner d'elles-mêmes l'une sur l'autre. La sensation physique fut extrêmement agréable. Heyoan me fit remarquer que cette déformation de l'os était liée à l'effet piézo-électrique interne de l'os responsable de sa croissance. L'effet piézo-électrique sur les os est le suivant : lorsqu'une pression s'exerce sur les tissus osseux, quand vous marchez par exemple, cette pression déclenche une petite impulsion électrique circulant dans l'os qui grandit plus vite, dans le sens du courant. Si cette pression s'exerce en marchant sur un os mal aligné ou légèrement dévié, la croissance de l'os sera mal alignée ou déviée. La cause initiale de ce mauvais alignement de mon corps remonte à un lointain accident de voiture. Le traitement de Daniel redressa définitivement cette légère déviation de mon fémur.

À une étape de ma carrière de magnétiseuse, les guides me conseillèrent de me servir de la lumière noire, ce qui me désorienta un peu car les couleurs sombres dans l'aura sont généralement associées à la maladie. Ce noir, toutefois, ne ressemble pas à celui du cancer mais à un velours noir et soyeux. Il s'apparente à la vie potentielle contenue dans la matrice, au noir mystère de la féminité intime, inconnue, existant en chacun de nous, foisonnant de vie indifférenciée. Se tenir dans ce vide noir et velouté est une autre manière de ne faire qu'un avec le créateur, en l'absence ici de toute forme, en silence et en paix. C'est être complètement là, en totalité, sans jugement, en état de grâce et amener votre patient à se tenir avec vous dans cet état. Il implique l'acceptation totale de tout ce qui existe à ce moment. Heyoan, d'autres guides et moi, nous nous tenons souvent là, parfois pendant une heure, avec des patients atteints du cancer ou d'autres maladies très graves. Le patient entre alors en état d'union avec le Divin.

Le rôle de la couleur complémentaire

À quoi sert-elle ? Et d'abord qu'entend-on par « couleur complémentaire » ?

Chaque radiation lumineuse du spectre est une couleur simple, indécomposable : (ultraviolets), violet, indigo, bleu, vert, jaune, orangé, rouge, (infrarouges).

Toutes les couleurs composées sont des mélanges : elles sont décomposables par le prisme en couleurs simples.

Toute couleur simple est complémentaire d'une autre couleur simple.

Les couleurs complémentaires sont celles dont le mélange produit du blanc : la lumière divine par excellence.

Or, deux couleurs voisines s'influencent mutuellement et ne produisent pas le même effet que lorsqu'elles sont éloignées l'une de l'autre. Si l'on juxtapose deux bandes de papier de même couleur, mais l'une plus foncée que l'autre, la bande la plus claire située dans le voisinage immédiat de la bande plus foncée paraîtra plus claire qu'elle n'est réellement, tandis que la partie analogue de la bande foncée paraîtra plus foncée encore. On a pu en déduire les lois suivantes :

a) Quand deux couleurs sont juxtaposées, la nuance de chacune d'elles *est modifiée par le mélange avec la couleur complémentaire de l'autre.*

b) Si les couleurs juxtaposées sont complémentaires, *chacune d'elles paraît plus vive et plus pure.*

c) Si l'on juxtapose une couleur à du blanc ou à du noir, *elle paraît entourée d'une auréole de sa couleur complémentaire et semble beaucoup plus intense.*

On comprend dès lors l'intérêt que présente la couleur complémentaire au cours d'une séance de magnétisation sur l'aura. Elle sert de catalyseur, d'amplificateur. Elle ne modifie en aucune façon la structure de base du patient. Mais, en intensifiant le rayonnement du champ, elle aide à le revitaliser et éventuellement à le restructurer. Son emploi peut être extrêmement précieux lorsqu'on soigne quelqu'un de très affaibli (qu'on ne peut pas brusquer en le bombardant de but en blanc d'énergies de haut niveau), ou avec une personne qui aborde la thérapie avec beaucoup d'appréhension et de méfiance. En m'installant dans les fréquences de ses couleurs complémentaires, je ne lui apporte rien qu'elle ne possède déjà. Donc je ne bouscule pas ses défenses. En revanche, je nettoie son champ en douceur puisque j'intensifie son rayonnement, je ravive ses couleurs, j'accélère un peu ses vibrations. Petit à petit, m'alignant sur ses réactions et sur ses rythmes intérieurs, je la conduis à accepter éventuellement un travail plus intensif.

Il est facile de grouper les couleurs simples complémentaires deux à deux. Les couples du spectre sont : violet/jaune verdâtre ; indigo/jaune franc ; pourpre/vert ; bleu/orange ; bleu verdâtre/ rouge. Les couleurs composées ne posent pas davantage de problème puisque, comme nous venons de le voir, elles sont toutes décomposables en couleurs simples.

Le son dans la magnétisation

La couleur dans l'aura est liée aux sons. En faisant résonner dans le champ certains accords, on observe des couleurs spécifiques, et l'on se rend compte que les sons sont un puissant agent de guérison.

La sclérose en plaques est considérée par les magnétiseurs comme une des maladies les plus difficiles à traiter, car le champ du patient oppose une effrayante résistance à toute modification. Au cours d'une des semaines de formation intensive organisées pour mes étudiants, une participante, Liz, souffrait d'une sclérose en plaques. Durant ce séminaire, mes étudiants et moi avons travaillé sur son cas. Plusieurs d'entre eux purent percevoir la large cicatrice de son champ dans la zone du sacrum. Le premier groupe, affecté à la chélation, passa par bien des émotions. Mes élèves soignèrent Liz, la réconfortèrent, pleurèrent énormément avec elle. À l'issue de la deuxième heure de traitement, je constatai, de même qu'une étudiante plus extraperceptive que ses camarades, que la cicatrice n'avait pas été touchée pour autant. Au fil de la semaine, chaque étudiant se mit en quatre, employant les techniques qui lui convenaient le mieux. Certains choisirent les cristaux, d'autres se concentrèrent sur l'amour, sur la chirurgie spirituelle ou les sons. À la fin de la semaine, nous avons à nouveau travaillé sur Liz et chacun fit de son mieux à sa manière. Quelques-uns optèrent pour le son. Deux d'entre eux travaillèrent avec des cristaux. La plupart se concentrèrent sur l'amour ou firent circuler l'énergie. En travaillant en synchronie, en tant que groupe, nous constatâmes que ceux qui opéraient avec les cristaux parvenaient à soulever la cicatrice hors du champ, lorsque nous lancions le son qui libérait la cicatrice. Les cristaux servirent de scalpels pour la couper, lorsqu'elle fut dégagée peu à peu. Nous guidâmes les praticiens du son qui modifièrent légèrement sa tonalité afin de libérer une autre partie de la cicatrice. Chaque nouveau son la libérait davantage et nous procédâmes ainsi jusqu'à ce qu'elle fut entièrement évacuée. Après la séance, Liz constata qu'une douleur à la jambe dont elle souffrait depuis une quinzaine d'années avait disparu. Sa marche s'améliora beaucoup et continue à progresser à la date où j'écris ce livre, quatre ans plus tard. Ce récit n'est qu'une petite partie de l'histoire de l'auto-guérison de Liz. Elle a fini par regagner l'usage de son corps entier, quasi paralysé auparavant.

Depuis lors, j'utilise régulièrement les sons. Je les applique directement aux chakras pour les charger et les fortifier. J'approche ma bouche à environ deux centimètres et demi du corps, au-dessus des chakras. Chacun réagit à un son différent qui varie légèrement aussi d'une personne à l'autre.

Pour trouver le son convenant à chacun, je module un peu le registre afin de m'accorder à sa résonance qui peut être entendue ou sentie par le patient. Comme je peux voir également le champ, je contrôle la réponse du chakra au son. Lorsque j'atteins la bonne tonalité, le chakra se détend, se met à tourner rapidement, avec stabilité. Sa couleur se renforce et devient brillante. En tenant le son un moment, le chakra se charge et se fortifie suffisamment pour retenir son nouveau niveau d'énergie. Je passe alors au suivant, en commençant par le premier, jusqu'au septième.

Le son produit un effet puissant, très fortement ressenti par le patient. Il accroît sa faculté de visualisation. Lorsqu'un de ses chakras est très déchargé, le malade se montre incapable d'en visualiser mentalement la couleur. Mais après quelques minutes d'application du son sur la région concernée, il y parvient aisément.

Lorsqu'il m'arrive de faire une démonstration dans un groupe, chaque participant peut dire à quel moment les sons que j'émets s'accordent à la musique intérieure d'un chakra.

Le principe de cet accord harmonique s'applique aussi aux organes et aux os. Je procède de la même façon. J'approche ma bouche à deux centimètres de la surface du corps, dans la zone de l'organe que j'observe à l'aide de mon HSP, jusqu'à ce que j'obtienne le son approprié produisant sur cet organe l'effet maximum. Il peut se traduire par un afflux d'énergie, un nettoyage ou une vitalisation. J'attends simplement qu'il réponde. Après quelques mois de soins réguliers, j'ai pu guérir de cette façon de douloureux diverticules intestinaux, épargnant à ce malade une délicate intervention chirurgicale sur le côlon conseillée par plusieurs médecins. Sa participation à cette magnétisation se borna à écouter une bande d'enregistrement de son approprié, deux fois par jour.

Cette thérapie par les sons donne aussi d'excellents résultats dans le traitement des lésions discales, elle favorise la croissance des tissus, nettoie les circuits énergétiques, ébranle les zones d'énergie stagnante, accorde le système nerveux et les organes afin que leur impédance s'harmonise et qu'ils fonctionnent au mieux. Je me suis rendu compte que les muscles, les organes, la peau, les os et les fluides requièrent tous une tonalité et une modulation différente, stimulant leur tonus et leur bon fonctionnement. De plus, vous pouvez émettre différents types de sons.

Dans la tradition védique hindoue, chaque lettre de l'alphabet sanskrit émet un son. Et quelques-unes de ces résonances correspondent à un chakra bien précis. Autrement dit, un phonème a son répondant dans un chakra. Je ne peux guère m'étendre sur ce point que je ne connais que par ouï-dire. Ma connaissance des traditions brahmaniques étant pour l'instant extrêmement limitée, je n'ai jamais utilisé à des fins thérapeutiques l'alphabet sanskrit et ses correspondances sonores. Mais plusieurs swamis orientaux, rencontrés dans nos congrès ou au hasard de séminaires, nous ont affirmé que ces phénomènes issus de l'ancien alphabet védique agissent comme de puissants leviers psychiques durant une séance de magnétisation. Ce que je crois très volontiers.

Plusieurs groupes musicaux « psychédéliques » – celui de Robbie Gass, entre autres – travaillent à la mise au point de rythmes spéciaux résonnant sur certaines fréquences soigneusement étudiées et conçus pour favoriser l'ouverture des chakras. J'ai assisté à quelques-uns de ces récitals, dont l'un, impressionnant, sur une plage du nord de la Californie, vingt baffles de 1 000 watts faisant face au ressac de l'océan Pacifique. Nous ne savions plus où nous étions, sur terre, dans les airs ou dans l'eau. J'ai vu Robbie Gass diriger son orchestre en faisant des bonds de trois mètres par-dessus la tête des musiciens et chanter sans interruption, deux heures d'affilée, des cantiques et des mélodies spécialement étudiés, dans les fréquences adéquates, pour ouvrir progressivement les chakras en commençant par le premier. À la fin du concert, presque tous les chakras d'un grand nombre de spectateurs étaient ouverts et chargés à bloc. Tout le monde vécut un moment extraordinaire. La musique est bonne guérisseuse, cela ne fait aucun doute. S'il y a un domaine dans lequel j'ai la ferme intention de me perfectionner au cours des prochaines années, c'est bien celui des couleurs et des sons.

Révision du chapitre 23

1. Donnez des exemples de situations dans lesquelles le magnétiseur doit contrôler consciencieusement la couleur de la lumière qu'il canalise. Expliquez pourquoi.
2. Pourquoi est-il si difficile de canaliser une couleur choisie délibérément ?
3. Que signifie l'expression « broyer du jaune » ?
4. Quel est l'effet produit dans une magnétisation par la

couleur rouge, rouge orangé, or, verte, rose, bleue, violette, lavande et nacrée opalescente ?

5. Où se situent les ultraviolets dans le spectre ?

6. Où se situent les infrarouges ?

7. Qu'est-ce qu'une couleur complémentaire ? Dans quels cas le guérisseur est-il amené à s'en servir ?

8. Lorsqu'on additionne toutes les couleurs complémentaires, quelle teinte obtient-on ? Quelle est sa correspondance symbolique ?

9. Quelle est l'utilité d'introduire dans le champ du malade (par l'entremise des guides célestes) les couleurs lavande très pâle et blanc nacré ? En quoi sont-elles différentes l'une de l'autre ?

10. Si le guérisseur avait le pouvoir (qu'il n'a pas) d'irradier son patient de lumière blanche éblouissante, est-ce que ce traitement de choc serait bénéfique au malade ?

11. Comment se sert-on de la lumière noire ?

12. Quel effet produit la lumière bleu-violet dans le massage en profondeur d'un organe ?

13. Comment modulez-vous (ou créez-vous) une couleur à canaliser ? Citez plusieurs procédés.

14. Existe-t-il un rapport entre la couleur et le son dans le magnétisme ? En quoi consiste-t-il ?

15. En vertu de quelle loi physique le son exerce-t-il une action sur le champ aurique ?

16. Comment peut-on appliquer le son à chacun des chakras ? Quel effet produit-il ?

17. Comment utilise-t-on le son pour soigner un organe et quel effet produit-il ?

18. Comment trouvez-vous la juste tonalité pour magnétiser ? Citez deux manières de savoir si cette note est la bonne ?

19. Pouvez-vous canaliser passivement un son donné par vos guides ? En quoi cette façon de procéder diffère-t-elle de la résonance active dont il est question ci-dessus ?

Chapitre 24

Les traumas transcendant le temps

De nombreuses personnes, parvenues à une étape de leur parcours spirituel, se mettent à vivre des expériences transtemporelles provenant de ce que l'on appelle leurs « vies antérieures ». Certains, en méditant, se souviennent avoir été quelqu'un d'autre, à une autre époque. D'autres, à l'occasion d'un travail thérapeutique en profondeur visant à réactualiser des traumas de leur existence présente, se retrouvent soudain en train de revivre un drame vécu dans une autre vie...

En raison de notre perception limitée du temps et de l'espace, l'expérience transtemporelle ne peut, au stade actuel de nos connaissances, se définir que de façon très fragmentaire. L'expression « vie antérieure » n'est elle-même qu'une définition tout à fait incomplète de ce type d'expérience. Comme nous l'avons vu au chapitre 4, les physiciens rejoignent les mystiques en affirmant que le temps n'est pas linéaire et que l'espace n'est pas uniquement tridimensionnel. De nombreux savants et écrivains ont parlé de réalités pluridimensionnelles et pluritemporelles coexistantes, Einstein d'un continuum espace-temps dans lesquels tous les événements passés et futurs existent ici et maintenant, imbriqués en quelque sorte les uns dans les autres dans une réalité comportant de multiples dimensions. Pour Itzahk Bentov[1], le temps linéaire n'est autre que le produit d'une réalité matérielle à trois dimensions (dans laquelle je tente de glisser subrepticement ce livre, c'est bien là toute la difficulté...)

---

1. *Stalking the Wild Pendulum*, op. cit.

Expérimentation du temps non linéaire

Dans son excellent livre, Bentov propose un exercice pour illustrer son point de vue. Asseyez-vous et méditez paisiblement, en plaçant une montre ou un réveil devant vous pour pouvoir observer facilement d'un simple coup d'œil le parcours de l'aiguille indiquant les minutes. Fermez les yeux. Lorsque votre méditation aura suffisamment élevé votre état de conscience, entrouvrez les yeux et regardez l'aiguille des minutes. Que se passe-t-il ? Beaucoup voient cette aiguille stoppée ou sa course incroyablement ralentie. Bien entendu, dès que vous le constaterez, votre réaction émotionnelle vous fera retomber dans la réalité confortable du temps linéaire et l'aiguille bondira en avant pour retrouver le rythme normal de sa progression. Mais alors, que s'est-il donc passé ? Selon Bentov, ce temps est expérimenté de manière subjective et non linéaire. C'est bel et bien nous qui créons de toutes pièces la structure d'un temps supposé linéaire, à notre convenance.

Edgar Cayce et Jane Roberts [2] parlent tous deux d'une réalité multidimensionnelle où notre passé et notre avenir existent au présent, chacun dans sa dimension propre et où chaque personnalité, dans sa dimension, est l'expression partielle d'une âme ou d'un être encore plus vaste. Selon Roberts, nous pouvons pénétrer dans ces autres dimensions, ou ces autres « vies », pour y puiser la connaissance et la compréhension nous permettant de nous transformer intérieurement. Ces nouvelles dimensions, intégrées à nos vies présentes, transformeraient du même coup nos autres vies et leurs dimensions. Autrement dit, la manière dont nous vivons maintenant, dans ce que nous appelons cette vie, affecte nos vies aussi bien passées que futures...

Toutes ces notions, assez difficiles à comprendre, je l'admets, servent en tout cas à mettre l'accent sur nos limitations et nous incitent au moins à nous interroger sur la nature de la réalité.

Dans le domaine thérapeutique qui est le nôtre, j'ai constaté qu'un travail sur les vies antérieures est très efficace lorsqu'il vise à déclencher un processus de transformation par le dedans. Il ne s'agit en aucune façon d'un jeu, pas plus que d'un moyen astucieux de flatter l'ego : nous préférerions évidemment avoir été une reine, un grand capitaine, un savant illustre, un docteur

---

2. Deux voyants et parapsychologues très connus aux États-Unis. Sur Cayce, on lira : Jess Stearn, *Edgar Cayce, le prophète*, Paris, Sand, 1985. Jane Roberts canalise un guide spirituel nommé Seth qui lui donne des cours d'occultisme et de théosophie. Ses livres, où elle consigne l'enseignement de Seth, connaissent un grand succès dans le monde anglo-saxon, mais ils ne sont pas traduits en français pour l'instant.

de l'École d'Alexandrie, un sage dans l'ancienne Chine, plutôt qu'un serf, un mendiant, un tire-laine dans les bas-fonds nauséabonds de quelque cité médiévale ou une prostituée déportée aux « colonies du Roi ». Mais là n'est pas la question. Nous entrons ici, précisément, dans un domaine où nos jugements de valeur humains cessent d'avoir cours. Que vous estimiez avoir été quelqu'un de « bien » ou quelqu'un de « mauvais » n'a strictement aucune importance. Ces termes mêmes, limitatifs et émanant de l'ego, perdent leur sens. La réactualisation en cours de thérapie des vies passées n'a pour but que de libérer la personnalité des problèmes – essentiellement des peurs et des hontes – qui l'empêchent, dans cette existence, d'atteindre son plein potentiel et d'accomplir le travail approprié à sa structure : ce que j'appelle « la tâche de notre vie ».

Lorsque la mémoire de ces vies antérieures est exhumée de façon naturelle et sans contrainte, on s'aperçoit que les problèmes auxquels se heurte la personnalité dans notre vie-ci sont toujours liés à ceux qui n'ont pas été résolus au cours des existences passées. Le magnétiseur ou le thérapeute, dont le travail consiste à rétablir la connexion entre toutes ces vies, doit tenir compte de l'importance de ce facteur. Le souvenir des vies passées peut ensuite s'appliquer aux situations de la vie présente et remédier à leurs difficultés.

Certains thérapeutes voient spontanément une vie antérieure dès qu'ils prennent contact manuellement avec les différents champs de la personne qu'ils soignent, notamment dans les thérapies maternantes où le praticien se comporte avec son patient comme une mère avec son enfant. Cette précieuse information peut être ensuite reprise à mesure que le traitement progresse. D'une part, elle guide le magnétiseur sur les méthodes qu'il convient d'utiliser. D'autre part, elle agit en profondeur sur le psychisme du malade, accélérant le processus des découvertes et de la libération des refoulements.

Voyance et traitement d'un trauma survenu dans une vie antérieure

Je soigne un trauma provenant d'une autre vie de trois façons, en fonction des plans de l'aura que je magnétise. Tous, du niveau kéthérique au premier, sont affectés par un traumatisme provenant d'une vie antérieure. Aux quatre premiers niveaux auriques, le trauma ressemble à un bouchon d'énergie banal. Au niveau éthérique et kéthérique, un défaut de structure apparaît. En outre, la vie passée affecte, dans le gabarit kéthérique, la forme d'un anneau ou d'un bandeau entourant la coquille ovoïde du champ.

Quand un patient me parle, j'ai fréquemment des flashes, mais je visualise simplement une scène généralement, brève, de sa vie passée relative à son cas présent et ayant un rapport direct avec sa maladie. Je parviens mieux à voir une vie antérieure en posant mes mains sur un tampon énergétique dans le champ. Pour lire la signification d'un bandeau enroulé autour de la « coquille d'œuf » kéthérique, j'impose mes mains dessus et des images du passé m'apparaissent. Je vais maintenant décrire de façon plus détaillée ces trois méthodes de magnétisation.

Magnétisation des blocs originaires de vies antérieures dans les quatre niveaux inférieurs de l'aura

Petey Peterson, du Healing Light Center de Glendale, en Californie, m'a enseigné une méthode très efficace pour éliminer un trauma subi dans une vie antérieure et aliénant la liberté d'une personne dans sa vie présente.

Ce type de travail s'attaque en premier lieu aux blocages de la vie présente. Le magnétiseur envoie de l'énergie dans un bouchon, ce qui le met généralement en mouvement et commence à nettoyer le champ, car les blocages de la vie présente se situent toujours dans les premières couches. Le champ ainsi éclairci, les tampons et les contractures originaires des vies antérieures apparaissent, peut-être flous et imprécis au début. Je continue à concentrer de l'énergie et, dès qu'ils sont cernés, je les chélationne par le bleu indigo. Je ne les traite pas directement aux ultraviolets, car les réactions peuvent être extrêmement violentes et inattendues : j'ai vu des malades sur ma table se comporter comme un chat traversé par du courant de 220 volts...

Le guérisseur doit en effet avoir sufisamment d'expérience pour affronter des sentiments très violents de rage, de souffrance ou de terreur. Il doit être préparé à passer par toute la gamme des émotions vécues par son patient sans cesser pour autant de canaliser de l'énergie. Il doit demeurer concentré à tout prix, même s'il est profondément secoué par les réactions qu'il provoque. En se centrant par des respirations amples et profondes, il doit continuer fermement à convoyer l'énergie qui va servir de fondation et aider son patient à vivre cette expérience jusqu'au bout afin d'éliminer les nœuds douloureux.

Pour y parvenir, la magnétisation commence par la procédure

classique d'alignement (voir le chapitre 22) et d'équilibrage des trois registres d'énergie : celui du patient, du magnétiseur et des guides célestes. Puis, durant la chélation, le thérapeute se familiarise avec la cuirasse caractérielle sur laquelle il s'active. Son intuition, c'est-à-dire les directives des guides, l'oriente vers les tampons sur lesquels il doit se concentrer. Il procède alors à l'imposition des mains sur la partie du corps la plus dévitalisée et canalise l'énergie dans cette zone. Je place en général ma main gauche derrière le corps du patient, et la droite par devant.

Après avoir fait circuler une bonne quantité d'énergie bleu indigo, je demande à mon patient de laisser sa mémoire s'ouvrir, et de remonter dans le temps jusqu'à l'apparition des anciens traumatismes dans les couches subtiles du champ. En aucun cas je ne cesse de canaliser l'énergie dans la région blessée pendant cette remontée dans le temps. Des images liées à l'événement refoulé commencent à me venir sous forme de flashes. Le patient, soit les voit lui aussi, soit entre dans un état émotionnel associé à l'expérience (parfois les deux). Il peut alors expérimenter totalement et en profondeur ce lointain trauma comme s'il était en train de le vivre, ou assister à son déroulement en tant qu'observateur. Le magnétiseur peut dire au patient ce qu'il voit ou choisir de se taire, selon les circonstances. Il ne convient pas toujours d'en faire part, surtout si le patient ne voit aucune image. Le praticien doit toujours respecter les systèmes de défense du malade, qui déterminent la quantité d'information tolérable pour lui en fonction de la nature du trauma. Toutefois, s'il revit concrètement cette expérience, il est toujours conseillé au magnétiseur de contrôler l'information en faisant appel à ses facultés de visualisation extra-sensorielle. Il existe des délires. Si nous nous laissons entraîner dedans, nous pouvons certes jouer à deux une formidable pièce de théâtre, simplement il ne faut pas parler de thérapie.

La chronologie joue un rôle important dans la découverte de ces éléments. Quand une information relative à une vie antérieure est mise au jour au moment propice, elle aide une personne à mieux se comprendre, lui apprend à s'aimer davantage. Mais si elle lui parvient mal à propos, elle peut renforcer sa négativité à son propre égard comme à celui d'autrui. Si, par exemple, elle a tué quelqu'un dans un autre vie et qu'elle l'apprend soudain, il se peut qu'elle soit incapable de supporter le poids de cette culpabilité. En outre, si elle connaît la victime dans cette vie-ci, la situation peut s'aggraver et devenir inextricable. Dans le cas inverse, si le patient a été dans une vie passée la victime d'une personne qu'elle connaît dans sa vie présente, son hostilité à l'égard de cette personne peut prendre des proportions dramatiques. J'ai eu un cas de ce genre en traitement, et je vous garantis qu'il m'a enseigné la prudence...

Après l'expérimentation du trauma au degré approprié, je demande au patient s'il est disposé à y renoncer et à le laisser s'en aller. Dans l'affirmative, je le fais disparaître de l'aura en l'écopant, soit à main nue, soit à l'aide d'un cristal. Le processus d'actualisation du trauma l'ayant décollé du champ, il est maintenant facile de l'en retirer. En coopération étroite avec celui ou celle qui est étendu sur ma table, nous remplissons alors ensemble la zone laissée vacante par l'évacuation du trauma d'amour inconditionnel, dont la belle lumière rose passe par le cœur, comme il est expliqué au chapitre 23. Puis nous remercions silencieusement nos guides célestes et nous rompons le contact avec d'infinies précautions.

Le patient peut refuser la liquidation d'un trauma, ce qui veut dire qu'il l'a insuffisamment expérimenté ou que le travail de magnétisation doit être poursuivi en l'intensifiant. Il convient alors de continuer à canaliser de l'énergie colorée (on peut essayer ici les ultraviolets) et d'aider le patient à revivre son trauma plus intensément. Pour ce faire, le magnétiseur augmente le rayonnement et la fréquence de l'énergie déversée dans le tampon jusqu'à ce que cette zone s'éclaircisse, que le patient soit prêt à le laisser partir et à le remplacer par des flots de lumière rose d'amour inconditionnel.

Si la zone traumatisée ne s'éclaircit pas, c'est généralement parce qu'un autre trauma se cache sous le premier. J'en ai vu jusqu'à cinq, originaires d'existences différentes, apparaître en couches successives dans la même région du corps d'un patient, après qu'il eut évacué les couches traumatisées de ce temps de vie. Autrement dit, les traumas s'empilaient dans son champ, une couche recouvrant l'autre, probablement par ordre chronologique. Quand vous éliminez un trauma d'une couche, le suivant est aussitôt mis à nu pour être traité puis évacué.

Il peut arriver, lorsqu'un homme ou une femme revit une existence passée particulièrement éprouvante (guerres, morts violentes, pillages, voire mutilations et tortures), que son champ se bouleverse tout à coup sous l'effet d'un phénomène spectaculaire que la Révérende Rosalyn Bruyere appelle « une poussée de fièvre aurique ». Ce terme imagé traduit fort bien ce qui se passe, aussi bien dans les moules subtils que dans les couches proches du corps physique. L'ensemble du champ se dilate, enfle, absolument comme un ballon qu'on gonfle. Les proportions sont généralement respectées. À quelques « creux et bosses » près (autour des traumatismes), chaque couche occupe toujours sa place respective. Simplement elle a doublé de volume. Le champ est devenu énorme. Alors que, sur la table de soins, le corps physique n'a pas bougé, son rayonnement énergétique se dilate en quelques secondes dans des proportions ahurissantes. Ce phénomène ne semble pas affecter les vibrations des couches supérieures qui, dans l'ensemble, se contentent de grandir sans changer de fréquence. Les couches inférieures, en revanche, sont complètement « sans dessus dessous ». Chez certaines personnes, elles vibrent trop et de façon saccadée. Chez d'autres, les pulsations dangereusement lentes et faibles font penser à un cœur sur le point de s'arrêter. Quant au spectre, il passe réellement par toutes les couleurs, c'est le cas de le dire ! La poussée de fièvre dure quarante-huit heures environ, et va en s'atténuant, bien sûr. Pendant ce temps, le patient reste très vulnérable et impressionnable. Une grande quantité de souvenirs inconscients continuent à affluer. Des peurs émergent dans sa conscience. Il est indispensable que son environnement soit paisible, sécurisant et nourricier afin que la guérison puisse s'opérer d'elle-même. Au cours de cette période, toute expérience déplaisante provenant de l'entourage l'affecterait très profondément et doit être soigneusement évitée. Il faut absolument attendre dans le calme que le champ rétablisse de lui-même ses rythmes et ses flux. Le magnétiseur doit absolument expliquer ce qui se passe au patient, souligner l'importance de cette période de convalescence, l'exhorter à prendre grand soin de lui-même au cours de cette phase dont la force, même si elle est éprouvante doit être acceptée. Vous lui ferez comprendre qu'elle est comparable à celle que traverse une personne en état de choc.

Lorsqu'un patient remonte le fil du temps pour se libérer d'un trauma après l'autre, il commence, chez moi tout au moins, par sa vie présente, puis s'attaque aux précédentes. Les zones sombres s'éclaircissent alors progressivement. Chaque couche, alimentée de lumière rose avant de passer à la suivante, se remplit d'amour inconditionnel. On peut donc constater que toute technique permettant l'évacuation des tampons d'énergie croupissante et des nœuds de tension conduit à l'épuration des vies antérieures. Il convient cependant que ce travail soit accompli à l'étape adéquate du parcours d'un individu. On n'y accède qu'en procédant auparavant à la liquidation au moins partielle des blocages de son existence présente. Ces lignes ne manqueront pas de soulever des objections. « Comment ? », vont protester plusieurs lecteurs, les inhibitions, les peurs, les

tensions, les obsessions, toute la gamme de symptômes pathologiques qui entravent le fonctionnement sain et naturel d'un être
sont le reflet karmique d'expériences traumatisantes vécues dans
d'autres vies ! Les fondations du présent plongent dans le passé.
Comment allez-vous bâtir un présent solide, épanoui, heureux,
si les fondations sont précaires, branlantes, mal ancrées et mal
assurées ? Ce raisonnement, valable par bien des aspects, est
celui d'un psychanalyste : toute situation vécue aujourd'hui est la
répétition automatique et inconsciente d'une situation similaire
vécue autrefois. C'est sans doute vrai pour les comportements.
Ça ne l'est plus dans le champ énergétique. Pourquoi ? Parce
que, en travaillant sur les couches subtiles et en nous alignant sur
les fréquences vibratoires cosmiques, nous épongeons *matérielle-
ment* les zones obstruées, les bouchons, les contractures et les
nœuds de tension, ce que ne peut faire ni le médecin traditionnel
ni le psychiatre ni l'analyste. En thérapie traditionnelle, oui, il
faut (on est bien obligé !) suivre le temps linéaire et respecter son
ordre chronologique. Absolument pas en séance de magnétisation. Par le canal de mes mains, mes guides spirituels et ceux du
patient peuvent très bien décider d'ôter les blocages actuels
d'une personne en traitement, tout en sachant pertinemment
que cette même personne a été brûlée vive au Moyen Âge par
les tribunaux de l'Inquisition. À quoi correspond ce travail
effectué apparemment à l'envers ? Tout simplement à donner au
patient ce dont il a réellement besoin. Quand vous vous entraî-
nez à un sport, commencez-vous par les épreuves les plus
difficiles ? Si vous décidez de reprendre des études après de
nombreuses années d'interruption, allez-vous vous inscrire de
but en blanc pour soutenir une thèse de troisième cycle ? C'est
exactement la même chose ici. Quelqu'un de déprimé, d'an-
goissé, de mal dans sa peau, inhibé dans ses rapports sociaux,
n'est capable ni moralement ni physiquement de regarder en
face des traumatismes anciens souvent effrayants. Si quelqu'un
au psychisme fragile, replié dans sa solitude par peur des autres,
découvre en cours de thérapie qu'il a été brûlé au bûcher par les
« chasseurs de sorcières » au XIVe siècle , il est bon pour quelques
piqûres « lourdes » et un départ précipité pour l'hôpital psychia-
trique. La même découverte sera beaucoup plus facilement
digérée et intégrée par une personne dont la vie quotidienne est
relativement en ordre, qui a de bonnes racines solides et des
contacts sociaux gratifiants.

Lorsqu'elles se produisent au moment où le sujet est prêt à en
bénéficier, ces évacuations des vies antérieures encombrantes
peuvent libérer des places qui semblaient irrémédiablement

bouchées et comme « mortes », que rien n'avait pu ébranler auparavant, pas même une démarche spirituelle. Ce nettoyage en profondeur entraîne presque toujours des transformations radicales de la façon de penser et des comportements.

Ne croyez pas que j'attaque systématiquement et à plaisir la psychanalyse. Je suis initialement de l'école reichienne, c'est un fait. Mais cela ne me fait pas oublier que Wilhelm Reich a commencé par être un élève de Freud. La théorie des refoulements est à mon avis très juste. Les concepts du ça, du sur-moi et du moi socialisé sont extrêmement intéressants et utiles. Les phénomènes de répétition sont une évidence qu'aucun thérapeute ne saurait nier, quelle que soit sa formation et l'école à laquelle il appartient – écoles dont il faut d'ailleurs savoir se détacher un jour, à mon avis. On constatera en particulier que les automatismes inconscients (répétition) des freudiens correspondent à la loi karmique de la tradition brahmanique : on vient retrouver et retrouver et retrouver inlassablement son même problème jusqu'à ce qu'on l'ait vu, compris et évacué de son système. Les guides spirituels savent ce qui convient au malade. Laissez-les vous diriger et vous ne risquerez pas de vous tromper. En général, comme je viens de le dire, ils choisissent de résoudre en premier lieu les problèmes de la vie actuelle, pour fortifier le sujet et l'amener à supporter, sans basculer dans la panique, les traumatismes refoulés remontant aux vies antérieures. Dans d'autres cas toutefois, ils laissent le sujet mijoter dans ses problèmes actuels, justement pour l'amener à établir le lien entre ces problèmes de maintenant et leur cause passée, illustrant de la sorte les phénomènes de répétition. Je peux citer à cet égard l'exemple d'une de mes patientes à la vie conjugale désastreuse, battue par son mari, traitée comme un chien, qui ne put le quitter qu'après avoir revécu les expériences de *quinze vies antérieures* dans lesquelles elle avait été malmenée, humiliée, bafouée, écrabouillée d'une manière ou d'une autre par les hommes. Il fallait qu'elle prenne conscience de la répétition masochiste de son schéma – son *pattern* – de comportement de dépendance où les hommes avaient tous les droits, tous les pouvoirs... mais aussi toutes les responsabilités !

Elle s'aperçut petit à petit qu'elle se conformait passivement à cette croyance ancestrale et recherchait des situations lui prouvant que les hommes étaient infiniment supérieurs aux « bonnes femmes », qu'ils étaient plus forts qu'elle, plus doués, plus intelligents, plus débrouillards, plus ingénieux, plus... donc qu'ils étaient naturellement et congénitablement faits pour la dominer.

Lorsqu'elle vit comment elle se comportait, et surtout lorsqu'elle découvrit qu'un morceau d'elle-même se complaisait
dans ces tragiques jeux de pouvoir, elle sut qu'elle se trouvait
cette fois le dos au mur. Ou bien elle s'accrochait à son système
pour cette vie et probablement pour quelques autres encore ; ou
elle prenait son courage à deux mains et cassait la baraque. Avec
beaucoup d'admiration, je la vis opter pour cette seconde
solution, sachant que pour rompre son lien de dépendance elle
devrait apprendre à tenir debout toute seule, à affronter sa peur
de la solitude, à lutter dans la vie « comme une grande ». Ce
qu'elle fit.

Elle fut alors en mesure de renoncer à la « sécurité » (chère-
ment payée) de son mariage et capable de reconstruire sa vie.
Depuis sa libération, son existence a changé radicalement en
moins d'un an. Elle est libre, heureuse, en parfaite santé. Elle
voyage et s'est fait des amis. Elle est capable de sourire – et de
fuir à toutes jambes lorsqu'elle s'aperçoit que les hommes qui
l'attirent, et dont elle tomberait facilement amoureuse, sont des
tyrans domestiques installés dans un ego hypertrophié et qu'ils
méprisent foncièrement les femmes sous leur vernis de séducteur.
Elle s'est libérée de sa peur de la solitude, a reconquis son
indépendance et pris en charge la responsabilité de sa vie. Mais
avant d'en arriver là, j'ai beaucoup chélationné, beaucoup
vidangé de mucus putréfié, envoyé beaucoup d'ultraviolets et de
lumière rose, beaucoup travaillé sur les anneaux lovés comme
des serpents autour de la coquille kéthérique...

Magnétisation des traumas des vies antérieures au niveau du gabarit éthérique et kéthérique de l'aura

Pour traiter une malformation de l'aura provenant d'une vie
antérieure, la procédure est identique à celle qui est décrite au
chapitre 22. Toutefois, une mesure importante s'y ajoute.
Lorsque le guérisseur constate qu'il s'agit d'un traumatisme
provenant d'une vie passée, il doit amener petit à petit son
patient à comprendre le rapport entre ce trauma ancien et ses
problèmes de santé actuels car les troubles structuraux de ce type
aboutissent généralement à des problèmes congénitaux dans le
corps physique. Il est très important d'en traiter les racines,
profondément cramponnées dans les différentes couches du
champ. Sans pour autant négliger les symptômes qui se manifestent dans les organes du corps de chair. Il apparaît clairement
que la tâche à accomplir par un être souffrant de ces troubles liés

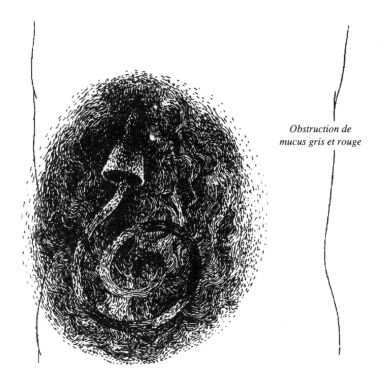

Obstruction de mucus gris et rouge

Fig. 24-3 : lance provenant d'une vie antérieure, révélée à la suite de l'éclaircissement de l'aura

à la naissance consiste essentiellement à régler ce problème, tant au niveau physique que psychodynamique. La thérapie ainsi comprise le conduira tôt ou tard à un travail spirituel car son âme s'est incarnée pour résoudre ce problème en premier lieu. Le guérisseur doit avoir conscience de la portée du travail qu'il accomplit. L'objectif n'est pas uniquement la guérison du corps physique, bien que le patient soit venu le consulter dans ce but au premier chef. Le traitement en réalité vise à guérir l'âme. Au niveau du gabarit, il consiste à rectifier le champ aurique et à le réaligner sur son flux naturel, universel, propre à toute vie.

Dans le cas de John, j'ai repéré dès les premières minutes les régions malades. Pendant la chélation, des flashes me sont venus, illustrant des scènes d'une vie passée : je tenais dès lors l'explication de ces blessures auriques. Les fig. 24-1 à 24-5 illustrent le travail de magnétisation que j'eus à accomplir sur John.

Lorsqu'il vint me voir, ce jeune homme ne me dit rien : pas un mot de son problème. La fig. 24-1 montre l'aspect de son champ sur le gabarit kéthérique à son arrivée. Comparez-la à la fig. 7-13 du chapitre 7 pour voir à quoi ressemble le champ d'un gabarit kéthérique normal. Au plexus solaire de John, au lieu des belles fibres dorées constituant les pétales tournoyants des chakras, apparaissait une formation ressemblant à une tache solaire. De cette grosse masse rouge sombre, brouillée d'énergie jaune et noire, sortaient des petits tourbillons en majorité gris. Les autres chakras étaient en assez bon état (ils ne sont pas montrés ici). Le courant principal de force dorée circulant dans l'épine dorsale était fortement dévié sur la droite au niveau de la tache rougeâtre et très assombri dans cette zone. Des petits tourbillons gris secondaires apparaissaient aussi à la partie arrière de l'aura. Lorsque John me parla enfin de lui, je le vis soudain dans une vie antérieure remontant approximativement à l'époque de Gengis Khan. J'assistai à une scène de bataille dans laquelle il trucidait gaillardement un soldat de l'autre camp à l'aide d'une arme qu'il tenait en main, une sorte de barre prolongée d'une chaîne au bout de laquelle était fixée une boule de métal hérissée de pointes qu'il asséna sur la tête de son ennemi. Au même instant, son adversaire lui planta sa lance dans le plexus solaire. Ce duel les tua tous les deux en même temps. John retira de cette expérience la certitude que toute expression violente de pouvoir et de force de vie a pour conséquence obligatoire une blessure mortelle et une fin misérable dans le sang et le boue.

Dans sa vie présente, John avait tendance à refouler toute manifestation de force virile. Il fragmentait son pouvoir en petites expressions timides et partielles. Son métier de metteur en scène lui servait d'outil pour intégrer ces parties de lui-même, pour exprimer les multiples aspects de son puissant instinct de conservation dans des rôles et dans des pièces. Il pouvait alors expérimenter les résultats du mode d'expression qu'il s'était autorisé par l'imagination. Ces représentations lui procuraient une quantité de mini expressions de vie et l'aidaient à apprendre la manière juste de manifester son pouvoir.

Lorsqu'il entra dans mon cabinet de consultation, je ne m'aperçus qu'il souffrait d'une scoliose que lorsqu'il me tourna le dos et que je pus la voir de mes yeux. Il était né avec et n'avait jamais subi d'opération pour la redresser. J'en conclus que cette malformation congénitale était la conséquence directe de sa mort sur le champ de bataille.

Au cours de la magnétisation faisant suite à la chélation, j'employai un cristal pour écoper l'énergie stagnante dans les deuxième et quatrième corps auriques provenant de la blessure du plexus solaire (fig. 24-2). Le cristal, comme toujours dans ce type de travail, s'avéra très efficace et facilita le processus de

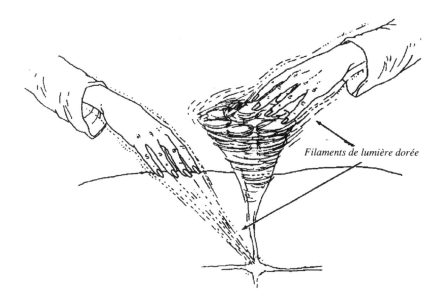

Fig. 24-4 : filaments dorés magnétisant le gabarit kéthérique

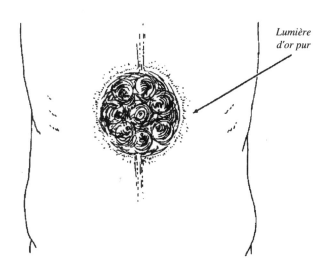

Fig. 24-5 : magnétisation du troisième chakra au niveau kéthérique

nettoyage. Il protège également le magnétiseur, lui évite d'être contaminé par ces paquets d'énergie croupissante.

La fig. 24-3 montre ce que l'on pouvait voir après l'évacuation des vases noirâtres et rouges du deuxième et du quatrième plan. Je découvris la lance encastrée dans le plexus solaire au cinquième niveau du champ d'énergie (celui du gabarit éthérique). Cette hampe, complètement incrustée dans le champ aurique, s'enroulait en spirale. Pour l'en extraire, je dus d'abord la redresser, puis l'arracher d'un seul coup, désinfecter la blessure et revitaliser cette zone.

Durant les séances qui suivirent, je travaillai avec les guides à restructurer l'aura sur le plan du gabarit kéthérique (septième niveau). Le moule de cette zone fut d'abord restructuré, puis le chakra. De minuscules lignes de lumière dorée jaillirent au bout de mes doigts pour tisser très rapidement un réseau de fils d'or autour des tourbillons de ce chakra. Après quoi, le corps éthérique bleu (la première couche aurique) fut alimenté et déposé délicatement dans le plan doré. Après sa restructuration, le chakra blessé devint le superbe lotus de tourbillons dorés que montre la fig. 24-5.

J'entrepris ensuite, toujours avec les guides, la restructuration du courant de force principal, sombre, plein d'étranglements et mal aligné. Le chakra y fut reconnecté. Lorsque ces soins furent terminés, le patient, équipé de chakras en parfait état et d'un courant de force principal fonctionnant bien, ressemblait à l'illustration de la fig. 7-13 du chapitre 7.

Ce travail s'étala sur cinq séances, au cours desquelles John regagna progressivement une plus grande liberté motrice. La tension de ses muscles dorsaux, dont il se servait pour compenser le déséquilibre de son champ, s'allégea. Il me confia aussi qu'il se sentait plus épanoui dans sa vie personnelle.

Je le revis un mois plus tard pour une visite de contrôle, afin de m'assurer que tout tenait bon, avant de l'adresser à un rolfer s'occupant de la restructuration du corps physique. Je ne sais à quel point sa déviation pourra être réduite, car son état exige de toute évidence un traitement à long terme et en profondeur (voir la rubrique traitant de la lumière bleu indigo au chapitre 23).

Magnétisation des vies antérieures dans le gabarit kéthérique

Comme je l'ai mentionné, on peut également visualiser certains événements des vies antérieures en posant simplement les mains dans les anneaux, généralement colorés, qui encerclent la coquille kéthérique. En procédant ainsi et en vous accordant à cette énergie excessivement subtile, vous pouvez voir les vies passées défiler sous vos yeux.

La bande de vie antérieure influant sur les événements de la vie présente se situe à la hauteur du visage et du cou et, dans l'aura, à une distance de cinquante à quatre-vingts centimètres du corps. En plaçant vos mains au-dessus du visage et en suivant cette bande vers la droite avec votre main droite, vers la gauche avec votre main gauche, vous pouvez voir défiler les vies passées dans le temps linéaire. Ce que vous allez faire de cette information est d'une grande importance et, là encore, il est déconseillé d'expliquer au patient ce qu'il n'est pas préparé à entendre. Mais s'il s'est déjà livré à un bon travail d'autopurification, il peut être utile de lui communiquer ce que vous découvrez lorsque cette information est étroitement liée à sa vie présente. Mais je ne le fais jamais avant de m'être familiarisée avec le fonctionnement de mon patient et de m'être assurée qu'il sera en mesure d'utiliser l'information à bon escient.

Je me suis très peu exercée à transformer ces bandes de vies antérieures et je ne crois pas que l'on puisse faire grand-chose en ce sens. Je passe parfois mes mains à travers les anneaux pour les éclaircir ou les illuminer, s'ils me paraissent trop lourds. Je canalise parfois de l'énergie dans une bande très contractée et je la répartis tout autour. Le patient en éprouve généralement un certain soulagement, comme s'il était allégé d'un fardeau.

J'ai l'impression qu'un rapport existe entre ces bandes et la tâche qu'un individu doit entreprendre dans cette vie pour évoluer. Très souvent, quand j'accède à ces zones, j'ai le sentiment de m'immiscer dans un espace personnel extrêmement privé et j'ai tendance à m'en écarter. Le magnétiseur doit impérativement suivre son patient dans ces hauts niveaux de son champ, n'y faire avec lui que ce qu'il est prêt à faire. À vrai dire, cette règle s'applique à tous les niveaux de l'aura. Cultivez ce respect. Restez à votre place avec humilité dans le grand ordre de l'Univers, concentrez-vous toujours sur l'amour inconditionnel, le plus grand guérisseur qui soit.

Révision du chapitre 24

1. De quelle façon les zones bloquées sont-elles parfois liées sur le plan psychologique aux expériences d'une vie passée ?
2. Décrivez la relation existant entre les blocages du CEH de cette vie et ceux des vies passées.

3. Comment peut-on retrouver une vie antérieure par l'imposition des mains ?

4. Quelle mesure importante doit-on prendre au cours d'une séance de magnétisme après l'extraction du CEH d'un trauma d'une vie antérieure ?

5. Dans quel cas le traitement d'une vie antérieure est-il approprié ? Quand ne l'est-il pas ? Est-ce possible ?

6. Comment les bouchons originaires de vies antérieures se déposent-ils dans le champ aurique ?

7. Qu'est-ce qu'une poussée de fièvre aurique ? Décrivez sa relation avec l'expérience d'une vie antérieure.

Sujet de réflexion

8. Si le temps n'est pas linéaire, que représente, dans ces conditions, une vie antérieure ?

L'AUTOGUÉRISON
ET
LE GUÉRISSEUR SPIRITUEL

« Médecin, guéris-toi toi-même. »

« Jésus »

Introduction

Transformation et autoresponsabilité

Vous êtes seul responsable de votre santé. Si vous souffrez de troubles physiques ou mentaux, c'est vous, et vous seul, qui devez décider de la thérapie – ou, pourquoi pas, des thérapies – que vous souhaitez suivre. Vous devez prendre ces décisions avec un soin extrême. Il vous faut tout d'abord choisir dans le vaste échantillonnage de traitements disponibles celui qui vous convient le mieux. Auquel ferez-vous confiance ? Combien de temps consentirez-vous à vous astreindre à un traitement, alors que vous ignorez totalement s'il sera efficace ou pas ? Vous ne pourrez répondre à ces questions qu'en cherchant avec persévérance ce qui est bon pour vous.

Si vous ne vous fiez pas à un diagnostic, rien ne vous empêche de vous enquérir d'un deuxième avis ou même d'un troisième ou encore d'une autre technique de soins. Si vous ne savez plus où vous en êtes au sujet de ce que l'on vous a dit sur un problème particulier, demandez des précisions à votre médecin, consultez des livres, instruisez-vous sur ce qui vous concerne. Prenez votre santé en charge, et surtout, ne vous laissez pas limiter par un pronostic négatif. Prenez-le plutôt comme un message qui vous incite à explorer plus profondément et plus largement les méthodes alternatives auxquelles vous pourriez éventuellement recourir. La médecine occidentale traditionnelle propose beaucoup de réponses à vos questions, mais ne répond pas à toutes. Si elle n'est pas efficace dans le traitement de votre maladie particulière, cherchez ailleurs. Vous serez surpris par la quantité d'informations que vous recueillerez sur vous-mêmes et sur votre santé. Cette recherche changera votre vie d'une manière que vous n'auriez jamais soupçonnée. J'ai rencontré plusieurs personnes auxquelles la maladie finit par apporter de grandes joies, une profonde compréhension, un bonheur de vivre et un épanouissement qu'elles n'auraient jamais éprouvés si elles n'étaient pas tombées malades.

Si nous étions capables de changer notre attitude envers la maladie, de l'accepter et de comprendre le message qu'elle nous envoie, nous nous libérerions de la peur qu'elle nous inspire, non seulement au niveau personnel mais peut-être aussi à l'échelle nationale, voire mondiale.

Dans le chapitre qui va suivre, je vous propose quelques conseils pour vous maintenir en bonne santé, des pratiques quotidiennes à observer, des commentaires sur les régimes alimentaires, sur votre environnement, le choix de vos vêtements, etc. Mais plus que tout, pour être en bonne santé vous avez besoin d'amour. L'amour que l'on se porte est le meilleur guérisseur, mais cet amour de soi exige, lui aussi, une pratique quotidienne.

Chapitre 25

Profil d'une nouvelle médecine : le patient guérisseur

À mesure que notre approche de la maladie se modifie, notre façon de la traiter se transforme aussi. Nous devenons plus efficaces dans son diagnostic et son traitement. Nous personnalisons davantage les programmes de soins. Chaque individu est unique et exige une combinaison de facteurs modulant leur processus d'application. Aucune séance de magnétisation n'est semblable à une autre. Le magnétiseur doit s'y préparer, accéder préalablement à une information conséquente, être capable de prodiguer beaucoup d'amour, d'établir un bon contact avec ses guides spirituels pendant qu'il canalise le flux énergétique. Lorsque la pratique de la guérison s'affine, elle devient un art. Vous trouverez ici le compte rendu détaillé du cas d'un patient avec lequel j'ai travaillé pendant deux ans. Je pense qu'il s'agit là d'un petit aperçu de ce qui nous attend. J'ai choisi le cas de David parce que son travail illustre sa contribution à tous les niveaux et à toutes les phases de la guérison. Il démontre qu'une magnétisation profonde, pratiquée sur une longue période de temps, agit puissamment sur la structure de la personnalité. Heyoan me l'avait dit : « Une substance précise, prise au moment voulu, agit comme un agent de transformation. » Dans le cas de David, j'ai avancé par paliers, combinant l'imposition des mains, l'accès direct à l'information et le travail psychodynamique sur les émotions et les affects. Sa propre initiative et son autoresponsabilité s'ajoutèrent à ces méthodes. Elles firent plus que contribuer au traitement de la maladie. Elles transformèrent sa vie. Ces transformations profondes ne furent possibles qu'en raison de la prise en charge totale de sa guérison par mon patient. L'accès direct à l'information, en l'occurrence, se révéla un outil d'une valeur inestimable. Dans le cas que je vous soumets, la cause de la maladie est exposée sous divers angles : celui des circonstances de la vie, du choix des parents, de la psychodynamique impliquée, des systèmes de croyance du patient et de sa vie affective et spirituelle.

La magnétisation de David

David avait grandi en Californie, dans un milieu aisé sur le plan matériel mais étriqué moralement et passablement étouffant. Son père était analyste jungien, sa mère infirmière chef dans une clinique privée. Son père était un homme intelligent, cultivé et fin, mais installé dans l'intellect et concevant son métier comme un pur jeu de l'esprit. Dans son cabinet, il appliquait strictement la grille qu'il avait apprise au cours de ses années de formation, la considérait comme valable pour toutes les situations et ne s'en écartait jamais, sous aucun prétexte. D'un caractère plutôt passif, facile à vivre et ayant horreur des complications, il ne prenait aucune décision et se reposait sur son épouse pour « mener la barque ». Quand survenait une difficulté, il s'enfermait dans son cabinet et se plongeait dans ses livres en ayant l'air de dire : « Je vous en prie, ne venez pas m'importuner avec ces questions triviales ! » Il était bien accepté socialement pour sa conversation brillante et son sens de l'humour.

La mère était l'opposé, comme on pouvait s'y attendre. C'était la maîtresse femme dans toute l'acceptation du terme, portant la culotte dans le ménage et n'épargnant ni ses sarcasmes ni ses récriminations aux hommes « mous » qui ne font pas face à leurs responsabilités. Bien entendu, elle tirait un important bénéfice secondaire de cette situation qui lui permettait d'extérioriser son goût pour l'autorité. Dans un pareil climat familial, David avait été un enfant calme, replié sur lui-même, préférant refouler les manifestations de son instinct vital plutôt que d'encourir le courroux maternel. Ses fuites consistaient en de longues marches le long de la grève et des promenades en bateau. Il adorait la mer, le soleil, les algues, les énormes rouleaux qui viennent éclater à grand fracas sur le sable. Comme cette partie de la côte s'y prêtait, il s'était mis, vers quinze ans, à pratiquer avec passion le *surfing*, sport d'endurance et d'adresse qui consiste à accompagner la crête d'une forte vague, debout en équilibre sur une planche. Il était excellent dans la

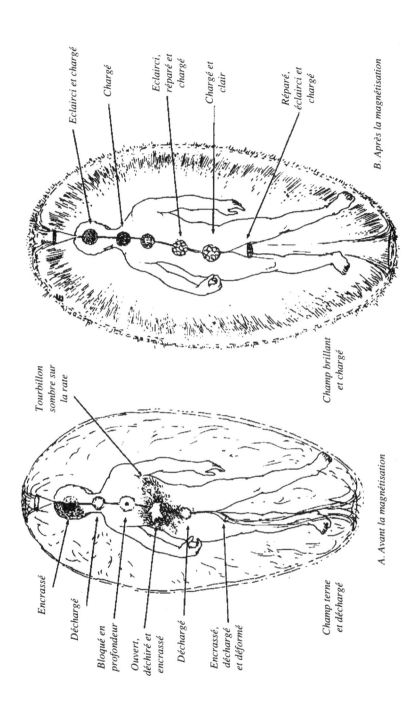

Fig. 25-1 : étude du cas de David (planche de diagnostic)

plupart des sports nautiques. À plusieurs reprises, il avait été demandé comme coéquipier dans des courses de voiliers.

Il commença par passer un diplôme de kinésithérapeute et exerça quelque temps, plutôt en dilettante. Enfin, vers vingt-cinq ans, il passa une licence de psychologie, fit même une année de maîtrise et ouvrit son cabinet.

Ces velléités d'ancrage dans la réalité quotidienne ne durèrent toutefois que le temps d'un feu de paille. David lâcha tout pour partir pour l'Asie. Il voyagea, visita les Philippines, l'Indonésie, la Malaisie, pour aboutir en Inde où il séjourna dans divers ashrams. Dans l'un d'eux, il rencontra Hannah, américaine également. Ils se plurent. Ils vécurent ensemble, d'abord dans les ashrams, puis routards sur la fameuse piste de Katmandou...

David tomba malade. Hannah resta à ses côtés et semble l'avoir soigné avec dévouement. Son état de santé empirant, les deux jeunes gens retournèrent ensemble aux États-Unis. Pendant les années qui suivirent, sa quête angoissée d'un traitement efficace lui fit parcourir le pays de long en large, récoltant au hasard les diagnostics les plus divers, allant d'une éventuelle mononucléose à une déficience hépatique chronique, en passant par les amibes et l'entéralgie. Sans oublier naturellement le classique et délicieux : « Vous n'avez rien d'organique, tout se passe dans votre tête »...

Son énergie faiblissait à vue d'œil et son travail, qu'il avait repris, s'en ressentait évidemment. À l'époque où il vint me consulter, après deux jours d'activité pourtant réduite, il était obligé de s'aliter pendant quarante-huit heures.

La fig. 25-1 montre l'état de son champ d'énergie lorsqu'il vint se coucher sur ma table pour la première fois. Le problème le plus grave se manifeste de façon évidente par la déchirure béante de son plexus solaire, à recoudre et à remodeler dans toutes les couches structurées du champ, y compris dans la septième. La distorsion du premier chakra, infléchi sur la gauche et obstrué, le rend inapte à puiser suffisamment d'énergie à la base et à alimenter les circuits. Cette carence, associée à la détérioration du troisième chakra, est responsable de l'épuisement de tout le système. Cette exhaustion se répercute évidemment sur le plan physique, le premier chakra métabolisant essentiellement des énergies contribuant à la force corporelle, comme il est expliqué au chapitre 11. Une déplétion du deuxième chakra apparaît dans l'aura et complique encore le problème, car ce deuxième chakra est lié à la fonction sexuelle (très atteinte) et à un centre lymphatique du système immunitaire. Un bouchon profondément enfoui aux deux tiers des tourbillons du centre du cœur entrave le fonctionnement de ce chakra, également associé au système immunitaire par l'entremise du thymus. Chaque fois que je rencontre ce type de configuration chez un patient, elle implique sa relation avec Dieu et sa croyance à l'égard de la volonté divine (nous en reparlons plus tard). Le centre de la gorge est déchargé. Ce centre régit la communication, l'autoresponsabilité, la façon de donner et de recevoir. Le troisième œil, encrassé, paraît être bloqué au niveau de l'épiphyse. Le chakra-couronne est affaibli et sous-alimenté, l'aura dégonflée et terne.

En examinant les organes, je vis une grande quantité d'énergie croupissante coagulée dans le foie, dont certaines couches affichaient une coloration malsaine, d'un vert noirâtre visqueux ou d'un vilain jaune, presque noir, près de l'épine dorsale. Le moule éthérique du foie se révéla, lui aussi, déchiré et déformé. Une exploration plus minutieuse me fit découvrir de multiples foyers infectieux, grouillant de bactéries et de virus. Ces foyers infectieux envahissaient la partie centrale de l'abdomen, le pancréas, la rate et l'appareil digestif. Sur le pancréas, un petit tourbillon tournait très rapidement en émettant un son aigu étonnamment perçant. Cette configuration s'associe généralement aux troubles du métabolisme du sucre, comme le diabète ou l'hypoglycémie. Dans le champ dévitalisé, anémié et terne, les flèches lumineuses de la sixième couche, loin de briller sainement, manquaient dangereusement de consistance et d'éclat. David était dans un état alarmant, cela ne faisait aucun doute.

Je conseille à l'étudiant magnétiseur d'interrompre ici sa lecture aurique, d'analyser les différentes couches du champ et de réfléchir à la stratégie de soins à appliquer. Par où commencer ? Allez-vous canaliser le plus d'énergie possible pour charger le corps physique ? Pourquoi, ou pourquoi pas ? Quand réparerez-vous la déchirure de la septième couche ? Pour quelle raison ? Quelle est, à votre avis, la cause initiale de la maladie ? Sous quelle forme apparaît-elle dans le champ aurique ? La découvrirez-vous rapidement ou progressivement ? Pourquoi ? Il sera répondu à toutes ces questions dans la description qui va suivre.

Déroulement de la magnétisation – première phase : nettoyage, charge et restructuration du champ

Pendant les premières semaines, les magnétisations portèrent sur la chélation du champ, la rectification du premier chakra, puis passèrent lentement mais sûrement à la réparation du troisième chakra. Je suis parfois restée assise une demi-heure et même trois quarts d'heure, une main posée sur le foie de David, l'autre sur la zone de son troisième chakra. Il était impossible de beaucoup charger l'aura en raison de la fragilité de ce chakra qu'un rayonnement trop intense aurait risqué de déchirer davantage. Au cours de ces semaines, l'opération de redressement et de nettoyage du premier chakra fut relativement facile, les soins portant essentiellement sur la partie centrale de l'abdomen. Les réparations des déchirures du champ aurique prirent davantage de temps en raison de l'importance des modifications nécessaires. L'aura devait être peu chargée, avec une grande prudence, car nous courions toujours le risque d'aggraver la déchirure du troisième chakra et de provoquer une fuite d'énergie plus importante encore. À chaque visite de David, nous procédions à la chélation, à la charge et la réparation d'une partie de la zone du troisième chakra. Nous avons posé un scellé provisoire, ou un « bandage » si vous aimez mieux, sur la déchirure et nous l'avons laissée cicatriser pendant deux semaines. À la séance suivante, je pus pénétrer plus profondément dans le champ et m'attaquer à la structure même de l'aura. Il fallut la nettoyer d'abord, puis la restructurer pas à pas. Nous eûmes à réparer la structure du niveau éthérique, puis le gabarit éthérique du foie et d'autres structures anatomiques voisines, au moins aussi endommagées que le chakra, sinon plus. Des semaines s'écoulèrent ainsi, puis l'énergie de David commença doucement à se stabiliser. Les variations rapides de niveau disparurent pour faire place à une fréquence vibratoire faible, mais étale. David ne ressentit pas cette étape comme une amélioration. Mais pour moi qui pouvais voir le champ se réajuster lentement de lui-même, c'était au contraire un gros progrès. Ses voltiges énergétiques, dues aux efforts de son corps pour compenser sa faiblesse, son incapacité à retenir cette énergie firent place à un ajustage beaucoup plus naturel, pour la raison bien simple que nous étions au niveau énergétique réel que son corps avait la capacité de conserver. Ce travail d'équilibrage et d'ajustage fut assez éprouvant pour David qui avait souvent la sensation « de se noyer », selon son expression. On ne manquera pas de faire le rapprochement avec son goût pour les sports nautiques...

Puis son premier chakra commença à tenir droit tout seul et à recharger le deuxième. L'énergie se remit à circuler et la fonction sexuelle se rétablit. David devint aussi moins vulnérable sur le plan émotionnel.

Au cours des trois premiers mois de soins, Heyoan ne fit aucun commentaire sur David, me signifiant ainsi que mon patient avait plus que son content de lectures psychologiques et spirituelles, qu'il était « gavé jusqu'à la glotte de loi cosmique et autres élucubrations brahmaniques ». Je m'abstins donc de tout travail psychodynamique au cours de cette phase des soins pour me consacrer uniquement à la réparation et la charge du champ, beaucoup plus importantes. Le magnétiseur ne peut progresser plus vite que son patient, vous le savez bien. Le champ de David finit par se fortifier suffisamment pour pouvoir supporter les vibrations subtiles nécessaires à la réparation de la septième couche.

C'est alors que David commença à réclamer des informations. Il se mit à poser des questions concernant la signification de sa maladie, voulut comprendre son incidence sur la vie personnelle et sur son évolution. Comme je m'y attendais depuis un certain temps déjà, les souvenirs d'enfance commencèrent à déferler et mon hippie de Katmandou, rouge comme un coq, ne parla plus que d'étrangler sa mère.

Deuxième phase de magnétisation : psychodynamique et causes initiales de la maladie

David entra en analyse lorsque son troisième chakra (sa pensée linéaire) commença à mieux fonctionner. Alors, plusieurs facteurs responsables de sa maladie lui apparurent et les découvertes se succédèrent à un rythme accéléré – parfois un peu trop accéléré.

Nous avons vu au chapitre 8 que tout enfant établit de fortes connexions avec sa mère, dès son apparition dans la matrice. Ces connexions se manifestent après la naissance par le cordon ombilical aurique, reliant le troisième chakra de la mère à celui du nourrisson. Un autre lien très puissant relie leur chakra du cœur.

La déchirure originelle du troisième chakra de David se produisit aux alentours de la puberté, lorsqu'il osa se rebeller ouvertement contre sa mère dominatrice, avide de tout contrôler, certaine d'avoir raison dans tous les domaines et exigeant de son fils l'obéissance inconditionnelle, sous peine de châtiments corporels. Avant cet événement mémorable, David faisait tout son possible pour se conformer au modèle qu'elle avait tracé pour lui, non pas en fonction de la personnalité de David et de ses aspirations profondes, mais en fonction de l'image qu'elle

aimait donner d'elle-même : une mère sévère mais juste, accro-
chée à des principes moraux rigides et élevant son garçon pour
faire de lui « quelqu'un de bien qui réussira dans la vie ». De
temps en temps, David essayait bien d'en toucher un mot à son
père, lui laissant entendre qu'un conflit grave couvait en sour-
dine. Mais celui-ci en profitait aussitôt pour se faire briller
intellectuellement et partait dans de grandes explications alam-
biquées des concepts jungiens : les symboles, les archétypes, les
mythes masculins et les mythes féminins, les sociétés matriarcales
archaïques, le yin et le yang, la lune, l'eau, Isis et Osiris... David
sortait de ces entretiens accablé et exaspéré. Il se détacha de son
père et ne lui adressa plus la parole que pour des banalités.

Pour conquérir son autonomie, David opta pour la solution
choisie par bien des adolescents : il coupa les ponts et cessa toute
relation avec ses parents. Solution aussi extrême que radicale
qui, non seulement ne résout pas le problème, mais l'exagère en
remuant des ressentiments, des passions négatives, des désespoirs
et des culpabilités. Car les liens névrotiques qui attachaient
David à sa mère étaient très forts, ne nous y trompons pas. La
plupart des victimes sont amoureuses de leur bourreau ! En
voulant briser ces liens d'un seul coup, sans précaution ni
discernement, David avait arraché du même coup ses cordes
ombilicales auriques et s'était retrouvé avec un trou béant dans
la zone du plexus solaire. En pareil cas, la réaction la plus
naturelle est de se connecter à quelqu'un d'autre pour remplacer
la mère (à ce stade, tout individu pense que le problème vient
de la mère et non de lui). Il découvrit alors à ses dépens qu'il se
sentait systématiquement attiré par des femmes dominatrices.
Les automatismes régissant son comportement le prédisposaient
automatiquement à rencontrer ce type de personne, complémentaire de sa propre structure psychosomatique. Ces relations
peu satisfaisantes le conduisirent à prendre en grippe le sexe
opposé, sans se rendre compte que le problème résidait en lui.

Sur le plan du cœur, le quatrième chakra de David ne s'était
jamais connecté en profondeur à celui de sa mère. Dès le début,
elle ne l'avait pas accepté tel qu'il était. Lorsqu'il s'était efforcé
de construire ce lien affectif essentiel, il avait cru nécessaire de
devenir l'être qu'elle voulait qu'il soit, ce qui revenait à se trahir
lui-même. David, comme tout adolescent, avait la foi chevillée
au cœur. Intimement, il se sentait trahi. En dépit de ses efforts
pour se faire aimer par sa mère, il fallut bien qu'il apprenne à
transférer cet attachement sur une compagne de son âge pour
devenir un homme à part entière, en pleine possession de sa
puissance sexuelle. Mais comme il n'avait jamais réussi à vivre

cette expérience avec son premier amour (sa mère), il manquait de modèle. Quand vint le moment de trouver une compagne, sa vie sentimentale et sexuelle se révéla très problématique.

David ne savait comment se connecter à l'amour par le cœur. En Inde, sa quête lui fit choisir un gourou « au grand cœur », selon ses propres termes. Au cours de son séjour à l'ashram, il apprit à se connecter par le cœur, d'abord avec son gourou, puis avec Hannah, qu'il rencontra là. Il se rendit compte alors qu'en se connectant par les affects avec son gourou, il renonçait peu à peu à sa volonté personnelle. Il voulait bien apprendre l'amour universel, mais pas à ce prix ! Il se sentit à nouveau trahi. Mais cette fois, l'enjeu n'était pas d'apprendre à aimer un autre être humain. Il s'agissait d'aimer l'humanité entière de Dieu. Et David alla à l'encontre de la volonté de Dieu. Le résultat de cette démarche avortée apparut dans son champ aurique. David en conclut que désormais, s'il n'était plus un « bon petit garçon » pour maman, il l'était devenu pour son gourou et pour Dieu. Hannah et lui décidèrent de quitter l'ashram. Lorsqu'il rompit sa relation avec son gourou, une autre déchirure affecta son troisième chakra. Mais il y gagna l'usage de son cœur et pour la première fois de sa vie, il se connecta profondément à une femme par son chakra du cœur et par celui du plexus solaire.

L'acceptation et l'amour idéal sont des aspirations très fortes de l'âme humaine. J'ai constaté que les jeunes gens qui ont vécu assez longtemps dans une communauté spirituelle aux alentours des années 1960-1970 avaient appris à ouvrir leur cœur, mais qu'ils avaient peu à peu perdu leur autonomie et étaient réduits à l'état dans lequel ils se trouvaient dans l'enfance. Beaucoup bénéficièrent de cette expérience, apprirent d'abord à aimer sincèrement, à l'abri de l'espace structuré et protégé d'une communauté, avant d'en être capables dans leur univers personnel. Cette expérience fut notamment utile à ceux qui n'avaient pu la vivre dans leur enfance en famille. Après avoir expérimenté l'amour dans une communauté et y avoir perdu, malheureusement, un peu de leur libre arbitre, encore fallait-il pouvoir garder cet amour au cœur, s'abandonner à la volonté divine telle qu'elle se manifestait dans leur propre état affectif sans se plier à sa définition édictée par quelqu'un d'autre.

À mesure que le traitement de David progressait, les problèmes de fond liés à sa relation avec son amie lui devinrent intolérables. Les changements qui s'opéraient en lui n'étaient plus compatibles avec la structure de sa compagne qui n'évoluait pas dans le même sens. Leurs circuits énergétiques se heurtaient et s'accrochaient au lieu de fonctionner en complémentarité.

Tous ceux qui vivent une relation à long terme connaissent ce phénomène. Si vous changez et que votre partenaire ne suit pas au même rythme, il arrive un moment où chacun se demande la raison d'une telle union ? L'autre changera-t-il, redeviendra-t-il compatible ? C'est parfois possible quand les deux sont patients et aimants. Dans le cas contraire, un des deux finit par partir. David et Hannah choisirent de travailler ensemble pour résoudre leurs problèmes. Avec énormément d'amour et de sincérité, ils concentrèrent d'abord leurs efforts sur la psychodynamique de leur situation. David s'intéressait surtout à son travail, à sa liberté et à la conquête de sa puissance virile. Hannah tenait à poursuivre sa relation avec son gourou et à construire un nouveau mode de vie.

Aux cordes reliant la mère et l'enfant s'ajoutent celles que développent les êtres entretenant des relations affectives et sexuelles. Ces cordes d'énergie les connectent les uns aux autres, à travers les chakras. Lorsque la relation est saine, ces cordes d'or pâle brillent. Elles équilibrent et connectent tous les chakras. Mais dans bien des relations, elles ne font que refléter les rapports malsains existant depuis l'enfance entre les parents et l'enfant, et la couleur de nombreuses cordes de connexion s'assombrit autour du plexus solaire. Passant d'une relation malsaine à la santé, les cordes malades doivent être déconnectées, revitalisées, puis reconnectées plus profondément dans le cœur. Certaines cordes de dépendance sont à replanter dans le sujet afin qu'il apprenne à ne compter que sur lui-même. Ce processus fait très peur. Le patient a parfois l'impression de flotter dans l'espace, de n'être plus connecté à rien. Il quitte sa sécurité illusoire rigidifiée, à laquelle se substitue une toute nouvelle et merveilleuse confiance en soi. Ceux qui ont connu les affres d'un divorce ou la mort d'un être cher comprendront aisément ce que je veux dire. Lorsqu'ils parlent de la personne qui partage leur vie, bien des gens l'appellent leur « meilleure moitié ». J'en ai entendu certains, dépossédés de cette meilleure partie d'eux-mêmes, parler de leur « arrachement intérieur ». Lorsqu'un traumatisme d'une telle gravité se produit dans la vie d'une personne, elle se sent déchirée, ce qui est la pure vérité. Très souvent, j'ai vu les lambeaux de ces déchirures du plexus solaire pendre dans l'espace, témoignant de la douleur causée par une telle séparation.

Troisième phase de magnétisation : les substances transformatrices

Dès que David récupéra son pouvoir, sa participation aux séances de soins devint plus active. Il se mit à poser à Heyoan des questions très pertinentes, notamment au sujet du traitement qu'il allait devoir suivre. (Je voyais toujours les micro-organismes dans la zone centrale de son abdomen. Il avait besoin d'un remède.) David avait entendu parler d'un sérum fabriqué au Canada, efficace semblait-il, dans le traitement des asthénies. Devait-il le prendre ? « Non, répondit Heyoan. Ce sérum peut aider un peu, à la rigueur, mais j'en conseille un autre plus actif. » Heyoan me dit qu'il s'agissait d'un remède comparable à la quinine, employée dans le traitement de la malaria. Puis il me montra une image représentant une piscine et me dit que la première partie du nom de ce médicament commençait par le mot « chlore », du nom de la substance désinfectante des piscines... quelque chose comme chloro-quinine... De la chloroquine ! Selon Heyoan, si David prenait ce médicament, il purifierait son foie. Je vis alors une image du foie de David redevenu clair et bien rouge après un nettoyage à l'aide d'un liquide argenté. Heyoan ajouta que David pourrait se le procurer en consultant un médecin pratiquant dans le quartier de New York où il habitait. Il ne devait pas observer la posologie standard, mais varier la dose quotidiennement en fonction de ses besoins, contrôlés à l'aide de son HSP et d'un pendule.

David se mit en quête de ce médicament. La semaine suivante, j'eus la surprise de le voir arriver chez moi muni de ce produit, dont je n'avais jamais entendu parler auparavant. David était allé voir le médecin en question et lui avait demandé s'il connaissait le remède décrit par Heyoan. Le docteur avait consulté son Vidal, y avait trouvé aussitôt la nomenclature de la chloroquine, prescrite dans les cas d'hépatite chronique.

David commença à prendre le médicament et en contrôla le dosage quotidiennement au pendule. Les cinq premiers jours, le produit l'affecta fortement, tant sur le plan physique que sur le plan émotionnel. Il fut en proie aux affres de ses émotions profondes. Il revécut ses problèmes avec force (ceux que nous avons évoqués). Il décrivit une journée qu'il avait passée « lové dans le ventre de son amie ». Il avait conscience qu'il s'agissait d'une épuration. Il voulait refaire l'expérience de ses peurs afin de se guérir lui-même. Le cinquième jour, il arrêta la chloroquine, suivant les indications du pendule.

Heyoan conseilla à David des infusions et des vitamines à prendre pendant une semaine ou deux. En observant son champ aurique, je pus voir qu'après cinq jours de traitement, le côlon de David (atrophié et d'un jaune brun) était encombré par les décharges de toxines dégagées par ses infections. Les tisanes dépuratives s'imposaient. Après quelques jours d'arrêt du traitement, David déchiffra lui-même les indications du pendule. Il était temps de recommencer la cure, ce qu'il fit pendant plusieurs jours, puis il la suspendit à nouveau quelque temps. Chaque fois qu'il prenait son médicament, il sombrait dans une autre couche de sa personnalité exigeant un bon nettoyage. Chaque fois qu'il le faisait, il en ressortait vivifié. Chaque fois qu'il recommençait à prendre son médicament, les micro-organismes étaient expulsés de son corps. Son aura s'éclaira, devint brillante et pleine. Il se métamorphosait véritablement. De temps à autre, Heyoan conseillait une autre vitamine ou des sels minéraux (comme le phosphate de fer ou de cuivre) pour consolider le processus de guérison.

Je demandai alors à Heyoan pourquoi il n'avait pas conseillé la chloroquine plus tôt. Il me répondit que le champ de David était tellement endommagé qu'il n'aurait pu supporter les violents effets de cette médication. Il fallait attendre qu'il fût réparé.

Lorsque David s'attela à la psychodynamique au cours de la deuxième phase de magnétisation, il rompit avec Hannah plusieurs fois. Ils vivaient ensemble depuis une dizaine d'années et avaient beaucoup de comptes à régler. Ils s'éloignèrent peu à peu l'un de l'autre et finirent par se séparer définitivement. Du point de vue aurique, la déchirure du plexus solaire étant réparée, le champ de David devint si brillant et chargé que ses vibrations ne furent plus compatibles avec celles de sa compagne. Elle dut choisir, soit de changer aussi, soit de poursuivre sa propre route et de se créer une nouvelle existence.

Sa liberté reconquise, David commença à s'occuper de sa relation avec Dieu et à s'interroger sur la volonté divine. Il médita pour la trouver à l'intérieur de lui-même. C'est à ce moment que la forte contention de son chakra du cœur se relâcha et qu'il put céder à ses élans affectifs naturels. Comme l'avait si bien dit Emmanuel en 1985 :

> *Vouloir se libérer restreint la liberté.*
> *La liberté n'est pas soumise à la volonté,*
> *mais à la soumission.*
> *La leçon finale de toute âme*
> *Est la soumission totale à la volonté de Dieu*
> *Manifestée dans votre cœur.*

Cette année-là, David rencontra une jeune femme avec laquelle il noua une nouvelle relation sur des bases complètement différentes, relation très réconfortante et structurante pour lui. Non seulement Faye ne cherchait pas la lutte pour affirmer sa suprématie, mais, élevée dans le moule bourgeois traditionnel, elle croyait encore au mythe du « père tout-puissant », trônant derrière un monumental bureau encombré de paperasses, entouré de quatre téléphones et de trois interphones, présidant aux destinées d'une multinationale, pendant que, dans un duplex donnant sur Central Park, Madame torche son dernier-né, surveille les devoirs des jumeaux et s'épanouit dans son rôle de maîtresse de maison.

« Cette fois, c'est moi qui la domine », me dit David en riant. Et il ajouta en m'adressant un clin d'œil : « Sur le mode ludique, bien sûr. En fait, c'est moi qui vais avoir à lutter contre sa mentalité bourgeoise et l'amener à évoluer. Qu'elle comprenne petit à petit qu'une femme n'est pas sur terre uniquement pour jouer un personnage de maman idéale et d'épouse modèle. »

Il écarta les deux mains en un geste fataliste : « J'aurais sans doute du mal, on verra bien... »

Chapitre 26

La santé ou le respect de soi

Dans ce chapitre, il sera question de soins spécifiques et d'autoguérison. Pour être en bonne santé, il faut apprendre avant tout à la préserver et à la conserver. À mon sens, les principes les plus importants pour vous maintenir en bonne santé sont les suivants :

1.   Le maintien d'une profonde connexion avec soi-même et avec le but de son existence, sur le plan personnel et sur celui du monde extérieur. Ce qui comporte l'amour et le respect de soi (chap. 3 et 26).

2.   La compréhension de ce que signifient pour vous la santé et la guérison (chap. 14, 15, et 16).

3.   L'attention et les soins que vous vous portez. Dressez la liste des signaux intérieurs vous avertissant du moindre déséquilibre dès qu'il se manifeste et suivez ces orientations (chap. 1, 3, 17 et 19).

Prenez soin de vous

Pour bien prendre soin de vous, vous devez observer une routine quotidienne, méditer, faire de l'exercice, suivre un bon régime alimentaire, des règles d'hygiène, vous reposer suffisamment lorsque c'est nécessaire, vous distraire, poursuivre un but personnel, avoir des amis tout en préservant votre intimité. Mêlez le tout à une bonne quantité d'amour et vous en moissonnerez les lauriers. Vos besoins personnels peuvent varier au fil des semaines et des années. Soyez souple. Ce qui vous convient pendant une période peut ne plus convenir à une autre.

Plutôt que de suivre un régime prescrit par les autres, il vaut mieux déterminer vous-même vos besoins, car l'autoresponsabilité constitue l'essence même de la guérison et d'une bonne santé. Je vous propose une liste d'exercices travaillant dans ce sens. Souvenez-vous que la diversité est le sel de la vie et le développement personnel le moteur de toute amélioration.

1. *Méditation* (chap. 3, 17, 19 et 20). Ma méditation favorite m'a été enseignée par Emmanuel, au cours d'une session de travail à laquelle participèrent Pat, Emmanuel, Heyoan et moi-même. Je l'appelle la méditation sur le passé et le futur.

Installez-vous confortablement, de préférence le dos droit. Surveillez votre respiration. Inspirez, expirez. À chaque inspiration, inhalez le futur et toutes ses éventualités potentielles. En expirant, expulsez le passé et tout ce qui va avec. Inspirez simplement l'avenir, expirez le passé, laissez-le partir. Respirez tout ce que vous avez envie de créer dans le futur. Expirez le passé et toutes les fausses limitations que vous vous êtes imposées. L'avenir ne doit rien devoir au passé. Laissez le passé s'en aller. Continuez à respirez l'air du futur, voyez derrière vous le passé s'écouler, hors de vous et l'avenir venir à vous. Votre vie passée s'écoule, derrière vous. Votre vie future coule vers vous. Vous la respirez et expirez le passé. Observez le cours du temps et voyez-vous vous-même comme le point central de conscience. Vous êtes le point central de conscience et l'expérience avance vers vous. Vous êtes situé au centre de la réalité. Vous êtes éternel. Vous existez hors des frontières du temps. Ici, entre l'inhalation du futur et l'expiration du passé, faites une pause. C'est à ce moment de pause, entre deux respirations, que vous glisserez dans l'éternel maintenant.

2. *Exercices physiques.* Il existe de nos jours une quantité de centres de remise en forme un peu partout où, en plus des exercices du chapitre 21, vous pourrez pratiquer l'aérobic, le yoga, la voile, les arts martiaux comme le t'ai chi. Vous aimez courir ou nager ? Pratiquez ce qui vous procure le plus de plaisir.

3. *Régime alimentaire.* Nous avons fort peu parlé de la nourriture dans ce livre. Il existe de nombreux livres en librairie offrant de bons régimes alimentaires. Je vous recommande un régime s'inspirant des écoles macrobiotiques. Il comporte très peu de viande, notamment de la viande rouge, autrement dit ce régime est pauvre en matières organiques. Équilibrez-le avec beaucoup de céréales, des légumes, des salades et quelques fruits. Mangez

des produits de saison. En hiver, le régime comporte davantage de légumes racines, en été des salades fraîches, des légumes et des fruits. Les céréales peuvent être consommées en toutes saisons.

Si vous prenez des vitamines, la prudence s'impose. De nombreuses personnes ont de fortes réactions négatives à certaines vitamines qu'elles consomment régulièrement, mais elles n'en sont pas conscientes. Si vous magnétisez, vous avez besoin de renforcer votre régime par un bon produit polyvitaminé et de multiples minéraux, du calcium, du potassium, du magnésium, de la vitamine C, peut-être aussi de la vitamine B. À ce sujet, je reste imprécise à dessein, car les besoins varient selon les individus. Vous devrez découvrir celles dont vous avez besoin, leur posologie, quand et pendant combien de temps vous devez les prendre.

Veillez à la présentation de votre nourriture. Faites en sorte qu'elle soit appétissante lorsqu'elle est dans votre assiette. Ayez conscience qu'elle entre dans votre corps pour vous nourrir, vous donner de l'énergie et participer à la croissance de vos cellules. Mâchez-la, savourez-la, et plus que tout prenez-y plaisir, car cette nourriture témoigne de la générosité de la Terre.

Faites quelquefois l'expérience de suivre la nourriture dans votre corps lorsque vous l'avalez.

Surveillez votre appétit, ce mécanisme par lequel le corps vous informe des saveurs dont il a besoin, ce qui n'a rien a voir avec la fringale. Quelles sont vos fringales ? Si vous en avez c'est que généralement, vous y êtes allergique. N'y succombez pas. Elles disparaîtront entre trois et dix jours. Donnez à votre corps ce qui lui convient. Écoutez ses messages. Mais si vos fringales vous portent à consommer un aliment particulier, toujours le même, c'est que quelque chose ne va pas. Si vous vous jetez sur les sucreries, cherchez-en la raison. Vous ne vous alimentez sans doute pas convenablement. Votre corps le manifeste par des fringales pour se procurer de l'énergie sur-le-champ.

Vous n'ignorez pas, bien entendu, que de nombreux additifs sont employés pour conserver les aliments et qu'ils sont très nocifs pour le métabolisme. Beaucoup de produits de la terre contiennent aussi des petites quantités de poison provenant des pesticides, herbicides et fertilisants chimiques utilisés massivement, et malheureusement sans discernement, à peu près partout dans le monde. Le seul moyen d'y échapper est de ne consommer uniquement que des aliments provenant de cultures dites « biologiques », c'est-à-dire fortifiés aux engrais organiques naturels. N'achetez pas de produits traités aux conservateurs. Oui, les aliments biologiques sont plus longs à cuire, coûtent plus cher, c'est indéniable, mais à long terme, ils vous feront faire l'économie de nombreuses notes d'honoraires chez votre médecin traitant...

Si, dans votre région, vous ne pouvez vous procurer des légumes et des œufs provenant de cultures biologiques, il vous reste la possibilité de réduire les effets nocifs des additifs et des fertilisants en les lavant dans de l'eau chlorée. Dès que vous rentrez chez vous avec vos provisions, remplissez votre évier d'eau, ajoutez un quart de tasse d'eau de Javel et laissez-y tremper vos légumes frais et vos œufs pendant vingt minutes. Rincez abondamment pour éliminer les déchets. Rincez aussi soigneusement la vaisselle pour éviter d'ingérer des résidus de détergent susceptibles d'affaiblir les défenses de votre système digestif.

N'oubliez pas que plus votre nourriture est fraîche, plus elle est saine et plus elle vous apporte d'énergie vitale.

4. *Hygiène.* Nettoyez votre corps et prenez soin de votre peau, de vos dents et de vos cheveux. C'est important. Pour vous laver, utilisez des savons ou des produits respectant le PH de votre peau, c'est-à-dire son taux d'acidité et d'alcalinité. La peau sécrète une acidité qui la protège des infections. Si vous détruisez cette protection en employant des savons ou des crèmes alcalins, vous l'agressez au lieu de la protéger. Brossez votre corps quand vous vous douchez pour faciliter l'élimination des cellules mortes dont le corps se dépouille régulièrement pour favoriser la croissance des cellules neuves. Si le climat de votre région est sec, employez autant que possible une lotion au PH équilibré pour hydrater votre peau, des savons naturels hypoallergéniques et des cosmétiques non toxiques.

Les mêmes précautions s'imposent pour vos cheveux. Évitez les rinçages déposant d'épais résidus sur votre chevelure. Veillez à choisir des shampooings au PH bien équilibré et dépourvus de toxicité.

Curez-vous les dents quotidiennement et brossez-les au moins deux fois par jour. Si vous avez des problèmes de gencives, brossez vos dents chaque jour avec un mélange de sel (une part) et de bicarbonate de soude (huit parts).

5. *Repos.* Le temps de repos nécessaire, là encore, varie selon les individus. Préférez-vous la nuit ou le jour ? Écoutez votre corps. Quand a-t-il besoin de repos ? Préfère-t-il six à neuf heures de sommeil d'affilée, ou dormir moins longtemps la nuit et faire la sieste le jour ? Quand vous ressentez de la fatigue, reposez-vous

à n'importe quel moment de la journée. Vous vous apercevrez que si vous vous couchez immédiatement, vous récupérerez votre énergie en une demi-heure ou une heure. Soyez à l'écoute des besoins de votre corps. Si vous n'avez pas le temps de faire une demi-heure de sieste, essayez de trouver quinze minutes. Je suis prête à parier que vous y parviendrez en dépit de vos nombreuses occupations.

6. *Habillement.* Je me suis rendu compte que beaucoup de tissus synthétiques comme les matières acryliques, de nombreux polyester et le nylon influent sur le flux d'énergie naturel de l'aura. Les bas nylon, notamment, interfèrent avec le flux circulant dans les jambes. À mon avis, ils sont liés à beaucoup de maladies féminines de nos sociétés modernes. Je vous conseille de n'en porter que lorsque vous ne pouvez pas faire autrement. Trouvez des substituts. Mieux vaut éviter de porter des tissus composés d'aldéhyde-formaldéhyde qui sont des dérivés du pétrole, surtout en cas d'hypersensibilité à ces matières.

Les fibres naturelles, notamment les cotons, les soies et les laines exercent un effet fortement positif sur l'aura. Elles la rehaussent, la sustentent. Les mélanges de ces matières sont excellents. À raison de 50 pour cent de coton, ils sont parfaits. Certaines matières synthétiques semblent convenir aussi. Mon corps et mon champ d'énergie apprécient la rayonne et quelques accessoires en orlon comme les chaussettes.

Quand vous inventoriez votre armoire le matin et constatez que vous « n'avez rien à vous mettre », il se peut que ce soit parce que la couleur qui vous est nécessaire fait défaut. De quelle couleur avez-vous besoin aujourd'hui ? Votre aura peut en manquer précisément ce jour-là. Vous avez peut-être besoin de l'apport énergétique de cette couleur.

Diversifiez les textures des vêtements de votre garde-robe. Vous devez pouvoir choisir parmi une variété de textures en fonction de la façon dont vous vous sentez chaque jour.

Le style de vos vêtements vous convient-il ou vous habillez-vous pour les autres ? Assurez-vous que votre mise correspond bien à qui vous êtes.

7. *La maison.* Disposez-vous de l'espace et de la clarté qui vous sont nécessaire ? Vous sentez-vous bien chez vous ? Si vous avez le temps de vous en occuper, les plantes ajoutent une bonne énergie curative à votre espace. Les couleurs des pièces vous conviennent-elles ? Respirez-vous de l'air frais ? S'il ne l'est pas, procurez-vous un appareil fabriquant des ions. Débarrassez-

vous de vos éclairages fluorescents si vous en avez chez vous ou sur votre lieu de travail. Remplacez-les par des éclairages à incandescence classique.

8. *Le plaisir.* Si vous ne vous accordez pas suffisamment de temps pour vous distraire, planifiez ce temps tout comme celui de votre travail. Le plaisir a autant d'importance que le travail. Faites ce que vous désirez faire depuis toujours pour vous amuser. C'est le bon moment. Riez le plus souvent possible, découvrez l'enfant existant en vous et savourez chaque instant de plaisir.

9. *L'ambition personnelle.* Chacun rêve à ce qu'il aurait aimé faire depuis toujours, qu'il a remis à l'année prochaine, à moins que découragé, il se soit persuadé de ne jamais pouvoir y arriver, ce qui est faux. Cette année est la bonne ! Qu'il s'agisse d'un voyage d'agrément, d'une création ou d'un changement de profession, vous devez vraiment vous donnez la peine d'essayer. Vous rêviez d'exercer telle ou telle profession ? Étudiez la question. Évaluez ce qu'elle implique, et dressez un plan pour satisfaire ce profond désir. Souvenez-vous que *votre aspiration intime la plus profonde, le rêve que vous aimeriez réaliser plus que tout au monde est celui pour lequel vous êtes venu au monde. Et votre meilleure assurance santé, c'est sa réalisation.* Commencez sans tarder. Passez en revue les moyens d'y parvenir et agissez. Même si vous estimez qu'il vous faudra pas mal de temps pour atteindre cet objectif, mettez-vous en route dès maintenant, sinon, vous n'arriverez jamais au but. Mais si vous mettez tout en œuvre et continuez à avancer dans cette direction, votre orientation intérieure est la garantie de votre réussite.

10. *L'intimité et les amis.* Nous avons tous besoin de relations intimes et d'amis. Découvrez ce que cela signifie pour vous et créez-le dans votre vie. Établissez vos propres règles. Si vous aimez une personne depuis toujours mais que votre timidité vous a empêché de le lui dire, tentez votre chance. Confiez-lui que vous l'appréciez et que vous aspirez à son amitié. Vous serez surpris de voir à quel point cela fonctionne. Dans le cas contraire, essayez avec quelqu'un d'autre.

11. *Précautions en cas d'accident ou de maladie.* Avant d'en avoir besoin, choisissez un centre hospitalier à votre convenance. De nos jours, il en existe beaucoup. Il est préférable, en prévision de ce genre d'éventualité, de savoir quoi faire et où aller. Fixez

votre choix sur un praticien avec lequel vous avez de bons rapports et à qui vous faites réellement confiance, qu'il soit magnétiseur, homéopathe, naturopathe, acupuncteur, chiropracteur, masseur, kinésithérapeute, diététicien, etc.

Pour votre gouverne, je vous conseille de prendre quelques cours de premiers soins à domicile ou familiaux. L'homéopathie fait merveille lorsqu'un homme ou une femme tient à s'occuper de la santé de sa famille et à la préserver. J'y ai recours depuis des années. Pratiquement, dans tous les cas qui se sont présentés avec mes enfants, j'ai constaté qu'un remède homéopathique adéquat combiné à une simple imposition des mains faisait l'affaire. J'ai soigné avec succès par l'homéopathie toutes les maladies infantiles, des angines aux doigts coincés dans une porte...

12. Je vous conseille d'employer pour votre famille ces quelques simples techniques de magnétisme. Commencez par la chélation (chap. 22). Tout le monde peut apprendre à la pratiquer. Après avoir traité les chakras, posez votre main directement sur l'endroit douloureux et envoyez de l'amour à la personne qui souffre. Vous vous sentirez tous deux merveilleusement bien.

Si la zone endolorie semble être obstruée par de l'énergie stagnante que vous souhaitez dégager, imaginez simplement que vos doigts grandissent de huit centimètres et se remplissent de lumière bleu indigo. Portez-les à l'endroit encrassé, écopez l'énergie à pleines mains et tenez-la en l'air. Laissez-la virer à la lumière nacrée ou aux ultraviolets. Vos doigts s'étant allongés de huit centimètres, vous pouvez traverser la peau et pénétrer profondément dans le corps. Allez-y, essayez. C'est efficace et pas du tout difficile.

Complétez la magnétisation en tenant vos mains au-dessus de la tête de votre époux, épouse, fille ou fils. Puis, après quelques minutes, peignez son champ aurique avec vos longs doigts, de la tête aux pieds, d'un geste ample, en tenant votre main à une quinzaine de centimètres du corps. Peignez le champ entier, de tous les côtés.

Terminez en tenant quelques instants vos mains sous de l'eau courante à peine tiède.

Si c'est vous qui êtes malade ou blessé, faites-en autant pour vous dans la mesure du possible, ou demandez l'aide d'un ami. Si vous avez mal quelque part, posez vos mains dans cette zone tous les soirs quand vous êtes au lit. Envoyez-lui de l'amour et de l'énergie. Visualisez-vous bien portant et équilibré. Demandez-vous quel message vous envoie votre corps, à quel moment vous n'avez pas été à l'écoute de vous-même. Quelle signification attribuez-vous à cette maladie ou à cette blessure, sur le plan personnel ou sur celui de la tâche de la vie ? Mais, plus que tout, aimez-vous, acceptez-vous. Si votre maladie est grave, ne vous sous-estimez pas pour autant. Aimez-vous d'avoir eu le courage d'émettre un message assez signifiant pour que vous l'entendiez. Vous avez décidé de faire face à ce que vous deviez endurer pour apprendre ce que vous vouliez savoir. C'est une attitude très vaillante. Respectez-vous pour cette raison. Aimez-vous ! Aimez-vous ! Aimez-vous ! Vous participez au divin. Vous ne faites qu'un avec Dieu. Voici les deux méditations d'autoguérison d'Heyoan. Elles vous aideront :

Méditation d'Heyoan sur l'autoguérison

1. « Scrute ton corps comme il te convient : vision intérieure, intuition, sensation.

« Avec l'aide de tes guides, si tu le souhaites, découvre la zone de ton corps qui te préoccupe le plus.

« Si tu ne trouves rien d'anormal à cet endroit, concentre-toi sur un événement de ta vie venant de se produire et qui t'inquiète. Trouve la zone qui lui correspond, c'est-à-dire celle qui réagit à cet événement, et concentre-toi sur elle.

2. « Si tu le désires, donne-lui une forme, une couleur, une substance, un volume, une densité. Si une douleur se manifeste à cet endroit, est-elle aiguë, sourde ? La ressens-tu depuis longtemps ? Est-elle latente ? intermittente ?

« Cette situation préoccupante est-elle récente dans ta vie ou installée depuis longtemps ? Que ressens-tu quand tu y es confronté ? Comment réagis-tu habituellement à cet événement ?

« Exemple : S'il s'agit d'une douleur corporelle, que se passe-t-il dans ton esprit quand tu la ressens ? Est-ce que tu la prends au tragique ? Est-ce que tu sombres dans la dépression, t'imaginant que tu vas mourir à brève échéance ? Les événements de ta vie suscitent-ils en toi de la peur ou de la colère ? Es-tu effrayé par ce qui arrive à ton corps ? Est-ce que tu es arrivé à faire le lien entre les zones dévitalisées de ta cuirasse caractérielle et tes comportements ? Puisque ta douleur persiste, et à plus forte raison si elle est devenue chronique, cela signifie que tu n'as pas encore découvert sa cause profonde. Le message ou, si tu préfères, la leçon n'est pas passée. J'irais même jusqu'à dire que la réponse est complètement fausse puisqu'elle n'a pas résolu ton problème.

« Examine ta vie en relation avec ton corps. Ce corps est en fait une salle de classe, il t'a été donné pour étudier. Chaque maladie, chaque douleur ou malaise est un message que le maître écrit sur le tableau noir pour t'inciter à apprendre ta leçon.

3.   « La question suivante sera donc : pourquoi as-tu créé cette douleur dans ton corps ? Pourquoi as-tu créé une telle situation dans ta vie ? Qu'as-tu à apprendre de tout cela ? Que te répète inlassablement cette situation liée à cette douleur ? Car sache bien qu'elle se répétera jusqu'à ce que tu entendes de quoi il s'agit. Parce que tant que tu n'auras pas appris cette leçon-là, tu continueras à créer la même situation, car tu es toi-même ton meilleur enseignant. Et tu ne passeras pas à la leçon suivante tant que tu n'auras pas appris celle-ci, tout simplement parce que c'est toi qui en as établi le programme.

« Si tu as découvert le siège de ta douleur corporelle, je te conseille d'y poser une main, ou les deux. Laisse ta conscience supérieure émerger à cet emplacement. Ce faisant, tu découvriras, si ce n'est déjà fait, la vraie nature de ta peur. Lorsque tu en auras perçu l'essence, je te recommande de la ressentir avec amour. Quelle sorte d'amour lui convient le mieux ? Procède de la même façon pour tous les aspects de ta vie et pour toutes les zones de ton corps. Toute maladie qui te frappe, toute expérience négative dans ta vie sont la conséquence directe de l'amour insuffisant que tu te portes. Tu n'as pas pleinement obéi à ta vocation. Comment t'y es-tu pris pour te fermer à cette voix intérieure ? Pourquoi ne t'es-tu pas autorisé à être totalement qui tu es ? *Toute maladie est un message direct qui t'informe que tu n'as pas suffisamment aimé celui que tu es, celui que tu n'as pas assez chéri pour t'autoriser à être ce que tu es réellement.* Ce principe constitue la base fondamentale de toute guérison.

4.   « Ainsi, quand tu auras obtenu la réponse, tu découvriras en même temps, très probablement, que le chagrin et la peur t'ont bloqué et t'ont empêché de réaliser ce que tu avais réellement envie de faire. Quand tu en seras là, le bon choix consiste à affronter ta peur, à t'autoriser à la ressentir et à travailler sur cet aspect essentiel de ta structure intérieure. *Car la peur n'existe que lorsque l'amour fait défaut.* La peur est à l'antipode de l'amour. Par conséquent, quand tu as peur, tu peux être certain que tu es dans

l'erreur, car ta peur n'est pas réelle : c'est une illusion. Lorsque tu as peur, tu n'es pas centré, tu n'es pas dans la totalité de ton être. Si tu as le courage d'avancer en dépit de cette peur, tu transportes aussitôt le processus de guérison sur un nouveau plan. »

« Travail à faire chez toi avant d'aller au lit :
1. Dresse la liste de tes peurs :
   De quoi as-tu peur ?
   Ces peurs concernent-elles ton corps ?
   Peut-être devrais-tu faire le point sur tes conditions de vie.
   À moins qu'il s'agisse de peurs très lointaines. As-tu parfois l'impression d'avoir été quelqu'un d'autre dans une autre vie ?

2. Essaye de rattacher ces peurs aux événements de ta vie. La peur est toujours associée à ce que tu ne fais pas mais souhaiterais faire. Elle restreint ton rayon d'action et bloque la porte d'accès à ton désir.
Dresse une liste de la façon suivante :

Peurs	Situations	Manifestations de non-amour. Ce que tu voudrais être.
———	———	———————————————————
———	———	———————————————————
———	———	———————————————————
———	———	———————————————————

« Quel rapport tout ceci a-t-il avec l'aura ? Tout se voit dans l'aura où ces facteurs prennent forme et substance. Lorsque tu ouvriras plus largement tes perceptions, tu seras capable de voir, en observant les gens, comment ils ont manqué d'amour pour eux-mêmes. En ta qualité de magnétiseur, tu seras le maillon qui les aidera à se souvenir de qui ils sont et à s'aimer eux-mêmes. Tu deviendras le maillon manquant de l'amour bienfaisant qu'ils devraient normalement se donner. »

Méditation pour dissoudre les autolimitations

Cette méditation convient parfaitement á ceux qui se sentent confinés dans des secteurs de leur vie qu'ils souhaiteraient plus vastes. Elle favorise l'introspection. C'est un excellent entraînement au magnétisme, car la maladie résulte du confinement du moi dans des définitions trop limitées pour lui. Un magnétiseur se doit de comprendre ce processus, de le ressentir en lui pour pouvoir le sentir chez les autres, les aider à le définir et à se libérer de ces frontières.

Elles ont leurs formes propres dans le champ aurique. Ce sont ces énergies et ces consciences qui vous limitent. Mais quand vous travaillez sur l'aura, la magnétisation agit directement sur la forme énergétique de leur substance limitative.

1. Élevez-vous en état d'expansion.
2. Posez cette question : « Qui suis-je ? »
3. Lorsque vous aurez trouvé une réponse, cherchez la limite que vous vous êtes imposée dans la simple définition que vous vous êtes octroyée. Quand vous aurez découvert cette limitation, sachez qu'elle représente la frontière que vous vous imposez.
4. Jetez cette limitation hors de cette frontière qui grandira.
5. Posez à nouveau la question : « Qui suis-je ? » Quelle que soit la réponse, vous obtiendrez une autre définition du moi.
6. Isolez l'essence de cette définition limitée.
7. Jetez-la hors de la frontière qui s'étendra encore.
8. Posez votre question à nouveau, etc.

Pratiquez cette méditation régulièrement au cours de la semaine suivante. Non, je ne vous donnerai pas de définition de l'essence. Il vous appartient de la définir au cours de cet exercice.

Si vous voulez devenir magnétiseur, vous le pouvez. Le premier défi à relever consiste à vous guérir vous-même. Concentrez-vous sur cet objectif, puis sur les moyens d'aider les autres à se guérir eux-mêmes. Cette démarche contribuera à développer vos aptitudes. Au prochain chapitre, je vous parlerai de cet itinéraire.

Révision du chapitre 26

Sujets de réflexion

1. Attribuez-vous une note, de 1 à 10, concernant les onze rubriques des soins personnels que vous devez vous prodiguer, en commençant par la méditation.
2. Pour les rubriques où vous vous êtes donné une faible note, trouvez la réaction de votre moi inférieur qui vous bloque. Sur quelle croyance et quelle conclusion limitée se fonde cette réaction ?

3. Reliez-la au déséquilibre d'un ou plusieurs chakras.
4. Pratiquez souvent la méditation d'Heyoan sur l'autoguérison.
5. Pratiquez également cette méditation pour dissoudre les autolimitations.

Chapitre 27

Évolution du magnétiseur

Le parcours du magnétiseur emprunte un itinéraire individuel au processus très personnel. Il n'existe aucun ensemble de règles qui prévoie les étapes. La vie de chacun est unique. Personne ne peut transmettre ce don. Il se développe à l'intérieur de soi. Mais ceux qui aspirent à devenir magnétiseurs doivent suivre de nombreux cours, assimiler un matériel technique considérable et se familiariser avec diverses écoles de pensée. Pour certains, ces pratiques n'ont rien de spirituel.

Mon propre parcours m'orienta vers la voie spirituelle, certainement parce que c'était celle qui correspondait le mieux à ma nature. Quel itinéraire vous semble le plus naturel ? Suivez votre propre chemin sans emprunter obligatoirement une piste bien tracée. Mais vous pouvez aussi en choisir une pour faciliter votre progression et vous aider à créer de nouvelles voies d'accès. Je vous livre des commentaires de mon guide concernant l'apprentissage du magnétisme.

La vocation

« Pour devenir magnétiseur, il faut en avoir la vocation. Cette vocation ne se fonde sur aucune pratique spirituelle particulière, ni sur une religion ni sur l'observance de règles rigides. Elle ne requiert que ta volonté de suivre le chemin de la vérité et de l'amour. Ce qui revient à dire que la pratique de la vérité et de l'amour transformera probablement ta vie à mesure que tu progresseras dans cette voie. Bien des chemins mènent au paradis. J'oserai dire qu'il en existe autant que d'âmes rentrant chez elles. Si nous explorions l'histoire de l'humanité, nous constaterions que nombreux sont ceux qui ont entrepris ce voyage avant nous ; certains y ont trouvé l'illumination, mais pas tous. Bien des sentiers privés, oubliés de nos jours par l'espèce humaine à cette étape de son histoire, ont déjà été empruntés jadis. Certains ont été redécouverts, d'autres restent encore perdus. Peu importe, car de nouvelles voies se tracent continuellement dans les profondeurs de l'âme humaine, à tout moment et où qu'elle soit, pour l'aider à rentrer chez elle. C'est ainsi, chère Barbara, que se forge un processus, par le renouvellement constant de la force créatrice jaillissant de toi et des autres. C'est ce que j'appelle le retour au foyer. En apprenant à te laisser aller complètement, sans résistance, à cet élan créatif interne, tu rentres chez toi, tu es chez toi... »

Ainsi parle Heyoan.

Les examens

Dès que vous décidez d'orienter votre vie sur la route de la vérité, cet objectif devient prioritaire, et vous sentez qu'un processus irréversible s'installe en vous et autour de vous. Il vous entraîne dans des paysages intérieurs qui changent la nature de votre réalité personnelle. Vous commencez à comprendre la relation de cause à effet entre votre réalité intérieure et le monde « extérieur ».

Je fus prudemment guidée (par mon moi supérieur et par mes guides) pas à pas, au cours de ce processus destiné à m'aider à apprendre les lois spirituelles. Je suis passée par de longues périodes de travail, de concentration et d'apprentissage, pour tenter de comprendre la nature de la vérité, de la volonté divine et de l'amour. Après avoir consacré tout ce temps à l'assimilation de ces principes, j'eus l'impression d'être en train de passer un examen. Je me retrouvais continuellement dans des situations où il m'était très difficile de m'en tenir à la vérité et à l'amour, où j'étais incapable d'avoir la moindre idée de ce que pouvait bien être le Divin. Il me semblait parfois que mes guides, des anges ou Dieu me testaient et que j'étais réduite à l'impuissance. Mais il m'arrivait aussi de percevoir que ces épreuves étaient programmées, avec mon accord, par une conscience beaucoup plus grande que la mienne et dont je faisais cependant partie. Alors finalement j'en étais responsable. Le petit ego de mon Je-Suis socialisé refusait généralement de s'en mêler. Mais la partie la plus sage de mon être s'en chargeait.

Quand vous vous engagerez dans cette voie, le premier obstacle sur lequel vous butterez en chemin sera votre peur.

La peur

Le sentiment d'être déconnecté d'une réalité supérieure fait peur. Cette émotion associée à la séparation est à l'opposé de l'amour, qui est le connecteur de l'unité au Grand Tout.

Exercice d'identification de vos peurs

Posez-vous les questions suivantes : À cette époque précise de ma vie, qu'est-ce qui me fait le plus peur ? Sur quelles prétendues réalités se fonde cette peur ? Pourquoi cette peur irraisonnée me semble-t-elle aussi redoutable ? Tout ce que vous faites pour l'éviter relève de votre peur d'éprouver les émotions qu'elle implique. Quelles sont ces émotions ? Au plus profond de vous existe la certitude que vous êtes capable de les affronter et de les surmonter toutes.

En réponse à vos questions, cette introspection vous démontrera que vous n'avez jamais fait l'expérience de cette peur, quelle que soit sa nature. Mais si vous vous fiez à votre étincelle divine, vous verrez que vous avez probablement besoin d'y faire face. En l'expérimentant, vous constaterez qu'elle se transformera en tendre compassion. Ce principe s'applique également à la mort. Car selon Emmanuel :

> *Il ne s'agit pas de la détruire*
> *Mais de connaître sa nature.*
> *De voir que la force de la peur*
> *Est moins puissante*
> *Que l'amour*
> *Et n'est qu'illusion.*
>
> *La peur.*
> *C'est se regarder dans une glace*
> *Et se faire des grimaces,*
> *Rien de plus.*

Quand je réfléchis au chemin que j'ai parcouru, je vois se dessiner clairement les étapes de mon évolution. Je n'étais pas vraiment consciente sur le moment de son schéma général. Je passais le plus clair de mon temps à prendre conscience de ses résultats immédiats.

La vérité

À mon premier séjour au Phoenicia Pathwork Center, quand je me mis à pratiquer le *Pathwork*, en séances privées et en groupe, en qualité de membre d'une communauté spirituelle, je fus immédiatement confrontée à la vérité. Disais-je la vérité ou étais-je en train de me convaincre d'une certaine réalité qui m'arrangeait ? Je fus stupéfaite de constater à quel point je rationalisais mes prises de position et mes croyances pour justifier mon comportement et expliquer les expériences pénibles de ma vie. Mon moyen de défense favori consistait alors à rejeter la faute sur les autres. Jusqu'à quel point en faites-vous autant ? Recherchez les raisons subtiles et non les plus évidentes.

Après avoir réfléchi à votre comportement, vous verrez peu à peu le fonctionnement des causes et des effets vous apparaître de façon plus claire que vous ne l'auriez cru. Et vous vous rendez compte qu'en fait, c'est vous qui avez créé ces expériences négatives, d'une manière ou d'une autre. Cette vérité est dure à avaler. Car vous découvrirez alors, enterrée sous ces fâcheuses créations inconscientes, votre intention de vivre réellement votre vie de cette façon-là. C'est ce que l'on appelle une « intention négative ». Une des miennes était fondée sur le système de croyance suivant : la vie est dure, faite de labeur, de sueur et de souffrance. Il ne s'agit pas là de simples généralités. Il existe autant de systèmes de croyance que d'individus.

Exercice d'identification de vos croyances négatives

À titre d'exemple, remplissez les blancs de ces phrases : « Tous les hommes sont... ; Toutes les femmes sont...... ; Dans une relation je serai blessé(e) de telle façon...... ; Je tomberai peut-être malade et je mourrai de...... ; Je serai exploitée de telle façon...... ; Je perdrai...... ; Si je ne ...... »

Mon autre intention négative était fondée sur mon idée erronée du plaisir. Et de fait, je prenais réellement plaisir à vivre des expériences négatives...

Quel que soit le travail que vous avez fait sur vous-même, en privé ou en groupe, vous gagnerez à répondre à ce question-naire. Nous sommes tous plus ou moins victimes de ces schémas de pensée, même s'ils vous semblent se manifester moins forte-ment qu'avant.

Chacun de nous réagit sur un plan ou un autre de sa personnalité, par exemple en rendant les autres responsables de ses problèmes (sa mère, son père, sa femme, son mari). Vous prenez plaisir à être « bon » et les autres sont bien sûr « mauvais ». Le plaisir négatif emprunte diverses formes. Vous pouvez réellement vous complaire à être blessé, malade ou perdant. Pour la plupart, nous nous plaisons énormément dans le rôle de victime, car nous en tirons toujours un bénéfice secondaire. Pour justifier nos échecs, nous prétendons que nous aurions été parfaitement capable de réussir dans la vie si les autres n'avaient pas tout gâché. Entendez ce que vous prenez plaisir à dire pour vous justifier : « Je voulais tant faire telle ou telle chose, mais mon père (ma mère, ma femme, mon mari) n'a pas voulu, ou j'avais trop mal au dos, je n'avais pas le temps, j'avais trop de travail. » Toutes ces excuses sont bourrées à craquer de plaisir négatif. La prochaine fois que vous expliquerez pourquoi vous n'avez pas fait ce que vous vouliez faire, écoutez bien ce que vous dites. Est-ce vrai ?

Pourquoi les êtres humains se conduisent-ils de cette façon ? Examinons ensemble l'étiologie du plaisir négatif.

Le plaisir négatif est une distorsion du plaisir naturel ou positif. Le plaisir négatif se fonde sur la séparation, le plaisir positif sur l'unité. Il ne vous sépare aucunement des autres. Le plaisir positif naît au cœur même de votre être, dans votre centre. Il vous gagne, jaillit du plus profond de vous et cherche à créer. Son flux comporte un mouvement, une énergie agréables. Le plaisir négatif se crée lorsque le mouvement et l'énergie de l'impulsion créative originelle issue du cœur sont déviés, distordus et partiellement bloqués dans leur cours. Vos premières expériences enfantines sont à l'origine de cet accident de parcours. Elles se cristallisent dans la personnalité. Lorsque, par exemple, un enfant, attiré par la jolie flamme rougeoyante d'un poële, tente de s'en emparer, sa mère lui tape sur la main pour l'en empêcher avant qu'il ne se brûle. S'il récidive, il recevra très probablement quatre ou cinq claques sonores sur le gras des cuisses. L'impulsion du plaisir est bloquée. L'enfant pleure. L'union de la douleur et du plaisir peut tout simplement se conclure à ce moment-là.

De nombreuses expériences enfantines beaucoup plus complexes viennent renforcer cette association entre l'expérience négative et le plaisir. On nous répète constamment que nous ne pouvons pas être ce que nous sommes, que nous ne pouvons pas donner libre cours à notre force de vie. Nous n'avons d'autre choix que d'opter pour le plaisir négatif qui est tout de même connecté à la pulsion de vie originelle que nous ne cessons de ressentir envers et contre tout. Le plaisir a beau être négatif, c'est tout de même de la vie ! L'absence de mouvement, d'énergie, de pulsions, c'est la mort. Et nos défenses contre un plaisir jugé dangereux deviennent une habitude à mesure que nous grandissons...

En un sens, chaque fois que nous laissons dévier notre pulsion de plaisir, que nous nous interdisons d'être ce que nous sommes, nous nous infligeons une mort partielle. Le processus de purification consiste donc à ressusciter de chacun de ces « cercueils » afin de regagner notre plein potentiel de plaisir et d'énergie. Car c'est le mouvement, ne l'oublions pas, qui exalte et développe notre force créatrice.

J'ai passé les deux première années de mon séjour au Phoenicia Pathwork Center à m'efforcer d'être scrupuleusement honnête avec moi-même, à découvrir et à trier le plaisir négatif du positif, à m'interroger sur la manière dont j'avais élaboré moi-même ces expériences négatives dans ma jeunesse et les raisons pour lesquelles je m'étais comportée de cette façon-là. J'ai analysé mes croyances, mes conceptions erronées, mes préjugés, mes idées toutes faites. Et mes mécanismes de répétition !

Cette introspection changera complètement votre vision de la réalité, comme ce fut le cas pour moi. Somme toute, puisque vous êtes responsable des expériences négatives de votre vie, vous êtes tout aussi capable de changer et d'en créer de positives. Vous verrez, ça marche. J'en ai fait l'expérience et les vieux problèmes douloureux se sont peu à peu dissipés.

La volonté divine

Après deux années de concentration consacrées à vivre le plus possible dans la vérité, je me suis rendu compte que ma volonté me posait des problèmes. Ses manifestations me créaient des difficultés dans la vie de tous les jours. Ma volonté était instable et je voulus travailler à fortifier mes décisions. Je découvris alors mes « manques » sous-jacents à divers degrés.

Des manques, nous en avons tous. Ils proviennent des défenses du moi et sont ressentis de très bonne heure. On les rencontre, avec quelle force ! chez les jeunes enfants. Quelques années plus tard, au moment difficile de l'adolescence, le manque se fait à nouveau cruellement sentir. Ses manifestations sont en fait des demandes. C'est pourquoi notre volonté a besoin de grandir.

Au plus profond de chaque être humain, il existe une étincelle de volonté divine. Malheureusement, la plupart des gens passent leur temps à rechercher la volonté divine à l'extérieur. Autrement dit, ils ont continuellement besoin que quelqu'un – quelqu'un « qui sait », naturellement – leur dise ce qu'ils doivent faire, ce qu'ils doivent penser, ce qu'ils doivent dire, ce qu'ils doivent lire, etc. Le fin du fin étant évidemment de trouver celui qui irait faire pipi à leur place. Ce refus de se prendre en charge est l'une des principales tares de nos sociétés d'abondance modernes. Une telle attitude ne peut que développer un désastreux sentiment d'infériorité : « Je suis faible ! Je suis incapable ! Je suis incompétent ! Au secours ! Pourquoi ferais-je des efforts, puisque de toute façon je ne réussirai à rien tout seul. Pourquoi essayerais-je de manifester mon envie de vivre, puisque, quoi que je fasse, mes actes se retourneront contre moi et je me retrouverai une fois de plus en position de victime. » Non seulement cette fausse humilité (qui cache neuf fois sur dix une blessure narcissique béante) renforce la cuirasse caractérielle, mais elle va à l'encontre de toutes les directives spirituelles. L'étincelle divine est présente chez tout le monde, sans exception. Mieux encore : elle est la même partout ! Il n'y a aucune différence de nature entre l'étincelle d'un débile et celle d'un professeur en faculté, entre celle d'un assassin et celle d'un chef d'État. Aucune. *Rendez à César ce qui est à César, et à Dieu ce qui est à Dieu.*

Le travail sur soi – sur ses blocages, sur ses inhibitions, sur ses circuits énergétiques, sur ses blessures d'amour-propre, sur ses systèmes de croyance, sur ses conceptions de la morale et de la justice – n'a pas d'autre but. Que vous fassiez du yoga ou de la dynamique de groupe, du cri primal ou de la magnétisation par les couleurs, il s'agit toujours de repérer les défenses du moi afin de les affaiblir graduellement... et de comprendre un jour qu'on peut très bien s'en passer. Vous pouvez courir les séminaires « psy » pendant trois vies, pendant cinq vies, vous affilier à la Société théosophique qui a le rituel initiatique le plus impressionnant, vous faire lire votre aura par la célèbre Mme Irma, tout cela ne sert strictement à rien si vous ne prenez pas le temps de rechercher en vous l'étincelle divine. Elle est là, silencieuse pour le moment. Elle attend l'heure – *votre heure.*

Mais au fait, en quoi consiste au juste cette obéissance à la volonté divine ? Qu'est-ce qu'il faut faire ? Quel est notre rôle dans tout ça ? Voici déjà un commencement de réponse : il ne s'agit en aucun cas d'obéir à une volonté définie par une autorité extérieure. Cette façon de poser le problème à l'envers m'a beaucoup aidée à progresser. Je décidai d'élucider ce mystère. Et j'ai fini par trouver. Il suffisait d'aligner toutes mes petites volontés égotiques sur l'étincelle divine existant en moi. Le meilleur moyen d'y parvenir (pour moi) fut de m'entraîner à exercer ma volonté positive en m'astreignant à une pratique quotidienne.

Je découvris une magnifique profession de foi dans le manuel d'enseignement transmis par Éva Pierrakos servant de livre de référence au *Pathwork* (ses cours donnés de 1957 à 1980)[1].

Je m'en remets à la volonté de Dieu
Je dédie mon âme et mon cœur à Dieu.
Je mérite ce qu'il y a de mieux dans la vie.
Je sers la meilleure cause qui soit.
Je suis une divine manifestation de Dieu.

Je pris cet engagement quotidien plusieurs fois par jour, pendant deux ans, jusqu'à ce que je m'estime suffisamment capable de discerner en moi ce qu'était la volonté divine.

Selon Emmanuel : « Ta volonté et celle de Dieu sont les mêmes... Ce qui t'apporte le bonheur et l'épanouissement est la volonté de Dieu s'exprimant dans ton cœur. »

Examinez l'usage que vous faites de votre volonté. Jusqu'à quel point vous efforcez-vous de l'accorder aux lois naturelles, les seules qui aient un sens ? Combien de fois vous laissez-vous aller à suivre les désirs de votre cœur ? En vous alignant sur la volonté divine qui est à l'intérieur de vous, vous découvrirez qu'il est grand-temps de vous concentrer sur l'amour, comme ce fut le cas pour moi.

L'amour

Beaucoup d'entre nous ont une vision étriquée de l'amour. Au cours des deux années consacrées à me concentrer sur l'amour, à en donner de toutes les façons possibles et nécessaires, je découvris de nombreuses formes d'amour. Toutes disaient : « Je prends soin de votre bien-être du mieux que je peux », « Je rends hommage à votre âme et respecte votre lumière », « Je protège votre intégrité comme un compagnon de voyage sur le chemin de la vie. » Vous commencerez alors à apprendre que donner équivaut à recevoir.

Le plus difficile à apprendre, c'est l'amour de soi. Si vous ne vous imprégnez pas d'amour pour vous-même, comment pourriez-vous en donner aux autres ? L'amour de soi exige de la

1. Voir bibliographie en fin de livre.

pratique. Nous en avons tous besoin. Cet amour de soi, on ne peut se l'accorder qu'en vivant sans se trahir soi-même. Vous y parviendrez en vous installant dans votre vérité.

Comment mettre ces théories en pratique ? Deux exercices simples vous y aideront.

Trouvez ce qu'il vous est facile d'aimer, une fleur, un arbre, un animal, une œuvre d'art, et donnez leur votre précieux amour. Après l'avoir fait un certain nombre de fois, vous constaterez que vous pourrez reporter un peu de cet amour sur vous-même. Quiconque reçoit un cadeau aussi fabuleux ne peut que le mériter...

L'autre exercice consiste à se tenir devant un miroir pendant dix minutes et à aimer la personne que vous contemplez. Ne la regardez pas d'un œil critique. Nous sommes tous très forts quand il s'agit de détecter la moindre imperfection. Ici, c'est interdit. Seuls les compliments sont permis. Si vous voulez honnêtement relever ce défi, recommencez l'exercice chaque fois que vous vous surprendrez à vous critiquer. Essayez de tenir dix minutes sans une seule réflexion désobligeante (Facile ? Vous aurez très probablement changé d'avis quand vous aurez fait cet essai.)

La foi

Quand je réfléchis aujourd'hui à ces six années de travail intensif, je mesure l'importance des changements qui s'opérèrent en moi au cours de cette période. Une foi profonde m'animait depuis l'enfance, c'est vrai. Mais c'est pendant ces retraites et ces longues journées de méditation et d'exercices que j'appris à accorder cette foi avec la généreuse magnanimité de l'Univers. Vous pouvez en faire autant. Essayez avec constance, sans vous laisser décourager. Écoutez votre demande intérieure, alignez-la sur la volonté divine pour trouver la vérité en toutes circonstances et y répondre avec amour. Vous développerez votre foi en vous-même, en la loi spirituelle, en l'unité de l'Univers, en tout ce qui arrive dans votre vie. Voyez-y un tremplin, une pierre ajoutée à l'édification d'une meilleure compréhension de l'amour et de l'évolution menant à l'autopurification et, ultimement, à la lumière de Dieu.

La foi, c'est croire en votre vérité du dedans quand toutes les apparences extérieures semblent être contre elle, quand au plus profond de vous-même vous savez que vous êtes dans la vérité. Ce qui n'implique nullement une croyance aveugle, mais la détermination de prendre conscience de votre vérité, si terrible vous paraisse-t-elle, de vous y aligner en demeurant dans l'amour.

Sur la croix, le Christ eut la foi de reconnaître qu'il ne la sentait plus en lui. Il s'écria : « Mon Dieu, pourquoi m'as-tu abandonné ? » et fut scrupuleusement honnête avec lui-même. À ce moment-là, il perdit la foi, ne s'en cacha pas, ne tenta pas de tergiverser et de ce fait s'aima, exprima honnêtement son dilemme. Il regagna sa foi plus tard et dit alors : « Père, entre tes mains je confie mon esprit. »

Je vois les adeptes de la voie spirituelle passer par tous les stades de la foi intérieure. Ils apprennent d'abord les connexions des causes et des effets, découvrent qu'une croyance positive et des actes positifs apportent des récompenses positives. Leurs rêves commençant à se réaliser, ils reprennent confiance en eux. « Ça marche ! », s'exclament-ils avec enthousiasme. Puis vient le moment où ils éprouvent le besoin de tester leur foi à un niveau plus profond, sans avoir conscience que cette décision intime peut changer douloureusement la nature du test. Qu'advient-il ? Toute confirmation extérieure du processus positif de cause à effet semble disparaître de leur vie pendant un bon moment. Tout se met à mal aller. Le *feedback* positif décline et ils commencent à vaciller. Le vieux pessimisme relève sa vilaine tête. Où est passée la loi spirituelle ? « Finalement, ce n'était peut-être qu'une vision de l'Univers d'un optimisme un peu trop puéril. » C'est probablement ce qui vous arrivera aussi.

Quand une réaction de ce genre survient, c'est un signe de maturité. Vous commencez à vous préoccuper des causes à effets à long terme, tant dans votre vie personnelle que pour l'évolution de l'espèce humaine. Dès que l'on vit dans la vérité, la récompense devient le plaisir de vivre chaque minute de son existence, sans attendre de gratification d'aucune sorte. Simplement savourer cet instant de vie. Vous le recevez « ici et maintenant », dans l'immédiat. C'est l'acceptation du lent processus de l'évolution humaine, c'est considérer vos limitations comme un magnifique cadeau, puisqu'elles sont l'outil le plus perfectionné et le plus parfait qui puisse exister pour accomplir votre tâche de vie.

La notion du temps

La foi m'a aidée à régler un problème qui me donnait beaucoup de fil à retordre : faire les choses en leur temps. Un jour, j'ai demandé à ma mère de me dire ce qu'elle avait eu le plus de mal à m'apprendre quand j'étais petite. « Quand tu voulais une chose, il fallait te la donner sur-le-champ, sinon tu braillais comme un âne », me répondit-elle.

Au cours de ces dernières années, j'ai appris la patience. Et j'ai fini par comprendre comment je fonctionnais. Voici une pensée qui peut vous aider : *La patience est une profession de foi à l'égard du plan divin.* C'est un constat prouvant que votre vie vous convient, telle qu'elle est en ce moment, car vous l'avez créée afin qu'il en soit ainsi. Ce qui implique aussi que vous pouvez la modifier par vos propres efforts de transformation. *L'impatience, en fin de compte, démontre que vous ne croyez pas avoir réussi ce que vous vouliez réaliser durant cette incarnation. Elle est l'expression profonde de votre manque de foi en vous et dans le plan divin.* Manifester sa volonté authentique sur le plan physique prend du temps. Pour admettre cette réalité, j'eus recours à la profession de foi suivante : « Je veux honorer ma décision d'exister sur le plan physique en prenant le temps nécessaire pour accomplir ma tâche ici-bas. » La lenteur apparente du temps s'écoulant entre la cause et l'effet dans ce plan d'existence a sa raison d'être. Elle nous permet de voir plus clairement les connexions mal comprises de nos entreprises. Car en fin d'analyse, ces relations représentent les parties de nous-mêmes restant encore à unifier.

Le pouvoir

À une étape de ma formation, la puissance du flux magnétique s'écoulant de mes mains s'accrut soudain. Cet afflux supplémentaire me sembla provenir d'une nouvelle équipe de guides célestes. J'étais en train de soigner l'orteil gravement infecté d'une patiente quand, de mes mains tenues à trois centimètres environ de cet orteil, sortit un rayon lumineux bleu-argent, effilé comme la lame d'une dague, d'une brillance aveuglante, qui traversa le pied de part en part. La malade réagit à ce véritable coup d'épée en criant de douleur. Surprise et assez effrayée, je voulus retirer mes mains. Mes guides, ou ceux de ma patiente (je n'étais pas capable à cette époque de les distinguer les uns des autres), m'en empêchèrent. C'était la première fois qu'une telle chose m'arrivait et je n'oublierai jamais ce que je ressentis. Tout se passait comme si un professeur, debout derrière moi, me tenait par les poignets et déplaçait mes mains pour les placer où il le désirait, à la distance qu'il choisissait. Mes mains furent donc ramenées légèrement en arrière et écartées, sans cesser pour autant d'entourer l'orteil malade. Le rayon couleur d'acier poli avait disparu. Pendant un temps que je suis incapable de déterminer – peut-être une fraction de seconde, peut-être deux ou trois secondes – il n'y eut plus aucun rayonnement. Puis mes mains se remirent à canaliser une douce énergie nacrée, très jolie, assez semblable à un nuage ou à une boule de coton, calmant instantanément la douleur. Chaque fois que je voulais bouger, cela m'était impossible. Les guides célestes, serrés contre moi, me retenaient par derrière et sur les côtés. La lame de poignard revint, moins brillante et moins coupante que la première fois, cependant. Puis à nouveau le doux nuage nacré, lénitif, apaisant. J'étais branchée sur deux fréquences, canalisant tantôt l'une (le laser pour brûler l'infection) tantôt l'autre (le pansement apaisant, permettant à la patiente de supporter les coups de lance du rayon).

J'étais épuisée. Mais les guides me soutenaient et, lorsque je flanchais, ils me portaient littéralement à bout de bras et m'exhortaient à me remettre au travail sur cette femme qui me regardait comme si j'étais moi-même un ange.

Il y a certainement urgence, pensai-je, pour que les guides soient aussi concentrés et aussi attentifs. Effectivement, cette dame m'apprit plus tard qu'il était question de gangrène. Ces séries de magnétisations alternées – un bref coup de laser, un long nuage calmant – se révélèrent très efficaces. L'infection se transforma en plaie saine qui cicatrisa normalement, et personne ne parla plus d'amputation.

J'étais « aux anges », c'est le cas de le dire ! Aussi surexcitée qu'enthousiasmée, je tirai mon professeur dans un coin pour lui raconter, avec un flot de paroles, mon extraordinaire expérience :

– Si tu avais pu voir ça... un rayon laser... précis, coupant, étincelant !... un pouvoir incroyable s'écoulait de mes mains !

Il me regarda sous le nez.

– Et alors ?

– ... Et alors ? bredouillai-je, toute décontenancée. On allait couper l'orteil de cette pauvre femme !

– Parce que tu crois l'avoir guérie ?

– Heu..., assistée par les guides spirituels, bien sûr.

Il approuva d'un signe de tête.

– Comment désires-tu guérir les gens, par l'amour ou par les jeux de pouvoir ?

Il tourna les talons et s'éloigna sans m'adresser un regard.

Cette leçon méritée me fit beaucoup progresser. Je compris que la petite étudiante nommée Barbara Ann Brennan n'était pas encore mûre pour jongler avec les fréquences subtiles. Je n'étais pas prête psychologiquement à canaliser une telle puissance. Mon ego y prenait bien trop de plaisir : Bravo !... Aah !... Vous avez vu ce qu'elle vient de faire ?... Extraordinaire ! Stupéfiant !

Un vrai Monsieur Loyal, mon ego.

J'ai fait une longue prière au cours de laquelle j'ai renvoyé mes guides dans leurs fréquences respectives, leur expliquant la raison de cette séparation momentanée. Je n'ai plus sollicité leur concours pendant presque deux ans – deux années difficiles, apparemment « sèches », mais durant lesquelles les graines semées germaient dans l'ombre, discrètement, silencieusement. Puis un jour je me suis sentie prête. Entre-temps, j'avais appris un certain nombre de choses sur l'amour. Et maintenant, avec le recul, je sais que les chirurgiens célestes du cinquième plan étaient venus travailler pour moi ce jour-là.

La foi fondée sur la vérité, la volonté divine et l'amour confèrent un réel pouvoir. Ce pouvoir, d'habitude refoulé, se manifeste dès que nous entrons en contact avec l'étincelle divine. Cette connexion libère une grande quantité de flux vital jaillissant du cœur de l'individu, de cette zone que mon guide Heyoan appelle le Saint des Saints. Lorsqu'un guérisseur détient ces pouvoirs, c'est qu'il siège au centre de son être et que ses racines plongent dans le terreau universel.

Ces pouvoirs vous donnent la possibilité de vivre dans l'amour inconditionnel, de répondre avec amour à tout ce qui vient à vous, sans trahir votre moi pour autant. Vous n'y accéderez qu'en vous aimant d'abord vous-même et en vous maintenant dans la vérité. Vous devrez être honnête avec vous-même et avec ce que vous ressentez, veiller à votre liberté de mouvement d'un état d'amour à l'autre. Si vous fuyez vos réactions négatives et les refoulez, vous ne pourrez ni vous aimer, ni aimer les autres. Si vous les laissez venir, les reconnaissez pour ce qu'elles sont et les analysez, elles céderont la place à l'amour qui pourra alors s'écouler librement. En vous libérant de ces entraves, vous apprendrez à passer d'un niveau à l'autre d'amour intérieur. L'amour inconditionnel, c'est l'action de grâce de nos vies.

La grâce

La pratique quotidienne de la vérité, de la volonté divine et de l'amour conduisent à la foi. Et la foi donne certains pouvoirs qui sont tout simplement l'expression de l'action de grâce dans nos vies.

La grâce, c'est l'abandon total de soi à la sagesse divine. C'est la félicité, l'expérience de l'unité de toutes choses, en toute sécurité, quoi qu'il arrive. C'est savoir que toutes nos expériences, qu'elles soient plaisantes ou douloureuses, comme la maladie et la mort, ne sont que de simples leçons que nous avons programmées nous-mêmes en tant que créatures incarnées dans une forme. La grâce est une étape sur la route de notre retour à la Maison de Dieu. Selon Emmanuel :

> *L'état de grâce*
> *Pour s'accomplir,*
> *nécessite un bénéficiaire.*
>
> *Vous êtes dans la main de Dieu*
> *Et totalement aimés.*
> *Quand cet amour*
> *Peut enfin être reçu,*
> *Le cycle s'accomplit.*

Qui guérit ?

Le magnétiseur doit constamment se souvenir que le but recherché est la guérison de l'âme. Il faut comprendre la mort dans cette optique, traiter la totalité de l'être et non simplement sa présente incarnation. Un vrai guérisseur n'abandonnera donc pas la magnétisation d'un patient à sa mort physique, qu'il ne considère en aucune façon comme une fin.

Quand nous tentons de comprendre ce que nous faisons dans nos séances de thérapie, il importe de tenir compte de deux facteurs clés : primo, l'expérience de la maladie et de la souffrance est souvent un puissant outil de transformation intérieure : secundo, la mort n'est pas une tragédie mais probablement une guérison. Le thérapeute doit pouvoir vivre dans deux mondes à la fois, l'un spirituel, l'autre physique. Ce n'est qu'en demeurant centré en lui-même et en contact avec l'Univers qu'il pourra supporter ces situations éprouvantes et trouver le courage d'être confronté journellement aux souffrances de l'humanité sans basculer à son tour dans l'angoisse, le doute et le désespoir. Seule la grâce peut lui donner cette force.

Pat Rodegast a posé la question suivante à son guide céleste : « Si nous créons nous-même nos maladies, appartient-il au guérisseur de nous distraire du travail intérieur que nous devons faire sur notre structure personnelle en attaquant le mal directement à sa source, comme c'est souvent le cas dans les séances de magnétisation ? »

Voici la réponse d'Emmanuel : « Tout dépend de la raison pour laquelle cet homme ou cette femme vient te consulter. C'est à toi de te rendre compte de l'endroit où il se trouve sur le chemin de l'évolution. Tu agiras alors en conséquence, tout simplement. En fait, ta question n'en est pas une. Je te vois te creuser la cervelle et te mettre la tête à l'envers sur ce faux problème de la responsabilité du guérisseur. Que dois-je donner aux gens qui viennent me voir ? Pour être capable de les aider, quelles questions dois-je poser à mes guides spirituels et aux siens ? Sur quelles fréquences énergétiques suis-je capable de m'aligner et quelles sont celles que je ne dois pas encore aborder pour le moment ? Lorsque des flashes de vies antérieures m'arrivent, dois-je me taire ou en parler à la personne qui est étendue sur ma table ? Si je visualise une situation extrêmement dramatique ou terrifiante appartenant à une vie passée, que dois-je faire ? Si un patient qui a beaucoup lu sur les techniques de magnétisation me demande de lui poser un écran du huitième plan, faut-il envisager cette opération délicate ? etc. Par moment, ça devient chez toi une véritable obsession. Je voudrais seulement te dire que tu t'encombres l'esprit bien mal à propos. On peut ressasser ces questions indéfiniment. En fait, veux-tu que je te dise pourquoi tu rationalises de la sorte ? Pour fuir le travail sur le tas. Par crainte de l'action directe. Tu me fais penser à un boulanger qui, au lieu de descendre à son fournil pour y préparer sa pâte et allumer son four, s'installerait confortablement dans un fauteuil, sous la lampe, et lirait des tas de livres techniques sur l'art de la boulangerie, lirait les biographies de boulangers célèbres, et rêverait à la fabrication de pains extraordinaires, inventés à partir de recettes mirifiques. Pendant ce temps, le four est froid et le levain attend à côté de la farine. »

Pat (avec un faible sourire) : « Tu es en train de me dire que c'est à moi de me rendre compte de l'endroit où je me trouve sur le chemin de ma propre évolution. »

Emmanuel : « Surtout de déterminer la part de l'ego dans le processus de guérison. De quoi as-tu peur au fond ? Absolument pas de nuire à ton patient, comme tu le prétends. Tu sais fort bien – ou plus exactement un morceau de toi sait bien – que tu ne peux ni lui nuire ni le guérir. C'est lui qui se nuit à lui-même s'il choisit cette voie. C'est lui, et lui seul, qui peut se guérir par la grâce de son étincelle divine s'il est prêt pour cette étape. Ce qui te fait peur, c'est le risque d'un échec. Parce que ton ego en serait profondément humilié, tu fuis un tel risque. Alors que, dans un travail comme le nôtre, les notions de réussite et d'échec n'ont plus aucun sens. »

Pat (à voix basse) : « Je ne cherche pas particulièrement la réussite. »

Emmanuel : « Non, tu n'en es plus là. Mais ton ego n'est pas encore tout à fait au clair avec la notion d'échec. »

Pat : « Tu ne vas tout de même pas me raconter que notre rôle sur terre est d'échouer ! »

Emmanuel (riant) : « Au revoir. »

Avez-vous réellement une vocation de guérisseur ? Exercices

Jusqu'à quel point suis-je fidèle à moi-même ? Ma volonté s'aligne-t-elle réellement sur la volonté universelle ? Suis-je suffisamment aimant(e) ? Suis-je capable d'amour inconditionnel ? Ai-je bien respecté l'autorité de ceux que j'ai choisis pour enseignants ? Ai-je pu le faire sans renoncer à l'exercice de ma propre autorité intérieure ? En quoi ai-je trahi mon intégrité ? Depuis combien de temps ? Qu'ai-je le désir de créer dans ma vie ? Ce désir est-il une émanation de mon être authentique ou est-il une demande de l'ego ? Quelles sont mes limitations en tant que femme, homme, guérisseuse ou guérisseur ? Suis-je capable de respecter l'intégrité, le pouvoir personnel, la volonté et les choix de mes patients ? Est-ce que je me vois comme le canal sollicitant le pouvoir intérieur du patient, lui permettant en fin de compte de se guérir lui-même ? Quel intérêt personnel m'incite à vouloir qu'un patient soit en bonne santé ? La mort est-elle un échec pour moi ?

Définition du magnétisme – Exercices

Qu'est le magnétiseur ?
Qu'est une magnétisation ?
Quel est l'objectif essentiel d'une magnétisation ?
Qu'apporte-t-elle ?
Qui magnétise ?
Qui est magnétisé ?

Heyoan dit : « Chers lecteurs, ne vous jugez pas en fonction des questions ci-dessus. Nous marchons tous sur la route de la purification. Et l'amour est l'agent de guérison le plus puissant de tous. Ne vous rejetez pas vous-même. Ne vous dites pas que vous n'arriverez jamais à faire toutes ces choses-là. Vous le pouvez et vous le ferez, vous verrez. Il suffit de vous accepter tels que vous êtes, là où vous en êtes, de vous considérer comme parfaits dans vos imperfections. Nous, qui appartenons au monde de l'esprit, nous vous tenons en grande estime et vous respectons. Vous avez choisi de devenir des êtres physiques. Cette offrande est considérable, non seulement pour vous, mais aussi pour l'univers physique manifesté. Vos transformations personnelles sur les plans de la santé et de l'authenticité affectent votre entourage immédiat, tous les êtres sensitifs vivant sur terre, et la terre elle-même. Vous êtes tous les enfants de la terre, issus d'elle, comme elle est faite de vous. Ne l'oubliez jamais. Car nous nous dirigerons de plus en plus, dans un futur proche, vers une conscience planétaire. Vous serez alors les leaders de cette grande aventure vers la lumière. Mais ceux d'entre vous qui se lancent dans cette aventure pour la gloire seront renvoyés au bas de l'échelle et devront recommencer leur difficile ascension. Contentez-vous d'aimer – de *vous aimer*.

Rendez-vous hommage comme nous vous honorons, car nous sommes en présence du Divin quand nous avons la chance de nous rencontrer, comme c'est le cas en ce moment. Dans les bras de Dieu, vous êtes totalement aimés et protégés. Sachez-le et vous rentrerez chez vous libérés. »

Quand vous aurez compris que la vie est une pulsation énergétique, vous vous expanserez, vous serez joyeux, vous évoluerez en silence et en paix, puis vous vous contracterez à nouveau. Bien des gens en travail thérapeutique ressentent cette contraction comme une expérience négative. Non. C'est tout simplement une phase de la pulsation.

À d'autres moments, nombre d'entre vous éprouveront un bonheur ineffable, comme s'ils travaillaient en séminaire en compagnie des anges venus assister à une guérison. Le patient ressentira cette joie, lui aussi. Mais sachez bien qu'en raison même de l'état d'expansion conféré par ces hautes énergies, vous vous contracterez obligatoirement ensuite. Vous sentirez alors davantage votre conscience séparée à l'intérieur de vous. Ce phénomène est inévitable dans les premiers temps de travail intérieur. La force vive et l'intensité des énergies spirituelles libérées illuminent la substance assombrie de votre monde du dedans. À mesure que celui-ci revient à la vie, vous retrouvez toutes ses douleurs, ses colères, ses frustrations, ses angoisses, comme si elles étaient actuelles. Il se peut que vous vous disiez alors : « À quoi bon tout cela si je dois me sentir plus mal qu'avant ? » Je peux vous assurer qu'il n'en est rien. Vous devenez simplement plus sensitifs, plus perceptifs. Après avoir enduré de nombreuses expansions et contractions marquant chacune de vos étapes personnelles, vous vous rendrez compte que ces hauts et ces bas s'estompent peu à peu. Et quelques mois plus tard vous pourrez dire : « Ouf ! je suis sorti de mes montagnes russes. » Vous serez soulevés d'allégresse, comme vous l'avez été maintes fois après une expérience illuminante. Souvenez-vous : la patience est la clé de la foi.

Révision du chapitre 27

1. Quelles sont les principales qualités que doit développer un magnétiseur pour demeurer clairvoyant ?
2. Quel est le sens des mises à l'épreuve de l'ego ?

Sujets de réflexion

3. Quel a été le processus personnel de purification intérieure qui vous a conduit à l'étape actuelle de votre évolution ?
4. Vous sentez-vous prêt à pratiquer la magnétisation ? Sur quels niveaux auriques ?
5. Dans quel domaine de votre existence êtes-vous susceptible de faire mauvais usage de votre pouvoir magnétique ? Quels sont les désirs de votre moi inférieur à ce sujet ? Sur quelle croyance erronée ces désirs sont-ils fondés ? Comment pouvez-vous guérir cette partie de vous-même et vous réaligner sur votre volonté divine intérieure ?
6. Répondez aux questions du paragraphe **Exercice d'identification de vos peurs**.
7. Répondez aux questions du paragraphe **Exercice d'identification de vos croyances négatives**.
8. Faites l'exercice d'amour de soi décrit au paragraphe sur **L'amour**.
9. Répondez aux questions du paragraphe **Avez-vous réellement une vocation de guérisseur ?**

Bibliographie en langue anglaise

L. Anderson, *The Medecine Woman*, Harper & Row, New York, 1982.

Anonyme, *Some Unrecognized Factors in Medecine*, Theosophical Publishing House, Londres, 1949.

A. A. Bailey, *Esoteric Healing*, Lucis Press, Londres, 1972.

R. Bandler & J. Grinder, *Frogs into Princes*, Real People Press, Maob, Utah, 1979.

R. P. Beesely, *The Robe of Many Colours*, College of Psycho-therapeutics, Kent, G.B., 1969.

I. Bentov, *Stalking the Wild Pendulum*, Bantam Books, New York, 1977.

A. Besant & C.W. Leadbeater, *Thought-Forms*, Theosophical Publishing House, Weaton, Illinois, 1971.

N. Branden, *Honoring the Self*, Jeremy Tharcher, Boston, 1983.

B. A. Brennan, *Function of the Human Energy Field in the Dynamic Process of Health and Disease*, Institute for the New Age, New York, 1980.

R. Bruyere, *Wheels of Light*, Healing Light Center, Glendale, California, 1987.

H. S. Burr, *The Fields of Life : our Links with the Universe*, Ballantine Books, New York, 1972.

W. E. Butler, *How to Read the Aura*, Samuel Weiser, New York, 1971.

E. Callenbach, *Ectopia Emerging*, Bantam Books, New York, 1983.

E. Cayce, *Auras*, ARE Press, Virginia Beach, Virginia, 1945.

D. M. Connelly, *Traditional Acupuncture : the Law of the Five Elements*, Traditional Acupuncture Foundation, Colombia, Maryland, 1987.

G. de La Warr, *Matter in the Making*, Vincent Stuart, Londres, 1966.

J. Dintenfass, *Chiropractic, a Modern Way to Health*, Pyramid House, New York, 1970.

A. Eddington, *The Philosophy of Physical Science*, University of Michigan Press, Ann Arbor, 1958.

A. Einstein, *Out of my Later Years*, Philosophical Library, New York, 1950.

J. Gerber, *Communication with the Spirit World of God*, Johannes Gerber Memorial Foundation, Teaneck, New Jersey, 1979.

G. Harkness, *The Dark Night of the Soul*, Abingdon-Cokesbury Press, New York, 1945.

J. Harvey & C. Katz, *If I'm Successful, Why Do I Feel Like a Fake?* Saint-Martin's Press, New York, 1985.

G. Hodson, *Music-Forms*, Theosophical Publishing House, Londres, 1976.

J. Houston, *The Possible Human*, J.P. Tarcher, Los Angeles, 1982.

K. Johnson, *Celestial Bodies*, Shambhala, Berkeley, 1976.

S. Karaguella, *Breakthrough to Creativity*, De Vorss, Los Angeles, 1967.

D. Krieger, *The Therapeutic Touch*, Prentice Hall, Englewood Cliffs, New Jersey, 1979.

C. W. Leadbeater, *The Chakras*, Theosophical Publishing House, Londres, 1974.

C. W. Leadbeater, *The Science of the Sacraments*, Theosophical Publishing House, Londres, 1975.

Lawrence Le Shan, *The Medium, the Mystic and the Physicist*, Ballantine Books, New York, 1966.

S. Levine, *Who Dies?* Doubleday, New York, 1989.

J. C. Lilly, *The Center of the Cyclone*, Julian Press, New York, 1985.

Hal A. Lingerman, *The Healing Energies of Music*, Theosophical Publishing House, Londres, 1983.

W. E. Mann, *Orgone, Reich and Eros*, Simon & Schuster, New York, 1973.

G. Meek, *Healers and the Healing Process*, Theosophical Publishing House, Londres, 1977.

T. Moss, *Probability of the Impossible : Scientific Discoveries and Explorations in the Psychic World*, J.P. Tarcher, Los Angeles, 1974.

Hiroshi Motoyama, *The Functional Relationship between Yoga Asanas and Acupuncture Meridians*, I.A.R.P., Tokyo, 1979.

E. Mylonas, *A Basic Working Manual and Workbook for Helpers and Workers*, Phoenicia Pathwork Center, Phoenicia, N.Y., 1981.

H. M. Pachter, *Paracelsus : Magic into Science*, Henry Schuman, New York, 1951.

E. Pierrakos, *Guide Lectures*, Center for the Living Force, New York, 1956-1979.

J. C. Pierrakos, *The Case of the Broken Heart*, Institute for the New Age, New York, 1975.

J. C. Pierrakos, *The Core Energetic Process in Group Therapy*, Institute for the New Age, New York, 1975.

J. C. Pierrakos, *The Energy Field in Man and Nature*, Institute for the New Age, New York, 1975.

J. C. Pierrakos, *Human Energy Systems Theory*, Institute for the New Age, New York, 1975.

A. E. Powell, *The Astral Body*, Theosophical Publishing House, Londres, 1972.

A. E. Powell, *The Causal Body*, Theosophical Publishing House, Londres, 1972.

A. E. Powell, *The Etheric Double*, Theosophical Publishing House, Londres, 1973.

K. Ring, *Heading Toward Omega*, William Morrow & Co., New York, 1985.

J. Roberts, *The Nature of Personal Reality*, Bantam Books, New York, 1974.

P. Rodegast & J. Stanton, *Emmanuel's Book*, Friends of Emmanuel, New York, 1985.

W. Schutz, *Elements of Encounter*, Joy Press, Big Sur, California, 1973.

J. Schwarz, *Volontary Controls*, Dutton, New York, 1978.

J. Schwarz, *The Human Energy Systems*, Dutton, New York, 1980.

M. Scott Peck, *The Road Less Traveled*, Simon & Schuster, New York, 1978.

R. Sheldrake, *A New Science of Life*, J.P. Tarcher, Los Angeles, 1983.

R. Steiner, *The Philosophy of Spiritual Activity*, Steiner Books, Blauvelt, N.Y., 1980.

T. Surgue, *There Is a River : the Story of Edgar Cayce*, ARE Press, Virginia Beach, Virginia, 1957.

M. Talbot, *Beyond the Quantum*, Bantam Books, New York, 1988.

D. V. Tansley, *Radionics Interface with the Ether-Field*, Health Science Press, Devon, G.B., 1975.

R. Targ & K. Harary, *The Mind Race*, Ballantine Books, New York, 1984.

G. Vithoulkas, *Homeopathy, Medecine for the New Man*, Avon Books, New York, 1971.

Y. A. Vladimirov, *Ultraweak Luminescence Accompanying Biochemical Reactions*, Academy of Biological Sciences, Izdatelstvo « Naouka », Moscou, sans date.

A. Westlake, *The Pattern of Health*, Shambhala, Berkeley, 1973.

J. White & S. Krippner, *Future Science*, Anchor Books, New York, 1977.

R. Wilhelm, *The Secret of the Golden Flower*, Harcourt, Brace & World Inc., New York, 1962.

G. Zukav, *The Dancing Wu Li Masters*, William Morrow & Co., New York, 1979.

Bibliographie en langue française

G. Alexander, *Le Corps retrouvé par l'eutonie*, Tchou, Paris, 1977.

P. Andro, *Le Savoir et le don*, Denoël, Paris, 1981.

H. Benoit, *De la réalisation intérieure*, Courrier du livre, Paris, 1984.

A.-P. Boucher, *Ces mains qui vous racontent*, éd. du Jour, Montréal, 1980.

H. Bouvier, *Victoire du spirituel*, Astra, Paris, 1983.

T. Brosse, *La Conscience-énergie*, éd. Présence, Saint-Vincent-sur-Jabron, 1978.

F. Capra, *Le Tao de la physique*, Tchou, Paris, 1979.

J.-É. Charon, *J'ai vécu 15 milliards d'années*, Albin Michel, Paris, 1983.

R. Chauvin, *Certaines choses que je ne m'explique pas*, F. Beauval, La Seyne-sur-Mer, 1982.

N. Cousins, *La Volonté de guérir*, Seuil, Paris, 1980.

P. Daco, *Les Voies étonnantes de la nouvelle psychologie*, Livre-Essor, Paris, 1983.

M.N. Das & H. Gastaut, *Variations de l'activité électrique du cerveau, du cœur et des muscles au cours de la méditation et de l'extase yogique*, Masson, Paris, 1957.

M.-M. Davy, *L'Homme intérieur et ses métamorphoses*, L'Épi, Paris, 1974.

J. Fontaine, *Médecin des trois corps*, Robert Laffont, Paris, 1980.

V. Frankl, *Le Dieu inconscient*, éd. du Centurion, Paris, 1975.

É. Fromm, *Le Langage oublié*, Payot, Paris, 1953.

L. Gérardin, *Le Biofeedback*, Retz, Paris, 1978.

J. Graven, *La Pensée non humaine*, Encyclopédie Planète, Paris, 1963.

J. Guesné, *Le Grand Passage*, Courrier du livre, Paris, 1978.

L. Kervran, *Transmutations à faible énergie*, Maloine, Paris, 1972.

J. Kingston, *Les Médecines parallèles*, Livre de Paris, Bagneux, 1980.

S. Krippner & D. Rubin, *L'Effet Kirlian*, Sand, Paris, 1985.

G. Lemaire, *Guérisseur*, Astra, Paris, 1983.

R. Linssen, *L'Homme transfini*, Courrier du livre, Paris, 1984.

A. Lowen, *La Dépression nerveuse et le corps*, Tchou, Paris, 1975.

A. Lowen, *La Bioénergie*, Tchou, Paris, 1976.

S. Lupasco, *L'Énergie et la matière psychique*, Julliard, Paris, 1974.

A. Meurois-Givaudan, *Récits d'un voyageur de l'astral*, Debresse, Paris, 1980.

A. Michel, *Les Certitudes irrationnelles*, éd. Planète, Paris, 1967.

T. Namikoshi, *Shiatsu + Stretching*, Retz, Paris, 1987.

R. Pérot, *L'Effet P.K. ou l'Action de l'esprit sur la matière*, Rombaldi, Paris, 1980.

A. Pérusse, *Aura et bioénergie*, P.A. Nauge, Mogneville, 1984.

B. Pullman, *La Biochimie électronique*, P.U.F., Paris, 1963.

R. Ruyer, *La Gnose de Princeton*, Fayard, Paris, 1974.

Satprem, *Le Mental des cellules*, Robert Laffont, Paris, 1981.

C. Simonton, *Guérir envers et contre tout*, L'Épi, Paris, 1983.

P. Sollier, *Les Phénomènes d'autoscopie*, Félix Alcan, Paris, 1903.

D. Splangler, *Naissance d'un nouvel âge*, Y. Michel, Chamarande, 1982.

J. Stearn, *Edgar Cayce, le prophète*, Sand, Paris, 1985.

S. Tenenbaum, *Guide pratique des médecines douces*, Retz, Paris, 1984.

G.N.M. Tyrrell, *Au-delà du conscient*, P.B.F., Paris, 1970.

G. & B. Veraldi, *Psychologie de la création*, Centre de promotion de la lecture, Paris, 1972.

J.-L. Victor, *Nous sommes tous médiums*, Pygmalion, Paris, 1979.

B. Woestelandt, *De l'homme-cancer à l'homme-dieu*, Dervy-Livres, Paris, 1986.

Liste des exercices pratiques

Table des matières

SIXIÈME PARTIE

L'AUTOGUÉRISON ET LE GUÉRISSEUR SPIRITUEL

Achevé d'imprimer en novembre 1994
sur système Variquik
par l'imprimerie SAGIM
à Courtry

Imprimé en France

Dépôt légal : novembre 1994
N° d'impression : 1002

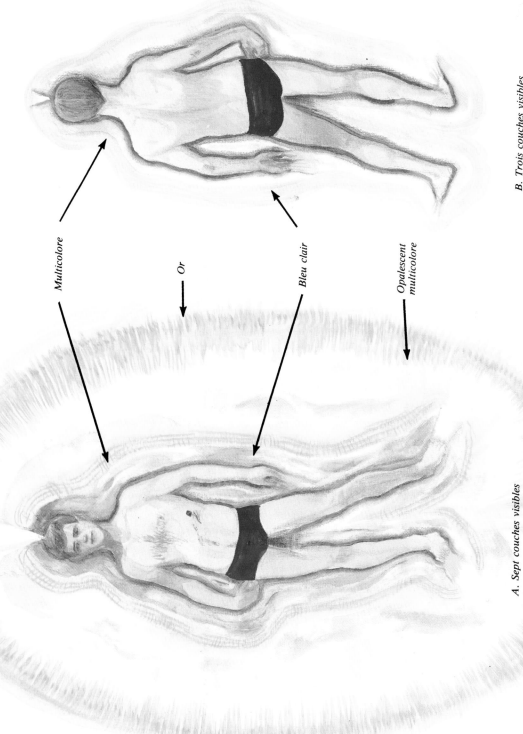

Multicolore

Or

Bleu clair

Opalescent
multicolore

B. Trois couches visibles

A. Sept couches visibles

Figure 7–1: L'aura normale

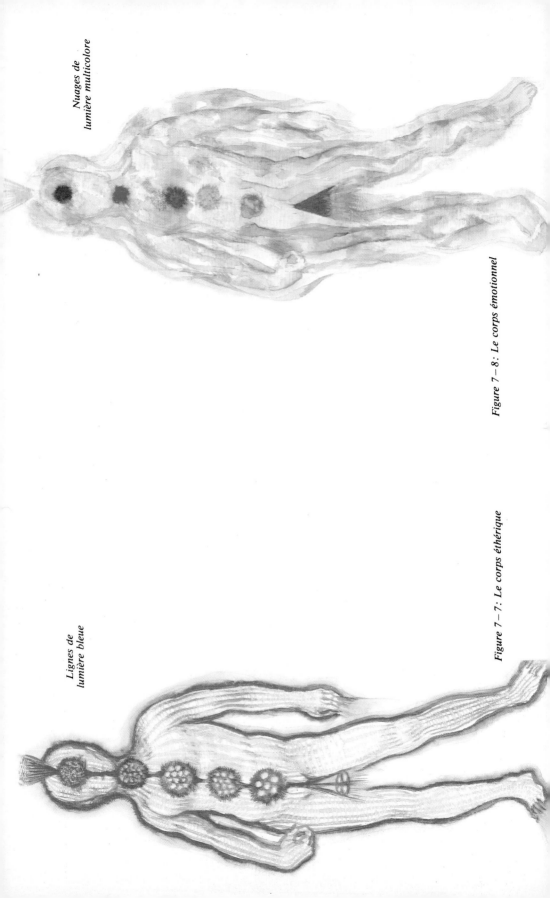

Nuages de
lumière multicolore

Figure 7 – 8 : Le corps émotionnel

Lignes de
lumière bleue

Figure 7 – 7 : Le corps éthérique

Nuages de
lumière multicolore

Figure 7 – 10: Le corps astral

Lignes de
lumière jaune

Figure 7 – 9: Le corps mental

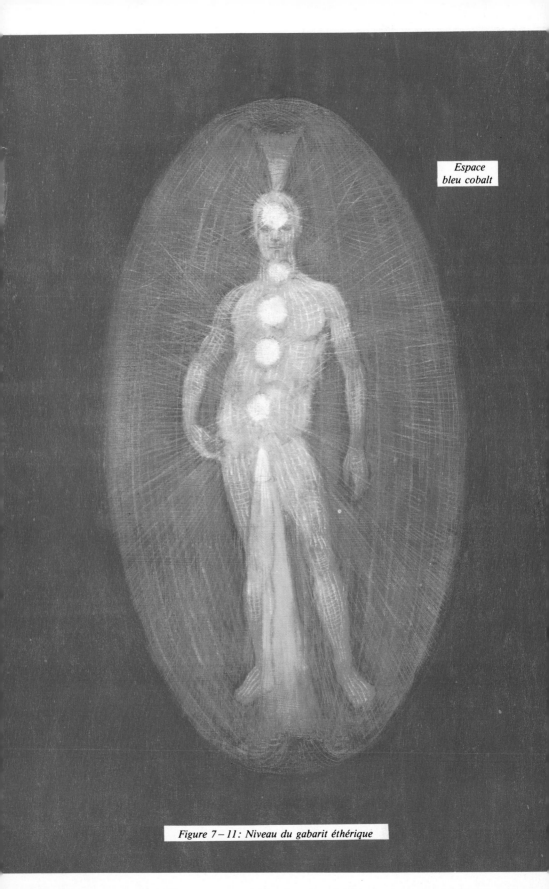

Espace
bleu cobalt

Figure 7−11: Niveau du gabarit éthérique

Fils de lumière
dorée

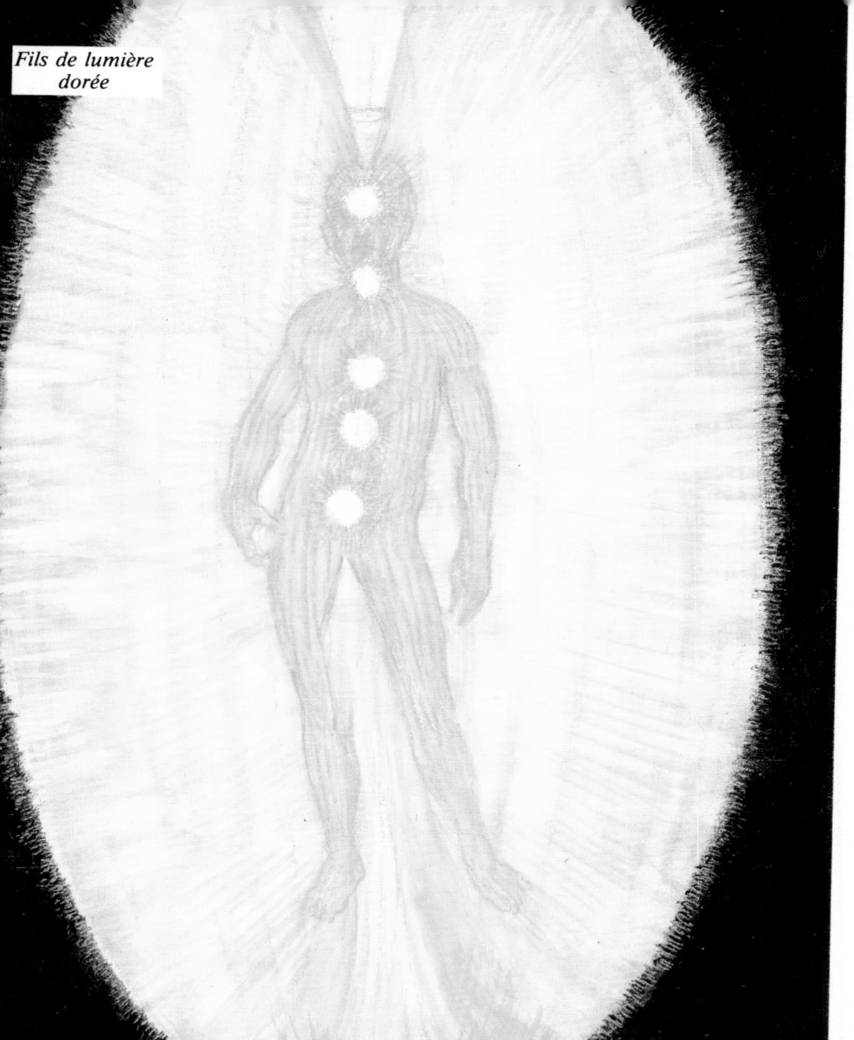

Figure 7 – 13: Niveau du gabarit kéthérique

Rayons de lumière
irridescente

Figure 7 – 12: Le corps céleste

A. Aura normale

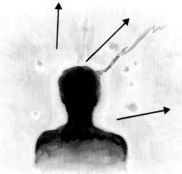

B. Musicien en train
de jouer

C. Homme discutant
de son sujet favori

D. Homme parlant avec
passion d'éducation

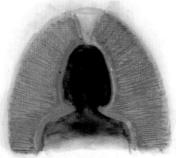

E. Femme après un cours sur
l'énergétique du cœur

F. Homme portant souvent
une chemise de cette couleur

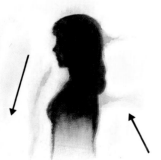

G. Femme méditant pour
étendre son champ

H. Femme enceinte,
les couleurs pastel sont souvent
associées à la féminité

Figure 11 – 1: Auras en mouvement

*A. Enfant de onze
ans jouant*

*B. Femme éprouvant de violents
sentiments liés à la mort de son père*

C. Colère exprimée

D. Colère rentrée

*E. Mucus éthérique dû
à l'usage de cocaïne*

*F. Homme ayant pris
beaucoup de LSD*

*G. Homme ayant toujours
tenu la tête penchée*

*H. L'aura semble avoir
du poids*

Figure 11 – 2: Auras observées en séances de thérapie

*Figure 11 – 5: Femme se défendant en créant un
nuage rose d'énergie*

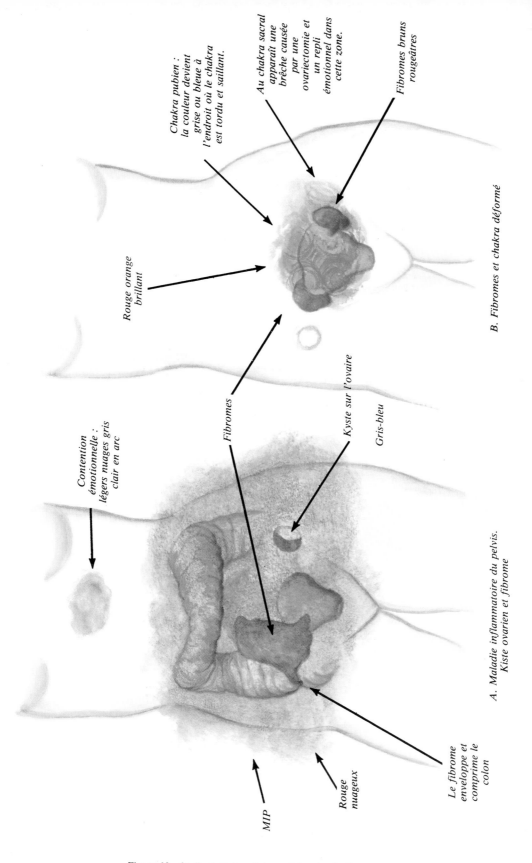

Chakra pubien :
la couleur devient
grise ou bleue à
l'endroit où le chakra
est tordu et saillant.

Au chakra sacral
apparaît une
brèche causée
par une
ovariectomie et
un repli
émotionnel dans
cette zone.

Fibromes bruns
rougeâtres

Rouge orange
brillant

B. Fibromes et chakra déformé

Kyste sur l'ovaire

Gris-bleu

Fibromes

Contention
émotionnelle :
légers nuages gris
clair en arc

Le fibrome
enveloppe et
comprime le
colon

A. Maladie inflammatoire du pelvis.
Kiste ovarien et fibrome

MIP

Rouge
nuageux

Figure 18 – 3 : Exploitation interne (planche de diagnostic)

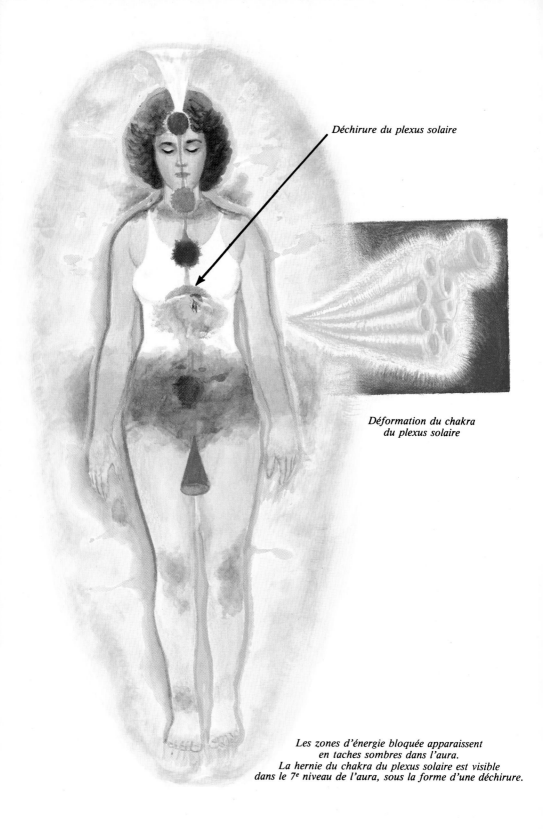

Déchirure du plexus solaire

Déformation du chakra
du plexus solaire

Les zones d'énergie bloquée apparaissent
en taches sombres dans l'aura.
La hernie du chakra du plexus solaire est visible
dans le 7e niveau de l'aura, sous la forme d'une déchirure.

Figure 22 – 4: Aura du patient avant le travail de magnétisation.
En encart, à droite: hernie étranglée dans
le chakra du plexus solaire

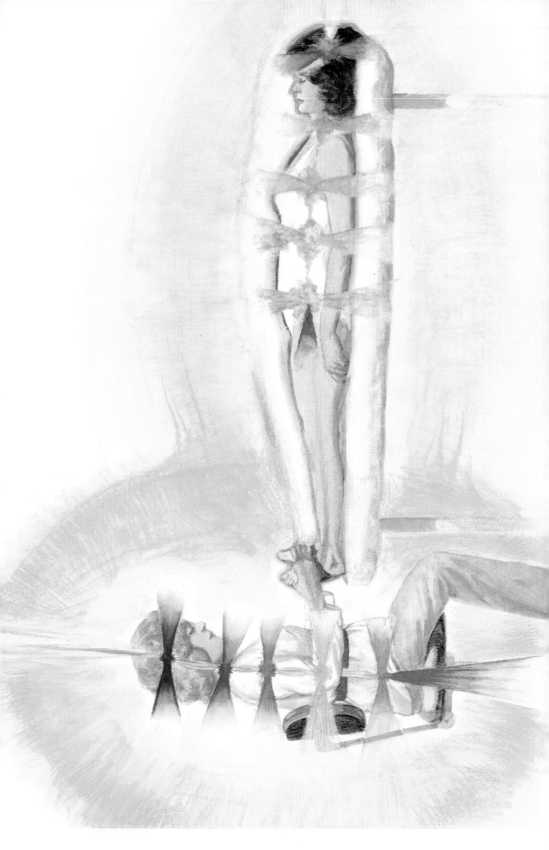

Figure 22 – 6: Equilibrage du champ aurique du patient,
du magnétiseur et du champ d'énergie universelle

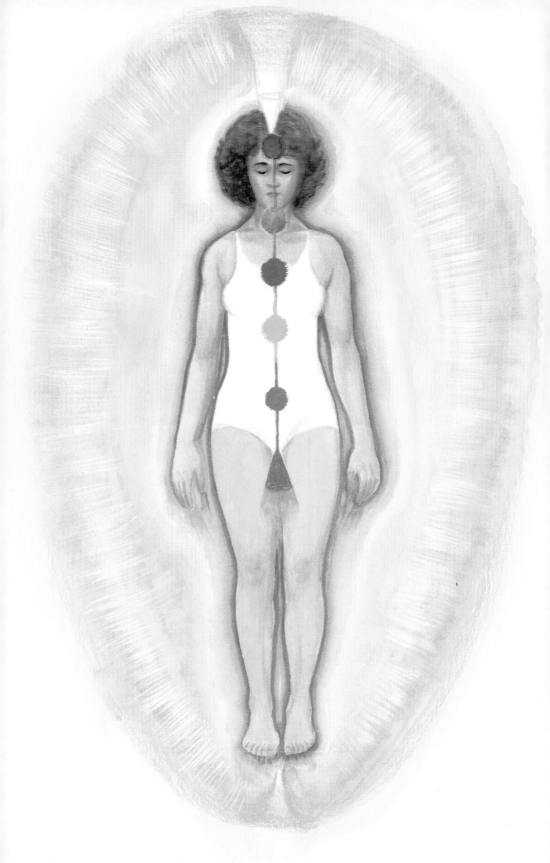

Figure 22 – 20: Aura de la patiente après la magnétisation

Figure 22 – 21: Mise en place d'un écran au huitième niveau, montrant l'écran bleu inséré dans le cou. La patiente est hors de son corps, sur la droite; sa mère défunte, à gauche, participe au traitement

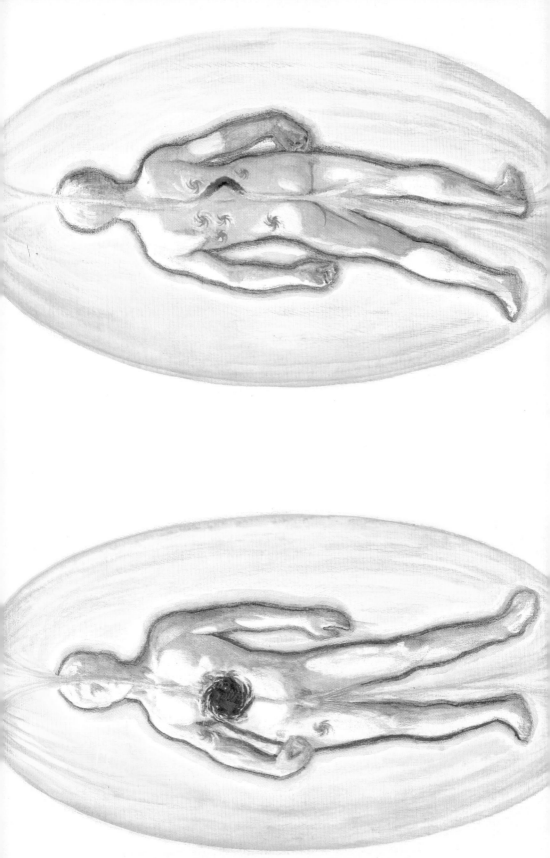

Figure 24 – 1: Trauma d'une vie antérieure dans l'aura montrant une blessure rouge foncé à gauche et une déviation du courant de force vertical vers la droite

*Figure 24 – 2: Extraction du mucus aurique à l'aide d'un cristal
qui accroche le mucus pour le retirer*

Figure 24 – 6: Les mains de lumière